孜扶 —— 著

目錄

序

近年市民飽經滄桑，往昔常態變得虛無飄渺，如煙往事足以編撰成二十六篇小說，述說彼時此地盛世楚情。筆者審時度勢，將二十三篇小說公諸同好，只因《文學懼蛀》。

〈蹉跎〉：式微的修錶檔、盛行的咖啡店、苟存的影樓匯聚唐樓經營，三者互惠互利。舊行業經不起時代變遷，新興行業也敵不過重建，面臨同一厄運。分離前，咖啡店東主自揭與影樓之間一段不為人知的關係。

〈仨〉：放縱不羈的攝影師、墨守成規的老師與救急扶危的飛行服務隊空勤主任是舊同學，三人命運糾纏，衍生悲劇，空勤主任魂斷大澳。

〈離散〉：元朗郵差和鄉郊社工惺惺相惜，社工在新界東北發展事件中為民請命，一時失去自由，男友愛莫能助。

〈天各一方〉：兒時在中國求學的越南學生與老師隔別半個世紀後重逢，碰上前赴廣西交流的香港學生，交織成中、港、越三地的師生情。

〈不撓〉：傑出留學生和長洲包山王先後傷殘，瞎子和跛子倆互助互勉，走出人生低谷。

〈破舊〉：文天祥的詩詞膾炙人口，宋帝與香港的淵源卻鮮為人知，直至宋朝文物在九龍城出土，一度引起社會關注古蹟文物的保育。

〈無國界〉：作為世界公民，有香港人特地前往貧窮落後的柬埔寨，守護當地生活逼人的孩子。

〈人約黃昏〉：西環發生塌樹意外，飯店老闆痛失妻兒，人到中年，邂逅離婚婦人，譜出一段黃昏戀。

〈立錐之地〉：運用抽離的手法詮釋切實的土地和房屋問題，讀起來趣味盎然。

〈鶴唳〉：超強颱風「山竹」襲港，臺灣遊客見證災情及亂局，關懷基

層港童，展現天災無情、人間有情。

〈沉淪〉：巴士翻車意外，傷亡枕藉。司機鋃鐺入獄，其妻同負一軛，家庭擔子和罪疚感與日俱增。她患上抑鬱症，直至放下執著，心坎放晴。

〈濁世〉：速食文化、用完即棄的消費模式、大白象工程等破壞環境及海洋生態，塑膠垃圾危害海洋生物。污染問題日益嚴重，潛水員和旅遊記者藉工作避世。

〈際會〉：上一代中港買賣婚姻普遍。現今中港互通，大學校園孕育異地情緣，還有介紹所撮合佳偶，締結了不少中港婚姻，加快兩地融合。

〈市井〉：大學畢業生身價貶值，人浮於事。有的創業當老闆，有的劏豬賣菜當小販，在領展的霸權下逆境求存。

〈作樂〉：在物資匱乏的年代，簡單的玩物足以令孩童樂在其中。玩具也許會失去吸引力，滿載的感情卻長存不朽。現實世界比故弄玄虛的魔術虛假，魔術反而實實在在，與眾同樂。兒時玩意潛藏主人的情意結，世代相傳。

〈看重〉：有關部門行政失當，殃及大埔小白鷺。獸醫拋開現代的審美觀，垂青事件中挺身守護動物的善良少女。

〈崢嶸〉：高齡馬拉松跑手、全職單車手、中風病人皆鬥志頑強。長跑背後，他另有隱衷；騎單車的途上，她歷盡坎坷；復康運動中，他未曾退縮。在人生路上，有人倒下，有人迎難而上，朝著標竿直跑。

〈藩籬〉：社會動盪，群眾歷盡憂患，在香港人的集體回憶中留下不可磨滅的烙印。

〈燎原〉：「沙士」給予香港沉痛的教訓。十七年後，新型冠狀病毒襲港，縱有前車可鑑，無助控制症情。疫症與日俱增，悲情籠罩全城。

〈守株〉：蛇舖少東營商有道，建立鰻魚料理飲食集團，事業被金融海嘯淹沒，全家流離失所，一家之主為家人逆來順受。舊同學由學徒做起，全憑將勤補拙，晉升為行政總廚。事業如日方中，他考慮提早退休，全然投入助人的義廚服務。

〈留盼〉：她尋回失蹤的鸚鵡，締結一段情緣。她大病痊癒，尋回失

散的親人。她登上接送機場員工的巴士，一去不復還。

〈流逝〉：年月過去，鴨脷洲船排廠由盛轉衰，家傳跌打醫館轉型為中醫骨傷科傳承。香港仔簷篷倒塌意外事過境遷，塗鴉藝術活化舊社區，港島南區耳目一新。

〈依傍〉：稚女因外觀缺陷遭遺棄，寄養家長悉心教養，匡扶成長。長輩寄居院舍，在新界東北發展計劃下臨老遷居。親母要求領回女兒，何去何從？

〈何曾〉：煤氣技工邂逅社康護士，志趣相投。有緣相愛，無緣長相廝守。

〈寒噤〉：在疫情和政情的雙重打擊下百業蕭條，僱主紛紛結束生意，僱員相繼被裁，轉行的轉行、失業的失業、移民的移民、消失的消失。

〈絕響〉：一改寫實風格，現實生活與虛擬世界相互交錯。

蹉跎

（一）

滴答，滴答……鐘錶面上律動的指針一短兩長，長針一粗一幼，儼如揮灑中的刀劍，每時每分每秒宰殺光陰。

（二）

青草遍地，小黃菊茁壯成長，為綠野增添奪目的色彩。潔白的玉蘭花芬芳馥郁，香氣襲人。串錢柳枝條柔弱，宛如垂柳，枝頭懸掛著艷麗的花蕊，狀似鮮紅的毛刷。春末夏初花草盛放，生機勃勃，蚯蚓翻弄泥土，為大自然出一分力，螞蟻來湊熱鬧，步伐與香港人一樣急促。麻雀寓覓食於自娛，在如茵的芳草上躍動。鵲鴝豎起尾巴詠唱，鳴聲悅耳。山溪旁鳥語花香，長者清早聚首，氣定神閒地耍太極：七星勢、攬雀尾、斜飛勢……白鶴晾翅、抱虎歸山、野馬分鬃……招式看來散漫，實質變化多端，步法輕盈又不失穩重靈巧，輕柔推手和撥掌之間呼呼生風，旁邊的串錢柳迎風搖曳。他們的功夫柔中帶剛，輕鬆自如卻不失威武。

（三）

咖啡店位於二樓，裝修簡樸，粗糙的牆壁上有零散的乾花布置，掛牆層架上擺設七彩玻璃樽，窗邊有翠綠的盆栽點綴，露臺清雅，竹棚長滿攀藤。紅磚築成的水吧外放置原木製造的桌椅，並以載有古典花紋圖案的鑄鐵欄杆分隔，在花形馬賽克燈罩和葵葉吊扇的掩映下，倍覺景致優雅。座位疏落有致，客人可以在舒適的空間逗留，一邊享用濃郁芳香的咖啡，一邊閱讀或上網瀏覽，又或與朋友談天。在城市中的綠洲慢活，無疑是一件賞心樂事。

（四）

酷熱警告持續多天，室外溫度與熱廚房不遑多讓，世勛如常在街上幹活。每天朝十晚七，他在沙塵滾滾的馬路邊守株待兔，靜候顧客出現。世勛穿著寬鬆透氣的運動衣服，但不消一會兒便汗流浹背，衫褲濕透。他預備了小型電風扇、清水和毛巾，頻密喝水又用濕毛巾抹臉，若汗臭難耐，即場更換上衣。世勛皮膚黝黑，架著太陽眼鏡，一身輕便裝束，穿著拖鞋，看似救生員，拯救的是不一樣的生命，他能夠起死回生。

（五）

街道熙來攘往，兩三人在一旁排隊，途人以為他們輪候使用櫃員機，其實在等候更換手錶的電池或錶帶。修錶檔的面積比梳妝枱椅還小，不足三平方呎，正面和兩側分別豎起玻璃纖維板，頂部和內籠橫放纖維板，構成一個窗櫥。窗櫥上擺放著小巧鬧鐘和巨型水壺，內部層板堆滿錶帶，鋼帶和皮帶分開存放，款式和尺碼繁多，並有不同型號的手錶電池。撬刀、鑷子、螺絲起子、橡皮吹塵器、機芯座和壓錶蓋機錯落在枱面上，抽屜承載著各式各樣的零件，下方則收藏了一張平板方櫈。除了如廁、用膳之外，世勛寸步不離攤檔，閒來無事把弄手機，看看新聞、聽聽音樂。小生意不用宣傳，他安坐守候，半小時內已經完成了多樁交易。

（六）

鬧鐘一響，老婆婆應聲按停響鬧，晚上悶熱使她徹夜難眠，故多睡片刻。從夢中乍醒，她瞥了手錶一眼，梳洗後踏出家門。學員散布晨運園地，平日互相打個照面，今日眾人對婆婆面面相覷。她不以為意，聽候教練召集操練「八段錦」熱身。未幾，教練宣告太極班到此為止，學員可以下課。教練率先離開，同學相繼散去，老婆婆滿腦子疑團，看清楚手錶，七時而已。相熟的助教好奇問她：「婆婆，今朝賴床？」

「與平日同一時間起床。」

助教莫名其妙卻不求甚解，笑說：「明天見。」

婆婆亦莫名其妙也不求甚解，答道：「明天見。」

老婆婆逕自前往粥店，坐下來觀望牆上標示的價目，赫然發現掛牆

鐘的時間為八時半，隨即回望自己的腕錶，恍然大悟。

「不偏不倚慢了整整一小時！」她回想朝早出門的異常情景，不見長者在大堂輪候領取免費報紙而升降機的乘客一概是上班族群，自己竟懵然不知。

（七）

正午婆婆離開長者中心，打著傘到附近唐樓找修錶檔，修錶匠比想像中年輕，他在烈日當空的環境下埋頭苦幹。男顧客嫌鋼錶帶太寬鬆，世勛打量錶帶與客人手腕之間的空隙，然後用撬刀取出其中一枝彈簧棒，把錶帶減去一節後安裝彈簧棒回到原位。客人戴起手錶，嘖嘖稱讚：「好小子，手法比老師傅更純熟俐落。」

「誇獎了。」

顧客付款後離去。

「婆婆，暑氣騰騰，不要在街上流連。」

「要不是錶壞了，怎會千辛萬苦來找你。」她自動除下手錶，告訴他：「足足慢了一句鐘。」

「讓我檢查一下，」他打開錶蓋考量，回話：「更換電池便可。」

「多少錢？」

「二十五元。婆婆，長者享優惠，減收十元。」

「好。」

不一會，世勛換上新電池，瞧著小鬧鐘調較時間。他交還手錶，她繳付二十元，找零錢時發覺對方大汗淋漓，連隨從環保袋中拿出一支剛買的飲品，說：「請你喝涼茶，消暑解渴。」

他婉拒：「婆婆自用吧。」

「小意思！」婆婆放下飲品。

盛情難卻，世勛只好道謝。婆婆走了，他拿起涼茶——川貝雪梨海底椰，包裝袋內留下收據，價值二十六元。

（八）

天文臺連續五日發出酷熱天氣警告，市區氣溫普遍為攝氏三十三

度，個別地區更高達三十五度。新聞報道一名中年紮鐵工人在建築地盤頂層工作時體力不支倒地，最終不治，估計中暑致命。為求生計，工人已經不辭勞苦，還要付出生命，其家人日後的生活堪虞。世勛感到唏噓，自身同樣要戶外工作，明白到生活逼人，故此他略盡綿力，趁未有客人，走入便利店捐款到報館指定的銀行戶口，援助不幸家庭。

現代人無不追求舒適的生活，天氣越熱，樓上咖啡店的生意越好。樓上和樓下判若雲泥，彷彿顧客在天堂享樂，世勛留在地獄折騰。咖啡店招徠客人，偶爾為修錶檔帶來生意，恍似天使來訪。

（九）

芊萃在地產暢旺時任職地產代理，賺得豐厚的佣金，接著創業，開設了「千秋」咖啡店。店內掛著一個褐色金字頂的屋形時鐘，鐘面下方有一根鐘擺，上方有一扇窗。每逢整點，窗戶自動開啟，一隻仿真的布穀鳥出來報時，發出「唂咕、唂咕」的鳴聲。

芊萃問：「今朝唂咕鐘有報時嗎？」

「整個早上『唂咕、唂咕』。」伙計嬉皮笑臉按著自己的大肚子。

老闆雙手叉腰，伙計才正經回答：「若有若無。」

「模棱兩可，究竟有無？」

他支吾其詞，女伙計幫腔解答：「整個早上沒有報時。」

「為何不通知我？」

「──」

不等回應，芊萃吩咐伙計卸下掛鐘，親自拿到樓下修理。

「世勛，我的唂咕鐘失去報時功能，請你幫忙修復。」

「我嘗試維修吧。」

「謝謝！上來喝咖啡。」

「不用了。」

「不便的話，我派人送給你。」

「不必麻煩伙計，過一會我上去『千秋』。」

「也好。」

（十）

世勛推門而入，芊萃迎上前接待：「隨便坐。」

午市過後，客人寥落，他選擇露臺的座位。

「那裡沒有空調，室內較舒適。」

「不怕，我習慣了，反而太舒服，稍後不想回去工作。」其實他顧慮自己一身臭汗會影響到其他顧客的食慾。

「你要 Café Latte？」

「嗯。」

「我為你親自炮製。」

「有勞。」

沒多久，芊萃端來兩杯咖啡和一碟 Macaron，當中的 Cappuccino 留給自己。

「這拉花別出心裁。」

「特別為你而設的錶面拉花。」

「為甚麼時間是 2:53？純粹基於美感？」

「美感實屬次要，2:53 是你剛才踏入來的時間。」

「虧妳留意！」他享用香醇幼滑的咖啡。

「Time is money！」

「不錯，時間就是金錢。」

「世勛，Macaron 由法國空運來港，一起品嚐。」芊萃先呷一口咖啡，唇邊沾上少許奶沫。

紅玫瑰、檸檬、藍莓、綠茶、朱古力和杏仁的味道紛陳，世勛挑選一塊黃色的 Macaron，一口咬下，讚賞：「外酥內軟，清新味美。」

「喜歡的話，以後要多上來。」

「當然，當然。」

（十一）

世勛由「千秋」踏出來，迎面是「歲月」影樓，老闆叫喚：「世勛，入來，我有東西給你。」

「述嬸。」他走進去。

「你久沒上來探望了。」

「不是天天在樓下碰面了嗎？」

「我是長輩，等你來拜訪。」

「晚輩拜候述嬸。」

「乖！請你吃西瓜。」她捧來一碟切好的西瓜，略述：「馬來西亞出產，爽甜無核。」

「怎好意思？」

「看著你長大，還跟我客氣。」

「留給天良吧。」

「他出勤，一整天當婚禮攝影師。」

「真勤力。」

「時勢使然，影樓生意有限，非接戶外攝影幫補不可。」

「修錶業何嘗不是慘淡經營，時代變了，修錶被潮流淘汰。」

「人家學歷低，或者改過自新的釋囚，也未必肯加入這冷門行業。你可不同，香港大學理學士、教育碩士，不走康莊大道，偏要走羊腸小徑，自討苦吃。」

「人各有志，不是有會考狀元捨棄高薪厚職去當巴士司機嗎？」

「話雖如此，學以致用才不白費。」

「修理手錶不就是應用物理？」

「畢竟大材小用。」

「學歷不能保證持有人能夠盡展所長，只要有機會發揮才能便值得感恩。」

「我弄不清楚，應該替你不值還是感恩？」

「述嬸，西瓜很甜，多謝妳！是時候回去工作了，下次再聊天。」

「隨時恭候。」

（十二）

影樓由老闆夫婦共同創立，後來風生水起，老闆搞婚外情，知情的

街坊向老闆娘告密。老闆直認不諱，夫婦倆離婚兼拆夥，獨子交由老闆娘撫養，條件是老闆退出，店舖由老闆娘全權打理。也許她不再相信天長地久，「天長」照相館易名，讓「歲月」影樓為客人的歲月留痕。

　　無論「天長」抑或「歲月」，世勖也曾在裡面拍過照，嬰兒相、「全家福」、證件相、學生相、畢業相和求職相，以及沖曬過無數自行拍攝的日常生活和旅遊相片，留下過去值得紀念的重要時刻。現在修錶佔據了他的人生，回到檔子，一名熟客正在等候。

　　「世勖，以為你離開片刻。」

　　「對不起！何伯，有何要事？」

　　他向世勖傾訴：「下午我在地鐵月臺被人撞倒，莽漢衝入車廂一走了之，我給他害苦。」

　　「撞倒長者後不顧而去，太過分了！你受傷？」

　　「手腕疼痛。」何伯顯示傷勢。

　　「瘀腫了，快找醫生治理。」

　　「不用擔心，我並無大礙，回家用跌打酒塗抹便可散瘀消腫，反而我的手錶傷得更重。」

　　「玻璃錶面刮花不算太嚴重，毋須更換，打磨一下便成。」他反轉手錶，輕輕按在磨床上拋光，一陣子錶面光滑如新。

　　何伯戴起手錶，開心不已，説道：「錶面煥然一新，比之前更明亮。多少錢？」

　　「你無辜遭殃，不要再破財。」

　　「做生意豈能不收錢？」

　　「真的免費，下次惠顧便是。」

　　「那麼明天不要吃早餐，我請你吃點心。」

　　「怎好意思？」

　　「總要禮尚往來。」

　　「多謝你，何伯。」

（十三）

世勛忙於應付當前的業務，無暇專注哈咕鐘的維修，為免耽擱「千秋」的時間，他攜帶掛鐘回家修理。時鐘失去報時功能，一概與時間功能無關，只是報時的機件出現機械故障。世勛運用物理知識，花了整整一夜，布穀鳥終可按時出動報時，「哈咕、哈咕」作響。

翌日何伯來到修錶檔，放下一袋熱騰騰的點心，對世勛說：「吃完早餐才開工。」

世勛打開一看，內有蝦餃、燒賣和粉果。

「謝謝！這麼多點心，倒不如拿回家給孫兒吃。」

「他們已上學，你要幹活，只怕不夠。」

「怎會？何伯，您的傷勢如何？」

「好轉了，多謝關心。你慢慢吃，我去賽馬會。」

「少賭怡情、大賭亂性！」

「早已戒賭，我去賽馬會診所。」

「噢，誤會了。」

（十四）

芊萃上班，途經世勛的錶檔。

「早晨！世勛。」

「芊萃，早晨！哈咕鐘修好了。」他展示掛鐘。

「這麼快。」

「Time is money，豈可蹉跎？」

「哈哈！多少錢？」

「妳經常請我吃喝，辦小事兒算得甚麼？」

「那麼我不客氣了。中午有客人包場舉行活動，我預留一份食物給你。」

「今朝街坊請吃點心，加上妳的美食，供應兩餐，幫我節省伙食費。」

「你做生意，不時減免費用，賺取不少人心。」

「人情無價啊！」

（十五）

世勛與手錶結緣始於小學六年級，他接連考獲全級第一名，父親兌現獎勵的承諾，從此錶不離手。深藍色錶面的鋼錶使他增添了幾分男兒魅力和自信，但錶身太厚兼笨重，並且不時失靈，屢次拿回錶行修理，令他又愛又恨。手錶由學業上的戰利品轉化為隨身必備的物品，它提示時間，歲月流金。世勛擁有過光輝歲月，學業成績驕人，入讀大學醉心的學科，探究物理的奧秘，並以一級榮譽畢業。之後他成為中學老師，有志培育學生，傳承科學知識。

（十六）

廚師烹調香料，爐頭突然搶火，燃著抽油煙槽的油漬，冒出大量濃煙，客人匆匆走避，店員紛紛疏散。天良正在影樓工作，聽聞咖啡店擾擾攘攘，散發煙臭味，立即拿起滅火筒，衝入「千秋」，協助撲滅火種。

「怎麼了？」世勛得悉樓上失火，上門了解。

店員忙於善後，芊萃答話：「全靠天良及時撲救。」

天良回應：「鄰居理應守望相助，況且我也害怕殃及池魚。」

「嘿，真坦白。我要檢查爐具，容後再談。」芊萃前往廚房。

「對，先處理當前急務。」天良問：「世勛，生意好嗎？」

「一般。你呢？」

「影樓生意淡薄，過來『歲月』長談。」

「不打擾了，我要回去錶檔。」

「那麼下次吧。」

「好的。」

（十七）

述嬗問天良：「對面怎樣？」

「幸好火勢未擴大，輕易撲熄。」

「沒事就好。預約稍後上來拍攝家庭照的一家人表示要慶祝『金婚』紀念。」

「老夫老妻結婚五十週年，與滿堂兒孫合照的確難能可貴。」

言猶在耳，一大群客人蜂擁而至，四代同堂將近三十人令平靜的影

樓即時鬧哄哄。他們有的盛裝赴會，也有便裝到場，述嬸只需為金婚的男女主角化妝，其他家人一切從簡，服飾不變。在閃光燈和柔光傘下，天良緊密地捕捉他們溫馨動人的風姿神韻。除了大合照，各個小家庭分開拍攝，單單挑選背景和道具便花了頗長時間，連同拍照，足足消磨了一個下午。眾人齊齊參與這個親子、親孫、親曾孫的大型攝影活動，盡皆樂在其中。作為攝影師，天良背負著重大使命，為一個大家庭留下美好的歷史時刻，任重道遠。拍攝完畢，他才鬆一口氣，送別客人。

（十八）

烏雲聚攏，掩蓋上空，飛鳥預感大雨將至，從速四散，一下子天空空蕩蕩。雀鳥集體拍翼齊飛時產生了連鎖效應，雖不致於為翳侷的空氣帶來一絲涼意，但提醒了人們趕快收衫、閂窗、收檔……

世勛在街頭觀天多年，早有心得，一發覺形勢不妙，連忙收拾工具。執拾完畢，接著倒數：十、九、八……二、一、零，雨水便傾盆而下。掌握時間方面，他比任何人精準。

偏偏陰差陽錯，世勛投身修錶業——一門夕陽行業。要是三、四十年前，香港鐘錶業盛極一時，媲美今時今日的手機市道。瑞士機械錶風靡全球，價值不菲，日本電子錶則以價廉取勝，促使日本錶風行。姑勿論平貴，手錶損壞就要找錶行或路邊錶檔維修，後者好比便利店，隨街可見。修錶匠除了受聘於大錶行，可以自立門戶，而且生意滔滔，憑著這門手藝足以養妻活兒。

現今手機普及，具備時間功能，佩戴手錶的人士大幅減少。名錶依舊不乏顧客，然而廉價手錶鮮有主人花錢維修，甚至換電池亦無多。修錶業早已走下坡，無人願意入行。

（十九）

豪雨連綿，途人來去匆匆，車輛輾過馬路上的大水窪，水花四濺，人群爭相走避。雨勢加劇，街道變得水靜鵝飛，行人銷聲匿跡，部分登樓，在咖啡店歇息。惡劣天氣影響生意，它為咖啡店帶來三數避雨的顧客，卻阻礙了其他有意惠顧的客人前來，得不償失。修錶檔杳無生意，

世勛心情欠佳。他思忖，昏天暗地下留守只會徒然，但轉念考量，不管生意多或少、有或無，只是人生的一小部分。他享受街上的清靜和涼快，要不是生意欠奉，何來這閒情逸致？天意從沒作弄人，只是教人在百忙之中停一停，思想改變了，心情也就不一樣，不再跟隨天氣持續不穩，而是隨遇而安。

暴雨中有人單獨打傘趕路，熟悉的身影和久違的面孔由遠而近在世勛眼前出現。

「師傅！快過來避雨。」

他已屆古稀之年，半生從事修錶，長年累月俯首工作，走路時額頭朝地、弓腰曲背。他躡手躡腳走到騎樓底，把雨傘擱在一旁。

「世勛，有要事找你。」他勉強挺起胸膛。

「要事？」

「你幫師傅辦一件事。」

「哦。」

「老主顧周轉不靈，急於出售其古董錶套現，必須先修理好。由於原廠沒有零件可供更換，留下手錶予我處理。」他從袋子裡掏出一個錶盒，展示一隻罕見的男裝名錶，黑色閃亮的錶盤配以暗紅色三角形錶圈，錶面中央鑲了一顆珍珠，真皮錶帶些微陳舊，整體而言，完好無缺。

「這錶價值五十萬元。」

「交給我維修？」

「師傅老眼昏花，幹不了。我留給你的藏品中可能有合適的零件，只要修妥，報酬可觀。」

「師傅，我辦事，您放心。」

「你要保管妥當，別遺失。」

「這麼貴重，難保我夾帶私逃。」

「我對該客人說過相同的話，你猜他有何反應？」

世勛搖頭。

「他認為，我曉得貪婪的話便不會一輩子當街頭修錶匠。」

「他說得對，除了老實人，誰願意當這苦差？」

「可惜不是苦盡『金』來。」當師傅提到「金」字，拇指和食指作勢揉捏。

世勛一笑，說：「雨勢開始減弱，過多一會兒，我們上酒樓。」

「倒不如惠顧大牌檔？」

「再下雨將會很狼狽。」

「不怕，有帳篷遮風擋雨。雨天生意冷清，讓大牌檔多做生意。」

「好主意！」

（二十）

三年前，天良的腰背和臀部間歇疼痛，起初以為只是一時扭傷，日後自然會好轉。可是，情況不但沒有改善反而加劇，清晨時分背部額外僵直。後來胸部和頸椎也疼痛和僵硬，他先後找家庭醫生、中醫師、脊醫和物理治療師求助，均無法治癒，直至轉介到骨科，才知道患上強直性脊椎炎。此後，天良要長期服用非類固醇止痛藥及生物製劑，並做水療運動，症狀得以緩和。近來病情有變，頸部繃緊，轉動頭部時劇痛，影響活動能力。由於行動不便，他不得不停止外拍，局限在室內拍攝。

隨著相片數碼化，影樓的沖曬生意早已式微，日常攝影不外乎證件相和學生相，手法千篇一律，間中接拍嬰兒相、「全家福」和結婚相，發揮空間有限。今天一對夫婦來到「歲月」，要求拍孕照留念。天良接拍過不少孕照，每次都力求創新，他發現孕婦的丈夫挺著大肚腩，斗膽提出一個新穎建議，男客人不假思索，爽快答應。除了拍攝孕婦之外，他安排夫妻合照，以背對背、面對面等不同造型來凸顯雙方的共同特徵和對稱平衡，手法兼收並蓄、剛柔並重，創造出相映成趣的效果。另外，天良運用黑白相來展露孕婦的獨特神韻，傳神之餘，富有藝術色彩。他重拾室內拍攝的樂趣，希望日後再下一城。

（二十一）

修理古董錶恍若為它做數小時大手術，期間步步為營，攤檔設於路旁，受到外在因素影響，未必能一氣呵成。曾因途人前來問路，分心丟

失一件微細零件，浪費頗長時間才尋回。受師傅所托絕對不容有失，世勛小心翼翼揭開錶蓋，與「陀飛輪」久別重逢，眼前一亮，每一次維修都是挑戰，這一次更是一個大考驗。陀飛輪設計精巧、結構複雜，叉式槓桿、游絲和擒縱系統結合在同一軸心上運行，擺輪和游絲不停旋轉，從而抵消地心吸力的影響，減低時間誤差。他仔細檢查後發現擺輪損壞，軸心亦氧化折斷，幸好藏品中有合適的擺輪可供替換，但軸心則沒有替代品。他十分惆悵，親手打磨一枝纖幼的軸心難度極高，也是無辦法當中的辦法。

師傅技藝超群，能修錶匠所不能，自製軸心是其絕招之一，不少疑難雜症交到他手上都可迎刃而解。世勛回想當年女友送贈的手錶中看不中用，慣常不準時，偏偏在她面前非戴不可。縱使錶行提供保養維修，再三修理後問題依舊，他正想另請高明，碰巧碰到一位。修錶匠炯炯有神，在錶檔埋首工作，一名婦人向他查詢某型號電池的價錢。修錶匠強調只會幫客人更換電池，不會單單出售電池。婦人知難而退，修錶匠請她留步，送上一顆電池，接著說：「雖不售賣，但可送贈。」婦人打算自行更換電池，顯然機關算盡，修錶匠竟讓她討便宜，連電池費用也省免。她毫不客氣接受贈品，說一聲多謝便離去。

修錶匠察覺世勛在旁等候，咧嘴一笑。

「老闆，我的錶越行越慢。」世勛解下手錶。

「新手錶？可以拿回錶行免費維修。」

「試過修理，問題依舊。」

「要不是送回原廠修理。」

「嫌費時失事，所以找你幫忙。」

「沒問題，承惠一百元，先付一半作訂金。」

「既已留下新錶，倒不如修好之後一次過繳交吧。」

「悉隨尊便，後天領取。」

（二十二）

少婦高呼：「有扒手！捉拿白衣男人。」

一名穿著白色上衣的男人發足狂奔，途人從後追趕，世勛目睹這場面，迅速鎖定了嫌疑人物。當他迎面經過，世勛適時伸出右腳，小偷絆倒前仆，世勛趁勢撲過去，騎在他背上，竭力壓著對方雙手。小偷奮力頑抗，差點兒脫身，幸而兩名途人趕至，合力制伏。小偷動彈不得，交由警方處置，警員從他身上搜獲一個女裝銀包。

事後世勛走到修錶檔繳付維修費，取回手錶。

「謝謝！」修錶匠豎起拇指讚揚：「剛才英勇擒賊，精神可嘉。」

「誇獎了，還要錄取口供，告辭。」

（二十三）

芊萃從述嬙口中得知天良舊病纏身，捨棄了所有戶外拍攝，長駐影樓工作。「千秋」開業時，天良義務攝影，作品充分展出咖啡店的幽雅舒適環境和精心製作的美食，用作網上推廣宣傳，有助吸引顧客到來。芊萃構思其咖啡店推出專業攝影服務，每枱食客只要消費滿指定金額，便可安排攝影師拍攝兩張相片。她與天良商量，他樂意配合，接受這份近在咫尺的兼職。天良為「千秋」布置浪漫的場景，又為客人拍照。兩人一拍即合，芊萃存心為天良另闢變相外拍的蹊徑，自己也有得益，正好一舉兩得。

（二十四）

近期不時有主人帶同寵物出入樓宇，世勛感到奇怪，除了導盲犬之外，咖啡店不接待寵物。他打聽到影樓剛推出「寵物攝影」，招徠一批新客人，主人相繼為其親密的「家庭成員」留下倩影。寵物攝影在外地蔚然成風，香港提供專業服務的影樓甚少，天良意想不到不用外拍，另類攝影足以為影樓帶來商機。大部分寵物好動，拍攝難度高，不但講究攝影技巧，攝影師要花盡心思，有耐性兼溫柔，好似對待小孩子一樣哄逗不聽從指示的動物。

天良本身有飼養貓、狗等寵物的經驗，因為長期接觸和觀察牠們的動靜，所以他善於了解寵物的性格和肢體語言，有利引導牠們配合攝影。即使拍攝時間有限，往往只得一個小時，但他並不急於拍攝。若果拍攝

對象是家犬，他會先讓狗兒在影樓內散步，適應陌生的環境，透過觸摸和按摩，讓牠嗅一下自己的氣味，憑藉短暫的相處，讓家犬建立安全感後就可輕易馴服就位。主人呼喚愛犬的名字，只能觸發一剎那注視，故此天良特地把食物或發聲玩具懸掛在相機的正上方，誘導牠們保持觀望鏡頭，又或以食物作為每次合作的獎賞。他有時暗地假裝貓叫，當狗聞聲側頭時拍下牠可愛的神態。有時將狗放在地上，以俯視的角度來凸顯其嬌小玲瓏。

換著拍攝活潑的貓兒，難保牠乖乖地停留在指定位置，天良喜歡利用毛線球來吸引牠的專注。遇著貓兒用前腿擦臉，他立刻把握時機捕捉這一刻，展露牠趣緻動人的姿態。為免背景與動物的色彩不協調，天良慣常用淨色紙作為布景，打造清新的感覺。他又巧妙運用背光的光暈來顯露貓毛的亮澤，加強純潔效果。天良大膽創新，拍攝黑貓時故意採用黑色背景，借助燈光來彰顯出黑貓獨特的詭秘氣質。寵物無奇不有，貓和狗比較普遍，其他品種包括：兔子、天竺鼠、魚、龜、青蛙和蝸牛，稀奇的有蜥蜴、蛇和蜘蛛。部分寵物樣子醜陋，甚至令人噁心，要是「主人表示」沒有毒性，天良如常拍攝，儘管寵物凶猛，他表面上仍然泰然自若，持守專業精神和態度。

為松鼠狗拍照僅相隔數天，天良接獲女主人的電話通知，「雪花」已經病歿。他與牠相處的時間短暫，然而經歷新近，印象深刻。「雪花」嬌小柔弱，反應有點遲緩卻不失乖巧機靈，好讓拍攝順利完成。天良回顧相片，深感牠生前討人喜歡，死後令人惋惜。相片載有實體的霎時紀錄，成為了另一件永久的實體，教人永誌不忘。天良體會到主人的心思，她與愛犬未能長相廝守，也要為牠拍照留念，永遠存留其面貌。他沒按慣例挑選相片，盡心修飾後悉數奉還給主人，日後可以睹物思「犬」。

（二十五）

現今社會以功利掛帥，老師要配合大勢所趨，致力訓練學生取得佳績，以及為學校增光。理論上，學生追求分數和知識沒有衝突，教授知

識和得分技巧並沒有矛盾，要不是昔日考取好成績，世勛亦未能如願修讀物理學。可是今不如昔，學生首要追求不是知識而是分數，老師的任務是培訓學生成為考試的奴隸，遏制學生的獨立思考，扼殺他們的創意空間。學校鼓吹這股歪風，得到家長附和，老師無奈夾在校方和家長之間，世勛自覺是幫兇，誤人子弟。另一方面，合約制度嚴重打擊老師的士氣，校方繼續以合約聘用，世勛對學校欠缺歸屬感，個人亦缺乏安全感。

週末，世勛懶洋洋從梳化滑下，坐在柚木地板上，雙腳伸直，把頭枕在梳化座位上。他考慮引退，找一門更適合自己的行業，一時茫無頭緒，驀地天花板出現一個閃亮的白色光影，一晃即逝。世勛興致勃勃尋找源頭，挺直腰背時光影再現，轉移到牆上。他猜到原因，一扭動左手，光影隨即消失。世勛定睛看著手錶，靈光一閃。手錶內有乾坤，他盼望探究箇中奧秘；錶芯是手錶的靈魂，他渴望與靈魂溝通。鐘錶巧妙應用物理學，無論款式新或舊，始終是精密的計時工具——刻不容緩、與時並進。自身愛好物理又鍾情於手錶，決意轉投修錶業，早前手錶經街頭修錶匠修理之後準確無誤，看來技術不錯，世勛考慮拜他為師。

（二十六）

趁修錶檔無客人，世勛上前打交道：「師傅，記得我嗎？」

「顧客眾多，你來考我的記性？」修錶匠鑒貌辨色。

「豈敢？」

「說笑而已，你是好市民，我當然記得。」修錶匠瞄了世勛的手錶一眼，問道：「有問題？」

「沒問題。」世勛直接了當提出：「恕我冒昧，我想拜師！」

修錶匠詫異：「甚麼？」

世勛重申：「前來拜師。」

「誰說我招收徒弟？」

「我自動請纓。」

「你看作興趣班？」

「不，我有意當修錶匠。」

「怎可能？這行業已經沒落，修錶匠幾乎都退下來，你竟然背道而馳！」

「人各有志。」

「你學歷低？抑或有刑事案底，無僱主肯聘用？」

「當然不是，我是中學教師，打算轉行。」

「別開玩笑，不教書？修錶！」

「我認真想跟你學藝，有空的話，今晚吃飯長談。」

「晚飯無妨。」

世勛看見攤檔告示牌的營業時間，提議：「晚上七時街頭酒樓？」

「街尾大牌檔吧。」

「好，今晚見。」

（二十七）

雙方嗜好杯中物，滿柸空酒樽，酒後暢所欲言，冷落了小菜。師傅姓李，家有妻女，女兒已婚，懷孕待產。

「我的徒弟看不到前景，一早轉行，你偏偏放棄高薪厚職，自投羅網。」

「正所謂：『不爭所爭，爭所不爭』。」

「聽不懂，甚麼爭與不爭？」

世勛淺談其人生哲學，個人價值觀不可能與普世價值完全一致，故毋須受世間浮華所牽動，爭相競逐所謂的「好」。他寧可追求心中的理想，不惜踏實苦幹。

「有意思！不過不切實際。樣本當前，我就是活生生的例證，你還要作繭自縛？」

「蛻變之後，蝴蝶便破繭而出。」

「像我一樣，蟲就是蟲，怎麼可能變成蝴蝶？」

「不爭所爭！李師傅，不與你爭論了。來，飲勝。」世勛為他添酒。

師傅喝了一大口啤酒，問世勛：「你有女友？」

「有。」

「她知道你的盤算嗎？」

「未知。若然知道，她肯定勃然大怒。」

「正常反應罷了，我的女兒當初也不希望結婚對象與我一樣沒出息。」

「怎可妄自菲薄？修錶匠獨具匠心，比教師專業，比物理學家務實。」

「高學歷的人說話與眾不同，將修錶匠美化成值得炫耀的職業，我決定收你為徒。」

「多謝師傅！我敬您一杯。」

（二十八）

寵物攝影為「歲月」開拓了新客源，業務細水流長。「千秋」不許動物內進，有意惠顧的寵物主人皆望而卻步。芊萃考慮過開放予寵物主人，多做生意，但她又怕得失其他客人，權衡利弊之後打消了念頭。

之前，天良因生病而不能外拍，工作量大減，芊萃找他擔任兼職攝影師，幫補收入，因此天良希望助她一臂之力，掃除經營上的障礙。在寵物拍攝前後，只要沒有其他攝影任務，影樓義務提供短暫寵物托管，讓主人可以到附近食肆吃喝消閒。一般而言，主人不會捨近取遠，總會推門而入，惠顧「千秋」。

（二十九）

兩師徒投契，師傅答應無條件傳授修錶工藝，使徒弟喜出望外。此後每逢星期六、日，世勖定時到修錶檔，坐在一旁學藝，首先認識手錶種類和構造。石英錶比較簡單，核心由集成電路組成，靠電池提供能量，以石英震盪器來區分時間。機械錶的結構複雜得多，藉發條的動力帶動齒輪運轉，繼而推動指針運行，透過擒縱裝置傳導脈衝，擺輪游絲則用來劃分時間。師傅表示，平常機械錶約有一百三十件零件，若附設特別功能，如日曆和計時，零件數量更多。面對陌生而繁瑣細微的事物，世勖加倍用心學習。

如街坊前來更換電池或錶帶，並無其他客人等候，師傅交由徒弟處

理。世勛戰戰兢兢，應付得了簡單的任務，在皮質錶帶上打孔也很容易，然而修改金屬錶帶長短則需要多花工夫。師傅由親自示範逐漸改為從旁指導，除非棘手的個案，他甚少干預世勛的操作。在師傅的循循善誘和鼓勵下，問題一一迎刃而解，世勛的信心大大提升。

「老闆，錶面內藏著霧氣，看不見時間。」婦人把手錶交到師傅手上，他察看一會回應：「入水了！」

「維修費多少？」

「一百二十元。」

「不就是打開來抹乾，收費未免太貴。」

「要是這麼簡單，我讓妳來幹。」師傅苦笑一聲：「其他錶檔不收取二百元，至少也要一百五十元，不妨先去問價。」

「不用了，你幫手維修吧。何時可以取回？」

「明天下午。」

婦人繳付費用後離開。師傅揭起錶蓋，挪走機芯，抹去錶面內水漬，然後用橡皮吹塵器清除塵埃，把潤滑油注入機芯，並為零件和齒輪的交接點抹油，以及更換防水圈。

「師傅，工序繁多，一百二十元得來不易。」

「沒辦法，手錶廉宜，維修費稍高就乏人問津。」師傅站起來舒展懶腰，再問世勛一次：「生意有目共睹，還願意入行嗎？」

徒弟矢志不渝，堅定回答：「心意已決就不改變。」

（三十）

天良回到影樓門口，芊萃召喚：「天良，進來喝咖啡。」

他轉身笑說：「恰似 ICAC 傳召我喝咖啡。」

「相比 ICAC，『千秋』的咖啡優勝得多啊！」

「對，不應相提並論。」

兩人隨意坐下，掛鐘正在報時：「哆咕，哆咕。」

「有賴你們看顧寵物，方便主人來惠顧。」

「小事不值一提。」

「不提就不提。喝 Espresso？」

「有勞。」

侍應端來咖啡，天良提起杯子。

「小心燙熱！」

「沒事。」他喝一口便放下杯子，說下去：「忽然想起『頭像拉花』。將泡好的咖啡放到拉花機，輸入人像相片的資料，六秒內在咖啡面打印出頭像。」

「拉花機太貴，成本過高的咖啡不適合在小店銷售。你為客人和咖啡拍照，遠勝頭像拉花。」

「說得好！」

「賣花讚花香。」

「不，我們惺惺相惜。」

（三十一）

「檢查維修基本收費一百五十元，如需更換零件另行報價。」

「如要換零件又嫌費用貴，放棄維修便白白支付檢查費。」老翁躊躇。

「沒檢查又怎知哪部分損壞？總不能叫我白幹。」

「這是名牌手錶，你會不會取走零件？」老翁嘮嘮叨叨，李師傅一笑置之。

老翁遲疑不決，最終掏出鈔票，付款前鄭重聲明：「姑且信你一次，千萬別欺負老人家！」

「老伯放心，誰願為區區一百五十元而出賣人格？不——值——得！」

目送他遠去，世勛才開腔：「他疑心太重，不接他的生意也罷。」

「毋須與老人家計較，跟我一起檢查吧。」

師傅戴上「牛眼」（放大眼鏡）仔細檢查，找到機械失靈所在，向徒弟展示，讓他跟進。世勛拿起小鑷子，重置鬆脫移位的齒輪，用螺絲起子固定零件。當指針重新轉動，他使用壓力機擠緊錶蓋，反轉手錶發覺指針停止運轉，頓時不知所措。

「師傅，怎辦好？」

「你太心急，以為一了百了，唯有從頭開始。」

世勛重啟錶蓋，反覆測試機芯又抹油使齒輪運作暢順，幾經周折終於大功告成。

「世勛，修錶匠必須具備良好的視力、靈活而穩定的手藝和精密的頭腦，更重要的是保持耐性，耐得住繁瑣和寂寞。」

「總之『眼到、手到、腦到、心到』缺一不可，不成問題啊。」

「你的女友也沒問題？」

「她也沒問題，因為有問題的永遠是我。」師傅笑一笑，世勛傾訴：「感情活像維修手錶。」

師傅摸一摸下頜，接著說：「也就沒有解決不了的問題。」

「我倆的感情就像機芯一樣日久腐蝕了。」

「可找零件替換。」

「如若更換機芯，她寧可購買新錶。」

「你想修復，她要放棄？」

「她沒耐性，不想蹉跎。」

（三十二）

天良只顧閱讀小說，桌上的 Espresso 涼了，南瓜西米布甸原封不動。

「你偷懶！」芊萃坐下。

「沒生意，」他放下書本回話：「妳何嘗不偷懶？」

「款待貴賓是我的職責，別浪費美食。」

天良聽從忠告，吃下布甸，讚賞：「好吃！」

「換一杯熱咖啡？」

「不用了。」

「不打擾你看書。」芊萃返回收銀櫃檯。

天良享受慢活，寫意吃喝閱讀，直至侍應「落場」方才結賬。

「天良，我預備了香蕉核桃鬆餅和薑汁鮮奶燉蛋白，你幫我交給述嫦。」

「又有她的份兒，謝謝！」

（三十三）

　　為了成全徒弟的心願，師傅藉詞弄孫為樂，提早退休，讓學藝將近一年的世勖接棒。師傅每年繳付三千多元以延續其固定攤位（工匠）小販牌照，因為牌照不得轉讓，政府又暫停簽發新牌照，所以鐘錶匠普遍屬無牌經營。近年社會鼓吹保留具本土特色的街頭工藝，安排各區工匠登記，然而審批進度緩慢，發出的牌照寥寥可數。

　　雖然修錶檔無牌經營，但甚少被掃蕩、充公貨物和罰款。世勖如常經營，視修錶檔為一片新天地，讓自己重拾初衷，全心投入與物理學相關的工作。即使收入大不如前，毋須再承受苛刻校長的壓力和合約制度的掣肘，每一天過得自由自在。

　　修錶檔與任教的學校屬於不同地區，偶爾有舊同事和學生經過，甚至專誠惠顧。他們可能覺得老師怪誕或者潦倒坎坷，前來探望和支持，世勖反而覺得他們的神情和說話古古怪怪。手錶按照物理定律運作，人生截然不同，沒有常規可言。有人追逐名利，有人淡薄名利，有人迎難而上，有人知難而退，也有人不知進退。修錶匠收入和社會地位低微卻絕不卑微，因為時光不會停留，所以鐘錶不容停頓，有賴他們修正時間。世勖自視為「時間工程師」，心態不卑不亢。

（三十四）

　　「述嬸，花這麼多工夫製作『菜茶』。」芊萃應邀到影樓。

　　述嬸端來一大碗菜茶，茶面撒滿炒米和香脆花生。芊萃捧著碗，連聲道謝，她有碗無筷，自行到桌面拿起一根筷子。

　　「傻了！居然忘了。」述嬸拍一拍後腦勺，對芊萃說：「妳也曉得我們吃菜茶時慣用一根筷子。」

　　「早知道，我自幼吃菜茶。」

　　「妳的家鄉？」

　　「爸爸的家鄉在海豐。」

　　「真巧！妳姓鍾，與天良同姓氏兼同鄉。」芊萃吃了一半，述嬸急不

及待加注半碗菜茶，問：「妳家可有弄菜茶？」

「自從媽媽過身就不再弄了。」

「只要妳喜歡，述嬌可以多弄。」

「太客氣了。」

「鄉里串門吃菜茶是平常不過的事。」她一邊說，一邊為芊萃添茶。

「夠了，還要回去準備晚市。」

「妳慢慢吃，我準備一盒菜給妳帶回家，讓妳的爸爸品嚐一下久違了的家鄉風味。」

「不必了，他正在留醫。」

「無大礙吧？」

「病情頗嚴重，並不樂觀。」聲音一沉。

「我跟妳去探望？」

芊萃慌忙回應：「有心了，他疲憊憔悴，推卻了親朋的好意。」

「那就不勉強，請代我問候，祝他早日康復。」

「謝謝關心！」

（三十五）

現今社會鼓吹急功近利，師傅卻無條件「授人以漁」，悉心教導修錶技術，並提前讓徒弟接手經營。世勛感激師傅造就，設法報答，師傅和師母和睦恩愛，廝守近三十年，師母遺憾未披過嫁衣，他有意出資為他們拍攝一輯結婚相以慶祝「珍珠婚」紀念。師傅怕他破費，婉拒其美意，世勛再三遊說，師傅恐卻之不恭，終於接受徒弟的心意。師傅是老街坊，見證天良長大，天良識趣，僅象徵式收費為兩老圓夢。師母自謔：「相片好漂亮！百年歸老時也用得著。」

（三十六）

「天良，爸爸病危，快趕往醫院。」芊萃來電。

「妳說誰的爸爸？」

「我的爸爸，亦即你的爸爸。」

「甚麼？」他莫名其妙。

「你的爸爸叫鍾楚雄？」

「對。」

「也就是我的爸爸。」

天良大吃一驚，説話結巴：「怎麼——怎麼可能？」

「暫且不要糾纏甚麼可能不可能，你馬上趕來廣華醫院……」

芊萃掛線，他不知所措，不知應否通知母親。雖然父母水火不容，但總不能剝奪他倆最後見面的機會，所以他如實告訴母親。她不為所動，他不再耽誤，匆匆離去。當他趕至病房，他的——不，他們的爸爸正躺在病床上氣若游絲。

「天——哥，爸爸僅餘一口氣也要等你來臨。」芊萃梨花帶雨。

他呆呆地望著奄奄一息的父親，感覺很陌生，天良默默無言，「爸爸」兩字總叫不出口。父親雙目閉合，只剩狹窄的眼縫。

「爸，哥來了。」

父親毫無反應，天良緊握他的手，感到對方虛弱無力。病房氣氛僵冷，彷彿停滯的空氣驀然流動，可惜他用不著，呼吸停頓下來。

「爸，爸！」天良衝口而出。

「爸，爸！」芊萃異口同聲，眼眶宛如決堤，湧出兩行淚水。

無論呼喚多少遍、多淒厲，喚不回爸爸，他也聽不見。父親的生命時鐘剛才仍然運行，指針越行越慢，刹那間靜止。時間從未停留，只是父親的生命指針跟不上，無可修復，全然作廢了。鐘錶數算時間，同時結算生命，它是報時工具，為生命報時，亦為生命報銷。

（三十七）

送貨員將手推車停放在樓梯出入口。

世勛問：「今朝獨個兒送貨？」

「同事臨時告假，公司趕不及安排替工。」話剛説完，送貨員俯身舉起一大箱食材。

「且慢！」世勛一個箭步上前幫手承托。

「粗重工作怎好意思勞煩你？」

「沒問題，當作運動。」

兩人合力運送貨物上樓，尚未拐彎，突然傳來一聲巨響。他們倉促卸下貨物，回頭查看，不約而同捏了一把冷汗。一輛跑車失控衝上行人路，車頭撞及外牆，錶檔翻倒，凳子支離破碎。世勛目瞪口呆，肩頭被送貨員猛然一拍，說道：「要不是走開了，後果不堪設想。」

驚魂甫定，世勛體會到生死一線之差，慶幸自己一息尚存、完好無缺。

（三十八）

哀莫大於心死，述嬸對於前夫的死訊無動於衷，至於芊萃一直隱瞞身世，自覺被蒙蔽，非常生氣。她意想不到芊萃不單止與自家同鄉同姓，而且是天良的同父異母妹妹，一時接受不了事實和這個突如其來的「女兒」。「一家人」近在咫尺，明顯是芊萃的精心部署，母女和兄妹居然那麼遠、這麼近。

「千秋」暫停營業，女兒失蹤多日。芊萃驟然而至，來到述嬸面前，喊了一聲：「大媽！」

「啊——」

述嬸不懂招架又不懂拒絕，因為稱謂的確無誤，身分不容否定。稱呼代表尊重，拒絕便不近人情，然而接受不代表接納。前夫只能共患難，不能共富貴，拋妻棄子，提走積蓄與新歡遠走高飛。述嬸自問恩怨分明，她痛恨前夫見異思遷，埋怨情婦橫刀奪愛，從沒興趣了解他倆的家庭近況。

芊萃以女兒的身分親自邀請她參加喪禮，述嬸不假思索就一口拒絕：「我絕不會出席！」

「求妳去見他最後一面。」

「不用多講，我與你的爸爸恩斷義絕，老死不相往來。」

「人死了，甚麼仇怨都一筆勾銷。」

述嬸沒作答，芊萃不敢強人所難。父親生前未盡丈夫和父親的本分，好好照顧述嬸母子，她憑甚麼要求大媽既往不咎？父親的遺容留給有心

人瞻仰，對於形同陌路的前妻毫無意義，不必強求。

<h2 style="text-align:center">（三十九）</h2>

述嫦斷然拒絕出席前夫的喪禮，不管兒子前往弔唁。他與父親感情淡薄而且心存芥蒂，出席只是盡兒子的本分，並無披麻戴孝、擔幡買水。天良經常拍攝人像，對客人的樣子、神情和動態特別敏銳，加上執相時全神貫注，影像尤其深刻，對於父親，印象模糊，依稀記得他在面前出現過。父親摟抱過自己？稱讚過自己？責罰過自己？也許有，或許無，天良不清楚。母親固然知道，他不會問，她也不會答。記憶早已淡忘，聲音亦已遺忘，天良途經他人的靈堂，花牌「音容宛在」衝擊著他的思緒，來到父親設靈的禮堂，花牌「德高望重」更令他疑惑。

<h2 style="text-align:center">（四十）</h2>

世勛避過橫禍，摒除餘悸，事隔不足一星期便重整旗鼓，原地復業。區議員主動介入，表示可以協助他討回損失，因為錶檔屬無牌經營，世勛害怕高調處理會影響日後經營，得不償失，所以放棄追討。出乎意料，車主主動上門道歉兼作出賠償。

他頓悟生死難測、禍福難料，路邊工作畢竟危險，性命比手錶機芯更脆弱，壽命不一定比手錶長。人無遠慮，必有近憂，車禍無時無刻發生，反而不必擔心，因為擔心不了。馬路旁根本就不宜長久工作，世勛的皮膚日漸黝黑粗糙，面容衰老又痰多咳嗽，宜及早離場。此外，手錶的功能越益繁多，結構演變得更複雜，作為修錶匠，世勛堅持持續進修以提升技術。Time is money，街角修錶匠是夕陽行業，遲早被全面取締。他決意耗盡積蓄，也要到瑞士進修鐘錶學，期望學成之後加入大型鐘錶行當專業鐘錶師。

<h2 style="text-align:center">（四十一）</h2>

無論深厚的父女情抑或淡薄的父子情，隨著喪禮結束而告一段落，前者留下美好的回憶，如同咖啡，縱使苦澀，依然令人回味。後者的記憶好像未曝光的菲林，空空如也。芊芊的憶念中從來沒有兄長和大媽，天良的思憶中也沒有妹妹，一下子三人匯聚在一起，恍如時針、分針和

秒針，毋須刻意安排，某時某刻自自然然會重疊。按常理，秒針帶動分針，繼而帶動時針，然而時針靜止了，不為分針和秒針所動。畢竟血濃於水，天良和芊萃願意談及往事，增進了解，重新培養兄妹情。「母女」欠缺血源關係，感情不進則退，比之前生疏。大媽不再邀請「女兒」吃菜茶又謝絕接收她的饋贈，平日相遇，芊萃總會親切地叫道：「大媽……」逑嬅只會點點頭，默不作聲。

（四十二）

「大媽，『千秋』即將結業了。」芊萃進去「歲月」。

自從芊萃表露身分，逑嬅一直迴避這個女兒，一聽見她的說話不禁訝然，打破緘默：「為免大家尷尬而結束生意可沒必要。」

「別誤會！業主不再續約，將單位賣出。」

「大廈日久失修，修葺費用高昂，如有發展商收購，還不趁機脫手。」

「您也會賣掉物業？」

「賣掉『歲月』，妳的哥哥幹甚麼？」

逑嬅故意不提天良，改稱「妳的哥哥」，芊萃知道大媽的用意，視她為一家人，心坎湧起一絲暖意。

「妳有何打算？」逑嬅斟茶給芊萃。

「找到合適的地方就另起爐灶，否則返回英國從長計議，後會無期了。」

「我也不捨得妳離開，日後有機會見面嗎？」

「大媽，妳想會面，我立刻回來。」

「只怕在收購行動中，『歲月』不能獨善其身，那麼『大媽』到英國探望妳。」

「屆時我陪您四處遊覽。」

「言之尚早。芊萃，明天我弄菜茶，妳過來當作午膳。」

「好！大媽。」

（四十三）

指針靜悄悄轉動，時間在不知不覺中溜走，「千秋」人去樓空。在大

媽、兄長和世勛等送別下，芊萃回到英國。半年後，世勛踏上瑞士求學之路。唐樓最終難逃拆卸的厄運，「歲月」無奈結業，天良轉職當攝影記者。迺嬸樂得清閒，應邀到英國與女兒旅遊，並同往瑞士探訪世勛。

儘管眾人分散在世界的不同角落、東西方的日落日出時間有別、各地時間不同，然而現今科技發達，大大拉近了地域和人際之間的距離，透過視像通訊隨時隨地連繫，共度韶光。

仁

（一）

　　酒店別具氣派，大堂中央的水池典雅，流水淙淙，在幻滅的燈光掩映下倍覺柔和舒暢。四周的裝飾極盡華麗，營造品味高尚的氛圍。

　　「失陪。」程匡正起立，從大堂酒廊出來。

　　洗手間位於地庫，他乘扶手電梯徐徐而下。地庫的格局截然不同，樸素的佈置配上幽黯的氣氛，格調簡約。他在洗手間門前止步，折回地庫大堂，著緊地到處張望。在陰暗的光線下，他沿著剛經過的路線來來回回，睜大眼睛，放慢腳步，逐步推移。他不自覺搔亂了頭髮，蹲下來展開「地氈式」搜索。他一邊蹲又一邊移動，一對發亮的漆皮鞋尖霎時出現，抬頭一望，鞋子的主人是大堂經理。

　　「先生，需要幫忙嗎？」經理問道。

　　匡正站直身子回應：「謝謝！不用了。」

　　「丟了東西？」

　　「是。」

　　「甚麼東西？說出來讓我差派同事協助搜尋。」

　　「沒甚麼，況且我也不確定在哪兒丟下。」

　　言猶在耳，扶手電梯嘎吱作響，他們站得近，聽得清清楚楚。經理發覺電梯下方被物件梗塞，梯級輕微顫動，趁沒有乘客使用，按下緊急暫停掣。電梯停止運作，經理發現堵塞物是一枚金屬章之類的東西，由於物件牢牢夾在縫隙之中，難以徒手取回。

　　「先生，它是你遺失的東西？」

　　「是的。對不起！引致電梯故障。」

「小問題而已，我會安排技工取出，請你稍後到禮賓部辦理認領失物手續。」

「勞煩你們，真的對不起！」匡正一再表示歉意。

「不必介意。」

「謝謝！」

（二）

匡正返回座位，同桌的都是中學同學。他脫掉休閒西裝外套，攤在大腿上端詳，襟針連同底部圓形扣子仍然拴著衣領，他隨即摘下來妥善收藏。耿碩才和胡景天不以為意，品嚐著啤酒、果仁。

「飲勝！」景天舉杯。

三人手起杯落，匡正問：「景天，最近要出差嗎？」

「後天陪同準新郎、準新娘前往沖繩。」

「上星期你從九州回來，隔數天又去沖繩，婚紗攝影的工作真羨煞旁人。」碩才的眼睛發亮。

「教育工作豈不是更令人羨慕，除了悠長假期之外，學校不時舉辦學生交流活動，老師也有不少外地公幹的機會。」景天回應。

「外地？其實大多數前往內地交流。天氣酷熱，食住方面比較遜色，而且責任重大，大部分老師認為是苦差，根本不願參與。怎及得上匡正的優差，經常『乘機』暢遊香港，寓工作於娛樂。」

「大家不要妄自菲薄，工作各有優劣，我看你的好，你看我的好。」匡正拿起酒杯，記掛著未領回的襟章。

酒過三巡，景天意猶未盡，碩才翌日朝早要上課，不便奉陪，匡正向來適可而止，搶先結賬。同學們離去，匡正到禮賓部認領失物，索回一枚以純銀鑄造的史諾比絕版紀念襟章。雖然襟章扭曲變形，但匡正並不覺得糟透，欣賞新添的立體效果。

（三）

碩才急於回家，景天獨自到尖東海旁散步。海面不平靜，岸邊的海水似醉翁腳步浮浮、歪歪斜斜，碰到堤岸就後退，再向前頂撞。晚風若

有若無，無助帶醉的景天抖擻。他凝望鬱鬱沉沉的深海，勾起陳年往事。

　　往年高考完畢，他與碩才、匡正，以及蔣茂業一起前往清水灣。日麗風和，四人光著上身，赤足在沙灘上追逐嬉戲。他們玩回力飛碟，收放自如；打排球，飛撲倒在沙面上亂滾，不消半天便樂不可支。一齊歇息喝啤酒、吃滷味、玩撲克牌，放榜前盡情吃喝玩樂。他們租用兩艘小舢舨，然後划出海去。當舢舨駛至浮臺外圍，茂業率先下水，他游得很快，遠離舢舨；匡正亦不甘後人，跳入海去。嚴格而言，景天不諳水性，縱然如此，他想湊湊熱鬧。他覺得兩艘舢舨相當接近，距離不足十米，若游往另一艘舢舨，只要下水後用力一蹬，就已經超越一步路程，多游幾下，估計可以順利到達。

　　景天不假思索，縱身一躍，投進水裡。他緊握艇邊，心情異常緊張，深深吸了一口氣，鬆開雙手，轉身邁前。他用盡全力蹬出，但舢舨太淺，雙腳落空，未能蹬前。景天一口氣只游得一半路程，由胸泳改為捷泳，試圖儘快游過去。當他轉換泳式，立時嗆下一口海水，咳嗽得手忙腳亂，越慌越亂，無從呼救。景天在兩艇之間拼命掙扎，在浮沉的片刻瞄了一眼，碩才尚未下水，不過沒有動靜。在垂死邊緣來不及問責：為何見死不救？也來不及自責：為何魯莽欺水？生死懸於一線，景天的腦海一片空白，身體下沉，轉瞬沒頂。在千鈞一髮之際，腋下有一隻手及時承托，他由下降變成上升，鼻孔露出水面。景天得以喘息，情緒稍安穩，方知匡正游過來拯救，護送自己靠近舢舨，並攙扶上艇。

　　「沒事吧？」

　　「還好，」景天舒一口大氣：「要不是得你救命，我已經葬身大海。」

　　「生死有命。」匡正淡然自若。

（四）

　　各人擱置活動，上岸慰問景天。

　　「沒大礙，幸虧匡正救我一命。」景天咬著下唇。

　　「剛巧在水中察覺到景天水浸眼眉，救人刻不容緩，只不過本能反應。」

「全靠匡正好眼界，你才死裡逃生。」茂業望著景天說話：「同學互相照應，終究有驚無險。」

景天錯愕，質問碩才：「互相照應？你當時在哪兒？」

「在艇上。」

「你注意到我遇溺時舉手求救？」

「看到。」

「為何不即時救援？」

「真的對不起！當時我來不及脫下褲子。」

「天啊！生死攸關，你竟見死不救。」景天搖頭嘆息。

「蠢材！」茂業和匡正異口同聲：「笨蛋！」

遇溺的情景，景天至今歷歷在目。茂業已經移民澳洲，久沒見面，匡正和碩才間中聚舊。要不是昔日匡正救助，今晚不可能同枱喝酒，此時此刻亦不會身處海旁。

（五）

碩才乘坐過海隧道巴士回家，下車後如常步行。白天他不抄捷徑，寧可走遠一點，認為大街大巷比較安全穩妥；夜闌人靜，他更加不會貪圖一時之便。途中他發覺背後有人影及腳步聲，回頭張望，一名衣著前衛的小伙子突然趨前。碩才打了一個冷顫，恐怕遇上劫匪。

「耿 Sir！」

「你是──」碩才驚魂甫定。

「你的學生──陸秉謙，去年畢業。」

「我當然記得，你唸六丙班？」

「不！我唸六甲班。」

「一時口快說錯了。你這麼晚歸家？」

「與大學同學趕功課。你也夜歸？」

「──出席飲宴，遲遲散席。」

「難怪一身酒氣。明天上早課？」

「對。」

「不怕明早宿醉未醒？」

「哈哈，哈哈！」碩才以笑遮羞。

（六）

碩才求學時期時常與同學流連球場、桌球室、滾軸溜冰場等地方，遲遲歸家必然撒謊，如：留在學校或到同學家溫習之類的謊言，他認為無傷大雅。有一回，他晚上歸家，對著預留的飯菜吃不下嚥，之後嘔吐大作，被家長發現胸口上有一大片瘀傷，由此揭發他一直謊話連篇。父母向來對碩才的說話深信不疑，不明白為何兒子努力溫習，默書、測驗都不合格，終於水落石出。

兒時，父母教碩才：無信不立，千萬不可說謊，揚言撒謊會被雷劈。碩才覺得諷刺，若撒謊會被雷劈，他的父母正在撒謊，豈不遭殃！故此他認為在適當時候說適當的謊話並無不妥，可以避免不必要的衝突。「紙包不著火」，一旦謊話被揭穿，衝突在所難免。

父母發覺碩才不思長進兼說謊，非常憤怒又怕他誤入歧途，決意嚴懲。儘管兒子負傷，他們照樣懲罰，用籐條鞭打手腳，並責罰他沒飯吃，還要下跪一句鐘。接受過慘痛的體罰洗禮，碩才銘記教誨，從此洗心革臉，不再撒謊，姑勿論撒謊者會否被雷劈。

以往家庭行使體罰之外，學校亦然。面對不受教的學生，老師會施以體罰，輕則扭耳朵，重則用間尺打手掌。嚴厲的體罰有其不可替代的功能，對於冥頑不靈的學生起到一定的阻嚇作用。施加體罰的老師眼泛淚光，感動學生痛改前非，著實功不可抹。今時今日，為免老師濫用權力及粗暴對待學生，傷害他們的身體和脆弱心靈，影響正常的心理發展，一概不許體罰，成為教師行為守則中的金科玉律。綜觀罰企、罰坐無影凳和罰抄等一律視為體罰，改寫了一貫奉行賞「罰」分明的教育規範。

（七）

匡正穿起「飛行衣」——鑲上飛行翼章的制服，格外英姿颯颯。他任職飛行服務隊空勤主任，專責空中搜索行動，肩負拯救重任。日常無突發事件發生，一般會執行其他任務，例如：在定翼機上進行空中測量、

拍照作繪製地圖之用；接送政府人員或運送物資；以及保安和支援警方等，搜索非法入境者和走私客也曾是重點工作。

早前珠江口發生撞船意外，大量棕櫚硬脂散落海上，漂流到本港水域範圍，污染部分岸灘。飛行服務隊出動，支援海事處工作，匡正負責通報受事故影響的範圍，以及在海面上釋放化油劑，協助清理油污。他熱愛工作，既救急扶危又富挑戰性。

（八）

與嚴守紀律的匡正截然不同，景天率性而為。年少時，他聽聞「貓有九條命」，為求真相，他毅然捕捉了一隻流落貓，捉牠到附近的山崖邊。趁無人在場，他把貓倒轉，腳上背下，鬆開雙手，讓牠墮下。貓兒靈活敏捷，在半空中翻轉身體，背部朝天降落。景天測試時情緒高漲，目睹結果後立時捏了一把冷汗，雙手麻痺抖震，頭腦混沌。較早前活生生的乖巧小貓當場一命嗚呼，倒臥在崖底的血泊中。他不明白為何小貓沒有九條命？多一條命也沒有！平白草菅了一條寶貴的小生命，他咬破嘴唇，舌尖感到血腥，一雙污穢的手更血腥，因而自慚形穢。

（九）

政府飛行服務隊（英文簡稱 G. F. S.）二十四小時候命，隨時奉召出動。颱風「天鴿」襲港期間，G. F. S. 接獲海事救援協調中心的緊急召喚，一艘貨船在香港西南面擱淺，十多名船員墮海，亟待救援。多架直升機在規定時限內趕赴肇事現場搜救，匡正參與其中。當時懸掛十號風球，天氣極度惡劣，天空刮著狂風、下著暴雨，能見度低；海面波濤洶湧，海浪高達十餘米，飛機和貨船均被強風吹得歪斜。在拯救行動中，匡正擔當絞車手，以懸垂吊升的方式救人。過程險象橫生，纜索左搖右晃，碰碰撞撞，好不容易才救起一人。幾經波折，G.F.S. 成功營救所有墮海及滯留在該水域內處於傾側下沉的貨船船員，數目多達三十九人。

颱風遠離，匡正繼續執勤，在烏蛟騰上空搜尋一名行山失蹤人士。飛行服務隊經常協助搜尋、運載野外迷途或受傷的行山人士，以及接送離島的緊急病人前往醫院治療。

與「天鴿」相隔數天，強烈熱帶風暴「帕卡」來港肆虐。八號風球高懸下，在香港東面有一艘貨船遇上驚濤駭浪，船頭及一半船身被怒海吞噬，即將淹沒。風雨交加，十一名船員在三層高的甲板上等候救援，巨浪滔天，船身劇烈搖晃，形勢岌岌可危。強烈亂流令直升機顛簸不定，加上天氣惡劣，能見度只得五百米，難以救援。船員命懸一線，匡正無懼疾風暴雨，強行循吊鈎降落，冒著隨時撞向船身及墮海的危險，奮勇營救。受吊運負重所限，全體船員分六次接載，救急刻不容緩，他在二十三分鐘內悉數救起在場人士，貨船頃刻沒頂。

後來政府表揚行動中冒險救人的飛行服務隊成員，匡正獲頒授銀英勇勳章。其實，不管有沒有勳章嘉許，匡正救急扶危的心志從未動搖。

（十）

多年來，學期之中總有一天「便服日」，學生毋須穿著校服上課。今年也不例外，四名高中男生別樹一幟，穿起便服裙在校園招搖。高個子穿著短裙，展現毛茸茸的粗壯長腿；矮個子穿上長裙，搖曳生姿；胖男孩以寬鬆花裙示人，還挽著一個冒牌手袋；傻小子則配襯吊帶裙，顯露嶙峋的骨骼。作為學校的訓導主任，碩才十分重視學生的紀律，嚴格執行校規。他建議該四名學生更換衣服，但他們拒絕依從，理由是校規並無明文規定男生在便服日不得穿裙子。碩才指出「男扮女裝」有損校風，影響同學的正常心智，令學校招人話柄，干犯了校規。肇事學生不服氣，堅持己見。碩才重申，若他們不聽從訓誡，將會被記缺點。學生認為耿主任矯枉過正，涉及性別歧視，故意在校園狂奔，並高聲叫嚷，引起哄動。碩才連同訓導老師喝令他們停止擾攘，留在操場站立。適逢下驟雨，碩才趕到露天操場，學生被雨水沾濕，暫停處罰。

事後，四名學生的家長向校長投訴，不滿耿主任管教無方，對學生施以體罰，孩子因日曬雨淋而生病。縱使校長明瞭事件的來龍去脈，也知道耿主任的角色和職責，然而為了息事寧人，對觸犯校規的學生既往不咎，還要求碩才當面道歉，以修補老師與學生的關係，以及挽回家長對老師的信任。碩才無奈，聽從校長的吩咐。

（十一）

　　景天為不少準新郎、新娘提供攝影服務，耳濡目染下萌生過結婚的念頭。時至今日，他仍舊孑然一身，一來找不到合適對象，二來時常到外地公幹，自覺單身比成家立室好。

　　他認為，優秀的婚紗攝影不應採取流水作業形式，攝影師要巧妙發揮攝影技術，還要善於溝通，掌握顧客心目中的想法，按他們的要求度身營造優美的拍攝效果。視乎客人的喜好，塑造大自然、生活化、富故事性、指定主題或浪漫景點等背景，加以攝影方式、風格、擺位、取景、角度、造型姿勢和色彩各方面的配合，捕捉愛侶細膩動人的畫面。婚照中笑容極其重要，偏偏新人心情緊張，往往笑得不自然，連姿勢都僵硬起來，嚴重影響照片的效果。景天風趣幽默，擅長帶動眷侶發笑，善於引發準新娘綻放燦爛的笑容。透過婚紗照，永記伊人最美麗動人的時刻，展露出愛侶的溫馨甜蜜關係及幸福洋溢的感覺。

　　景天是唯美主義者，每幅照片皆別出心裁，有的可與愛情電影宣傳海報媲美，有的則是高水平的藝術作品，百看不厭。他討厭被公司委派拍攝集體婚禮，他認為千篇一律的集體照欠缺溝通和獨特性。同樣地婚宴攝影欠缺創意空間，令他覺得乏味和生厭，向來謝絕各方友好的重金禮聘，免得難為自己。

（十二）

　　景天平日在影樓拍攝，間中戶外取景或遠赴外地，以東南亞地方為主，偶爾前往歐洲、南非等。在香港，具特色又迷人的外景場地司空見慣，欠缺新意，為求創新及迎合客人的想法，他選取有百年歷史的摩星嶺炮臺為背景，再添上「焚心以火」般的電影視覺效果。攝影助理在圓形炮臺周邊圍繞枝葉，灌注電油，點燃後烈焰四起，火光熊熊。在炮臺中央，一對準夫婦擺出探戈的姿勢，加上深情擁吻，場面震撼。

　　拍攝完畢，景天和助手用滅火筒撲滅火苗，但局面失控，火乘風勢，向外蔓延，波及附近植物，擴大了火場面積。火勢一發不可收拾，不得不報警求助，飛行服務隊奉召到場灌救，先往薄扶林水塘取水。直升機

在水塘上空盤旋，大概距離水面約一百米，匡正垂下巨大水桶舀水，然後運往火警現場，一瀉而下。來來回回多次倒水才撲熄火種，然而列為二級歷史建築的炮臺牆身被嚴重燻黑，部分出現裂痕，警方未能即場逮捕涉案人士。

（十三）

匡正在大嶼山上班，妻子自從誕下女兒便辭退工作，留駐東涌寓所打理家務。匡正的工作並非一如局外人想像般輕鬆自在、翱翔萬里，風平浪靜的時候，遨遊於天地之間不愧是賞心樂事，可是職責在身，心情也就不同。他肩負重大使命，部門要求嚴謹，工作壓力非常大。每逢天災橫禍，匡正更加吃力，體力、耐力、鬥志、學識、經驗和智慧等缺一不可。辛勞一整天，最開心的是回家與家人樂聚天倫。太太總愛趁他休息的時候，了解其當天工作。

「今天新聞報道摩星嶺炮臺起火，殃及周遭的林木，G. F. S. 出動救火？」

「嗯，有我的份兒，從水塘取水撲滅山火。」

暘暘好奇，問父親：「救火不是消防員的工作嗎？」

「沒錯，不過支援消防也是爸爸的日常職務。」

「您真的了不起！做空中救火英雄。」

「世間有太多幹大事的英雄人物，爸爸只做小差事，怎稱得上英雄？」

「為救人而捨命才算英雄？」

「或許吧。」

「那麼爸爸不要做英雄！」

女兒聰穎活潑，剛升讀區內小學，太太無牽無掛，白天到北大嶼山醫院當義工，一家三口樂也融融。其實，匡正一直報喜不報憂，為免家人擔心，從沒在家人面前提及艱辛、凶險的任務。

數年前某朝早，大帽山雷達站附近發生山火，消防未能成功阻止火勢蔓延，飛行服務隊到場增援。一架「超級美洲豹」直升機被差遣到火場

外一公里遠的城門水塘舀水灌救，來回投擲水彈。第五次汲水時，機師發覺直升機的螺旋槳發出不尋常的聲響，匡正果斷地傾倒剛吊起的一桶水，以減輕負重。直升機繼而急墜，機身兩旁及時彈出四個充氣浮墊，結果安全降落，螺旋槳嘎吱作響。雖然直升機浮在水面，但機艙入水，匡正連同兩名機員穿著救生衣，開啟機門撤離。他們跳入水塘，游了六百米才到達岸邊。經專家調查，證實意外緣自引擎故障，全體機組人員僥倖逃過一劫。

（十四）

胡景天自小我行我素，多次闖禍。摩星嶺炮臺火災引以為憾，他渴望將功補過，考慮到個人擅長不外攝影，於是在社交媒體中自薦擔任義務攝影師。後來社福機構派員聯絡，邀請他在一個名謂「金婚銀髮同盟」的項目中擔任攝影師，為七對結婚至少五十年的老夫老妻拍攝婚紗照。景天覺得活動極具意義，發揮所長之餘，能夠幫助耆老永留倩影，何樂而不為？

在機構的活動室，各長者的年齡都超過七十歲，全部雞皮鶴髮。蒼蒼白髮之外，也有禿頭；牙齒與頭髮一樣疏疏落落，例外的或許不是真牙。他們老態龍鍾，甚至佝僂和瘸腿，眼神及嘴臉均流露出愉悅的氣息。在工作人員的安排下，過半數老人家穿起禮服和婚紗，其餘則著上中式馬褂和裙褂，盡皆儀表不凡。化妝師幫他們粉墨登場，全場矚目。

伯伯談笑風生：「以為今世要等到躺下才化妝，意想不到生前可親身體會。」

婆婆撒嬌：「與『柯德莉夏萍』一模一樣，行嗎？」

老伴調侃：「跟她一樣，豈不是化『先人妝』？」

「虧你笑得出口！」

長者不用景天提點，大都笑逐顏開，即使個別較拘謹，受到氣氛感染，頓然開心寫意。從他們充滿愛意的目光，顯然恩愛無比，半世紀以來甘苦與共，此時此刻盡顯鶼鰈深情。景天指導他們在姿勢上互相配合，女士捧著花球，讓配偶親近，彼此笑得合不攏嘴。在銀髮閃耀下，相片

分外溫馨動人，全然印證「執子之手，與子偕老」的真諦，彌補了從前婚盟上的不足。耆老非常感動，一致認為拍完這輯照片，令人生完美無缺，死而無憾。對景天而言，這次義工服務比日常工作更稱心愉快。

（十五）

學生談戀愛的問題日益嚴重，碩才遵照校長的指示，設法整頓歪風。他在早會上重申校方的立場，不贊成學生求學時期談戀愛，以免影響學業。他一再強調，校方絕非阻撓同學之間的愛慕，實乃提示學生「發乎情，止乎禮」，注意言行舉止。最終，他叮囑男女同學避免單獨約會，在校外要更加檢點，行為不可親暱、苟且和越軌。若損害校譽，校方不排除處分有關學生。

碩才讀出九對男女學生的名字，要求留步晤談。此舉無疑透露他們備受校方注視，變相公布談戀愛的學生身分，連置身事外的同學都認為校方不尊重學生，嚴重侵犯私隱。部分當事人澄清沒有談戀愛，感到委屈；也有當事人承認談戀愛，辯稱並無妨礙學業，反而互相切磋砥礪，彼此得益。

學校風波越鬧越大，招致家長反感，加入聲討行列，嚴厲譴責校方的處事手法，並遷怒於訓導主任，矛頭直指碩才，引起了社區的關注及迴響。校長力求避免牽連，刻意與耿主任劃清界線，怪責碩才行事魯莽，事前未與他徹底商討，敦促他儘快收拾殘局。校長向耿主任聲明：「連累校長只是小事，連累學校名聲受損，茲事體大！」碩才沒奈何，只好獨自承擔責任，公開向受影響的學生鞠躬道歉，並辭任訓導主任，事件才告一段落。

（十六）

碩才長期擔任訓導主任，管教學生的品德，諷刺的是無法教好自己的孩子。兒子懷谷唸小二，在學校屢次犯規，他將同學的主題公園卡通鉛筆據為己有，辯稱一時大意，至於偷取同學的零食則解釋為一場誤會。班主任曾在手冊寫上欠交旅行費用，懷谷堅稱交款予老師，及後母親查出兒子挪用款項來購買玩具。懷谷再三犯規兼說謊，碩才非常生氣，手

執衣架，著令兒子下跪兼不得吃飯。懷谷違抗，大吵大嚷，不滿父親虐待，躲在母親背後。

「枉你為人師表，竟然對小孩子施行體罰。」

「『養不教，父之過；教不嚴，師之惰。』正因為我是父親，也是老師，更要好好管教孩兒。嚴懲起到阻嚇作用，有何不可？」

「打在兒身，痛在母心。」

「年少時透過體罰，讓我領悟到『知錯能改，善莫大焉』的道理。一時的皮肉之苦可以喚醒他痛改前非，終身受用。」

「若然如此，為何教育界規範老師不得體罰學生？」

「在學校，諸多掣肘，老師身不由己，這兒並非學校。」

「你要在校外濫用私刑！」

「甚麼私刑？這是家教。國有國法，家有家規，體罰向來是耿家的家規。」

「耿家的家規不合時宜，教導孩子應當循循善誘，動輒就使用暴力，豈不教小孩模仿，鼓吹暴力？」

「怎麼暴力？只是適當的體罰。」碩才不容分說，用衣架抽打兒子。

懷谷難以招架，母親維護：「你要體罰，來，先打我。」

「慈母多敗兒！」碩才扔下衣架，氣沖沖奪門而出。剛出大門，手機鈴聲響起。

（十七）

景天如常在影樓工作，一隊便衣警員登門搜證，指稱有人涉及近期一樁山火案件。他在摩星嶺炮臺拍攝的婚紗照在網上熱烈流傳，引起警方關注及追查。景天與助手涉嫌非法使用火種，連同電腦等證物，一併被帶往警署調查。其間警察表示，任何人違反《防止山火條例》，一經定罪可被罰款二萬五千元及監禁一年。景天保持緘默，不敢招認，面臨檢控，內心七上八落。

（十八）

景天保釋候查，惶惶不可終日，他相約碩才喝酒，出乎意料，他今

次隨傳隨到。家庭不和，碩才怒氣未消，正想找朋友解悶，恰巧景天來電，馬上赴會。抵達老地方，景天在酒店大堂酒廊等候。各自呷了一大口生啤，異口同聲嘆氣。

「景天，又要到哪兒公幹？」

「赤柱。」

「好地方啊！」

「不過是赤柱監獄。」

「監獄容許拍攝嗎？」

「不是拍攝，去坐牢。」

「開玩笑？」

「誰跟你說笑？我隨時入獄。」

景天神色凝重，碩才驚愕：「到底怎麼回事？」

「早前為求創新及迎合新人的想法，我挑選了摩星嶺炮臺作為拍攝場地，為營造烽火佳人的動人場面，造成山火。」

「將炮臺變成烽火臺原來因你而起。聽聞消防之外，飛行服務隊參與救援，若匡正知道你是罪魁禍首，不知他有何反應？」

「連累飛行服務隊善後，他非責怪我不可。」

「難怪你沒有約他前來。」

「正因如此。我罪有應得，判刑也是活該，出獄後才找他。」

「不必等你出獄，我來探監。」

「監獄見！」彼此碰杯，景天心裡不是味兒，轉移話題：「你今晚可以抽身？」

碩才放下酒杯答話：「我管教兒子，反被太太教訓一頓。我不想吵下去，出來散心。」

「你不是訓導主任嗎？管教小孩應該是你的強項。」

「訓導主任一職已成過去，本星期給校長罷免了。」

「為甚麼？」

「校長指派我整頓校風，出了亂子之後，他為求平息風波，由我作代

罪羔羊。」

「諉過於人，枉為校長！」景天舉杯，笑說：「碩才，無『官』一身輕！」

（十九）

懷谷稟性剛烈暴燥，因小事與同學發生爭執，毀爛了女同學的眼鏡。校方傳召家長，耿太到學校聽取班主任的意見，償還同學的損失。碩才獲悉兒子無理取鬧，兼且對同學動粗，他怒不可遏，掌摑兒子，懷谷閃身走避。

「兒子觸犯校規，其實拜你所賜！體罰就是折磨肉體的懲罰，你美其名謂家規。正因為你在兒子面前行使暴力，逼他就範，他才會仿照你的行事為人，用暴力解決問題。你與兒子的行為在本質上完全沒有分別，『以暴逆暴』真的荒謬絕倫！」

「管教並非單憑教導，還要管束。教而不善，我才出手。體罰不等同暴力，只是提升責罰的程度，以收阻嚇作用。要不是妳處處袒護，妨礙我管教，他怎會變本加厲？」

「要是你再行使暴力，我才不會阻止，只會報警。」

自此兩母子對碩才不瞅不睬，他感受到精神虐待，體會到無形的暴力更加殘忍恐怖。冷戰持續至週末，太太帶同兒子返回大嶼山娘家。

（二十）

大嶼山萬丈布發生小童墮潭重創的意外，飛行服務隊奉命救援，一架「海豚」直升機由機場起飛，機上有飛行醫生及護士隨行。為了趕赴現場拯救，機師採取低飛策略，以免飛行途中升降浪費時間。當日天氣潮濕，濃霧繚繞，能見度非常低，匡正察覺到飛行高度不足二百米，低於預定高度，提示機師修正。機師表示熟識該條航道，自信不成問題，保持住同一高度航行。未幾，直升機在迷霧中出現劇烈震動，並傳出隆然巨響，繼而撞向山坡，失控滑行，剎那間墜落谷底。山谷深不可測，半响，一聲回音在半空縈繞不散，夾雜著絕命的哀嚎。

肇事直升機與航空控制塔失去聯繫，飛行服務隊接獲航空交通管制

人員通知，改派另一架直升機前往萬丈布救援。由於失蹤直升機不再有定位訊號，多個政府部門隨即派員到航道沿線進行海陸空搜索。搜索隊在「鐵德樹」一帶有所發現，那裡一列樹木循同一方向歪斜倒下，叢林出現一條大約三十米長的刮痕，附近有零散飛機殘骸。適逢大霧，山路崎嶇，還沾上漏出的電油，路面潤滑難行，增添搜救的難度。搜救人員幾經波折，終於在陰森的山谷內找獲失事的直升機，機身已經解體，四分五裂；屍骸則散落在飛機內外，機組人員包括：機師、空勤主任、飛行醫生和護士全部遇難，屍首悉數尋回。這是匡正最後一次執勤，遺憾未能完成飛行任務。伴隨著直升機墜毀，曾被譽為飛行服務隊明日之星的程匡正從此殞落。

（二十一）

懷谷居住在外婆位於大澳的棚屋，舅父賦閒在家，帶他出外遠足。由大澳出發，經過海濱長廊和南涌村，踏上鳳凰徑，沿著海邊行走，越過牙鷹角，到達目的地萬丈布。小孩子初次觀看瀑布，蔚為奇觀。他一邊行走，一邊賞景，一時不慎失足絆倒。舅父趕忙上前攙扶，只差一步，外甥直墮「天池」。嘩叫一聲再接撲通一聲，聲聲駭人。舅父慌張跳進水潭，救起懷谷，行山人士協助拉起兩人。舅父驚魂未定，外甥吐了一口潭水，躺在山澗大石上顫抖，氣促咳嗽、臉色蒼白。懷谷清醒，撫摸腦袋叫痛，舅父始知他的後腦勺紅腫流血。一名行山婦人上前安慰，並用急救用品為孩子止血。另一名中年行山人士看見懷谷頭破血流，推斷他可能撞到水底礁石，認為情況不容忽視，建議讓他報警求助。舅父六神無主，任由旁人作主。他們在肇事地點守候救援，等待了頗長時間才有直升機在上空出現……

（二十二）

得悉兒子意外受傷，碩才趕赴北大嶼山醫院探望。懷谷嗆了幾口水，早已無礙，頭部傷口亦已治理，顱骨表面雖有輕微骨裂，但腦部檢查結果正常。兒子並無大礙，家屬都舒了一口氣。

碩才接載妻兒回家，打破了夫妻的僵局。他從倒後鏡窺探後座情況，

懷谷倦透，靠在母親的肩膀上休息，太太除下眼鏡，悄悄拭抹眼角。他裝作不知，保持駕駛，從中領會到父母管教孩子的分歧微不足道，最重要的是兒子安然無恙。

方才踏入家門，景天來電，他剛從新聞報道中得知匡正因公殉職。事緣一名小童在大嶼山萬丈布受傷，飛行服務隊到場救援，他們乘坐的直升機中途撞山，機毀人亡。同窗遽然而逝，本已感觸良多，意想不到緣自兒子的死亡召喚，碩才聽罷怔著呆坐。

「喂，喂，碩才？」

「——景天，容後找你。」碩才哽咽掛線，他沒有心情理會剛出院的兒子，獨自躲進書房。

碩才沒有亮燈，橫臥地上，藉清涼的地面帶來涼快的感覺，冷靜一下。他思潮起伏，憶起往昔高考放榜前與匡正等同學到清水灣耍樂，其間景天遇溺，自身剛愎自用、處事僵化，險些出現差池，幸好匡正挽回景天一命。匡正不僅是景天的救命恩人，也是他的恩人，否則後悔莫及。匡正因公死亡因兒子而起，碩才哀悼摯友，耿耿於懷。

（二十三）

頭條新聞有：「小孩墮潭受傷，檢查無礙出院；奉召直升機撞山，四機組人員罹難。」太太獲悉兒子求助引發不幸事件，向碩才表示悲痛，自責間接導致四個家庭破碎，嗚咽抽泣。她不打算在懷谷面前提及這事，免得他過意不去，影響深遠。另一方面，碩才也沒有跟妻子提及罹難者包括其好同學，生怕她愧疚。

懷谷好轉，網上搜尋關乎自己肇事的新聞，驚聞四人因而無辜斷送性命。他心情沉重，不敢向父母重提舊事，懼怕被母親責備及父親體罰。雖然頭部傷口復原，但心中的傷口開始潰爛。他不再惹事生非，情緒變得低落。父母以為兒子的腦袋在意外中受到震盪，放心不下，帶他延醫診治。

（二十四）

碩才探訪匡正遺屬，以往溫馨滿屋的情景不再，嫂子憔悴、世侄女

落寞。他不敢貿然提起事件與其子有關，單純慰問家眷，提出樂意定期提供經濟上的支援。匡正遺孀表示，盡管她早已放下工作，女兒暘暘年幼，然而丈夫因公殉職，家人可獲發放死亡恩恤金及受養人退休金，暫時生活不成問題，答謝其好意，並請他幫忙打點喪禮事宜。嫂子秉承丈夫的願望，捐贈其器官以貫徹匡正畢生救急扶危的心志。另一方面，她婉拒政府提供浩園的殯葬安排，選取海葬，把骨灰撒於西博寮海峽以南的大海，回歸大自然。碩才視匡正為仁義的化身，事到如今，「逝者已矣，生者如斯。」目睹好友妻女的景況，傷感倍添、惆悵萬分。

愁眉不展的暘暘向親切的碩才叔叔坦言惦記父親，每當掛念的時候，她會把玩父親的收藏品：一枚由特區首長親自頒發的銀英勇勳章，以及一枚由純銀鑄造的史諾比襟章。她不懂得徽章為何物，只記得父親生前曾經說過兩枚銀章互相輝映，好比他的至愛女兒——暘！暘！

該枚變形隆起的史諾比襟章似曾相識，碩才向嫂子討教，它是一枚絕版紀念襟章，與一九六八年美國太空總署部署登月計劃相關。當年太空總署為了答謝登月計劃中合作伙伴所作的貢獻而鑄造，匡正父親有幸獲頒，丈夫視之為家傳之寶，引領他從事天際工作。

<h1 style="text-align:center">（二十五）</h1>

景天啷噹入獄，碩才隔著玻璃窗慰問一番，忽而臉色一沉，主動傾訴：「匡正殉職前趕赴營救的小孩就是我兒懷谷。」

「難怪我通知你時，你一下子默然不語。」景天回想起來。

「正是如此。」

「天意難測抑或命中注定？」

「真的天曉得！我只知命運不可逆轉。從我們當晚高談暢飲前發生的家庭糾紛開始就埋下禍端，由於管教兒子各持己見，夫妻不和；由於冷戰，太太帶兒子返回離島娘家；由於兒子跟舅父遠足，失足墮潭；由於意外受傷，飛行服務隊出動救援；由於機師著急救人，發生撞機意外。總括而言，因果生生不息又息息相關，由我家的糾紛而起，結果匡正的家庭發生變故。」

「聽起來恍似古希臘悲劇的情節。他的命運受到一連串外在因素牽引,逐步走向絕境。若論因果關係,豈不是要追溯到你結婚生子?」

「不錯!前因可以越數越前。匡正因其父親送贈一枚襟章而立志投身飛行服務隊,結果因公殉職。」

「天命難違,結果難為了匡正。」

「他畢生行善卻不得善終,莫非天妒善人?」碩才憤憤不平。

「天意弄人也沒奈何。匡正終其一生救急扶危,雖死猶生。比起我這階下囚,他的情操何等高尚!」

離散

（一）

　　普照的陽光散發到每個角落，鄉郊小路熱燙燙，一隻小蝸牛如坐針氈，氣喘吁吁地蠕動，步伐比烏龜更緩慢。牠敏銳的觸角感覺到外來物來勢洶洶，預料來不及走避，乾脆把黏滑的腹足退回黃褐色的螺旋型圓殼。接著一輛單車不偏不倚地輾過來，它的前輪輕微擺動，蝸牛的軀殼不堪一擊，猶如砸爛蛋殼，漿液四濺。騎單車的郵差並未察覺到遍體鱗傷的小蝸牛，揚長而去。

（二）

　　金黃的向日葵隨風招展，鮮艷奪目的色彩混和四溢的清香，吸引途經花田的郵差注目，但他沒有駐足觀賞，長驅直進。他經過涼亭，一名老翁坐在石凳上納涼，熱情地呼叫郵差：「早晨，小馬。」

　　「村長，早晨！等小巴？」馬椋停下來回應。

　　「嗯，往市中心飲茶。」

　　「天氣轉涼了，小心！別著涼。」

　　「你真關心老人家。」

　　寒暄過後，椋起程，運載沉重的郵件在村落中的小路穿梭，熟練地把信件投入對應的信箱。

（三）

　　每個工作天早上八時，椋到元朗派遞局上班，花三小時整理近千封信件，然後運載等同三、四個保齡球重量的郵袋，驅車朝錦田北圍村而去。正午烈日當空，戶外馳騁酷熱難耐，部門提供的頭盔、反光背心、護肘及護膝等單車裝備徒添暑熱，他一向棄而不用，派上用場的只有闊

邊草帽、水壺和蚊怕水。

椋尚未到達村落，衣衫濕透。天天走相同的路，一戶接一戶送信，舉手投足都變成指定動作。他習慣了暴曬，然而烈日下頻繁檢視白得反光的郵件，隔著太陽眼鏡也刺眼難耐，眼睛長期乾澀。初入行時椋過於專注核對郵寄地址，冷不防身邊的窗角和冷氣機尖角，以致傷痕纍纍。鄉郊郵差比苦力更刻苦，不單止付出體力和汗水，還要承受眼疾和損傷的危害。

（四）

相比市區郵差，郊外派遞艱苦得多，不過鄉村勝在人情味濃。年輕力壯的村民皆出門上班，留守的以長者居多，當他們發現椋的蹤影，便視作親朋到訪，熱情款待。

「小馬，進來喝茶。」

椋站在門口呷一大口茶，讚賞：「好茶！芬芳撲鼻。」

「多喝一杯。」大嬸提起壺子添茶。

「多謝鄧太。」椋齒頰留香。

「洗臉？」

「不用了，謝謝！」

「口渴就過來喝茶，不必客氣。」

除錦田新村為客家村外，錦田以圍頭村為主。椋與客家和圍頭村民相熟後，無論客家話抑或圍頭話，他能夠會意和簡單應對。郊野山路崎嶇，椋運送包裹拾級而下，不慎扭傷腳踝，附近鄉里急忙提供跌打酒，重遇時慰問其傷勢，關懷備至。每逢過時過節，村民送贈水果、年糕、糉、月餅等禮品，以表他們對派遞局全體職員的一點心意。原來簡單的派遞工作從來沒被村民忽視，辛苦的回報就是得到尊重和讚賞。

（五）

每次掏空郵袋，派遞完畢，椋懷著輕鬆愉快的心情下班。夏天他會逗留在村口士多喝汽水消暑，冬天則喝荳奶取暖。在鄉郊，寮屋是歷史遺物，留存至今。它們屬於僭建物，並無門牌，而沒有門牌的信件一概

寄存在士多，讓寮屋居民自行領取。如有信件地址不詳，椓單憑姓名就可識認所投寄的單位；至於識別不到的信件，也暫存於士多的集體郵箱，留給村民自行認領。士多老闆提及業主將會收回地方來建屋，日後這個飲品補給站，以及村民和孩童的聚腳點便告終。

昔日四周遍布魚塘和農場，縱使魚塘數目縮減了，著名的元朗黃油烏頭產量有增無減；耕田可能是傻事，現今鮮有人願意當傻子。地產蓬勃，不少農地地主申請更改土地用途以建造房屋，一幢幢三層高的村屋湧現，門牌相繼增加。鄉郊的居住開支相對廉宜，環境寧靜，吸引許多市區居民遷入。村屋和入住人口增多，信件數量相應增長。

大量原居民已舉家移民，又或安排年輕一代出洋留學，留守家園以老人家居多。部分年長的移民好想落葉歸根，專誠由英國、荷蘭等地回流家鄉養老。鄧伯伯早年退休回港，荷蘭領事館每半年寄信給他，確認在世才發放福利金，故此他對郵件特別著緊，長者普遍都會珍惜海外寄來的書信。有一次，侯老太收到椓送來的掛號信，她隨即展示相片中外孫女滿月的樣子，分享喜悅。

（六）

小巴駛至水尾村總站，僅一名婦人下車，其他乘客剛才在水頭村預先上車，前往元朗市中心。婦人肩負大背囊，攜帶一張小摺椅和一塊木板，板面下方以草書寫上：馮荊——其名字。她環顧四周，一條小路分隔開水尾村村公所和天后古廟。兩層高的村公所外貌灰沉沉，欠缺朝氣；天后古廟煥然一新，與古廟名字一點不相稱，香火也不鼎盛。

廟宇外有廣場，兩名穿著制服的青年和兩隻沉默的狗皆一聲不響。從制服上的標示，他倆是狗隻訓練員，各自牽狗散步，沿途沒有交談。廣場外有一個恬靜的大池塘，水面上兩隻水鴨漂蕩，牠們均默不作聲。上空只得兩片浮雲飄蕩，水天一色。塘內小洲上有兩個工人默默幹活，鄉村生活就是如此靜謐無聲。

池塘彼岸有新建高樓洋房，業主享受鄉村美景之餘，其樓房卻破壞了鄉村美景。它們的摩登外觀恍若簇新的古廟，與鄉郊一點不相稱。大

型屋苑的影子倒豎在大池塘內，與蕩漾的樹木倒影匯聚，完全不相稱，使濃厚的鄉土氣息蕩然無存。

面前格格不入的池塘景色，令荊打消了寫生的念頭，隨意遊覽。經過遊樂場，她如願找到錦田樹屋，發覺並非想像中建築在樹上的小屋。樹屋存在於一株巨大的老榕樹，盤根錯節的樹幹中夾雜著一樘麻石門框及片斷磚牆，旁邊縱橫交錯的氣根有部分屈曲成直角。雖然磚屋消失了，但從樹木纏繞的奇特形態中可聯想到該處原本的輪廓。樹屋外面豎立著一塊碑文，略述典故：「原址為廟宇或書齋，荒廢之後被屋旁過百歲老樹的氣根糾纏吞併。」

<h2 style="text-align:center">（七）</h2>

荊喜歡鬱鬱蔥蔥的樹屋，趁周遭沒有旁人，私自跨過圍欄，闖入禁地。她環繞老榕樹一周，繼而逆轉方向再繞樹一周，終於找到一個最佳的寫生角度。荊卸下畫板和背囊，坐下來在畫紙上勾劃草圖，然後塗上顏色。差不多一個小時，畫作只完成一半。荊坐得累了，站起來舒展手腳，一踱步，右足踝突然刺痛。一條細長的青蛇正在腳跟附近亂竄，她倉皇閃避，蛇鑽進草叢。荊跟蹌後退，越過欄柵，奔往草坪外的空地。她驚魂甫定，查看足踝，襪子上呈現輕微血迹。她急忙脫掉襪子，嚇得高聲呼叫。碰巧椋騎著單車穿過空地，問她：「小姐，沒事吧？」

荊一看制服便知對方是郵差，放下戒心回答：「我——我剛被蛇嚙咬。」

她靠近一輛私家車，提高右腳，踏著汽車的保險槓。椋擱下單車，俯身察看其傷勢。

「傷口紅腫流血，痛嗎？」

「既痛且癢。」

「可記得蛇的樣子？」

「蛇身翠綠，印象中頭部呈三角形，尾尖紅褐色。」

「妳的視覺真敏銳！牠也許是青竹蛇。」

「毒蛇？」

椋點點頭，提醒她：「腿部宜低不宜高，以免毒素攻心。」

荊聞言花容失色，即時垂低右腿。

「青竹蛇的毒性不算強烈，但我不敢為妳包紮傷口，怕令毒素積聚、肌肉潰爛。先行報警？」

「勞煩你。」

椋致電求助，然後對她説：「別擔心！救護車快將到達。」

「嗯。」

荊眉頭緊蹙，椋安慰：「宜盡量放鬆，心情緊張只會加快血液循環。」

「明白。」

「那些物品是妳的嗎？」椋遙指樹屋前的背囊和畫具。

「是。」

「我去收拾。」椋一邊説，一邊跨過圍欄。

「謝謝！」

未幾，救護車趕到現場，送她往博愛醫院治理。

椋目送車輛離開，繼續上路送信。

（八）

椋幾乎每天都經過樹屋，大約三年前的一幕情景記憶猶新。

駱騁婷大學畢業，成為元朗鄉郊社區發展計劃的一員，她經常上山下鄉探訪村民，就像郊遊一樣，隨身帶備旅行用品。她與同事發掘新奇地方，實地考察。婷覺得水尾村的樹屋符合心意，可以作為「社區定向」其中一個檢查點，讓年輕的參加者眼界大開。

老榕樹並不古老，活像天外怪客又像變種的八爪魚，佔據了破落的磚屋。她童心未泯，將樹屋當作兒童樂園，衝前攬樹幹、摸樹葉、攀樹根、爬樹洞，説不出的興奮。她寓工作於娛樂，因而耽擱了行程，急忙跨過圍欄，一時大意，左邊褲管口被欄杆頂勾著，失去平衡向前仆，接著褲腳撕裂，摟著的背囊率先著地，雙手在背囊兩側力撐，臉面伏在背囊上，芳容絲毫無損。瞬間，一個龐大黑影乍現半空，沉甸甸地壓下來，婷的左臀慘被戳破。一隻大黑狗蹲在身旁，她的背部被牠抓得刺痛，感

覺到傷痕纍纍、繃緊而黏稠。惡狗背板筆直、胸部挺實、腰部斜傾、骨骼粗壯、軀幹肌肉發達、長耳低垂、下顎寬厚、利齒之間長舌不停抖動、目光凌厲凶狠，早已俯伏在樹屋旁。牠誤以為婷是竊匪，故疾撲過來降服「女賊」。

「救命！救命！」

椋正在附近派信，聽到淒厲動人的求救聲，循聲音來源張望，一名少女倒臥在樹屋圍欄外，正被一隻烏潤黑毛夾雜黃褐色斑的「洛威拿」襲擊。他從單車一躍而下，擅自從街坊屋外取走一枝地拖，快步上前營救。他與狗對峙，以地拖頭逼使牠退卻。洛威拿仰首狂嗥，蓄勢以待，情急之下椋挑撥棍柄，作勢棒打，強行驅趕。黑狗住口，逃去無蹤。

婷衫褲破損，伏在地上喘息。她撫摸臀部，看見滿手鮮血，驚惶得不敢動彈。椋協助無從，建議她在原地側臥，隨後從單車取來急救用品，恰巧鄰近居住的大嬸開門查看。

椋高呼：「廖太，快過來幫忙。」

大嬸爽快回應：「好！」

「廖太，她被狗咬傷，請幫她清理傷口。」

「好的。」

婷痛得要命，淚水直淌。胖嬸好不容易蹲下來沖洗傷口，椋轉臉致電求助。

「小姐，別擔心！救護車快將到達。」

「謝謝！」

婷眉頭緊蹙，椋慰問：「感覺不適？」

「臀部劇痛。」

「別緊張，宜盡量放鬆。」

「嗯。」

未幾，救護車趕到現場，送她往博愛醫院治理。

椋和大嬸目送車輛離開，他赫然發現一件東西遺留在意外現場。

（九）

惡狗討厭郵差？牠們對穿著制服的人員特別敏感，往往把郵差視為不懷好意的入侵者。椋明白惡狗的心意，每逢牠們攔路，他少不免請狗主守護。若果狗主不在場，他借助雨傘防備，如常工作。

鄉郊郵差屬於高危行業，經常要以身犯險。當地有不少廢物回收場、劏車場，以及無拘無束的野狗，椋望而生畏，不敢硬闖。面對眼神充滿敵意、張口狂吠的惡犬，椋會加倍警惕。一旦狗隻意圖襲擊，他保持冷靜，僵持對立，伺機撤退。他不會輕舉妄動，更不會用電筒的強光照射牠們的眼目，也不會佯裝施襲。他試過假裝脫掉鞋子又或撿拾路邊石塊，成功嚇退狗隻，不過並非次次靈驗，曾經弄巧反拙，惡狗以為他挑釁，幸虧狗主及時阻隔。久而久之，狗隻熟悉了椋的體味，有的不再敵對，有的友善地舐他的鞋頭和褲管，甚至有的不羈躍起來歡迎。

村內不時有新居落成，椋前往一所新入伙的村屋派信，在大門口與一隻老虎狗相遇。牠長著光滑的啡黃色短毛，頭顱、眼距和肩膀寬闊，眉頭緊皺、雙眼渾圓，黑漆漆的鼻尖和突出的下顎之間懸掛著一層厚厚的皺褶，嘴邊和頸項的皮膚都嚴重下垂，胸肌和四肢非常厚實。牠不動聲色，他也就不以為意，椋的右小腿突然被牠狠咬，痛得要命，驚動了主人。狗主是一名外來的中年婦人，竟然若無其事，抱起「無聲狗」入屋，關上大門。他猜想她跟狗兒一樣是啞巴，鄰居黃伯看不過眼，高聲大罵女主人涼薄，同時上前慰問椋的傷勢。

（十）

椋因工受傷，獲醫生簽發病假，並沒有享用。他認為輕傷無礙工作，免得找替工，傷口雖隱隱作痛，但他如常上班。狗主因疏忽看管狗隻，以致他人受傷，當事人本可循民事法律途徑索償，椋亦放棄追討。椋重視鄰里關係，不想在工作場所生事端，一切以服務為先。

縱使椋不打算追究，郵政局將其工傷個案轉介予漁農自然護理署跟進，並考慮起訴，檢控狗主未有妥善管束狗隻。根據《狂犬病條例》，如有飼養的狗隻咬人，狗主必須即時向警署報案，並將狗隻隔離。若狗主

未能採取所有合理措施以避免狗隻咬人，可被罰款及監禁；至於涉案狗隻，可能面臨人道毀滅，椋因而耿耿於懷。

每當經過被狗咬傷的地方，椋便步步為營。或許陰影作祟，一聽到狗吠聲，他如同驚弓之鳥，慌張不已。後來椋開竅，克服了心理障礙，更凶狠的吠聲他也不怕，因他明瞭無聲狗才可怕。

（十一）

醫護人員為婷消毒傷口、注射疫苗，她沒有大礙，一拐一拐離開急症室。因工受傷，她休養了好幾天，訂購了一籃水果，並附上一張心意卡，由專人送往錦田郵政局，以答謝奮勇助她脫險的郵差。康復後，婷登門向伸出援手的大嬸道謝。在往返的路途上，她找不到郵差的蹤影。

由於水尾村的樹屋有惡犬出沒，婷擔心參加者的安危，將定向活動檢查點改為水頭村的二帝書院。書院是一所供奉文昌和關帝的教學場所，獲香港古物古蹟辦事處列為香港法定古蹟。婷負責統籌活動，舉行前再三巡視所有檢查點，望見恩人騎單車經過，湊巧上司來電，她未及上前碰面。活動完結之後，婷沒再踏足北圍村。

（十二）

圍村一直保留傳統習俗，每年中秋舉行盆菜宴，婷所屬的服務機構獲得村長邀請，由她代表中心出席。當晚，圍村四角的碉樓張燈結綵，繽紛的燈籠及燈謎高掛樹上，斑駁的青磚圍牆外大排筵席，大圓枱上放上瓦斯爐，爐上放上盆菜，加熱時香氣四溢。大會安排婷入席，幾乎所有座上客都陌生，除了一張熟悉的臉孔。這張臉孔親切友善，婷莞爾而笑。

「過來坐。」

她坐下，輕聲說：「還未多謝你上次救命之恩。」

「駱小姐？不必客氣！多謝妳送贈的水果籃和心意卡。」

「小小心意。你的記性真好，高姓大名？」

「馬椋。」

「錯把馮京作『馬涼』？」

「不一樣！我的椋字不是『水京』，而是『木京』。」

婷不解，問：「椋？甚麼意思？」

「一種樹。」

「喔。」

同枱皆村民，鄰座的大叔熱情款待，為椋和婷斟啤酒、汽水，舉杯之後，齊齊品嚐正宗的圍村盆菜。盆面鋪滿雞、鴨、蝦、鮑魚，椋下箸，為婷送上大蝦。

「自便吧。」話雖如此，婷以鮑魚回敬。

「謝謝！」椋咀嚼鮑魚。「妳真無辜，因遊覽而被狗咬。」

「不，我是鄉郊社工，因工受傷。今次因工得食，初嚐盆菜，有圍爐取暖的溫馨感覺。」

「獲村長邀請，我吃過多次，材料十足兼美味。」

大夥兒由上而下夾餸菜，中層為豬腩肉、冬菇、蠔豉、蓮藕、芋頭、鯪魚球；下層有門鱔乾、魷魚、豬皮、蘿蔔和枝竹等專用來吸收菜餚精華的食品。大家都大快朵頤，散席時盆內只剩下一塊免食材黏底的竹格。

兩人到樹下流連，婷看見一則燈謎：「正月欠初一，猜一字。」

「止？」椋搶答。

婷搖頭，揭曉：「肯。」

「妳說得對！」椋驀然記起：「妳上次絆倒時遺下一隻史諾比毛公仔？」

「它是背囊掛飾，你幫我拾回？」

椋點頭答話：「喜歡狗的人給狗咬，日後還會喜歡狗嗎？」

「哼！史諾比不是狗，是卡通，它是我的寵兒。」

「明白了，史諾比就是史諾比。如何交還給妳？」

「我在附近工作，方便的話，送來我上班的地方？」婷遞上名片。

椋雙手收下，看一看回答：「不遠，明天下班後送給妳。」

「謝謝你，郵差哥哥！」

（十三）

翌日下午四時，椋下班騎單車前往八鄉。婷的辦公室借用村公所的部分地方，金字頂建築物的樓底特別高，面積如同籃球場，文娛康樂設施欠奉，裝修簡陋，並沒有間隔，也沒有布置，只得一個掛鐘和數張海報點綴。四壁之間只得枱椅、電腦、電話、文件櫃和影印機等文儀設備，以及一大堆雜亂無章的物資。

婷看到椋站在門外，迎上前去，另一名女同事正在處理文書工作。婷與椋到窗前的破舊梳化坐下，茶几上擺放盒裝飲品。

「椋，喝檸檬茶。」婷遞上飲品。

「謝謝！打擾妳工作。」

「不，同事做家訪，我們留在中心當值。」女同事與椋互相點頭。

「妳的史諾比。」椋交還公仔。

「謝謝！」小寵兒失而復得，它一出現，她的瞳孔便擴張，喜上眉梢。

「恭喜，恭喜！久別重逢。」

婷鄭重聲明：「我重申一次，史諾比並非狗，怎麼『狗』別重逢？」

「我說的是長『久』啊。」椋覺得委屈。

婷笑說：「說笑而已，別忘記昨晚我猜對燈謎，怎會不曉得？」

「誰知妳故弄玄虛？」

「男子率直是美德。」

「妳又開玩笑。」

「說真的，我喜歡率直的男子。」

椋尷尬，偷偷張望文員的反應，她馬上垂頭工作，裝作不知情，暗中竊笑。

「請問洗手間在哪兒？」椋借故迴避。

「這裡沒有洗手間，我帶你找廁所。」

「好的。」

椋跟隨婷參觀，近處有一所荒廢的鄉村學校，遠處有荒蕪的農地和家園，同樣人去樓空，日久失修，只剩頹垣敗瓦。

「妳近來忙嗎？」

「現正籌備一個導賞團，介紹元朗鄉郊的文化古蹟。你負責派遞的村落中也有極具特色的地方，可有興趣成為我們的導賞員？」

「我怕擔當不起。」

「你熟悉地方和人事，只要補充資料，加上口才訓練，應該勝任有餘。」

「嗯，日期方面？」

「一般為星期日及假日。擔任免費活動的導賞員都是義務性質，只得交通津貼。」

「騎單車也享有交通津貼？」

「好問題！先撇開問題，你的答案是願意加入？」

椋誠懇地回覆：「我願意。」

（十四）

醫護人員為荆清洗傷口，因應其中毒的徵狀注射血清，觀察半天，終無恙出院。一週後她重遊舊地，特向施以援手的郵差親口道謝。荆一早到場，期待郵差按上次路線出現。時間一分一秒過去，到了午膳時間，他始終沒有露面。願望落空，荆掃興離開，經過錦田郵政局，不想冒昧打聽。

荆轉往附近的紅磚屋。這個跳蚤市場可媲美歐陸式市集，商品琳琅滿目，使她心馳神往。貨品包羅萬有，以精品居多，計有精巧的玻璃擺設、燈臺、燭臺，以及美不勝收的蠟燭和香皂等，此外有民族服飾、復古衣著、潮流飾物、銀包、手袋、鞋子、皮革、木製品、古董家具、特色掛鐘、壁畫、花卉、美食，連蔬菜瓜果都一應俱全。荆懷著閒情逸致，遊遍市集的每個角落，細心欣賞本地藝術家的畫作、元朗花農的盆栽，享受風味小食和滋味甜品。她滿載而歸，有紅酒、芝士、當地出產的新鮮士多啤梨、清新芳香的手工皂，還有一個港英時期紅郵筒款式的小型精品，圓柱型的外觀，正面載有皇冠標誌及「E II R」的字樣。荆向來賞識郵差不辭勞苦地工作，自從被蛇咬傷，她更加敬重鄉郊郵差的服務熱

誠，故購買小郵筒來作紀念，兼可緬懷昔日香港殖民地時期的特色標記。

<h2 style="text-align:center">（十五）</h2>

郵差通常少說話、多做事，椋算例外，做事之餘，不時與村民閒話家常。可是，導賞員要當眾講解，他恐怕力有不逮。為釋除疑慮，婷陪他參加新田的導賞團，從中觀摩導賞員的演繹方法。之後，他們行經公園。

「椋，來一場角色扮演？」婷站在樹下，提議：「你扮演導賞員，把大樹當作『大夫第』，在我面前介紹其歷史。」

「我只聽過一遍，一時掌握不了，怎可能即場扮演？」

「那麼由我來示範。」婷清一清嗓子，接著開腔：「大家面前這一座大宅是文氏祖先的府第，當年獲賜封大夫名銜，故名為『大夫第』。據文氏族譜所載，祖先原籍四川，南宋時遷徙至江西和廣東，輾轉定居元朗新田。」

椋故意發問：「可否介紹大夫第的建築風格？」

「當然可以。大夫第於清朝興建，它是一所融合西方建築風格的傳統士紳府第，由青磚、灰瓦建構而成，配合彩磚和彩色玻璃窗的西方用料，還有傳統的壁畫和木刻，上面的梅蘭菊竹和蝠鹿麒麟皆栩栩如生，已列入香港的法定古蹟。」

椋豎起大拇指：「駱姑娘的記憶力及表達能力超凡，更勝剛才的導賞先生。」

「多謝讚賞，我相信你也行，下次輪到你擔正。」

「無問題。」

<h2 style="text-align:center">（十六）</h2>

婷提供導賞的內容，要求椋親自整理資料及撰寫講稿，建議加插一些景點背後鮮為人知的軼事，從而吸引觀眾的關注。椋應邀到中心進行角色扮演，初時難以啟齒。在婷的鼓勵下，他張開嘴巴，把熟讀的「臺詞」背誦如流。

「你肯定花了不少功夫，琅琅上口，提及鄉村的事情時表現得談笑風

生。若我是參加者，感覺趣味盎然。如果你能夠放鬆心情，注重目光交流，語調堅定，加添一點自信心和幽默感便無懈可擊。回去修飾一下，星期六實地排練？」

「無問題。」

（十七）

週末，椋帶領唯一的參加者——婷參觀水頭村的廣瑜鄧公祠、二帝書院和長春園。他輕描淡寫，談吐得體，與數天前判若兩人，不再是背書的機械人，而是一名出色的導賞員。最後，椋引領婷觀賞水尾村的樹屋，他駕輕就熟的演繹奪得她的連串掌聲。

「面前的樹屋尚有一段妳和我的歷史時刻。」椋若有所思。

「留下了深深的烙印。」婷指著自己的左臀。

「無人會發覺，連妳自己也看不見。」

「似是。」

「我也曾被狗咬。」

「只因你從事高危行業？」

「對，遇上惡狗的機會比一般人多。無論如何小心謹慎，始終難逃一劫。」

「哪兒受傷？」

椋捲起右腳褲管，拉低襪子，展露小腿上的疤痕。

「看似色斑，還有腳毛遮掩，毫不顯眼。」

椋覷睨，急切放下褲管。

「我打算明天遊覽南生圍，你來為我導賞？」

「無問題。」

（十八）

河堤兩岸皆是鬱鬱蔥蔥的桉樹，參天樹木並排而立，恍似與俗世隔絕，在泥路上漫步盡享幽雅恬靜的淨土風情。魚塘蘆葦叢生，魚兒一同置身於隔世屏障之內，遠離塵囂。山貝河與錦田河交界的泥灘上候鳥安然棲息，彈塗魚在樂土上打滾，招潮蟹率性橫行無忌。湖畔小屋裊裊炊

煙，樸實無華，潛藏於湖光山色，殊不起眼。橫水渡頭和小木艇點綴河面，與大自然十分相稱。樹木倒影在河中搖曳生姿，與澄空的白雲投影相得益彰。

荊離婚之後，重過單身的日子。她是中級公務員，生活悠閒安穩，近年寄情寫生。南生圍風光如畫，使她著迷。荊猶豫此時此刻應否作畫，她認為畫畫會令畫家變得抽離，倒不及置身於詩情畫意的美境之中。荊盡情投入如詩如畫的寫意空間，他人則陶醉於浪漫的景致，追求世外桃源的的境界，留存倩影。旁人穿著黑色的畢業袍在基圍拍照，也有人穿著雪白的婚紗、禮服在木橋上拍攝。荊認同拍攝南生圍是賞心樂事，但她覺得黑袍白紗與原始鄉土情懷絕不相稱，大煞風景。荊擱置了寫生的念頭，在河畔納悶。

（十九）

一大片青草地在面前展現，嬌小的婷擱下小巧的單車，愉悅地與椋席地而坐。

「椋，你當郵差多久？」

「將近五年。起初加入郵政工作，我在紅磡國際郵件中心上班，後來主動提出調職為鄉村郵差。」

「在舒適的地方辦公多好，你偏要吃苦，走到野外受罪。」

「彼此彼此，妳何嘗不是自討苦吃？」

「我從未叫苦，多麼享受鄉郊工作。」

「與妳一樣，我天天郊遊，何等自在。」

「不過周而復始派信，千篇一律的工作會令人沉悶。」

「有甚麼工作不是重重複複？千篇一律有何不妥？」

「不厭倦嗎？」

「郊外景色優美，百看不厭。」

「縱有『百』看不厭的美景，面對『千』篇一律的差事，補償不了。」

「美景當前，『十』倍辛苦也值得，剛好抵償，何況可以鍛煉身體。雖然派信工作簡單，但意義重大，為親人和朋友傳達家書和問候。那麼

妳為何當社工？」

「與你一樣，自覺意義重大。時移世易，社會進入電子化年代，書信式微。」

「私人信件的確大幅減少，然而政府函件和商業信件有增無減，隨著網購普及，包裹的數量飆升。臨近聖誕、新年之類的假期，以及議會選舉的前期宣傳，信件多得驚人。」

「無論信件數量如何，前途畢竟狹窄。」

「郵政局奉行簽信制度，郵差服務其負責派遞的地方直至退休為止。它是終生職業，工作安穩，毋須顧慮前景。」

「當你穿上郵差制服──綠色的上衣，恰似一棵樹，融入鄉郊，成為了一分子。」

「對，我已經植根鄉郊，從工作中累積的人情世故並不比社工少。」

「不錯，鄉郊郵差與鄉郊社工同樣挨門逐戶，性質相近。」

「我們一同家訪，吃點東西？」

「家訪？」

「前面有一家士多，那裡有多款馳名小食：用柴火燒製的茶粿、雞屎藤和砵仔糕，還有豆腐花。」

「太好了！全部都是我愛吃的食品，一定要吃個痛快。」

「那就坐言起行吧。」

<h2 style="text-align:center">（二十）</h2>

橫水渡頭隔岸相對，靠小木艇往來接駁，婷、棕和單車一起登艇，片刻渡過河道，兩人回眸共睹沿岸風貌。

「南生圍時常令女學生嚮往。」

「為何？」婷頓悟：「我明白了，被『男』──生──圍。」

「你比我想像中聰敏。」

「郵差普遍毋須用腦，頭腦簡單。」

「錯覺罷了，或者思想單純比較貼切。」

「郵差工作簡單，沒甚麼可挑剔，工作壓力應該較少。」

「相比之下，社工承受的工作壓力較大，現在好好鬆弛。」

「我倆鬥快抵達婚紗橋。」

「妳趕著出嫁？」

「當然！」婷隨即驅動單車，椋故意放緩尾隨。

木橋上有一雙戀人正在宣示戀情，他們刻意穿著長衫裙褂，讓攝影師拍下款款充滿鄉土氣息的嫁娶畫面。

「真的羨煞旁人！」婷全神貫注。

椋在旁暗忖：「好一顆待嫁女兒心。」

（二十一）

受到一股低壓槽影響，新界北部尤其是元朗一帶，接連雷暴，大雨傾盆而下，數小時內錄得超過一百毫米雨量。暴雨令鄉村嚴重水浸，毀壞農田莊稼，樹木倒塌。積水一度高達大腿位置，車輛無法行駛，婷與村民捲起褲管涉水步行，狼狽不堪。

「駱姑娘，暴雨下照樣家訪？」大嬸好奇。

「擔心獨居長者的安危，暴雨之下更加要家訪。」

「難得妳不辭勞苦為村民服務。」

「盡社工的本分而已。彭太，這麼大雨，妳往哪兒？」

「校巴拋錨，我要到學校接孫兒回家。」

「沿途小心！」

（二十二）

椋穿起專用褲子和雨衣，冒著雷暴派發郵件，途經低窪地帶，下車涉水而行。他寧可自身受雨打風吹，決不讓信件沾到濕漉漉，簡單的勞動工作也要認真看待，他愛惜和保護每一封郵件。

「小馬，暴雨下照樣派信？」村長好奇。

「為免重要信件延誤，風雨不改。」

「難得你不辭勞苦為村民服務。」

「盡郵差的本分而已。村長，這麼大雨，你往哪兒？」

「校巴拋錨，我要到學校接孫女回家。」

「沿途小心！」

<h2 align="center">（二十三）</h2>

「郵差叔叔送餽——崇熟，迅出——送速。」椋緊張得結結巴巴。

「不行！應該是：郵差叔叔送信純熟，迅速送出。虧你當郵差！」婷噘嘴，自行朗讀急口令，清脆流利。

「郵差用手、用腳、用心做事，並非單靠一張嘴。」

「別生氣！」她遙指馬路兩旁的楓香樹，說下去：「我們來得合時，紅葉片片。」

「對，早來未紅透，遲來落葉凋零。此時此刻紅葉遍野，正是欣賞的好時機。」

大棠楓香林遊人熙來攘往，爭相佔據有利位置拍照，女士們皆喜歡與紅葉爭妍鬥麗。婷偏喜歡仰望紅葉的嬌姿，蹲下撿拾一大片紅葉，興奮得手舞足蹈，嚷道：「紅葉怎麼只得三爪，並非典型的五爪形狀？」

「香港非典型——」

「非典型肺炎？香港的樹葉因『沙士』而變種？」

「這裡的紅葉並非典型的五爪掌狀的楓葉，乃是楓香樹的樹葉。」

「楓香葉！你不愧為專業導賞員，見識廣博。」

「怎及得上妳的『執葉』資格。」

「執業？」婷錯愕。

椋瞧著她掌心上的紅葉，婷恍然大悟：「嘿，取笑我私人執葉！」

<h2 align="center">（二十四）</h2>

「紅葉美不勝收，連夜景亦令人心醉。」

夜冷風清，婷與椋把臂夜遊大帽山扶輪公園，兩人輕倚欄杆，面向西北，飽覽錦田、八鄉和石崗的景色。

「平常觀賞維港夜景，隔岸張望香港島高樓和半山華廈通明的燈火，體會「東方之珠」的繁華璀璨。眼前的景象不一樣，居高臨下遠眺元朗，難以相信香港竟如外地一樣，擁有一大片平原和疏落的民居，領略夜空下鄉村萬家燈火的平和恬淡。」

「我覺得元朗是一個滿載夜明珠的聚寶盆。」

「香港寸金尺土，這麼遼闊的平原本身就是珍寶。」婷臉色一沉。

「怎麼？不適嗎？」椋愕然。

「沒事，牽掛新界東北。」

「新界東北？」

「新界東北發展計劃擾攘多時，城規會尚未審議，政府已偷步撥款。」

「有何不妥？」

「一旦通過撥款，數以萬計的村民將會喪失家園，賠償不足以重建居所，約千名古洞石仔嶺『老人村』院舍長者亦面臨搬遷，還會斷送本地農業和破壞鄉郊的生態環境。」

「城市發展少不免有所犧牲，興建房屋有助縮短輪候公屋的時間，加快編配。」

「約四百公頃的收地計劃之中，住宅用地僅佔九十六公頃，除了興建低密度的私人樓房，實際用作公屋及居屋的土地面積只得三十六公頃，無助解決房屋嚴重不足的問題。」

「為何要清拆村民的家園和農田？」

「背後總有原因。沿用的徵收土地模式改為「公私合營」，坐擁大幅農地的持有者可以申請原址換地。計劃耗資一千二百億元，其中三百億元作為土地賠償，大部分將落入地產商和大地主的口袋。」

「市民可以反對，要求撤回方案？」

「民間團體曾經倡議其他方案，例如：動用高爾夫球場和『棕地』。暫且不動高爾夫球場分毫，有限度發展棕地罷了。」

「妳為此感觸？」

「為受影響的村民不值。」

椋不懂安慰，輕按她的膀臂。婷倚望著漆黑的天際，輕輕嘆喟。

（二十五）

「婷，妳怎麼會惹上官非？」

「因為新界東北發展計劃審議前期撥款，我與好友參與示威，試圖進

入會議廳時遇上保安阻撓，其間發生肢體衝突。」

「結果怎樣？」

「大門毀壞，數名在場人員聲稱受傷，我和十二名抗爭者當場被捕，控以『非法集結』罪。」

「面臨檢控，妳後悔嗎？」

「維護村民的家園，我義無反顧。」

「你們豈能莽撞！」

「難道我們坐視不理？」

「一時魯莽於事無補，不但徒勞無功，自身墮入法網。」

「我們挺身而出，自當在所不惜。」

（二十六）

纏擾超過一年半的官司塵埃落定，除了其中一人加控「妨礙立法會職員執行職務」罪之外，各人「非法集結」罪名成立。

「婷，判處社會服務令可算不幸中之大幸。」

「無論判刑輕重，我都會一力承擔。」

「敢作敢為，我支持妳！」

（二十七）

「婷，妳已經接受刑罰，完成一百二十小時社會服務令，竟交由上訴庭覆核案件！」

「今時今日並無常理可言，以儆效尤吧。」

「今次肯定吃虧，覆核結果凶多吉少。」

「沒辦法，唯有作好入獄的心理準備。」

「為民請命以致成為階下囚，值得嗎？」

「當然不值！不值的是未能阻止……」

（二十八）

果然不出所料，上訴庭聆訊後加刑，改判所有肇事者即時監禁，婷被判處十三個月刑期。她被押上囚車，送進牢籠。當監倉閘門砰然關上，婷切實體會到失去自由的囚徒滋味。她撫心自問：「活該？」似是而非，

不勝唏噓。

　　牢獄外十三名犯人的親屬哀慟不已，村民感動落淚，還有目送女友
銀鐺入獄卻束手無策的椋。他心情矛盾，既為婷的可貴情操而驕傲，同
時擔心她在獄中遭受欺凌而憂傷。

（二十九）

　　在櫻花樹叢下，荊一邊觀賞櫻花，一邊寫生。

　　在扶輪公園觀賞櫻花的約定落空，婷身陷囹圄，椋形單影隻地在櫻
花叢中徘徊。縱使美景當前，他的心情沉重，思念正在監倉服刑的女友。
椋垂頭喪氣，來回踱步，只見草地，不見盛放的櫻花，瞧不見身邊寫生
的人——荊。

天各一方

（一）

小嘛小兒郎

背著那書包上學堂

不怕太陽曬

也不怕那風雨狂

只怕先生罵我懶呀

沒有學問囉

無臉見爹娘

郎裡格郎裡格郎裡格郎

沒有學問囉

無臉見爹娘

　　與小孩子的甜美歌聲相比，他們的歌聲明顯遜色。五十年前他們是同學，也曾合唱這首童謠《讀書郎》，悅耳動聽。如今大不如前，聲音變得低沉沙啞，音量變得微弱。再次聚首一堂，圍繞著鋼琴高聲歌唱，琴師正是他們當年的老師。她老態龍鍾，然而十指仍舊靈活，耳朵依然靈光。

　　老師有部分手指已經扭曲變形，當觸及琴鍵，僵硬的關節頓時活躍起來，非凡的造詣使她判若兩人，教人驚嘆寶刀未老。雙手在琴鍵上揮灑自如，好比花間閨歌起舞的褪色蝴蝶。白髮蒼蒼的老師佝僂前傾，任由低垂的皺臉貼近琴鍵，她閉起雙眼，聚精會神地彈奏。久違的樂師、熟悉的樂章和真摯動人的演繹，令身邊的學生百感交集。「郎裡格郎裡

格郎裡格郎」，高齡學生的贊歌觸動著彼此的心靈，勾起大家難忘的回憶，彷彿時光倒流半世紀。

（二）

一行十二人擠進前往桂林的夜班火車，學生覺得新穎有趣，在車廂內擾攘一番，直至老師督促，他們才安頓行李。男老師與五名男學生的床位在同一個區間，而女老師及五名女學生則在毗鄰。區間內左右兩邊設有臥鋪，每邊分為上、中、下三個位置，下隔床之間有一張掛牆的小餐桌，桌子靠近窗戶，窗外是深圳火車站月臺，乘客不多，大部分已經登上火車。車廂內人聲鼎沸，學生也鬧烘烘，情緒與聲浪一樣高漲。之前，大夥兒經過羅湖，踏入深圳，學生的情緒就已高昂。他們在小店吃了一頓豐富晚餐，正式展開「貧窮之旅」。自幼在香港成長，溫飽從來不缺，乘飛機和郵輪旅行也不陌生，住宿火車畢竟是首次，學生對各樣事物都充滿好奇。

男女師生各自聯誼，活動範圍局限在下鋪，輪流梳洗後，老師囑咐學生早點休息，並以身作則，率先上床睡覺。雖然同學執意秉燭夜談，但火車廣播即將關燈，他們無奈依從。同學不適應硬臥，如常把玩手機遊戲、聽音樂。女班長躺在顛簸的火車中鋪，久久未能入睡，探望窗外朦朧的月色，回頭發現兩名乘客坐在通道旁的座椅上，一個托腮而睡，另一個伏在案子上打盹。

「就這樣子通宵達旦？好辛苦啊！」班長忖量：「他們或許買不到臥鋪車票，或許節儉，又或眼前的光景正是社會貧富的縮影。」

（三）

晨光熹微，火車牽動著柔弱的影子向桂林進發；學生沒精打采，拖曳著懶洋洋的身影梳洗更衣。大家的精神伴隨太陽而冒起，煥發的哥兒妹兒聚在一起談天說地，老師生硬地插嘴，勉強打破師生之間的隔膜。老師同樣是初次到訪，任重道遠，盼望一路平安、無驚無險，學生則憧憬未來的旅程舒適而刺激。其實，貧窮無處不在，香港貧富懸殊舉世聞名，校方偏偏安排師生遠赴廣西考察貧窮，讓初中學生體驗貧窮的滋味，

更加珍惜求學的機會。

桂林火車站的出閘口堆滿人群，他們紛紛舉起紙牌來識認身分，其中一張寫上：「熱烈歡迎香港超群中學師生」，舉牌恭候的小姑娘穿著淺藍配襯白色的運動服裝。老師上前打交道，學生簇擁而上。

「大家好！我叫小梁，歡迎各位蒞臨。」

小梁杏臉桃腮，雖則初次會面，她笑容可掬，熱情地向學生招手又與老師握手，細心問候來賓，擔心各人勞累。她安排了一頓簡單的午餐——桂林米粉配酸菜肉片，有的吃得津津有味，有的吃不慣，一早擱下筷子。

（四）

出發前學生必須出席由校方舉辦的簡介會，還要參加體驗貧窮的活動。在「貧窮日」，學生的午膳只得一條香蕉，按規定赤腳在校園內走動，讓他們體會窮人吃不飽又欠缺鞋子的滋味。學生也曾參加過赤足籌款，耳濡目染之下相信窮人都穿不起鞋子，或穿著破爛的鞋子，故此其腳掌、腳甲肯定骯骯髒髒、污穢不堪。女班長討厭赤腳，認為此舉極不衛生和不雅觀。若赤腳充分反映貧窮，她非常害怕窮日子，因為無法忍受這樣的生活模式。

啟程前，男班長要親身體察民間疾苦，獨自走出家門，赤腳上街，在公園東奔西跑。即使地面凹凸不平又燙熱，感覺不太辛苦，反而覺得舒暢。免除鞋襪的束縛，他無拘無束感受著大地的堅實和涼熱。他昂然舉步，旁人投以怪異的目光，猜想它是行為藝術。他匆匆跑到街市，在乾貨區逛了一圈，感覺一下市集的齷齪。濕貨區販賣菜、魚、肉，他要用雙腳去接觸腥臭污水和油漬，「貼地」體會市集最切實的一面。他發覺腳底有點疼痛，提起右腳查看才知道腳跟皮膚嚴重磨損，於是臨崖勒馬，返回乾貨區購買一雙拖鞋即用。

（五）

師生初到龍勝縣。

「若要深入認識一個地方的風貌，我建議從市場開始。」眾人沒有異

議，跟隨小梁逛街市。香港孩子最怕污穢，鮮與家人到街市買菜，男班長卻對當地的市場充滿憧憬，視為認識基層生活的良機。

露天攤檔比有蓋市場熱鬧，對香港學生來說，地攤出售貨品都是奇趣的事物。學生見識到廣西的著名特產羅漢果，還有新鮮的竹筍和萵筍、野生蕨菜、鵝掌菜、甲魚、七彩山雞等罕見物種，均覺比主題樂園的玩兒更富趣味性。其間，小梁為師生介紹一種香味濃郁兼營養豐富的水果——百香果，又名熱情果。他們覺得其貌不揚，小梁強調外殼呈紫紅色及深深下陷顯示它們熟透，越不起眼的東西越芳香，加入蜜糖水便成為滋味果汁。師生半信半疑，小梁好客，打算購買數斤百香果給他們回去品嚐，老師怕她破費，搶先付鈔。女同學認為當地的飾物太老套，完全提不起購買慾；男班長認為商品廉宜，單看拖鞋，價格未及香港的半價，足以反映當地的生活水平高低。

<h2 style="text-align:center">（六）</h2>

學生一般以為香港的學校必然比內地優勝，要去看看差距多遠。

師生跟隨小梁，浩浩蕩蕩步行上良子山。山腰上有一所中學，校舍佔據了整個山頭，教學樓、圖書館、體育館林立，當中有寬敞的校園、參天古樹、籃球場和草地足球場，環境清幽。他們被引領到會議室，圍著巨型會議枱坐下，枱上擺放樽裝飲品。學生看到牆上的燈箱亮起「熱烈歡迎香港超群中學師生」的字句，加上校長親自歡迎，大家受寵若驚。

校長忙碌，委派校務主任接待，致辭後匆匆離開。主任簡介內地教育制度和學校概況，在免費教育下，全校逾二千名學生獲豁免學費。內地學生以輕便舒適的運動裝束作為校服，香港的男同學非常羨慕，女同學則毀譽參半，其中愛打扮的女孩子始終喜歡穿校裙。他們錯愕的是校方採取封閉式管理，無論家住鄉下或近在縣城一律需要寄宿，整個學期，甚至整個中學時期都要住在校內的學生公寓。為了求學，他們不得不與家人分離，極大部分學生更早於小學時期已經展開漫長的寄宿生涯。

主任帶領參觀，香港師生方知道內地的教育硬件與香港不遑多讓。他們隨口探問一座名謂「逸夫樓」的由來，答覆與香港善長攸關，可見香

港善舉無遠弗屆。兩地師生互相交流，了解到內地的校風比香港淳樸，學校生活頗刻苦，該校學生在星期六、日也要補課。由於國內競爭激烈，學生盡皆勤奮向學，兼顧運動。在這樣的氛圍下，同學之間及師生之間的共處頻繁，關係緊密。兩地學生在「二人三足」活動中比拼，香港學生的默契顯然不足，遠遜於朝夕共處的內地學生。

女班長一直以為內地學生家貧，學習資源匱乏，誰知校舍和設施極盡完善。再者，學生不算貧窮，因為他們並非赤腳，鞋子也不破爛，很多學生穿著 NEW BALANCE 運動鞋。她仔細察看，鞋側的 N 字商標倒轉了，原來是贗品。

（七）

當年中國與北越建交，全力援越抗美，中國政府為許多越南少年免費提供教育及長期食宿。芳華正茂的秦愫愫離鄉別井，從上海遠赴廣西的育才學校擔任老師，負責教導越南小孩學習中文和音樂。初到南寧，她適應不了悶熱潮濕的氣候，精神不振。每天慣常下驟雨，呼吸才較為舒暢。由上海菜改吃廣西菜，她也不習慣。可是，為了意義重大的跨國界兒童教育工作，秦老師甘願留在他方安身立命，改寫自己的人生。長年累月與學生共處，上課時循循善誘，下課後扶持成長，無微不至地照顧越南學童的學業和起居。

老師柳眉杏眼，一副美人胚子，彈奏鋼琴時舉止尤其優雅，令學生著迷。《讀書郎》是著名的中國童謠，從越南小孩子口中唱出來，使她興奮莫名，領悟到音樂無分國界的道理。她與學生在同一天空下生活，對所有小童愛護有加，感情超越一般師生，好比家人一樣。在越南孩子的心目中，秦老師是專誠來守護他們的人間天使。

（八）

學童返回越南，不時緬懷在中國度過的美好童年，遇上一位和靄可親的老師，獲得她悉心培育和關懷，著實永誌難忘。班長阮耘稻念念不忘昔日的情景，一直思念著遠方的老師。

長大後，阮耘稻從事中越的貿易生意，輸出越南咖啡、急凍海產和

紅木傢俬等，憑著中文的學識在商界大派用場，然而半世紀以來未曾踏足中國。當他年過花甲，忽然興起一個念頭，聯繫育才校友，尋訪昔日恩師。透過人事脈絡和社交媒體，阮耘稻終於尋回多名失散的同學，他們都響應舊班長的提議，聯袂重遊南寧。他們始終打聽不到秦老師的消息，忖度已屆古稀之年的老師未必尚在人間。同學中有朋友兒子正在中國廣西修讀中醫，於是拜託世侄幫忙尋訪秦愫愫老師。

縱使秦老師下落未明，七名老同學如期由芒街出發，經過北崙河大橋，直達廣西東興。一河之隔，隔開了師生半個世紀之久。他們重踏中國的土地，目睹市內的棕櫚樹，瀰漫著越南風情，感覺中越息息相連，親切而溫馨。臨近南寧，突然下起大雨，風雨無損越南校友勃勃的興致，反而勾起無盡的思憶。風雨中的街道不甚熱鬧，樓房則美輪美奐，道路四通八達，使他們深深體會到滄海桑田，景物全非。雨水撲向車窗，沙沙作響，隔著沾濕的玻璃觀看煙雨淒迷的景色，正是熟悉而陌生的迷離意境。

雨濛濛中隱約豎立著一塊巨石，石面刻上金色大字——廣西大學，旅遊車駛近即將舉行座談會的大樓外。校園廣闊、校舍開揚，校友應邀到演講廳與大學生分享當年越南學生跨境求學的往事和心聲。學生專心聆聽一段鮮為人知的中越友好事蹟，之後年輕一代與年長友好交流軼事，意趣盎然。當中最為人關心的是秦老師的下落，大學生祝願越南來賓不枉此行，最終如願與恩師重逢。

（九）

座談會結束，校方代表陪同來賓到處參觀，他們途經音樂室，聽聞悠揚樂韻，旋律與格調耳熟能詳。琴師背著門口、弓著腰，她的背影與恩師相似。阮耘稻冒昧闖進課室，斜身張望，繼而目瞪口呆。老同學接踵而至，無不興高采烈，有的彈起，有的高呼：「秦老師！」

老師暫停彈奏，垂下纖瘦的手掌，回頭凝望，展露慈祥的微笑。她巧手輕盈，雙膝卻沉重，緩緩站起來。

「老師，老師，慢慢來。」舊班長連忙上前協助。

「謝謝！耘稻？」

「老師的記憶力真好！」

「年老了，今非昔比。」

同學爭相慰問：「不，老師健壯。可記得我？」

老師老淚縱橫，學生熱淚盈眶，眾人臉頰掛著兩行淚痕。學生輪流與老師擁抱，整個房間溫情洋溢，大家既是師徒，也是知己良朋，一切盡在不言中。老師一時感觸，說不出話來，退回鋼琴椅上，指尖一揮，奏起《讀書郎》，學生圍著老師高歌。在飄揚的琴聲中，他們以低沉沙啞的聲音唱和，音韻在各人的腦際和心靈縈繞不散，緊扣著每根心絃。

（十）

與恩師會面的夢想成真，全賴內地友人襄助。失散半世紀，老師生死未卜，重聚的機會渺茫，老同學本來打算一起重遊舊地罷了。友好人士暗地裡聯絡秦老師，偏要故弄玄虛，精心安排彼此邂逅，確實令人喜出望外。大家相逢恨晚，一見面就不吐不快，無盡的說話一下子傾訴不了。師生們移步到餐館，品嚐地道小菜之餘，繼續暢談當年情、講述今日事，巨細無遺地分享各人的近況和家庭生活。

席間，阮耘稻拿出一片竹書籤，說道：「秦老師，這是您送給我的禮物。」

老師點頭感嘆：「嘿，一件小東西，你居然保存至今。」

「您藉此勉勵我們努力學習，意義重大啊。」

「老師真偏心，只送給班長。」同學故意爭寵。

「可不是，老師也曾送手帕給我。」女同學解圍：「往昔生活艱苦，老師自掏腰包，非常難得。」說罷，她舉筷夾一塊豆腐予老師。

同學當然明白，老師有教無類，真誠愛護所有學生，一齊舉杯答謝她的恩情。阮耘稻向同學呼籲：「我們在這裡接受過教育、學習和成長，好應該作出回饋，所以我建議大家捐助本地的貧困學生。」

「好主意，當然贊成。」同學一致支持。

老師徐徐說道：「我覺得教師好像農夫一樣，一分耕耘，一分收穫。

從前播下的種子，現在長成大樹，蔭庇幼苗。你們造福中國的新一代，身為老師，老懷安慰。」

學生熱烈鼓掌，異口同聲：「我們只不過承傳您的教誨和訓勉——用生命影響生命。」

阮耘稻問老師：「您有何細藝？」

「在家弄孫為樂，閒時栽花，定期到窮鄉僻壤當義務音樂老師。」

同學讚揚：「不愧我們的好老師，退休後還要到鄉間培育孩子，他們真幸福。」

（十一）

香港學生跟隨老師出外夜遊。龍勝是旅遊區，以龍脊梯田最著名，相比廣西省內其他縣，龍勝算繁華熱鬧。入夜後，食肆、商店、手機店等仍未收市，師生逛完鬧市意猶未盡，順著濱江大道而行，觀賞尋江沿岸的夜景。江邊和山丘同樣打造得燈光閃耀，加上激光劃破夜空，使龍勝由日間樸實無華的鄉村姑娘到晚間搖身變成濃妝庸俗的老娘。粉飾過於造作，光彩過分耀目，令淑女般的縣市變得俗不可耐，製造嚴重的光污染。

「只怕投入尋江的光影打擾了魚群，連累牠們徹夜難眠。」女班長嗟嘆不已。

（十二）

香港學生告別龍勝，前赴泗水鄉參觀山區小學。由於山路狹窄蜿蜒，師生分乘兩輛客貨車出發。接近目的地的一段小路特別崎嶇，車輛顛簸不定，左搖右擺，後排座位的學生偶爾被凌空拋起，腦袋屢次撞到車廂頂，乘勢大叫大嚷，車子在喧鬧聲中駛進寧靜的八灘。他們對山區學校的概括印象是簡陋，由下車開始觀察，用簡陋兩字足以形容，況且世上沒有最簡陋，只有更簡陋的校舍。

校園沒有大門，操場也沒完好，地面凹凸不平，大面積龜裂塌陷，局部隆起，四周只有破舊的平房。該校學生身穿單薄的便服在凜冽的寒風中夾道歡迎，相比上次中學校長親自出迎，香港學生更加受寵若驚。

山區學生個子細小，臉蛋大都爆拆，個別嘴唇蒼白，顫抖中笑臉迎人。他們彬彬有禮，主動跟來賓打招呼。山區孩童單純，如未受凡塵俗世沾染的青蓮，表情流露出天真爛漫的喜悅，眼神充滿期盼。究竟他們期盼甚麼？也許他們自己也不曉得。

山區小學與龍勝中學截然不同，地方偏僻，校舍破落，課室昏暗陰沉，木桌椅和黑板殘舊不堪。學生宿舍堆滿鏽迹斑斑的雙層鐵床，破爛的床鋪被褥散發霉臭。

「牆壁糊上報紙？」男班長發問。

小學主任解答：「木牆板日久失修，爆裂兼被蟲蛀，木板之間亦有縫隙。校方嫌油漆破費，為求節省開支，把報紙當作牆紙來修飾牆壁、封殺蟲蟻、堵塞透風情況。」香港學生聞言，心頭酸溜溜，好想取締發黃的「牆紙」，不如送贈新報紙給學校。不，送漆油！不，送金錢？個個妙想天開。

參觀完畢，兩地學生到操場聯誼耍樂，香港學生比山區學生年長，負責帶領遊戲。他們帶備康樂用品，與數十名小學生擠在一起，蹦嘣跳跳，在陷阱處處的操場上追追逐逐。全部學童的鞋子破破爛爛，鞋跟嚴重磨蝕，他們不以為意，絆倒擦傷也沒撒嬌，一爬起來就嘻嘻哈哈。反之，香港學生嬌生慣養，動不動便叫苦連天，不禁自愧不如。山區資源匱乏，當小孩子收到小小東西，比如糖果餅乾和文具等就很滿足，雀躍得無以名狀，開心原來這麼簡單。

香港學生從交流中得知小朋友不用交寄宿費，但要向校方繳付伙食費，一日三餐費用六元，整個學年約一千三百元，鄉村人均收入只得一千五百元，大部分家庭負擔不起。他們需要在家自備飯餐，清晨六時前離開家門，徒步十公里返學，寒冬比炎夏步行更辛苦，抵達學校時頭髮都結霜了。至於寄宿學童，每週可以回家一趟，與家人共敘天倫的時光遠遠不及與同學共處，根本沒甚麼家庭生活可言。

除了考察，香港學生要切身體驗山區校園的生活，一齊嬉戲玩樂之餘，也要一齊起居飲食。學校廚房簡陋，日常供應不外醬油大白菜、炒

土豆絲、酸菜、饅頭等，學生甚少吃肉，午餐和晚餐的款式不無兩樣。校方接待香港訪客背後獲得經濟資助，添加了飯菜，有肥肉和臘肉，山區學生因而受惠，滿心歡喜。學校沒有食堂，香港學生饑腸轆轆，齊集課室享用學生餐，別具風味。

師生需要留宿一晚，學生遊遍校舍也找不到騰出來的房間。

「老師，今晚我們在哪裡睡覺？」女班長問。

「住在課室？」男班長搶話：「睡在桌上？」

老師先點頭後搖頭，簡單回應：「課室——地上。」

「打地鋪？」學生震驚。

老師豎起拇指，與學生合力搬走桌椅，騰空兩間課室。校務主任同時召集學童，協助搬運禾稈草到課室，撒在地上。

學童散去，女生磨蹭埋怨：「為何我們要受委屈？」

老師反問：「為何小孩子要受委屈？你們只借宿一宵，他們長年累月過這樣的生活。」

女生語塞。

<h2 style="text-align:center;">（十三）</h2>

當地老師早知香港學生身嬌肉貴，把送贈給寄宿學童的簇新被鋪先讓來訪學生使用。女生如獲至寶，把柔軟的棉被覆蓋在禾稈草上，蹲身躺下，裹在軟綿綿的被褥裡享受山區校舍的「高床軟枕」。

夜闌人靜，老師已經入睡，學生不習慣陌生環境，多數未能成眠。他們起「床」，並排坐在課室門外的石階上，觀看夜空閃爍的繁星。男班長如廁歸來，召喚同學到校舍後面的樹叢見識幽靈，同學半信半疑跟從。

「噢！眾多螢火蟲。」同學瞪大眼睛，看得出神。

四野皆是紛飛的微弱光點，疏疏落落，無法與天際的星群爭輝，然而討學生歡喜。他們撲向螢火，蟲兒閃身躲避，卻被自身的光芒出賣，洩露了行蹤。學生與螢火蟲玩捉迷藏，蟲兒無處藏身，唯有遠走高飛。曲終人散，他們在回程途中嗅到清幽撲鼻的花香，女班長不自覺地舉手作答：「是夜香花，又名夜來香，晚間才散發香氣。」

「有見地，賞妳夜香。」男班長戲謔。

女同學仗義執言：「狗口長不出象牙！」

男班長忙打呵欠，撤回班房睡覺。

（十四）

清晨雞啼隱沒，耀眼的陽光穿透課室的窗戶，喚醒所有師生。寒意使人振奮，學生匆匆梳洗，合作還原班房的本來面貌。他們執拾好餽贈用的棉被，清除滿地的禾稈草，乘便徹底打掃班房。

學校簡陋，學生數目又少，朝朝如儀升國旗、唱國歌。兩地師生齊集操場，肅立觀看升旗儀式，嘴邊念念有詞：「起來，起來，起來！」香港學生縱然不熟悉歌詞，在濃厚氣氛的感染之下唱得凜然起勁。

之後，各自提取早餐，女班長嚇得大叫：「蟲！有蟲！」

廚工連忙釋除她的疑慮，解說：「別擔心，那是沙蟲，可以放心食用。」

「不，我寧吃白粥。」

「白粥？」

「對，白粥。」女班長用普通話重申：「我寧吃稀飯。」

廚工回話：「對不起！我們沒有另外預備稀飯，只得沙蟲粥和饅頭。」

「饅頭也行。」

其他女生見狀，改吃饅頭。男生入鄉隨俗，大口大口地吃沙蟲粥。

校務主任上前稱讚男生：「你們吃的是天下第一粥！」連隨豎起大拇指。

「不愧是人間極品，比鮑魚粥更鮮甜味美。」男生用舌頭輕舔嘴角。

（十五）

女班長閒逛，意想不到有課室存放了一臺鋼琴，她悄悄潛入。鋼琴表面刮花破裂，琴椅霉爛。女班長靠近鋼琴，隨意彈一彈，發覺音色飽滿，毅然坐下，彈奏貝多芬名曲《Für Elise》。她全神貫注彈琴，臨近尾聲才留意到一名老婦倚著門框聆聽，故此賣力演奏，志在老人家面前炫耀一番。一如所料博得婆婆的掌聲，班長沾沾自喜。

「彈得不錯，」老婆婆當面讚賞：「不過有好幾個音調錯弄，部分拍子亦失準。」

「婆婆，您懂音樂？」班長詫異。

老婆婆笑問：「妳猜？」

班長聳一聳肩膀，閃身告辭，背後傳來錚錚琮琮的琴聲。她驚訝回望，老婆婆彈奏《Für Elise》其中一個段落，正是自己剛才失準的地方。班長以掌聲報答，老人家回眸，單薄的嘴唇不停顫動，眼睛則炯炯有神。

「婆婆真棒！可否多奏一曲？」

婦人已屆耄耋之年，體型纖弱，在鋼琴前神態自若，雙手平放在大腿上，輕輕提起左手，繼而雙手舞弄，十指此起彼落，偶爾垂低左手，單單用右手彈奏。老人家毋須觀望琴譜，悠長的《梁祝》琴音妙韻從她的指尖傾注而出，自然流暢，幻化成流水行雲的美妙樂章。節奏緩疾有致，音質輕重有別，樂曲抑揚頓挫，令黑白琴鍵變成躍動的斑馬，老婦輕鬆駕馭，馬韁收放自如，儼如萬馬奔騰，並駕齊驅。

老琴師獨奏氣勢磅礴，而且感情澎湃，招徠香港師生圍觀。他們屏息靜氣，側耳傾聽，她不慌不忙，完美無瑕地演繹整首不朽名曲。現場掌聲雷動，老人家從容不迫地撐著鋼琴起立，轉身向聽眾微微鞠躬，姿態溫文爾雅。她自稱秦老師，退休之後到山區學校義務教授音樂課，香港師生驚愕山區竟有如此世外高人，爭相與她合照。事後主任透露，老婦人是中國第一代鋼琴家，手法老練，才情橫溢，在該校義教多年。在名師的薰陶下，校內學生對音樂產生了濃厚的興趣。

（十六）

五十年前，秦老師親率學生登上青秀山，飽覽邕江景色。縱使青秀山並非高聳，當下老師和部分學生皆心有餘而力不足，改為暢遊武鳴河，欣賞怡人的河畔風光。那裡有一道風雨橋，橋身宏偉，木建築上找不到一根鐵釘，整座橋樑以榫銜接，外型獨特，凸顯侗俗風情。

老師邀請學生回家作客，整條村落都是木建築，家家戶戶相連。在長長的建築群之中，老師推開其中一戶的兩扇紅木門，三個孩童立時迎

上前，摟著老師雙腿糾纏不休。小孩子乖巧，遵照祖母的指示稱呼來賓：「叔叔、姨姨。」

家居沒多大，布置簡單，秦老師招呼學生入座，蹲坐矮凳，圍著矮枱，老師在旁製作侗族接待客人傳統的「打油茶」。老師自從派到廣西教書便落地生根，與侗族青年組織家庭、生兒育女，一切一切都在這個異鄉萌生。她的丈夫早逝，現與兒、媳同住，協助照顧孫兒。

學生初嚐打油茶，女學生喜歡茶味濃郁，男學生略嫌味道古怪，鹹澀而辣，於是老師改以米酒款待。

「廣西與越南相連，老師竟未曾到訪過你們的家國。」

「越南比廣西落後，生活簡樸。改革開放之後，昔日越戰時期馳名海外的地道都變成旅遊熱點了。」阮耘稻娓娓道來：「越共遊擊隊利用大型地下隧道網絡來隱藏兵力、輸送彈藥及補給物資，並且發動突擊，偷襲敵軍。現在，秘密地道、恐怖的殺人陷阱和武器等戰爭遺物供遊客參觀。」

「未免太功利吧。話雖如此，要是我年輕十年，也要到越南探訪你們一趟。」

「若老師光臨，我們一同去鑽地道。」

「老骨頭鑽不了地道，不過入土就為期不遠了。民間有句諺語：『食在廣州，死在柳州』，柳州就在廣西，老師可算走運。」

「老師長命百歲！我能夠做您的學生，簡直是一輩子的恩典。」女班長中月趁機祝福和剖白。

「大家都一把年紀，人生路上有幸遇上老師，無疑是緣分，亦是我們的福分。」

「太誇獎了，我只是盡老師的本分而已。人生短促，大家要好好善用餘下的歲月。」

「同意，讓我們敬您一杯。」

（十七）

秦老師談笑風生，當眾自揭家世。她出身於書香世家，祖父是舉人，

父親出洋留學回國，母親是大家閨秀，外公是巨賈。她自幼學習鋼琴，大學修讀中文。畢業時適逢中共和越共建交，越共領導人親自致函中共主席，要求在華南地區設立越南政府駐華學校，為越南的幹部子弟和烈士遺孤等年輕一代提供一個向中國學習的機會。中共立國初期百廢待興，國家主席仍願意在南寧西郊創辦學校，並撥款支持以示友好。她響應校長的號召，無視父母反對，擔起促進兩國友誼的重任，隻身由上海遠赴廣西，連同其他來自北京和天津的優秀畢業生，為育才學校擔當拓荒者。起初師生在竹寮草棚上課，直至新校舍落成，現址為廣西大學。

老師不諳越南話，初時無法與學生溝通，全賴音樂打破雙方的隔閡。她利用琴聲來表達喜怒哀樂的心情，又透過音樂建立工作關係，促進師生的感情。之後她才正式教授中文和漢語，像教導牙牙學語的小孩一樣由零開始，運用生活中的實物實況來教學。秦老師教曉學生中文，自己也學懂越南話，彼此相輔相成。

（十八）

有別於現時六年制的小學教育，當時推行五年制課程，秦老師與首批入讀的學生共度了五個寒暑，相處長久、感情深厚。歡樂時光荏苒而逝，畢業將至，學生自當高興，老師應該欣慰，然而離別在即，師生心情矛盾，生怕此後天南地北，各散東西。

老師鼓勵他們回國用功學習，長大後回饋社會，貢獻國家。對學生而言，越南是親生母親，中國是養母，俗語有云：「生娘不及養娘大」，他們與中國的關係比起越南密切。秦老師宛如乳娘，比養母更親近。學生兒時缺乏父母教養，老師身兼母職，平常如繫鞋帶也要教導，協助孩子穿鞋子，示範打結的方法。類似的生活點滴日積月累，匯聚成不息的川流，在心內流淌。

畢業典禮上驪歌高唱，秦老師彈奏《讀書郎》，學生放聲高歌：

> 「小嘛小兒郎　背著那書包上學堂
>
> 不是為做官　也不是為面子寬

只為做人要爭氣呀

不受人欺負　不做牛和羊

郎裡格郎裡格郎裡格郎

不受人欺負　不做牛和羊」

　　學生唱得激昂，道盡秦老師的心聲：「小嘛小兒郎，背著那書包上學堂……只為做人要爭氣。」老師洋洋自得，深信多年的教育絕不徒然，為他們畢業而自豪。在學生的心目中，她既是良師，也是益友，在她門下受教五載，何等榮幸，畢生感恩。

（十九）

　　香港師生離開泗水，途中目擊一輛十噸貨車在公路上翻倒，運載的羅漢果從車斗傾瀉而下，散滿一地。附近村民帶同竹籃、膠桶蜂擁而上，爭相掠奪貨物。他們如取如攜，遍地羅漢果一掃而空，餘下殘破不全的果殼和踐爛的果肉。旅遊車繞道而行，男班長發覺貨車司機被困於駕駛室亟待救援，斥罵：「村民見死不救，只顧趁火打劫，貪婪無恥！」小梁代為報警，旅遊車方才離開。

（二十）

　　學生寄宿期間未曾遠行，趁畢業回越南之前，跟秦老師遊山玩水。孩子初到桂林，四處奇山秀水，風光比南寧明媚，也沒那麼悶熱。他們觀看象鼻山和駱駝峰，嘖嘖稱奇。江畔的伏波山與疊彩山、獨秀峰各據一方，鼎足而立，山巒不算聳拔，在四野平原上奇峰突出。師生登山遠眺，秀麗景色美不勝收，隨後乘船暢遊漓江，遙望蘋果山，不禁垂涎欲滴。群山連綿不斷，山青水綠，與倒影交融，渾然天成。大家恍若置身「十里畫廊」，沿途觀賞兩岸如詩如畫的山水。全賴老師安排畢業旅行，一起見識「甲天下」的桂林山水，共享甜蜜的美好時光。

（二十一）

　　「貧窮之旅」的行程接近尾聲，香港師生順道遊覽桂林，學生魚貫進入蘆笛岩溶洞深處尋幽探秘，被四周奇形怪狀的鐘乳石深深吸引。洞內有懸

垂的石柱，也有象牙雕刻般的石筍，還有高懸半空的雪白簾幕，在燈光的輝映下玲瓏剔透，就像色彩繽紛的綾羅綢緞一樣悅目。曲橋水榭皆雕欄玉砌，地下湖面映照出千變萬化的異石投影，岩洞疑是瑰麗堂皇的水晶宮，加上煙霧營造的虛幻氣氛，又似人間仙景。學生回望剛才經過的地方，色調和景致好不一樣，無不讚嘆大自然的鬼斧神工。

（二十二）

師生重聚勾起不少刻骨銘心的記憶，如女班長生病時老師的悉心照料，畢業旅行男班長走失時老師的著急，老師告假回上海奔喪時眾學生的徬徨……畢業禮當天，秦老師逐一擁抱學生，感覺無比溫暖。可是，擁抱和溫暖只是短暫，並不能長久，接著學生返回越南。話別同樣短暫，分離卻是漫長，彼此明白到重逢可望而不可及。

「你們要剛強正直，不要畏懼，有緣再聚。」老師不住叮囑。

「秦老師，好好保重身體，日後我們回來探望您。」

「我的乖孩子，老師等你們。」

老師在淚光中送別學生，念念不忘他們的背影。

（二十三）

秦老師留守學校作育英才，依然牽掛著畢業回國的學生。她懂得越南話，清除了語言障礙，教學上駕輕就熟。兩年後所有學生都要回歸越南，老師再度，也是最後一度送別學生，與親愛的學生依依惜別，離愁別緒分外高漲。秦老師臨別擁抱和叮嚀，祝福學生前程錦繡。

「秦老師，好好保重身體，日後我們回來探望您。」

「我的乖孩子，老師等你們。」

老師在淚光中送別學生，念念不忘他們的背影。

秦老師繼而調派到省內另一所學校任教。及後中國和越南交惡，爆發中越戰爭，兩國的交情不再，老師與越南學生的聯繫隨之而斷絕，五十年來互無音訊。

（二十四）

歲月不饒人，越南學生相繼步入晚年，兩鬢斑白，腳步蹣跚；秦老

師容顏乾瘦發皺，銀髮稀疏。老師外表蒼老，眼睛卻明亮，腦筋保持靈活，反應比大部分學生猶勝一籌。

半世紀以來首次與秦老師合照，學生相當重視，各自整理儀容，還替老師妝扮。在桂林兩江國際機場離境大堂輪流拍照，師生無不展現燦爛的笑容。到了拍攝大合照的時候，全體莊嚴肅立，唯恐有失。

年邁的恩師親自送行，學生感激流涕。他們有共同的經歷，懷緬畢業離校時微風細雨下難捨難離的場面。當時年幼，捨不得與老師分開；現在年事已高，仍舊捨不得與老師分開。

「秦老師，好好保重身體，日後我們再來探望您。」

「我的乖孩子，老師怕等不了！」老師再度與學生話別，激動哽咽，說不下去。

師生相信，如今作別，他日重聚機會渺茫，極可能從此永訣。老師看似堅強，開懷地送別學生，誠如昔日的情景和心情，互相熱烈擁抱，黯然離去。老師按捺不住，淚如泉湧，淚光中的背影歷久常新。

（二十五）

香港學生在「貧窮之旅」檢討會中表示，透過考察、體驗和交流活動，對貧窮有新的領會。

「學校舉辦的貧窮日使我一直誤以為窮人都赤腳。」女班長發言，同學忍不住發笑。

「如果連鞋子也買不起，基本需要亦成問題，可算赤貧。」老師回應：「但窮人不一定赤貧，窮鄉僻壤的孩童也有鞋子穿。」

男班長插話：「他們有鞋子卻穿破了，經常腳趾外露。」

「你們曉得 to step into someone's shoes 的含意嗎？」老師問。

女班長提議：「男班長試穿爛鞋才可感受得到。」

「對了，」同學哄堂大笑，老師說下去：「意思就是這樣，易地而處方可切實體會對方的感受。」

「為何有些團體偏要赤腳籌款、赤腳請願？」男班長妙問，同學又哄笑。

女班長搶答：「他們利用花招來吸引傳媒採訪和報道，引起社會大眾的關注。」

「沒錯。」老師補充：「還有一點，就是藉鞋子寓意孩子，從而宣揚重視孩子的訊息。」

（二十六）

與超群中學為鄰的小學正在廣播：「前往文錦渡、皇崗、深圳灣口岸的同學，請馬上到有蓋操場集合，等候上車。」類似的情況十分普遍，由於香港出生率低，許多學校要依賴內地學童跨境上學才免遭「殺校」。除了新界北區，其他地區的學校亦要招收跨境學童。香港回歸以後，無論大、中、小學，甚至幼稚園，內地學生為數不少，大大加快中港融合的步伐。半世紀前中國協助教養越南孩童，薪火相傳，今時今日的香港協助培育內地孩童，中港堪稱楷模。

不撓

（一）

　　緊隨輪胎熱吻跑道，恩沛即時聽到一聲巨響，感覺到一陣震盪，知道飛機已經著陸，終於抵達闊別三年的香港。航空公司職員協助她坐上輪椅，並護送入境，移交給其家人。

　　「乖女！」潘太率先上前迎接，半蹲地親近愛女，額頭互相緊靠。恩沛的臉頰沾濕了，母女倆悲從中來，女兒分不清是誰落淚。潘先生驟眼一看，女兒的襪子一隻淺藍，另一隻深灰，他壓抑不住悲愴，掉下老淚。

　　「爸？」女兒瞄到一個朦朧的身影。

　　「恩沛，我們回家。」父親哽咽。

　　女兒看不見卻聽得見，感受到他的哀傷，佯裝並不知情，答話：「爸，我很掛念您！」

（二）

　　一家三口眷戀前塵往事。

　　「要是不習慣，回來吧。在香港讀書不是一樣嗎？香港大學、科技大學不是高等學府嗎？為何要漂洋過海，遠赴美國芝加哥修讀物理？」母親嘮叨。

　　父親不以為然，說道：「學生夢寐以求升讀世界著名學府，就讓恩沛如願放洋留學四年，享受更豐盛的人生。」

　　獨生女兒自幼成績超卓，父母一直引以為傲。當她獲得海外留學獎學金，母親憂喜參半，擔心恩沛人地生疏，缺乏家人料理，生活刻苦，又怕她孤伶伶，遇人不淑，潛伏不測，不甚支持。父親卻對女兒有充分信心，因為她性格獨立，應變能力不俗，不怕她吃虧，支持她的決定。

（三）

　　恩沛高燒兼咳嗽，整天臥床休息，吃藥無效。房東 Mrs. Robinson 推薦其家庭醫生，並陪伴恩沛求診。醫生處方感冒藥物，她按照指示服食，病情反而加劇，持續高燒、頭暈目眩和呼吸困難，最終入院留醫。恩沛開始退燒，但全身出現紅疹，皮膚痕癢、滲血，及後眼睛刺痛。入院時，她辨認到醫護人員的臉孔，翌日視力模糊，近在咫尺的護士也看不清楚。恩沛惶恐不安，擔心無可救藥。她感覺到床單表面好像布滿厚厚的塵埃，以致心緒不寧，要求更換新的被鋪。

　　護士回覆：「我們天天更換床鋪，妳觸摸到並非塵埃，乃是從妳身上脫落的皮屑。」

　　恩沛錯愕，病情怎麼急轉直下？

　　她剛升上大學四年級，過去三年沒有回港，時常透過視像通話與家人聯繫。由於患病，好幾天沒有聯絡，即使母親來電，恩沛也不敢進行視像通話。為免雙親憂慮和揣測，只與家人通電話，當母親提議視像通訊，恩沛便訛稱系統失靈，沒法使用。女兒含混其詞，母親半信半疑。

　　經過連日治療，恩沛的皮膚有好轉，視力則未有改善。醫生表示，由於藥物過敏造成無法彌補的傷害，她的雙眼嚴重受損，視力不足半成。猶如判處極刑，她的心頓然沉甸甸，繼而死寂。頭腦反常，由一片空白變得胡思亂想，腦海浮現連串糾纏不息的記憶及疑問。三年多前，她獲大學取錄，順利出國留學。要不是身處異地，要不是病倒，要不是房東介紹，要不是庸醫誤診，要不是藥物過敏也不會招致失明。恩沛悔不當初！

（四）

　　相熟同學得悉恩沛入院，紛紛前來探望。當中有基督徒為她祈禱，懇切盼望恩沛獲得適當的治療，挪走病痛，早日痊癒。雖然她沒有宗教信仰，但身陷困境，也嘗試尋求神的憐憫，祈望神蹟奇事降臨在自己身上。Mrs. Robinson 慰問之餘，自責連累了她，因而耿耿於懷。

　　「Mrs. Robinson，不必放在心上。您介紹醫生全然出於善意，遇上不

測純屬意外，只怪自己倒楣。」

恩沛無法接受失明的事實，也無法完成學業，留在美國無濟於事。她惶惶不可終日，反正在他邦孤立無援，乾脆停學回港治療。

「媽，我要回家。」她難以啟齒，最終如實向母親交待真相。不再隱瞞病情，她如釋重負，雙親卻彷彿從天堂一下子跌入萬劫不復的深淵。

「我過去接妳回來？」

「爸，毋須奔波，這裡有同學為我籌謀，您屆時在香港機場接應吧。」

父親放心不下，女兒堅決拒絕，只得互相配合。

（五）

三口子提早重逢，悲喜交集。由機場回家的路漫長，沿途一家人欲言又止，顧忌越多，對話越少。恩沛在雙親護送下回到家門，視障令她舉步維艱，熟悉的家變得陌生，時刻步步為營。女兒摸索前行，父母想協助又怕傷及其自尊心，看到她跌跌碰碰，他們心如刀割。面對喪失視力、學業和前途的女兒，父母追悔莫及。母親暗地裡埋怨丈夫當年支持女兒負笈海外，父親黯然，無言以對。

「對不起！我尚未完成學業，令您們失望。」

「畢業與否，實在無關痛癢。」父親口直心快，心底的說話衝口而出。

太太生氣，父親慌忙自圓其說：「我的意思是——健康要緊，學業只是其次。」

女兒聽得明白，了解父親的心意。

（六）

恩沛非常熟悉家居環境，因為一個月以來沒踏出家門，既然看不到東西，身在何方均沒有分別。她足不出戶，免卻適應新環境，寧願自困，享受有限的安全感。過往以學業為重，課餘還要兼職，沒有空餘時間。現在學業告吹，連身體健康和正常生活都失去，人生變得空虛。生活無所事事，不外乎睡覺和聽音樂。失明人進食亦成問題，影響了食慾。恩沛試過自斟一杯熱水又或沖泡杯麵，母親恐怕她燙傷，即時撲出，知道雙親無時無刻在旁守護。為免家人服侍，她連飲水的意慾也大減。親朋

前來探訪，恩沛渾身不自在，不想接觸任何人，除了親密的表姐。

（七）

表妹在家中百無聊賴，虛度光陰，表姐提議出外度假，恩沛不敢推辭。兩人乘船前往長洲，在甲板上，恩沛感覺到凜凜寒風混和著海水的鹹味撲鼻而來，聽聞航行時的沙沙浪聲，切身體會乘風破浪的滋味。

長洲碼頭外人聲鼎沸，食物飄香，表姐不停買，讓表妹不停猜、不停吃。恩沛看不見但嗅得到，嗅不到但嚐得到，猜得到的食物計有大魚蛋、芒果糯米糍、豆腐花西米露、冰鎮西瓜、螺旋薯片、紅荳糕……隔別數年重臨舊地，一切看不見，全賴舌尖吃出依舊的味道來。

「恩沛，有興趣戴太陽眼鏡嗎？」

「盲人必備的東西，再合適不過了。」

「別誤會！完全不是這個意思。」表姐一臉茫然。

「表姐，別擔心，我明白妳的心意，快幫我挑選一副。」

「嗯，」表姐會意，為表妹精挑細選合適的眼鏡，說道：「妳試戴這副。」

恩沛剛戴上眼鏡，即答：「好，就要這一副。」

「我尚未形容它！」

「不用了，舒適便好，況且款式和顏色對我不再重要，剛才觸摸過，心中有數。」

表姐帶表妹到東灣，手牽手踱步。恩沛感覺到沙灘並未變樣，沙粒粗糙如舊，潮汐漲退如昔。感覺上外在環境變化不大，自己的心境卻影響了對事物的看法。

「恩沛，我們今晚在上面的度假屋留宿。」

「入住東堤小築？」

「不錯，妳還記得。」

「當然記得，香港著名的燒炭自殺熱門場所。不怕嗎？」

「平生不作虧心事，夜半敲門也不驚。怕甚麼？」

「——確實沒甚麼可怕，只怕睡不著。」

「那麼聊天光吧。」

恩沛鼓掌贊同：「好！跟上次出國前一樣，我倆徹夜談心。」

「事不宜遲，我們先吃飯。」

「吃海鮮？」

「當然！」

（八）

表姐點選表妹鍾愛的蝦蟹，恩沛自行剝蝦拆蟹，吃得狼狽卻滋味。兩人用膳後意猶未盡，找甜品店消磨。甜品不單止滿足口舌，而且滋潤身心。即使欠缺視覺上的刺激，單憑觸覺、嗅覺和味覺，可口的甜品足以令恩沛回味無窮，回味從前的歲月。早前在家食之無味，根本與食物無關，皆因個人的心態扭曲了，封鎖了所有感官神經。甜品雖醫治不了她的眼疾，但紓解了她的鬱結。

度假屋頗殘舊，表姐有些嫌棄，恩沛則不以為意，她不再用眼睛來判斷，而是用感官來辨識。感覺上，房間沒有霉臭和煙味，雙人床算寬闊，觸摸床鋪，乾爽之外，散發洗衣粉的芳香，相信洗晾潔淨了。

「恩沛，大門後貼了一張便條，用來勸喻住客珍惜生命。」

「具體內容？」

「生命誠可貴——」

表妹搶話：「友誼價更高。」

「自作聰明！」

「下聯是甚麼？」

「生命誠可貴——」表姐故意賣關子：「——度假度全套。」

兩人哄笑，摟作一團。

「真有創意，教輕生者三思而後行，珍惜生命，好好度假。」表姐轉移話題：「這簡陋的房子竟有煙霧感應器，燒炭也不成。」

「不要再提燒炭，今晚我們盡訴心中情。噢！忘記買零食。」

「早有準備，薯片、巴馬火腿、香檳……」

「表姐真體貼，男人娶到妳，真幸福！」

「表妹嬌俏，男人娶到妳，更幸福！」

「表姐，別開玩笑，娶一個盲妻會幸福嗎？」

「恩沛，不要妄自菲薄，難道身體有缺憾就注定一生不幸，不會有美滿的婚姻？」

表妹抿嘴，不置可否。

（九）

表姊妹無所不談，表姐趁機了解表妹的心路歷程，恩沛不迴避，暢所欲言。兩人識於微時，表姐對表妹愛護有加，表妹對表姐十分信賴，從未對父母宣諸於口的感受，盡情向表姐傾訴。恩沛對於眼疾造成的傷害耿耿於懷，由於視力問題，失掉學業，掣肘著身體的活動，令日常生活諸多不便，前途黯淡，以致心情極度低落。每當想起藥物過敏導致視力嚴重受損，恩沛便遷怒醫生，害她一敗塗地。她亦懊悔昔日不顧母親的忠告，放棄香港升學的機會，堅持到外國留學的決定。若追溯悲劇的根源，原來始於她的一個決定。

「決定本身沒錯，妳不要再自責。」表姐安慰：「追求理想，選擇當行的路，應當義無反顧。無論何人身處何方，也有可能遭逢不測。不要因為一次意外而全盤否定自己所作的決定。」

表姐不知表妹會意還是失意，只見恩沛喝了一大口香檳。

（十）

表姊妹為了看日出在所不惜，小睡片刻就動身，天未亮，東灣空無一人，唯有她倆在黯淡無光的沙灘上席地而坐。

「恩沛，妳瞇一會兒，日出時我叫醒妳。」

「不睡了，睡不著。」

「有心事？」

「有生以來，我未親眼觀看日出，現在再沒機會。」

「嘗試用心去感受，我與妳一同閉目體驗。」

「妳看過日出？」

「現場觀看的話，一次也沒有。」

「不！不用陪我。難得有機會看日出，不應錯過。」

「沒問題，用不一樣的方式去體會，有何不可？」

表妹不懂回應，摟著表姐的臂彎裝睡。

未幾，表姐提示：「曙光漸露，來，我們用心感受。」

「日光之下，我依然感受不到一絲溫暖，只感到絲絲涼意。」

「好正常，旭日剛剛升起，寒氣未散。」

「表姐，可否幫我回去拿取一件厚外套？」恩沛瑟縮。

「當然可以，不過妳——」表姐遲疑。

「放心吧。」

「那麼妳留在這兒等候，我速去速回。」

表妹打了一個意會的手勢。

<h2 align="center">（十一）</h2>

表姐方才離開，恩沛即站起來，徐徐朝向浪潮聲邁步。她小心翼翼，直至雙膝浸在水裡便裹足不前。沾濕的裙擺緊貼大腿，恩沛深深吸了一口氣，昂然闖進大海，不消十步就進入水深之處。水平線到達下巴，整條裙子濕透，裹著身軀。她感到寒冷和窒悶又不諳水性，於是折返沙灘，連隨一百八十度轉身，接著踏前一步。出乎意料，水位並不是降低反而升高了，她的鼻尖觸及水面。恩沛立即踮腳尖，一時慌亂吸入海水，劇烈嗆咳。她分不清東西南北，盲目亂竄，失足浸在水裡透不過氣，呼救無從，雙手在水面亂抓亂掏，身體傾側下沉。恩沛驚惶失措之際，感覺到海水強烈波動，有人移近，有一雙粗壯有力的手臂及時將她抱起，稍後把她放下。她意識到自己安躺在沙灘上，身邊傳來一把洪亮的男人聲音：「小姐，沒事吧？」。

恩沛臉容蒼白、身體抖顫又不停嗆咳，未能答話。

「怎麼渾身濕漉漉？」表姐回來即嚇了一跳，蹲下時順勢把外套覆蓋著內衣約隱約現的表妹。

健碩青年唯恐誤會，搶話：「碰巧她在水中掙扎，我剛剛救回。」

恩沛清一清喉嚨，開腔：「正是如此。」

「謝謝！謝謝你救她一命，感激不盡！」表姐懇切道謝。

表妹親自道歉：「對不起！連累了你，真過意不去！」

「不必客氣！看來妳沒有大礙，休息一會吧。多多保重，我先行告辭。」

「謝謝，謝謝！」表姊妹不約而同道別：「再見，再見！」

（十二）

表妹沐浴更衣，表姐引領她坐下，遞上一杯溫水。

「謝謝，表姐。」恩沛一口氣喝完。

「為何妳單獨下水？」

「我──」

「妳借故支開我？」

「我──我──」

「妳想自殺？」

「不！我只想學習獨立自主，突破限制，親身體驗周遭的事物。當我聽到浪潮聲，似呼喚我去親近大自然。令妳擔心，真對不起！」

「還以為妳自尋短見。」

「險些弄假成真！」

「假的真不了，真的不得了！出死入生，要好好活下去。」

「理所當然。」

（十三）

每年農曆四月初八日前，莊氏一家人忙個不停。老莊餅家在長洲經營數十年，售賣麵包和中式餅食，為了應付節慶大增的銷量，舉家動員以趕及佛誕節供應數萬個平安包。

太平清醮是民間祭祀儀式，也是長洲的年度盛事。每逢佛誕假期，長洲例必打醮，下午舉行飄色巡遊，晚上進行「搶包山」比賽，因而吸引不少本地居民和海外遊客慕名而至，從四方八面匯集長洲。許多食肆響應齋戒傳統，只預備素食，客人大多入鄉隨俗，惠顧茹素，以及購買平安包。老莊餅家是當地馳名的餅店，顧客絡繹不絕，爭相購買傳統人手

製作的包子。莊家上下日以繼夜生產平安包，無論麻蓉、蓮蓉抑或豆沙餡料，一概供不應求。大家忙於搓麵團、包餡料、蒸包，並於包面蓋上紅印——大圓圈圍著「平安」二字。簡單的材料配合流水作業的製造，不停做包如同不斷印製鈔票，財源滾滾。穗蓓覺得餅店所賺的是辛苦錢，不過大家樂在其中，過程中凝聚了全部家庭成員的力量，使一家人更團結。另一方面，平安包讓顧客果腹之餘，使他們感到平安和喜樂，故此小店賺的也是開心錢。

（十四）

天氣炎炎，男女老幼一直在街頭苦候，張開傘子阻擋驕陽。他們通身汗臭，沒埋怨過青天朗日，並肩地站立、癡癡地等待、呆呆地張望，終於不負所望，傳來喧天的鑼鼓聲，由遠而近。

「前排的傢伙快收起雨傘，人家也要觀看。」後排觀眾焦躁催促。

傘陣立時消失，圍觀人士只顧湊熱鬧，休管烈日逞兇。首支隊伍高舉旗幡和三角旌旗開路，在大鑼大鼓和群眾的簇擁下招搖過市，他們使勁舞獅又舞麒麟，為巡遊揭開序幕。長者喜歡懷舊，小童喜歡新奇，年輕人喜歡湊熱鬧，甚麼東西也覺好看。他們反應熱烈，掌聲雷動，令表演者更加投入演出，將醒獅和獨角麒麟舞動得威武不凡，輔以扎實的步姿，顯露出飛揚的神采。隨行的同門師弟妹一致穿著國術裝束，肩頸上掛著一條大毛巾，威風凜凜。

長洲飄色可媲美外國的大型嘉年華，場面繽紛熱鬧，氣氛高漲。十多支由長洲社團和體育會派出的巡遊隊伍浩浩蕩蕩由北帝廟出發，以四輪手推車運載飄色的小主角。小童經過悉心化妝，打扮成古今中外人所共知的人物，透過獨特造型和主題佈置借古諷今或反映時弊，藉機引發傳媒報道和社會大眾關注。雙人組合的「色芯」分為「上色」和「下色」，擔當「上色」的小孩子凌空「飄色」，成為全場焦點所在。他們樣子可愛、個性活潑，長時間在戶外曝曬，小小年紀耐力驚人。疲態畢現的小「色芯」在街道穿梭，依然保持笑臉迎人，向夾道歡迎的群眾揮手。折騰了兩個小時，「色芯」終於功成身退，重投父母的懷抱。

（十五）

　　老莊餅家足足忙碌了十天，收舖後全家聯同包點師傅和店員上酒樓慶功，除了設宴慰勞，店東派發紅封包，各人疲憊不堪，飽醉之後回家休息。穗蓓倦透卻獨自離開，沿海傍直達北帝廟。廟外築起竹棚，橫區下屹立著三座用作祭祀的巨型包山，遊樂場中央另有一座包山專供「搶包山」之用。以往包山一律以竹枝建造，現今用作競技的包山改以金屬管建構而成，平安包亦由麵粉包子改為塑膠仿真包，參加人數也有限制，從坊間全民蜂擁而上的慶典活動變成一小撮人的競賽。

　　接近凌晨，銅鑼聲響起，十二名健兒胼手胝足攀爬白色巨塔，6 號健將率先登上包山頂部，其他參賽者陸續到達，爭相奪取平安包，投入身後的大布袋。

　　「6 號，加油！」「4 號，加油！」包山下的支持者各自為其擁護的健兒吶喊助威，穗蓓亦不例外。她聲嘶力竭支持氣勢如虹的 6 號岑劭峰——上屆包山王、她的男友。劭峰深受大部分觀眾愛戴，在聲威之下，鬥志越益昂揚，橫掃了不少九分包。他看見平安包所剩無幾，向包山腰部三分區進發，因急進而失足滑落底部的一分區。在場人士無不驚叫，劭峰定神後馬上重登山腰，奮力摘取三分包。健兒包括硬朗的消防員和矯健的攀石高手，他們拼勁十足兼且身手敏捷，現場氣氛緊張，觀眾皆熱血沸騰。三分鐘的賽事即將結束，大會開始倒數，選手要把握僅餘的時間降落，因為逾時會被淘汰。6 號岑劭峰分秒不差，準時著陸。

　　參賽者氣喘吁吁卸下布袋，劭峰呼吸尚未緩和，穗蓓已急不及待迎上前。

　　「你剛才不慎滑下，我捏了一把冷汗。」

　　他嬉皮笑臉問道：「現在呢？」

　　「現在擔心比賽成績。」

　　「妳比我著緊。」

　　「當然，渴望你成功衛冕。」

　　「承妳貴言。」他輕吻她的額頭。

經點算和審核後，大會公布結果，劭峰不負所望，力壓群雄，蟬聯冠軍。包山王獲獎，當場熱烈擁抱女友，與穗蓓分享殊榮，感激她一直以來的支持。

（十六）

「恩沛，妳的救命恩人昨晚在搶包山比賽中勝出，聲名大噪。妳聽聽有關報道。」表姐用手機播放一段短片。

表妹垂聽，接著回應：「岑『兆豐』真的厲害，連續三年稱王！」

「還很俊朗。」

「雖則看不見，但我感覺到他強健的體魄又聽見其溫柔的聲音，猜想他是一名外剛內柔的漢子，期望日後有機會相遇。」

「若有機會，妳應該好好報答他。」

「嗯。」

（十七）

恩沛曾經在海外獨自生活多年，洗菜燒飯簡直輕而易舉，自從失明就不由自「煮」。她不想長期倚賴家人照料，故出席失明人服務中心提供的活動以提升自理能力。資深視障會員分享生活起居的心得和教導家居實務技巧，有助她重拾自信。恩沛還參加了健體班、歌唱班和點字班，從而改善身心及擴闊社交圈子。另外，她努力練習按摩，志在重投社會工作。

每次往來中心，恩沛依賴義工護送，後來她學習使用手杖，並且嘗試單獨橫過馬路。恩沛胡亂點地而行，一時碰到圍欄，一時撞正消防栓，始終找不到路口，在旁監察的導師任由她摸索。她終於行到過路處，細心聆聽交通燈發出的訊號，「的達」聲持續作響，她仍在路口磨蹭，誠惶誠恐不敢冒進。恩沛猶疑了好一會，霎時伸出手杖、跨出一大步，恰巧訊號轉為急速而響亮的催促聲，她跟跟蹌蹌前衝。她急得發慌，進退失據，導師見狀上前，被一名外藉男士搶先一步，護送橫過馬路。實習有驚無險，恩沛從中領略到失明者必須剛強壯膽，不可連信心和勇氣一併失去。

（十八）

比起其他搶包山的參加者，工作上為劭峰帶來一些攀登優勢。他從

事戶外工作，日常穿著安全裝備，佩戴護目鏡和頭盔，瞄準目標樹椏投擲沙包，利用繩索裝置把攀爬繩繫於樹幹。劭峰把腰帶配件繫上攀樹設施，然後用力拉扯繩索，逐步向上攀爬，直到樹冠層的樹枝上。他熟悉攀樹，並擁有樹藝知識又掌握樹木生長情況。在檢查樹木的過程中，劭峰從右小腿外側拔出一把手鋸，先去除枯枝，繼而修剪枝葉。他試過登上一株四十米高的參天古樹，傲視遍野林木，相比之下，攀上只得十四米高的包山就輕易得多。儘管如此，他沒有掉以輕心，大賽前兩個月已經加緊攀石和體適能訓練。

攀樹師是罕有的工種，全港不足一百人，劭峰投身志趣的工作，寓工作於娛樂。他並不覺得艱辛，乘機盡情享受陽光的潤澤和清風的吹拂。在樹林升降，其他工作根本無可比擬。

有一次，劭峰在樹上工作，晴空驟變，頃刻大雨滂沱。他來不及返回地面，情急之下匆匆降落，因樹幹太濕滑而墮地，扭傷了足踝。穗蓓怕男友再度受傷，曾經慫恿他轉行，捨棄高危行業。劭峰熱愛攀樹，視為終生職業，女友改變不了他的志向，改為支持。穗蓓不時叮囑男友謹慎行事，切忌粗心大意，每天為他祈禱。兩人相戀多年，正籌備新居，打算年底舉行婚禮。

（十九）

劭峰下班，駕電單車沿西沙路往馬鞍山方向行駛，冷不防一隻狗從欄杆竄出來。他立刻閃避，電單車失控衝落山坡，繼而凌空飛墮兩米深的山溝內奄奄一息，右肘傷口深可見骨，血流如注。其他司機協助報警，家人接獲院方通知，與穗蓓趕赴醫院。劭峰的脊椎和神經線遭受重創，下身失去了知覺和活動能力。

恩沛從新聞得知救命恩人不幸遇上交通意外，難以相信魁梧的好心人一下子半身癱瘓，也難以想像他的下半生將會如何。她越想越難過，思忖包山王歷年摘取許多平安包，何曾為自己帶來平安？她回想昔日逾百人爭奪平安包的情景，包山因不勝負荷而倒塌，部分參加者受傷，平安包同樣沒有為他們帶來平安。時至今日，平安包仍舊是長洲居民和遊

客鍾情的吉祥物，單憑其象徵意義賦予物主心靈上的安穩。

對於突如其來的傷害，作為過來人的恩沛感同身受，很想探望和慰問恩人。表姐透過社交媒體，幫她聯繫到岑劭峰，然而對方婉拒會面或交談。他遇上莫大挫折，情緒低落，暫時不想接觸陌生人完全可以理解。恩沛主動透露後天視障的不幸遭遇及自己遇溺獲救的恩典，深深打動對方。劭峰改變初衷，雙方通過電話談話，恩沛衷心鼓勵他樂觀面對厄運，並自薦為他義務按摩，促進康復。大家萍水相逢，劭峰受寵若驚，表示心領了。及後恩沛提到一個耳熟能詳的寓言故事，他從而領悟到「同是天涯淪落人」，好應彼此扶持、互相効力的道理，也就不再推卻，欣然接受恩沛的好意。閒談之中，她感受到他堅毅不屈和爽朗的個性。

（二十）

劭峰康復之路漫長，與女友決定擱置婚事。他由健壯攀登高手變成傷殘人士，無法重投工作，耽誤了婚姻，家居要重新裝修以便輪椅出入，連串打擊不單止是個人的事情，也困擾著身邊的人。傷心的家人無從慰解傷感的劭峰，失落的劭峰也無從撫慰失意的穗蓓。他明白到灰心喪志、自暴自棄只會令自己和身邊人一齊痛苦，萬萬不能因一次磨難而拖垮一生。身處逆境，喪志只會令形勢更惡劣，下半生伴隨下半身一同癱瘓。擺脫逆境先要改變心態，積極面對才有轉機。

劭峰一出院即修剪頭髮、刮淨鬚根，撇掉沮喪的模樣。無論如何，總覺得不能因身體殘障而捨棄個人的志向，他決意突破傷殘人士的局限，在輪椅上另闢一片新天地。男友鬥志頑強，穗蓓受到感染，變得堅強。她知道自己是男友的精神支柱，不能動搖，對劭峰體貼入微、不離不棄。

（二十一）

劭峰住在馬鞍山，恩沛住在沙田，兩人素昧平生，讓恩沛瞎摸上來，劭峰實在過意不去，故自行登門。恩沛為劭峰按摩下肢，促進經絡運行和氣血暢通，避免肌肉萎縮。

恩沛稱讚：「很佩服你的豁達！」

「死不掉，就要活下去；活下去，就要活得精采。」勁峰苦笑：「妳何嘗不是迎難而上？」

「我可沒有你那麼樂觀，考慮過自尋短見。」

「所以妳上次──」

「不！我欠缺輕生的勇氣，上次純屬意外，幸好你及時出現。」

「妳我在各自的人生軌跡運行，某時某地巧合相遇，可算命運安排。我在公路上遇到不測，同樣由命運主宰。幸運是天賜，不幸是天意。」

「未如人意便當作天意？」

「姑勿論是否天意，妳也沒有氣餒。」

「Life is nothing without problems！」恩沛慨嘆：「知易行難。」

「思想支配行為，在乎妳的想法。」

「不錯，前路從未因失明而幽暗，視力之外，還有視野。即使失去視力，看不見光明，只要開拓視野，仍有出路。視覺不濟，聽覺、嗅覺、味覺和觸覺都可以補償不足，對外間的感覺前所未有地密切。」

「因為思想影響情緒和行為，情緒亦影響思想和行為，而行為又影響到思想和情緒，互相帶動。若保持正面思考，則有利情緒穩定，倚靠不全面的感官來過活，更需要身心平靜，走當行的路。」

「對，以你為榜樣。」

「不敢當！我希望透過運動來重建自信，用行動來證明殘障人士的能力不容忽視。」

「正所謂：『身殘志不殘！』」

（二十二）

一次意外改寫了勁峰的下半生，從此以後倚靠輪椅出入，遑論上落大樹。他復職無望，不得不改行，傷殘人士一職難求，穗蓓說服男友加入老莊餅家。他在長洲聲名大噪，與女友全家、街坊稔熟，也曾在「老莊」做包，不過從未想過成為職業。穗蓓的父母向來賞識勁峰，並沒有因他的缺憾而慫恿女兒悔婚，他們畢竟擔心女兒日後的幸福，故盡力幫助未來女婿重新振作。

一切從新開始，不論搶包山抑或做包，劭峰都不甘後人，全心全力投入，只因不想成為餅店的負累。他愜意新工作不受下身癱瘓的限制，享受做包的樂趣，兼且訓練上肢，為重出江湖作好準備。對劭峰而言，與女友共事是苦難中的恩賜。

（二十三）

嚴重意外沒令包山王一蹶不振，由攀樹師轉型為餅店學徒，其傳奇人生成為城中熱話，他不屈不撓的精神贏得大眾的敬佩和讚賞，有市民專誠前往長洲老莊餅家惠顧，品嚐包山王有分製作的平安包，希望一睹偶像的風采。邵峰變成活招牌，為餅店招徠生意。他一向低調，情願留在工場做包，卻不得不徇眾要求，出來答謝遠道而來的支持者。

恩沛視劭峰為上天派來的守護天使，拯救她脫離危難。當天使落難，自當感恩圖報。她受視障所限，只懂按摩，居然可以發揮所長，回饋恩人。她覺得人生曲折奇妙，殘障人士之間也可以互相守望。

劭峰救恩沛一命，純粹機緣巧合及本能反應，算不上甚麼恩德。自身癱瘓始料不及，更意想不到的是恩沛義無反顧為他按摩。他覺得人生曲折奇妙，殘障人士之間也可以互相守望，好心真的會有好報。劭峰期望日後為恩沛辦點事情，答謝她的眷顧。

（二十四）

憑藉剛毅的精神和頑強的鬥志，劭峰再攀人生高峰。相隔兩年，與肇事同一日子，他與志同道合朋友籌組的「高攀得起」正式成立。他們舉辦攀樹體驗活動，利用纜索和滑輪裝置，將殘障人士升上樹冠層，讓慣性低角度的輪椅使用者從一個嶄新的視線觀看事物，擴闊眼界去體察不一樣的境界。恩沛獲選為首位服務使用者，由劭峰親自拉纜索，把她送到樹頂。恩沛沒有枉費劭峰的心機，她用聽覺、嗅覺、觸覺等去體會四周的景致和氣息，又用心去感受和享受，相比視覺，體驗更真更深。

穗蓓與恩沛結成好友，她站在樹下圍觀，覺得比觀看搶包山更興奮。現代的搶包山只是一場競技，美其名曰「文化傳承」；面前的場面彰顯殘障人士互助互愛，傳承了《瞎子和跛子》的深長寓意。

破舊

（一）

「可曾有中國皇帝駕臨香港？」

「有，九龍皇帝。」

「別打岔！曾灶財自詡皇帝，虧你附和。」

「那麼從南宋末年說起，元軍攻陷臨安，宋室君臣南逃，宋端宗趙昰駕崩，由弟趙昺繼位。兩位皇兄弟曾經流亡香港，後來左丞相陸秀夫背負幼主宋帝昺投海殉國，宋王臺公園內的石碑便是紀念宋帝昰和宋帝昺在香港的事蹟。」

「你熟識中國歷史？」

「只認識宋朝亡國的歷史，」文一章發覺老師眼神狐疑，主動補充：「我是宋朝大臣文天祥的後人。」

「《過零丁洋》的抗元英雄——文天祥？」

「嗯。」文一章詩興大發，背頌先祖的名句：「辛苦遭逢起一經，乾戈寥落四周星。山河破碎風飄絮，身世浮沉雨打萍。惶恐灘頭說惶恐，零丁洋裡嘆零丁——」

「人生自古誰無死？留取丹心照汗青。」老師不甘後人，搭著文一章的肩膀，問道：「作為文天祥的後人，你的感覺如何？」

「先祖名留青史，帶給後人無上光榮。」

（二）

一章居住元朗新田，兒時爺爺初次帶她遊覽附近公園，指著園中一尊氣宇軒昂的銅像，說道：「一章，他是妳的先祖，鼎鼎大名的民族英雄。」

一章閱覽銅像下的碑文，朗讀：「文天祥。」

「沒禮貌！豈可直呼先祖的名字。」

一章伸一伸舌頭，説下去：「一二三六至一二八三，即先祖只得四十七歲，比您命短。」

「人生不在乎長短，先祖的壽命不長，但其事迹流芳百世。」

「爺爺，『留取丹心照汗青』是甚麼意思？」

爺孫倆轉到銅像背後，一章一邊觀看麻石浮雕，一邊聆聽爺爺講解，聽得津津有味。

（三）

荔園是文家的集體回憶，陪伴三代人成長。起初爺爺帶爸爸逛，之後爸爸帶媽媽逛，其後爸媽帶一章逛。文家喜歡荔園，機動遊戲、動物園和有獎攤位遊戲等設施是最佳親子活動，增添家庭樂，促進兩代之間的和諧。全家熱愛宋城及其蠟像館，彷彿時光倒流，回到先祖的年代。

城門外士兵列隊歡迎，城樓載歌載舞，城內古裝少年慶祝豐收，還有大鑼大鼓的迎親儀式，花轎隊伍迎接新娘子。一家人到茶寮品茗，觀賞古裝美女彈奏古箏，以及畫師繪畫水墨畫。此外，水榭內陳列工藝品，庭園則有雜技和功夫表演。一章感受到古代的氛圍，並體會到宋代的生活風貌和文化習俗。文氏宗親對宋城皆情有獨鍾，百去不厭。

（四）

一九九七年七月一日全球聚焦香港，共同見證香港回歸中國的歷史時刻。風雨飄搖下主權更替，隨著中華人民共和國旗幟升起，英國殖民地從此成為歷史，英皇道、皇后大道、砵甸乍街、羅便臣道、麥理浩徑、衛奕信徑、葛量洪醫院、戴麟趾診所、柏立基健康院等富有殖民地色彩的街道和公營機構演變成歷史的一部分。

事隔一年零五日，服務香港超過七十三年的啟德國際機場全面關閉，一夜之間遷往大嶼山赤鱲角。九龍城一下子從喧鬧變為沉寂，飛機近距離掠過鬧市上空、嚴重噪音污染的情景不再。

父母晚上幹活，守邦跟爺爺上床就寢。自從機場搬走，自幼習慣頻繁吵耳的耳根無法接受新生活的清靜，猶如在耀目的烈日下進入昏暗的

房間，眼睛一時來不及反應。區內大部分居民都失眠，需要重新適應，爺爺的聽力早已衰退，不受影響，晚晚安然入睡。

昔日，啟德機場遊客絡繹不絕，帶動鄰近商舖客似雲來。湛叔和湛嬸經營的泰國菜館由中午忙碌至凌晨，兒子守邦下課後前來用膳，然後跟從爺爺回家。湛叔健壯、湛嬸靈巧，兩人接手打理家族生意多年，天天忙個不停。劃時代的社會變遷令機場附近的商戶首當其衝，九龍城的市面落得冷冷清清，食肆生意一落千丈，湛叔夫婦晚晚提早關門卻睡不安穩。

湛叔奢望政府儘快發展舊機場，促使營商環境再度蓬勃。可是，機場舊址大部分用地長期丟空，空置的土地只作為臨時用途，客運大樓以短期租約形式作商業用途，例如：汽車展銷場、小型賽車場、保齡球場、遊戲機中心等，露天地方則用作高爾夫球場、燒烤場、跳蚤市場，以及嘉年華和風箏比賽等大型活動的舉辦場地。生意了無起色，業主減租也無補於事，湛叔結束了苦心經營的菜館，轉移到兩街之隔的小舖另起爐灶。

（五）

啟德機場人去樓空，這一大幅珍貴土地位處香港心臟地帶，居然長期丟空，令人不可思議。「啟德」好像聽候發落的犯人，漫長的羈留日子裡渾渾噩噩，分不清是渾忘了歲月，還是被歲月淡忘。湛叔每天探望「囚徒」，希望「啟德」有朝一日改過自新，重新融入社會，然而遲遲未判刑，出獄也就遙遙無期。

雖然菜館有街坊和老饕支持，得以存留，但湛叔的大志逐漸消磨，他不求富貴，但求一家溫飽，守業五年，生意淡薄，一場疫症令生意雪上加霜。香港爆發非典型肺炎，來勢洶洶，以人傳人方式散播，在社區迅速蔓延。全民搶購口罩、消毒用品、板藍根，也有人煲醋來防護家居。沙士肆虐期間香港被列為疫埠，醫護防線瀕危，感染個案與日俱增。病人恰似監犯被隔離，全港學校停課逾月，死亡數字近乎三百，數百萬人提心吊膽，害怕性命不保。

在陰霾籠罩之下人心惶惶，飲食業、旅遊業和出口貿易等大受打擊，百業蕭條，香港經濟陷於低谷。沙士歷時超過一百天，疫症影響各行各業，湛叔的菜館生意凋零，減價促銷亦於事無補，虧損慘重。他明白生命可貴，金錢只是身外之物，唏噓的是前線醫護人員捨生取義。在疫症爆發初期，年輕的謝婉雯醫生以胸肺內科專科醫生的身分，請纓參與治療沙士病人的工作，不幸感染病毒而犧牲，終年三十五歲。她義無反顧救治病人，是第一位因公殉職的醫生，也是名副其實的抗疫英雄。謝醫生人生匆匆，其大無畏精神令世人景仰。

（六）

守邦唸小學的時候，經歷過一些香港的重大事件，如荔園及宋城結業、同年香港回歸、翌年啟德機場告終。他完全不以為意，因為荔園不及海洋公園吸引、英國不及中國親近、舊機場不及赤鱲角機場寬敞先進，明白到「舊的不去，新的不來」的道理。中學時期沙士襲港，全城一度人人自危，及後事過境遷，守邦從中領悟到否極泰來的真諦。當他知道謝婉雯醫生與其他抗疫英雄的銅像設於香港公園，專誠前往憑弔。守邦找到銅像所在的太極園，中央設置了一道「雨後彩虹」，以及七名抗疫英雄的頭像，名謂「弘揚抗疫精神建築景觀」。他莫名奇妙：「有甚麼『建築景觀』可言？」

轉過頭來，園內有一名女子低頭閉目，身上手機低聲播放柔和悅耳的純音樂。優美的旋律頗熟悉，守邦記起它是《愛是不保留》，與音樂對應的歌詞為「看！血在流反映愛沒保留，持續不死的愛到萬世不休。」這首歌正是謝醫生遺愛人間的寫照。她從外套取出一張濕紙巾，輕輕拭抹銅像的臉龐，又默默向所有銅像鞠躬，黯然離去，帶走了動聽的詩歌。

（七）

一章敬佩抗疫英雄，如同敬佩自己的抗元英雄先祖一樣，然而尋遍香港歷史博物館，他找不到任何有關當年沙士的抗疫歷史，使她非常失望。為了憑弔致敬，一章特地前往香港公園瞻仰謝婉雯醫生等英雄的銅像。太極園空無一人，她用手機播放純音樂，除了個人聆聽之外，與謝

醫生分享詩歌《愛是不保留》，以慰藉在天之靈，一章求主保守謝醫生的家人、祝福香港。對著一張善良的銅像臉孔，她一再為這位年輕有為的仁醫捨己救人的高尚情操而嘆喟。

一章向銅像躬身，接著離開太極園。她經過一座白色的雙層建築物，順道進去參觀。房子是香港現存歷史最悠久的西式建築，早於一個半世紀前興建，設計富希臘復興時期的風格，前身是英國駐港三軍司令的官邸，列為法定古蹟。官邸改建為茶具文物館，陳列的茶具文物遠不及其建築和歷史吸引。

<h2 align="center">（八）</h2>

一章對歷史建築甚感興趣，赫然聯想起近日一則報道，講述利東街即將重建。她恐怕清拆後無緣再見其原貌，信步到灣仔一遊。利東街舊樓林立，據聞是五十年代的建築物，大部分日久失修。低矮的樓宇底層為商舖，以經營印刷業務為主，印刷品則以請柬為主，有「喜帖街」的美譽。

街頭豎起橫額，長摺枱上擺放紙筆，某團體派員向途經的市民敘述有關利東街重建的來龍去脈。發言人表示，政府以重新規劃灣仔舊區為名、經濟效益為實，打算將利東街與麥加力歌街合併發展為商住區。日後除了高尚住宅之外，還有高級食肆和名店進駐，使舊址煥然一新。雖然業主、居民和商戶都是持分者，但城市規劃和市區重建從來不會重視他們的意見，有關當局必然堅持拆卸所謂沒有特殊歷史價值及建築特色的唐樓。在「官地收回條例」之下，重建項目勢在必行，受影響的群眾任由擺布。大部分商戶從事喜帖印刷，因為行業集中而吸引客源。一旦結業又不獲集體安置，商戶各自搬往其他地方營業便失去了喜帖街的魅力，影響生意招徠。

經營者均年事已高，加上新租金昂貴，最終只會結束生意。另一方面，年長居民被迫遷出生活了大半生的社區，臨老另覓家園，面對搬屋和重新適應的問題，如何安享晚年？關注團體不滿市區重建完全漠視鄰舍關係、社區網絡、本土經濟的可持續發展和傳承地區文化特色，僅僅

補償了事。為了支援受影響的街坊，團體發起簽名行動，呼籲市民聯署信件向當局表達訴求，強烈反對重建，共同要求保留利東街。一章響應，在信上簽名以示支持。

（九）

守邦在街上遇見簽名行動，地區組織呼籲市民支持保留利東街，反對重建。他修讀土木工程，推崇實用主義，深信在城市發展的過程中「舊的不去，新的不來」，覺得舊區居民思想守舊、愚昧不堪。他認為喜帖街不合時宜，喜帖傳承傳統文化之餘也要力求創新，迎合新一代客人的品味才具有營商價值和生存空間。社會講求進步，不進則退，社區發展亦一樣，不可能永遠一成不變。市民應該配合社會的發展步伐，不要窒礙社區更新，若市區重建來臨九龍城，他定會全力支持。至於反對利東街重建的聲音，守邦充耳不聞亦不屑一顧，與在旁簽名的市民擦身而過。

（十）

一章查閱資料，港英政府早於一百多年前立法保護宋王臺石刻，為本港首條保護古蹟的法例。到了七十年代，政府制定《古物及古蹟條例》，初次引入文化遺產保育概念，以確保具歷史價值的文物得到適當的保護。

中環花園道中銀大廈的原址是早期的殖民地建築美利樓，被評定為一級歷史建築。由於位於中區的黃金地段，地皮價值不菲，政府以結構問題為由提出拆卸及拍賣土地。因應強大的反對聲音，政府修改計劃，訂明在赤柱海濱重置美利樓，並於樓宇內開設食肆，為赤柱締造商機。

赤柱美利樓的部分建築及物料曾經改動和更換，重建後不再是法定的歷史建築。它脫離原址，抹走了歷史痕跡，失卻了建築物背後的歷史記憶和原有風貌，徒留歷史遺骸。

此外，前中環天星碼頭和皇后碼頭先後被清拆。英治時期歷屆港督在皇后碼頭登岸，富有殖民色彩。政府一貫重視經濟、輕視保育，不管皇后碼頭是一級文物建築，堅持拆卸以迎合中區發展，一章猜疑特區政府藉「城市規劃」之名，乘機清除殖民地色彩的地標建築。

（十一）

「十年人事幾番新」未必盡然。啟德機場早已成為香港人的集體回憶，地方依然懸空，長期荒蕪。十五年後，啟德郵輪碼頭才於舊機場跑道冒起，打破漫長的死寂。啟用以來，大郵輪人跡罕至，商舖十室九空。美輪美奐的郵輪碼頭耗費逾八十億港元公帑，淪為死城，延續舊址死氣沉沉的局面。機場用地的黃金歲月已成過去，郵輪碼頭青黃不接，無復昔日的光環，黯淡無光。

世事無奇不有，郵輪碼頭缺乏交通配套、杳無人煙，其缺點居然變成優點。碼頭一帶有時用作舉辦嘉年華、戶外演唱會和街頭馬拉松等活動的場地，要不是參加「香港街馬」比賽，守邦自忖不會踏足這個廢墟。他一向相信「舊的不去，新的不來」，送舊迎新可以換來新景象，空蕩蕩的郵輪碼頭令他的信念動搖。

（十二）

著名韓國歌手在香港舉行演唱會，一章和朋友為一睹偶像的風采，不惜前往城市沙漠──啟德郵輪碼頭。她置身其中，不禁觸景傷情，想起王維的經典名句：「荒城臨古渡，落日滿秋山」。政府向來重視都會發展和經濟效益，竟讓國際郵輪碼頭淪為大白象工程，嚴重浪費公帑和土地，而且成為國際的笑柄。她慨嘆政府並無設法收拾殘局，任由爛攤子自生自滅，情何以堪。

（十三）

九龍城以美食雲集聞名，多年來受到「沙中線」工程困擾，食肆生意銳減。啟德郵輪碼頭正式啟用，同年港鐵展開宋王臺站工程，封閉南角道半邊行車線，並取締路旁泊車位，在該處興建兩個行人隧道進出口，接駁至宋王臺站。工程影響市容和衛生，店舖外沙塵滾滾，車輛不能靠近上落客貨，顧客要繞過工地才可進入食店。封路長達四年半，地盤圍板仍舊原封不動，部分商戶早已關門結業。飲食生意受重挫，南角道、龍崗道及衙前塱道逾七成商戶不滿沙中線工程延誤，集體抗議。湛叔的商舖參與其中，在指定日期晚上六時起，自行關上招牌及電燈一小時，

只得燭光照明。在關燈時段，菜館烏燈黑火，除了一位常客特意支持之外，一對情侶特地前來惠顧燭光晚餐，冷清的場面正符合他們的來意。

<h2 style="text-align:center">（十四）</h2>

在宋王臺站施工期間，從地盤發掘出大量宋、元時期的古蹟文物，包括二百多個遺蹟和數千件文物，如：宋元古井、晚清引水槽等。考古及歷史專家一致認為是次發現乃本地有史以來一個考古里程碑，藉此印證南宋末年兩位皇帝來港的歷史事蹟。原址為「聖山」——宋朝的官富場（官方鹽場），其歷史價值僅次於東漢的李鄭屋古墓。儘管專家倡議好好保護歷史古蹟，古物諮詢委員會卻批准港鐵以「先拆除，後重置」方式來處理古蹟。換言之，港鐵只需移去古蹟文物，地盤就可照樣施工，將來重置文物了事，毋須切實維護古蹟。日後宋王臺站大堂設置玻璃櫃，陳列出土的陶瓷器碎片和古錢幣等。車站上方則興建公園，設計配合宋元時期的建築風格，並展示其他出土文物。個別古諮會委員批評保育方案毀滅了整體歷史氛圍，斥責政府和港鐵只顧經濟利益，為求趕快通車，僅保留其中一口建構完整的方井，移除了其餘四口千年古井，做法漠視歷史文物，扼殺原址保育古蹟的可行方案。

專家指出，昔日為求留存李鄭屋古墓，原擬於該處興建徙置大廈的計劃因而擱置；法定古蹟舊大埔墟火車站同樣得以保留，作為鐵路博物館供市民參觀。為求保存受《古物及古蹟條例》保護的法定古蹟景賢里，政府罕有地以市區土地來換取私人歷史建築，立下以換地方式保育建築古蹟的先例。專家又指出，外地的都會發展與古蹟保育共存共融的例子尚有許多。上世紀九十年代希臘擴建地下鐵路網絡，在數個市中心車站地盤發掘出大量文物，於是政府將地鐵工程改道以遷就古蹟，並安裝巨型玻璃幕牆及玻璃橋等設施，藉此重現古希臘的文明一面。另外，墨西哥城蘇阿雷斯站存留著阿茲特克人的祭臺，日光可以照射到遺址，展示古蹟的光輝。

專家不滿港鐵對古蹟「先斬後奏」，況且早有前科，當年興建金鐘車站，港鐵移走了英軍建造的威靈頓炮臺方才通知古諮會。考古專家重申，

宋元古蹟絕無僅有，可從地緣追溯香港的歷史，原址保留遺蹟能夠全面展現出土古蹟的面貌，讓市民實地了解香港早期的狀況。至於原址重置文物，也就大大喪失了保育古蹟的意義。

（十五）

從機場搬遷起，湛叔夫婦即憧憬啟德發展區未來風光的日子。他們支持港鐵興建「沙中線」，期望通車之後帶動人流，讓九龍城回復二十年前的光輝歲月。可是菜館未見其利，先見其弊，生意受封路影響長達六年多。當中「屯馬線」大圍至紅磡段（途經宋王臺站）因工程延誤而未能按原定計劃於二〇一八年啟用，通車日期一再延遲，由二〇一九年中再押後至二〇二一年中。他們大失所望，鬥志磨滅殆盡，失落感與日俱增。人生苦短，湛叔守業二十年，連沙士時期的營商低潮也渡過了，對創業的老父總算有交代。經歷過歲月的洗禮，任何風浪都處之泰然，不再惶惶不可終日。歲月不饒人，夫婦由壯年邁向老年，視生意如浮雲，過眼雲煙罷了。作為土木工程師，守邦諒解港鐵從工程及商業角度出發，務求沙中線如期通車，為免節外生枝，古蹟文物的考量和保護不會放在眼內。因應之前有工程「先劏後奏」損害了公司的形象，故此港鐵依照既定程序通報古物古蹟辦事處，免再為人詬病，也是權宜之計。守邦是專業人士，並不在乎家族生意興隆與否，根本沒興趣沾手，反而鼓勵父母結束菜館，安享晚年。湛叔對啟德發展區及九龍城飲食業前景心灰意冷，也曾考慮提早退休。

（十六）

一章的舅父出生後居於港島區永勝街（俗稱「鴨蛋街」），兩歲時搬家。舅父對過往的居所一無所知，在好奇心驅使下獨個兒前往上環，尋找小時候住過兩年的地方。根據出世紙的資料，他找到一座陳舊的唐樓，殘破的梯級令他望而卻步，又怕打擾他人，在樓宇外徘徊片刻便離開。多年後，當他想到自己未曾真正踏足故居，專誠再去一趟，好想實地體會上落樓梯的滋味，在舊地添上新的足跡，切身感受時代的變遷，在時光流逝之中凝住流金歲月。

舅父到處尋覓舊居所在卻遍尋不獲，向附近街坊打聽，才知附近一帶的樓宇已被拆卸，建造成宏偉的新紀元廣場。他頹然落寞，懊悔上次在樓梯前止步，沒有拾級登樓探望，機會錯失。從前的住所消聲匿跡，不管當前的廣場如何美好，杏沒興致觀賞。一面之緣的故居外觀早已淡忘，記憶模糊不清。

舅父的憾事對一章起了警惕的作用，歷史建築在城市發展的進程中陸續被淘汰，只會越來越少，因此她特別關注城中的古蹟文物。一章是宋朝文天祥的後人，對於港鐵以「先拆除，後重置」方式來處理宋元古蹟，極度憤慨又無奈。

（十七）

宋城消失已久，沒留下一磚一瓦；啟德發展區的宋朝古蹟亦被挪開，後人無法在原址緬懷聖山古蹟和家國的歷史。荷李活道已婚警察宿舍同樣面臨消失，最終逃過清拆一劫。在活化保育中環歷史建築群的呼聲中，政府動用大筆公帑來修葺宿舍，轉型為「PMQ 元創方」，同時引入商機，為本地設計師提供創作空間和工作平臺，鼓勵他們開拓本地創意工業，為香港的創意文化發展注入動力。

一章鍾情復古，自幼喜歡針黹和刺繡，大學修讀設計，心思切合潮流，心血招徠年輕人的垂青。她畢業後自立門戶，在創意藝術雲集的元創方租用一個單位作為工作室，設計、製作和出售款式新穎的繡花鞋，親手製作的繡花鞋獲得不少顧客的讚譽。另外，她定期舉辦「繡花鞋製作技藝」工作坊，致力傳承中華非物質文化遺產。

（十八）

守邦慕名前往元創方，途經蘇豪區，酒吧生意暢旺，顧客眾多，大部分喜愛在舖外喝酒聊天。他擠入人堆中喝啤酒、湊熱鬧，微醺之下繼續上路。鄰近的元創方場面截然不同，門庭冷落，難得有稀客到來，店員大都冷漠，絲毫不在意他的光臨。守邦從走廊窗戶張望，裡面有一家專門售賣繡花鞋的小店，他靠近大門，女店主正為訪客推介產品，談吐娓娓動聽。她察覺到客人經過，微笑點頭。他立定，與對方眼神交流片

刻,接著前行。他暗忖因時光不會倒流,以致復古的商品迎合鍾愛懷舊的顧客,於是「古老當時興」,繡花鞋不但未被淘汰,而且吸引女性追求者遠道而來。

守邦覺得元創方太單調,談不上保育。他認為政府忽視建築物本身的歷史價值,翻新已婚警察宿舍,將單位改成工作室和商舖,宿舍因而失去了往昔的生活氣息。名義上保育古蹟,實質是商業化項目,徹底破壞了一個三級歷史建築物。元創方的 H 型建築使守邦聯想到列為二級歷史建築的美荷樓,它由舊式徙置大廈活化成為青年旅舍,原公屋單位改作房間,包括懷舊主題房,還有懷舊冰室和士多,讓訪客體驗昔日草根階層的生活。此外,「美荷樓生活館」透過模擬場景來重塑香港早期公共屋邨的風貌,再加上逾千件展品配合,讓大眾體察公屋居民的居住環境、生活點滴,以及一九五〇至一九七〇年代的社會文化特色。相比元創方,美荷樓的保育和活化顯然優勝得多。

（十九）

對守邦而言,元創方是一座不倫不類的建築物,喪失歷史本質之餘,未能營造出商場的號召力。他乘興而來,敗興而歸,順著鴨巴甸街下行,來到一個歐陸式庭園設計的地方。廣場內有雙弧形臺階、羅馬噴泉、鯉魚石雕噴水池、太陽圖案地板和鐘樓,修長的棕櫚樹影下設有露天茶座,還有酒杯形盆栽點綴,使他恍如置身海外。

園內有一塊石碑,碑文提及新紀元廣場的歷史,原址為「鴨蛋街」和著名的得雲茶樓,此處是香港開埠初期的商貿重點之一。由於開發較早,樓宇日久失修,所以全部拆卸了,打造成上環的地標。守邦認為市區重建是一盤託詞,藉以收地興建高級住宅和商店圖利的大生意,在寸金尺土的港島中區,重建後騰出寬敞的公眾休憩空間的確罕見。碑文表明市區重建局與市民共享重建成果,而市建局的總辦事處正正設於新紀元廣場中遠大廈,此舉無疑兩全其美。

廣場低座有多家食肆,守邦惠顧其中一家日式餐廳,他在窗旁喝咖啡,細看四周。重建之後,只得兩幢商業大廈和廣場,再沒有民居,市

區重建如何改善民生？美化市容也不盡然，著眼點莫過於有利可圖。

（二十）

對一章而言，「大館」是她悠然神往的建築群，過百年歷史的建築物彷彿披著面紗，充滿神秘感。它位於荷李活道，臨近元創方，一章時常在外圍經過，期望有朝一日可以入內一睹古老的西方建築。

大館完成了活化工程，開放予公眾參觀。建築群包括三項法定古蹟：前中區警署、中央裁判司署及域多利監獄，以文物保育的最高規格保留原貌；還有新建的美術館及綜藝館，作為展覽及表演用途。一章雖知兩座新建築物與古建築格格不入，敗壞了建築群的獨特氛圍，但她依然興致勃勃入場觀賞，因她並不在乎身旁伴娘的美醜，志在欣賞面紗背後的新娘子。

（二十一）

湛叔夫婦與兒子一起遊覽大館，他倆有空，只因菜館結業。

無國界

（一）

　　崇嶸瞪著天花板，一刻鐘也按捺不住，無法想像腦癱兒童怎可以沒完沒了地躺在地上，在白色天花板和四個牆角下呆呆過活。他抱起身旁一個不良於行的孤兒，離開侷促的房間，在露臺駐足，觀賞藍天白雲和綠樹。孩子依舊木無表情，眼睛流露出一絲光采。

　　善臻站在背後，深深被崇嶸與孩子的溫馨場面吸引，她感受到天地有情、人間有愛。他展現出男士的柔情、憐憫和體恤，心思和真情觸動旁人。崇嶸一直抱著小孩共享明媚的陽光，善臻凝視其背影，著迷。

（二）

　　崇嶸擱下單車，隔著吐露港公路遠眺山彎上的鹿茵山莊，兒時成長的地方早已被豪宅取而代之。若兒童院尚存多好，可以舊地重遊，從院外窺探它的輪廓風貌，追憶往昔的生活片斷。隨著院舍拆卸，有關記憶日漸模糊。

　　年幼的時候，父親有外遇，另築愛巢，母親心灰意冷，遠走他方，不足四歲的崇嶸乏人照料，獲安排入住兒童院。印象中院舍依山而建，獨立的家舍分布四周，每個房間均有四張雙層床。他與其他院童在大廳一起做功課，按照院規「功課時功課，遊戲時遊戲，家務時家務」。院童要分擔家務，先嘗試洗碗，成長後學習簡單的烹飪，例如：燒飯、煮即食麵。

　　據崇嶸所知，部分孩童被父母遺棄，其他來自有問題的家庭，包括：父母患重病、精神失常、離異、入獄或虐兒等。兒童欠缺家庭照料，由院方託管。每當他看到院友的家人前來探望，心頭總是酸溜溜，自覺很可憐。

集體生活有喜有悲也有磨擦，崇嶸不時被一名個子高大的院友欺負，有時搶走他的食物和功課，有時指指點點，逼他代做家務。他憤憤不平，因怒擲餐具而被舍監處罰，大個子幸災樂禍，以致他討厭寄居的生活。和靄可親的宿舍家長使崇嶸的負面態度和人生觀得以改變，在兒童院生活了三年零八個月，他獲取別人的關懷和愛護，學懂自律、獨立和感恩。直至七歲，母親改嫁，回港接他到加拿大定居。

早期的生活並不開心，崇嶸討厭兒童院，好想回家。離開時卻依依不捨，全因院舍是一個大家庭，「家人」般的院友多不勝數。自從融入了群體生活，家庭觀念變得陌生。移民後崇嶸不時懷念院舍的歲月，如今返港，兒童院消失了，陳年往事恍似一下子注入面前的吐露港，淡化褪色。

（三）

柬埔寨有旱季和雨季之分，並無四季之別，只得夏季。氣溫一般超過攝氏三十度，炎熱潮濕，食水質素欠佳，飲用變成一門學問。前往當地旅遊逛街，無疑是自討苦吃。

大白天，無數兒童流落街頭，酷熱的天氣也無法驅散他們。儘管政府提供免費教育，老師借故向學生收取費用，貧童因負擔不起而輟學。家長普遍短視和現實，寧願子女拾荒幫補家計。街童穿著長袖衣服，明顯不合時宜，倒可以防曬。他們的衣著並不襤褸卻甚骯髒，衣服似乎長久未清洗，也沒有更換。街童肯定不常洗澡，臉面和四肢污黑，身上散發異味。童黨分頭行動，在鬧市中撿拾可變賣的東西，然後投進一個巨大的塑膠袋，他們沒取代清道夫的角色，街道上垃圾遍地。街童毫不理會他人的目光，全情投入工作，只因賺錢養活無比重要。

首都金邊的馬路時常擠塞，車輛停滯不前，小女孩趁機攙扶一名雙目失明的老翁靠近，向司機行乞。老人家伸長雙手，通常無功而回，繼續向其他司機招手。一旦乞討成功，老翁呢喃答謝。

不論拾荒抑或行乞，拾荒者、乞丐並非孤身一人，而是一家人的集體行動。拾荒家庭只能購買最廉價的食物來果腹，甚至執拾剩食充飢，與

奢侈的金邊粉和法式麵包始終無緣。天氣炎炎,他們要保持克制,限量喝水,雖不致於脫水,但骨瘦如柴。由於洗澡涉及巨大開支,他們慣常沾水抹身罷了,也曾有善長在商舖外開放水喉,免費供應食水予露宿者,畢竟極其少有。晚上,他們露宿於長街暗角,與老鼠和昆蟲為伍。

(四)

香港貧富懸殊,柬埔寨不一樣,為全球最貧窮的國家之一,極大部分人民都生活在赤貧線之下。單單金邊,街童數以萬計,無家可歸,在市井風餐露宿或於貧民窟棲身。他們欠缺溫飽和上學的機會,一概放下尊嚴,每天掙扎求存。

荒謬的是柬埔寨本身是一塊福地,從來不受颱風和地震海嘯影響,擁有廣大而肥沃的沖積平原,良田萬頃,堪稱大米倉。洞里薩湖是東南亞最大的淡水魚場,漁產亦豐富。可是,國家經歷過長達三年零八個月的血腥統治,以及多場戰爭、大屠殺和株連,農田荒廢,饑荒餓死的不計其數,哀鴻遍野,全國人口銳減。浩劫葬送了大量有識之士,加上學校關閉,以致人才出現斷層,國家一蹶不振。人民貧窮,影響國庫稅收,政府貧窮,發展滯後,民不聊生,互為因果。柬埔寨彷彿備受咒詛,國家和國民一直無法擺脫不幸。

顏善臻在一家慈善機構任職,致力推動落後國家的扶貧工作,經常往來柬埔寨,熟識這個國家的歷史文化和社會現況。她負責帶領香港人前赴當地考察、探訪弱勢社群及送贈物資。

(五)

院舍樓高兩層,有一大片青草地和十多株大樹,環境恬靜怡人。所有孤兒長年累月留在房舍,鮮有機會接觸到戶外綠油油的樹木,還要困在床上或地上,因為他們都是殘障兒童。即使孩童四肢健全,腦癱造成運動功能障礙,他們無法坐立、手腳僵硬、萎縮和變形,甚至吞嚥及說話都有困難。腦積水的孩子頭大如斗,與身體不成比例。善臻坐在膠墊上,慈母般抱著小孩,同時鼓勵香港的訪客不妨擁抱一下孩子,透過身體接觸,傳達關愛。

碰巧院舍停電，室內昏暗，空氣鬱悶，房間充斥著濃烈的清潔劑氣味，大夥兒侷促不安。善臻偏偏在此時呼籲他們齊齊躺臥地上，親身感受院童的處境，眾人猶豫不決，崇嶸率先響應，躺下體驗孩子的日常生活。他瞪著天花板，一刻鐘也按捺不住，無法想像腦癱兒童怎可以沒完沒了地躺在地上，在白色天花板和四個牆角下呆呆過活。他抱起身旁一個不良於行的孤兒，離開侷促的房間，在露臺駐足，觀賞藍天白雲和綠樹。孩子依舊木無表情，眼睛流露出一絲光采。崇嶸覺得感同身受使人消沉，積極的做法應該引領孩子去領受世間的美好。

　　其他訪客同樣憐恤小孩，撫摸小臉，孩子有點笑容；觸碰和按摩小手，孩子有點興奮反應；擁入懷內，互相感受到溫暖。個別孩童聽到訪客唱歌，懂得眨眼睛，有女訪客激動得流淚。長駐院舍的外藉義工十分忙碌，逐一為院童餵食流質食物，又忙於替哭哭啼啼的嬰孩更換尿布，弄得身上的單薄背心濕透了，依然努力不懈看顧孩子，看來她非常著緊。

　　孩子也有情感，會笑、會哭、會痛苦、會辛苦，還會死亡，院舍有一個房間專用來存放去世孩子的遺照。在黯淡的房子裡，他們的容貌不清，只知道小生命已經結束，離開塵世。崇嶸向著遺照低頭默禱，他的背影再次觸動背後的善臻。

（六）

　　中央街市是金邊的著名地標，建築風格獨特，圓拱型上蓋籠罩著梯級形的建築物，淡黃色配搭白色的外牆柔和悅目，為落後的國度平添浪漫氣息。四周牆壁設置氣窗，既透光又通風，為暑熱的鬧市提供一個陰涼舒適的地方。圓形結構的外圍有四個附翼，平面為十字形，從中央向四方延伸。中央街市不單止是市集，也是旅遊熱點，吸引旅客遊覽。市場內有逾千個攤檔，售賣各色各樣的用品、飾物和工藝品等，香港訪客分道揚鑣，崇嶸的購買意慾可有可無，情願站在一角，觀賞法國建築大師匠心獨運的設計。

　　善臻發覺面前有一個熟悉的背影——默默仰望著圓拱天花板。

　　她上前打個照面：「顧崇嶸。」

崇嶸轉身答話:「嗨,顏姑娘。」

「感覺如何?」她瞧見高懸的天花板。

「太優雅了,外形與 Royal Albert Hall 相近。」

「我也有同感,恍若置身於倫敦的著名音樂廳。」

「唯獨欠缺音樂。」

她靈機一觸,招手説道:「跟我來,快!」

崇嶸追隨善臻越過攤檔,經過位於中央的四面鐘,抵達對面附翼的出口。門外空地有一支樂隊載歌載舞,十多名年輕男女穿戴民族服飾,束髻的女孩子著上淺紅色短袖緊身上衣和綠色及膝褲,配襯金腰帶;男孩子穿著淺綠色短袖鬆身上衣和紅色闊腳褲,腰纏黃色布帶。他們赤腳演奏傳統的敲擊樂,另有數名在旁手持儀仗。

善臻問:「高棉音樂不錯吧?」

「旋律饒富民族風情,悦耳動聽。」

「我也有同感。」

樂隊演奏完畢,接著邁步巡遊。

「女孩子願意奔波勞碌,在一個炎熱、衛生欠佳的地方工作,確實難得!」崇嶸的視線由樂隊轉移到善臻黝黑的手臂上。

她會意回話:「起初不習慣,久而久之便適應了。膚色與孩子相近,方便融入他們的圈子。」

「好!敬業樂業。」

「你何嘗不是對這裡的孤兒愛護有加?」

「其他訪客亦如是。」

「你有點與別不同。」

「不同?怎樣不同?」

「説不出,但感覺得到。」

「這一刻妳感覺到甚麼?」

她閉起雙眼,徐徐地説:「感覺到——感覺到——肚餓。」

「那麼我們去吃一些特色美食。」

「吃炸蜘蛛？」

「甚麼？」

「炸蜘蛛，還有炸蟋蟀。」

「妳吃過？」

「你猜？」

「為求徹底融入柬埔寨的生活，我信妳吃過。」

「一塊兒吃？」

「對不起！我茹素。」

「真的？」

崇嶸聳一聳肩，善臻扮鬼臉回應：「我也茹素的。」

（七）

彬彬有禮的孩童全是愛滋病患者，在大門口歡迎蒞臨探訪的叔叔和姨姨。善終院舍容納了數十名愛滋病孤兒，小小年紀不幸患上世紀絕症，需要長期服藥。他們與訪客在小禮堂一同唱歌，配合歌詞做動作和跳舞，小孩子天真爛漫，玩簡單的遊戲便歡天喜地。

據善臻所知，柬埔寨是全世界人口最年輕的國家之一，逾一千六百萬人口中七成人不足四十歲，年輕人多達一千萬。可是，柬埔寨亦是亞洲區愛滋病患最嚴重的國家，十多年前，因愛滋病而死亡的人數超過十萬。父母死去，遺留大批愛滋孤兒及棄嬰，新生嬰兒及幼童病患者所佔比率曾經高達四成。

「為何愛滋病在這裡肆虐？」訪客問。

善臻解答：「柬埔寨貧窮，黃、賭、毒事業昌盛。窮人想以小博大，參與賭博；女子為求脫貧，最簡單直接賺錢的方法是出賣肉體，因而雛妓問題猖獗；部分人為了逃避殘酷的現實而沉迷毒品。性交易、癮君子共用針筒，以及同性戀者的行為等都助長愛滋病的蔓延。」

「院童面臨死亡威脅？」

「院方提供藥物治療，有助紓緩他們的病情，加上妥善的照顧，延長了病患者的生命。病童的死亡率逐年遞減，甚至零死亡。」

「院童無親無故？」

善臻指著不遠處一名嬌俏的小女孩，說道：「女童與哥哥是龍鳳胎，她出生時證實患上愛滋病而哥哥無恙。由於兩人不能共同生活，哥哥居住在另一所孤兒院，兩兄妹長期分隔，由院方定期安排會面。」

「兩兄妹相依為命，偏要分開，真可憐！」

（八）

從愛滋孤兒院舍出來，訪客魚貫登上旅遊車，隨即議論紛紛。

「感染愛滋病毒的嬰兒，半數無法存活至兩歲，院童至今活著，可算奇蹟。」

「確是奇蹟，也是恩典。」

「一出生便成為孤兒，而且患上不治之症，還算恩典？」

「只要一息尚存，每一天都是恩典。」

善臻插話：「你們可記得其中一位戴著粗框眼鏡的導師？」

「那位站在門口歡送我們的瘦削孩子？」

「對，他也是愛滋病患者，因為早產，出生時體型只及成年人的手掌，預計活不到一歲，如今他十多歲了。」

「奇異恩典啊！」

（九）

「垃圾山」堆填區陰陰沉沉，與陰暗的天色互相映襯，意境迷離。車子緩緩停下，訪客戰戰兢兢下車。第一印象不是垃圾凌亂的視覺震撼，而是熏天臭氣的狙擊，它隨著微風吹拂，輕撫各人的嘴臉。漫天飛舞的蒼蠅夾道歡迎，直撲耳邊，聲音震耳。荒地長不出花草，吸引不到鳥兒棲息，杳無花香鳥語。比比皆是的垃圾鋪天蓋地，在寥落的樹木有限度的光合作用之下，清新的氧氣付之闕如，緩和不到惡劣的生態。

「早幾天，那兒的垃圾在烈日下自動燃燒，焚毀後只剩一片焦土。」善臻指向遠方，說下去：「要不是混合燒焦味，單單垃圾，臭味更濃烈。」

訪客戲謔：「香港巨賈身處堆填區時聲稱：『令人心曠神怡！』」

「要是他來到這裡，恐怕說不出口吧。」

（十）

「拾荒者一看到垃圾車駛近，好比遇上聖誕老人的鹿車，情緒立時高漲。垃圾車傾倒垃圾之後，過百名守候者蜂擁而上，翻箱倒籠尋覓寶藏，從中找出具有回收價值的東西。」善臻指著垃圾山。

「同一天空下，居然有這麼多人如此委屈求存。」

幾乎所有拾荒者都赤腳，或許垃圾堆中從來沒有像樣的鞋子。縱然偶有，未必成雙；縱有一雙，也會拿去變賣，故此他們一律光著腳踐踏髒亂不堪的垃圾堆。垃圾有不同種類，面前的東西往往是垃圾中的垃圾，一錢不值。垃圾不單止污穢，有的很鋒利，例如：生鏽的鐵罐、碎玻璃、木刺，甚至針筒，可謂危機處處，然而他們毫不避忌，四處闖蕩，酷似「上刀山、過火坑」的表演者，有鬼神護體？能人所不能！

拾荒者畢竟是凡人，手腳經常破損、流血，但他們並不在乎，那在乎甚麼？夢想甚麼？他們的皮膚黑油油，隱藏不了污漬，手腳指甲縫上黑邊，蓬頭垢臉，牙齒又黃又黑，甚至脫落。

「有些孩子的頭髮是黃褐色，離奇彎曲，天生就是這樣子？」訪客好奇。

「他們肯定負擔不起染髮的費用，難道是與洋人的混血兒。」

善臻解釋：「因嚴重營養不良及貧血所致。」

（十一）

垃圾山的孩子普遍纖瘦和矮小，一些小女孩沒穿衣服，光著上身，三五成群出現。

「他們自小在這兒生活，全部都是窮人，以為生存全靠執垃圾變賣的本領和運氣。」善臻敘述。

崇嶸認為，訪客參觀為他們帶來衝擊，孩子知道有人富裕，有人窮困，而窮人正是自己一家人，訪客前來施捨。

善臻回應：「不錯，所以我們絕不是單純送贈食物，還要透過傳譯去鼓勵和祝福他們。為了表示尊重，請大家先除下口罩。」

個別訪客心存顧慮，遲遲疑疑，最終跟大夥兒脫去口罩，隨同善臻

探訪貧民村。垃圾山的房舍零散，分布在若干區域，居民利用爛木方蓋搭支架，木架上放置爛木板，架頂鋪上爛帆布，構成簡陋的棚屋。

善臻解說：「他們一家幾口、男女老幼，睡在一起。」

日間留守的大多是婦孺，婦女在床上打盹，孩童沒有上學，在荒野遊蕩，無所事事，也有中年漢子沒精打采地蜷曲在吊床上，神情呆滯。

「你們怎樣解決如廁問題？」崇嶸透過傳譯員訪問一名托著腮的大嬸。

「太失禮了，」她顯得尷尬，欲言又止：「我們習慣隨地找一個膠袋，便溺後封妥，丟回垃圾堆。」

言談之間，數隻蒼蠅如影隨形，在大嬸的頭髮、額角、下巴、頸項、臂彎、腳背起伏，也許蒼蠅成為了她的生活伙伴。大嬸不以為意，懶得揮走，訪客同樣被蒼蠅粘附，隔著連帽外套，感覺上沒有那麼直接而已。

生活逼人，訪客幫不到大忙，只能送上小小心意——飯盒和罐頭。縱有語言隔膜，從居民的表情看來，他們的喜悅不言而喻。訪客逐戶探訪，傳譯員協助溝通，大家互相問候，送上祝福。部分街坊開始用膳，聞到香味的蒼蠅也分杯羹。他們習以為常，把蒼蠅碰過的食物往嘴裡送。

（十二）

正當居民吃得滋味的時候，烏雲密布，家訪尚未完成便下起雨來。訪客一時無處容身，居民招呼客人入屋避雨。儘管有訪客嫌棄，情急之下分散投奔棚屋棲身，甚至擠上爛床。暴雨拉近人與人之間的距離，此時此刻最親近。床上雜物堆積如山，釋放異味，為免得失居民，訪客不敢當面掩鼻。屋頂的帆布破爛，雨水穿過破洞而下，初時一滴滴，後來連成一線，連串的雨水沾濕衣裳、爛被鋪和家當，情境狼狽。傳譯員失散了，崇嶸、善臻與大嬸及其兒子濟濟一堂。善臻不懂柬埔寨語言，然而笑容是最佳的溝通工具，彼此感受到善意。小孩子怕陌生人，躲在床角一聲不響。大嬸催促兒子吃飯，他才爬起來，倚在母親身旁，進食混和著雨水的飯菜。母親不加以制止，崇嶸和善臻也不敢阻撓，了解窮人首要解決溫飽，至於衛生和尊嚴，純屬次要。

部分孩童在棚屋外嬉水作樂，嘻嘻哈哈，張大嘴巴喝幾口雨水。窮

人只能負擔有限的食水開支，喝充分的水和天天洗澡都是生活難題。雨水猶如甘霖，淨化身心，潤澤他們乾涸的生命。

連綿大雨持續十多分鐘，訪客終於等到放晴一刻，陸續從棚屋出來，繼續家訪。地面滿布水窪，積水夾雜著塵土和垃圾，混濁泥濘，場面比下雨前更污穢。訪客加快步伐，因為飯菜都涼了，必須趕快送出。未幾陽光普照，沖刷過垃圾的雨水逐漸蒸發，惡臭氤氳。有訪客忍受不了，作嘔作悶，大夥兒趕忙完成家訪，匆匆離開。可憐居民仍舊留守垃圾山，飽受瘴氣侵害。

（十三）

夜幕低垂，市中心平房的燈火零星落索，遠不及主幹道的街燈密集耀目。柬埔寨最高的安達大都匯大廈拔地而起，樓高三十九層，與毗鄰三十二層的加華大廈傲視同儕，略欠一點光彩。意想不到落後地方竟有激光在夜空出現，明亮的夜色令星星隱蔽，無影無蹤。

高空酒吧設在酒店天臺的無邊際泳池之上，可以環顧四周，飽覽金邊的景致。酒吧沒有柔和的音樂，只有微弱的燈光，平淡的氣氛中蘊藏幽雅的格調。善臻發現一個熟悉的男士背影——坐在大廈邊緣的高凳上，隔著落地玻璃圍欄鳥瞰夜景。

善臻上前輕拍他的肩膀，呼喚：「崇嶸，獨個兒喝酒？」

「顏姑娘，我與朋友短聚，他太疲累，剛回去休息。」崇嶸站起來回話，拉出旁邊的椅子。

「謝謝！」善臻坐下。

「喝東西？」

「好的，我要 Pina Colada。」

崇嶸幫她召喚侍應。

「夜景稍遜色，黃昏景色則不錯。」善臻端坐遠眺。

「發展中國家的日落餘暉別具韻味。」

「是的，在不同地方觀賞日落日出，意境有別。」

「那麼在垃圾山觀看日落又如何？」

「生活艱苦，日子不好過，日落美景當前又如何？哪有閒情逸致欣賞？」善臻慨嘆。

「垃圾山居民山窮水盡，每天被夕陽離棄，任由他們面對黑暗的荒地。」

「上天從沒捨棄他們，翌日太陽又帶來溫暖。」

「陽光只能提供溫暖，溫飽得靠自身努力爭取。」

「今午我們在棚屋避雨，那大嬸的丈夫去年拾荒時遇上不測。」

「甚麼不測？」

「塌方。肇事當日同樣下過一場暴雨，之後大叔到堆填區幹活，垃圾山突然滑坡崩塌，活埋在場的拾荒者。災難中十多人失蹤，尋回時奄奄一息，全部罹難。」善臻哽咽。

「窮困拾荒本已潦倒，還要付上性命，葬身在垃圾堆中，不得善終！」崇嶸抿住嘴巴。

「窮人命賤，猶如草芥。」

「窮國的窮人不如草芥！」

善臻點頭，放下手上的雞尾酒，聲稱有點兒不自在。

崇嶸問她：「身體不適？」

「不。我們一面享受美酒佳餚，一面談論貧困，心理上不太平衡。」

「怎辦？」

「可有興趣逛夜市？」

「有啊，現在去？」

「嗯。」

兩人頭也不回，離開酒吧，枱上剩下半瓶吳哥啤酒和一整杯 Pina Colada。經過泳池旁邊，地面較濕滑，善臻險些滑倒，幸虧崇嶸扶她一把。

「謝謝！崇嶸。」

（十四）

酒店門外只得一輛三輪車停泊，車子頗殘舊，司機很年輕，大約二十歲，兩邊嘴角長了數根長汗毛，向崇嶸倆招攬生意。善臻略懂少許

常用的柬埔寨語，說出目的地，議好價錢，與崇嶸登上「篤篤車」。車廂擠迫，兩人非貼近不可，健碩的崇嶸挪開粗壯的臂彎，緊縮雙肩，合攏雙腿，伸長手臂，手掌僵硬地放在膝蓋上，坐姿拘謹。聊天時善臻的胳膊好幾次不經意碰到崇嶸的膀臂，她不以為意，反而他尷尬退避。

　　他們在途中下車，於便利店購買了一箱蒸溜水和一盤麵包，然後乘車到市中心。安達大都匯大廈對面有一座警察宿舍，宿舍開設商舖，晚上關上大閘。在樓宇的水泥簷篷下、六邊形泥磚鋪設而成的行人路上，數十名拾荒者在商舖外聚居。比起垃圾山居民，他們的居住環境算優越。無論男女老幼，衣著和外觀不失整潔，衣服稱身，無嚴重破爛，並非蓬頭垢臉，而且修剪過頭髮。雖然路面布滿污漬和油漬，還有食物渣滓和垃圾，但他們會鋪上紙皮，少數人更有簡陋的帳幕。

　　「他們到處拾荒，晚上露宿街頭。」善臻沿途向露宿者招手，蹲身送贈麵包，崇嶸也屈膝派發蒸溜水。他們收下物資，和顏悅色地重複說：「萼冠！」（柬語的意思：謝謝！）

　　「老鼠！」崇嶸叫嚷。一隻大老鼠在人堆中出現，繞過一名躺臥著的女孩子，然後從鐵閘下的空隙竄進店舖。

　　「這兒豈止老鼠出沒。」善臻見怪不怪，沒有絲毫驚慌。

　　崇嶸仔細察看，簷篷底有蜘蛛，外牆上有簷蛇，面前有蒼蠅和蚊子，地上還有一條小蛇蜿蜒而行。吃著麵包的男孩發現蛇蹤，不假思索上前伸腳，把小蛇踢入路邊的溝渠。

　　崇嶸痛心，低訴：「這一群城市人彷彿活在蠻荒，每晚與蛇蟲鼠蟻為伍。」

（十五）

　　有人居住在城市過著荒涼的生活，也有人居住在荒涼的地方，日夜與陰宅為鄰。聽到善臻的描述，大夥兒充滿好奇，在烈日當空下探訪「墳場村」。墳場不但是先人的居所，亦是窮人的住處。一座座灰白色的長立方體在地面上列陣，墓地之間築起鐵皮屋、架起雙層床，陣容鼎盛，約三百名窮人在這片靜土安家落戶，所有墳墓頂部都用來擺放家居雜物，

如：膠盆、木箱和樽罐，洋溢著鄉村風情。

墳場除了是民居，亦是孩童的遊樂場。他們正在捉迷藏，躲藏在墳頭背後，猛烈的陽光洩露了端倪，長長的身影使行蹤敗露。遠處有小孩在墳頂蹦蹦跳，跳越一連串墳頭。善臻帶領訪客探望其中一個家庭，因為住所太小，各人輪流見識鐵皮屋內的墳頭。

「著實出人意表！」訪客難以想像墓穴居然融入家中，眾口一詞：「他們睡得安寧？」

善臻回答：「窮人無選擇餘地，不得不向現實低頭，把墳墓當作餐枱，甚至睡床。」

「睡床！在上面睡覺？」女訪客愕然。

「真的，這家主人每晚在墳頂睡覺。」善臻訴說：「即使家人有工作，月薪一般約一百五十美元，而房租每月至少五十美元，為了省卻租金支出，他們寧願在公共墓地過活。垃圾山居民也要交租，相比之下，墳場村不俗，免租之餘，空氣清新。」

男訪客笑道：「而且靈氣逼人！」

（十六）

天氣酷熱，氣溫高達攝氏三十六度，訪客在墳場村短暫逗留，盡皆汗流浹背，衣衫濕透，村童卻無懼日曬，如常嬉戲。訪客均抵受不了，提早離開，臨行前向小孩揮手。孩子友善純真，擱置玩耍，跑過來送客。他們非常熱情，主動與訪客牽手，陪伴到村口道別。

下午探訪孤兒院，院童同樣活潑可愛。衣著樸素的孩童赤腳，對來賓恭恭敬敬，笑容燦爛。院方分散訪客，安排他們與小孩同枱吃午飯，從而促進互動。孩子很有教養，溫文用膳，餸菜雖簡單清淡，大家都吃得津津有味。

初時彼此生疏，各人都有點拘謹，飯後院方舉行「拔河」比賽，由十名院童與五名成年訪客對壘。縱使孩童數目多一倍，他們大多皮黃骨瘦，並且在露天操場的硬地上赤腳作賽，明顯不利。至於參賽的訪客，個個體魄強健，穿著運動鞋，大大增加與地面的磨擦力，明顯勝券在握。

崇嶸向隊員提議：「為免打擊小孩子的自信心，我們好應該禮讓。」

善臻叮囑：「不可小覷孩子，他們精力旺盛。」

言猶在耳，比賽開始，初時雙方爭持不下，結果香港隊先勝一仗。到了第二場賽事，香港隊保留實力，柬埔寨隊員奮勇爭勝，扳平一局。最後一個回合，大家悉力以赴，在院友的吶喊支持之下，院童鬥志昂揚，勢如破竹，獲取了勝利。他們興高采烈，贏得全場觀眾的掌聲和歡呼。

（十七）

破冰遊戲打破了隔膜，大家玩得更盡情，一同唱歌、一同遊戲。小朋友不用糖果和玩具，參與簡單的集體活動便開心不已。男孩子在操場踢足球，女孩子在禮堂踢毽，個別男孩加入踢毽，與成年人打成一片。其中一名少年手舞足蹈，當眾表演街舞，全場人士定睛在這小子身上，毽子被冷落，閒置一旁。

現場沒有音樂，小小舞者極富節奏感，憑空起舞。他擺出肢體僵硬的姿勢，舉手投足模仿機械人的繃緊動作，忽然轉動肩頸、屈伸軀幹、扭動上肢和胯部，流暢的形態如同波浪起伏。在熱烈的掌聲鼓勵下，他跳得更起勁，以手掌和頭頂著地，猶如三腳支架，接著雙腳朝天，交替扭動。轉瞬間，他改用單手撐起整個身體，以頭頂當作陀螺中軸的尖端，撥動四肢，身子不停旋轉，觀眾也就不停鼓掌。院長講述他只得九歲，無師自通。

「堪稱小舞王！」訪客無不豎起大拇指讚揚。女孩子簇擁而上，舞王的小臉頰通紅，慌張閃避。

（十八）

崇嶸喜歡小孩子，小孩子也非常喜歡他。院童都是孤兒，無親無故，自幼缺乏家庭溫暖，渴望得到父愛。崇嶸熱情擁抱，親切地舉高他們，讓小朋友感受到父親一樣的愛護。他們開朗，掛著一張張笑臉，其中一名頑皮的男孩趁機撲上崇嶸身上，箍著頸項不放，崇嶸乘勢揹小孩在禮堂內繞場一周。崇嶸方才放下男孩，另一名孩子又撲過來，其他小孩在旁輪候。一名小女孩急不及待摟住「叔叔」的大腿，崇嶸一併抱起她繞場一周。其他訪客見狀，紛紛加入，減輕崇嶸的重擔。明顯地，男訪客大

受歡迎，女訪客備受冷落，姑勿論男孩或女孩，十分渴望得到如同父親的疼愛。

院方獲得探訪團體的資助，一輛雪糕車徐徐駛入孤兒院，院童蜂擁而上，領取免費雪糕。柬埔寨的雪糕與別不同，在雪糕上澆灌牛奶，香港人覺得古怪，院童卻喜上眉梢。孩童懂得分甘同味，把雪糕送到叔叔姨姨的嘴邊，太討人喜歡了。

（十九）

雖然垃圾山和露宿街頭的兒童有家人，但生活苦不堪言，年紀輕輕便要謀生，周遭環境惡劣，背負著沉重的生活壓力，沒有機會接受教育，承受了跨代貧窮的宿命。院舍的生活比較安穩，孤兒不必操心衣食住行和醫療教育，還有許多玩伴一同遊戲，一同學習、一同成長，他們得享免費教育，有望憑知識改變命運。院方視乎年齡分配家務，例如：清洗衣服和打掃房舍，年長的院童課餘時到農地種菜，供應孤兒院膳食所需，藉著群體生活讓院童學習自理和自律。年屆十八歲，孤兒一概需要離開院舍，自力更生。若他們成功升讀大學，由院方資助學費，以及提供生活津貼。

崇嶸對孤兒院的見聞似曾相識，他住過兒童院，了解院童的心境，明白他們的渴慕。儘管在院舍不愁溫飽，然而身邊只得朋輩，沒有家、沒有親人，孤伶伶生於世上。

「人家有父母疼愛而我沒有。」

「窮困家庭的孩子也有父母，我卻沒有。」

「父母拋棄我！」

連串的問題困擾兒童成長，崇嶸的童年也不快樂，因為無家可歸而怨恨過雙親。他明瞭院舍美中不足的地方在於只能提供庇護，無法彌補家庭溫暖，孩子欠缺家庭教育，對家庭觀念和性格發展有負面影響，嚴重者會憤世嫉俗。

（二十）

逗留了好幾天，除了孤兒院供應的午膳之外，每一餐都盡善盡美，尤其在高級餐廳品嚐柬埔寨菜和法國菜。每當享用豐富的美食，崇嶸總

會顧念患難中的孩子，影響了食慾。

　　臨走前，崇嶸與善臻相約在高空酒吧見面。

　　「崇嶸，明天就要離開，日後會再來嗎？」

　　「當然會，還要當孤兒的家長。」

　　善臻詫異：「家長？」

　　「我曾經向院長查詢有關領養孤兒事宜，得悉院方只提供認養，透過定期捐款助養指定的孤兒。我希望幫助孤兒，並非單純捐助，想與孩子們成為一家人。」

　　「一家人？」

　　「不錯，是一家人。既然無法領養孩子到香港生活，那麼我回來吧。」

　　「移居這裡？」

　　「嗯。」

　　「你真偉大！」

　　「算不上甚麼，妳何嘗不是往來工作？」

　　「我受薪工作，毋須長駐。」

　　「其實性質一樣。作為世界公民，關懷應該無分國界，患難與共，有意義的工作並不在乎金錢回報。」

　　「世界公民？」

　　「哲學家蘇格拉底也曾提及他不是雅典人或希臘人，乃是世界公民。」

　　「蘇格拉底的意思──不，你的意思是大家都是世界的一分子，應當互相關心，幫助世界各地的弱勢社群，解決社會問題，用行動回應社會的不公義。」

　　「對！傳統的國家公民思想狹隘，從地域出發，只維護自己國家的利益。世界公民宏觀得多，關懷的對象不受地域和種族規限，關心整個世界的發展，維護普世價值。」

　　「你有何打算？」

　　「若院長容許我當院舍家長和導師，我願意辭掉香港的工作，投身孤

兒院。」

「短期計劃？」

「不，長遠而言，我希望與孤兒成為一家人，雖沒血緣關係，但求培養出家庭的感覺。我在加拿大長大，大學修讀輔導學，可以教授英文及提供輔導服務。透過教育，扶持小孩成長，為他們和國家脫貧略盡綿力。」

「柬埔寨旅遊業蓬勃，孩子懂得英文，當導遊也可自食其力。」

「的確不錯，如果新一代能夠推動國家經濟發展和社會改革，柬埔寨便可以國泰民安。」

「相信我們將會有更多合作機會，為這個國家的未來幸福乾杯。」善臻與崇嶸碰杯，「噹」一聲在夜空之中特別清脆嘹亮。

（二十一）

孤兒院派員通知崇嶸，院長歡迎他的加入，日後由院方提供食宿和微薄的義工津貼，崇嶸如願以償，毅然辭職。

「既然你去意已決，我不便挽留，但願在未來的義工歲月裡，平安和喜樂常與你同在。彼此共事多年，明白你不怕艱辛、赤誠待人，對柬埔寨的孤兒而言，無疑是他們的福氣。」

「謝謝老闆讚賞。」

「崇嶸，我衷心支持你的善舉，將來有甚麼需要，不妨提出。」

「好！」

（二十二）

一個月後，崇嶸重返金邊，在孤兒院工作。除了教授英文，他照顧院童的起居生活，細心愛護孩子。逗留不久，柬埔寨爆發瘧疾，過半數院童受到感染。病童間歇性發燒，退燒後三天內復發，發冷、冒汗、頭痛、噁心、嘔吐和肌肉疼痛，情況嚴峻，全體員工都非常憂慮惆悵。雖然藥物可以有效治療瘧疾，但變種的超級瘧疾出現抗藥性，無法治癒，其中兩名院童病情惡化。男童痙攣、神志不清；女童昏迷，最終因併發肝臟及腎臟衰竭而死亡。

崇嶸與女童相處半個月，印象最深的是她眉清目秀的容貌、嬌小柔

弱和齷齪的樣子。他很懷念這個可人兒，嗟嘆她的人生太短促，彼此相處的時日太短暫。夜闌人靜，他在湄公河畔獨自散心，追憶「女兒」生前的笑聲和淚影。

瘧疾的潛伏期頗長，即使院童沒出現病徵，亦需要長期觀察，慶幸沒有新增個案。病重的男童及其他院童陸續康復，院舍回復正常。由於有女院童因病離世，對院友的心理造成創傷，崇嶸提供心理輔導，疏導他們的哀慟情緒。

瘧疾在柬埔寨肆虐，舊同事都擔心崇嶸的安危，頻頻慰問。數天後，院方收到大量蚊帳，捐贈者是崇嶸的前老闆。為免院童再受瘧蚊叮咬，崇嶸曾經考慮過找老闆捐贈蚊帳，怎料尚未開口，物資已經送到，數量符合他所想所求。

（二十三）

善臻經常帶領香港的團體造訪金邊的孤兒院。

「崇嶸是來自香港的義工，駐院將近一年。」她指著一名皮膚黝黑的工作人員。他聽聞自己的名字，當眾揮揮手、點點頭，應邀坐下，分享作為院舍家長的感受。

「孤兒無倚無靠，成長中，弱小的心靈可以變得剛強，也可以變得脆弱。我兒時居住過兒童院，有幸得到宿舍家長的悉心關懷和教導。『性格決定命運』，我希望與小孩子成為一家人，扶助他們健康成長，培育良好的品格和正面的思考，共同開拓美好的人生。」

訪客一致稱讚他，有人打趣：「可有異地情緣？」

「有的。」崇嶸爽快回答。

其他人追問：「柬埔寨女孩？」

「不！香港人。」

「香港人？」訪客愣住，有人把視線投向顏姑娘，其他人跟著瞧，善臻含羞答答。

「對！」崇嶸表白：「我的女友。」

全場喝采，掌聲雷動。

人約黃昏

（一）

　　電車從跑馬地總站緩緩駛出，上層乘客疏落，愁甯默默坐在左邊窗旁，左肘靠近窗沿，掌心托著腮頰。雖然她的視線一直投放到窗外，但眼神迷惘，途經修頓球場、中銀大廈、前立法會大樓、西港城，一概不以為意。直至嗅到鹹香味，她方才抖擻過來，面前是西環海味街，兩旁參茸海味店和藥材店連綿不絕。在陳舊的騎樓下，歷史悠久的商舖林立，彷彿時光倒流數十年，重回昔日的街頭。

（二）

　　電車經過的地方大都殘舊，酒店亦欠亮麗，偶有簇新樓宇，數目不多，既無大型商場，也鮮見連鎖店，老店和小店則比比皆是。愁甯在堅尼地城總站下車，周遭環境陌生，感覺卻親近。西環與銅鑼灣、尖沙咀不一樣，並非千篇一律的商場和連鎖店，而是一個較人性化的社區。她認為沒有大型商場更好，途人不用盲目跟從，隨心而行。以往逛商場，商店差不多一模一樣，社區毫無自身的特色，大商場取代了家庭式經營的小生意、休憩設施和公共空間。置身商場，近乎與外界隔絕，它不像公園一定有座椅，商場越大，公眾座位反而越少，甚至了無。扶手電梯的設置故意不便利，促使顧客行遍每個角落，疲累時便惠顧食肆。

　　在欠缺地標的陌生地方，愁甯一時難以適從，漫無目的地穿街過巷，遇見卑路乍灣。灣畔的巴士總站沒有乘客上落，海旁倒有幾名漢子聚集，一邊垂釣，一邊聊天，一邊喝啤酒。在海闊天高的氛圍下，她的心境豁然開朗，行近海邊，用雙腳撐著斜臺，臀部倚著圍欄，觀賞維港兩岸的景色。迎面有昂船洲和昂船洲大橋，遠處有青馬大橋和汀九橋，一

次過飽覽香港的三道大橋。單單一座宏偉的跨海建築物足已令人讚嘆，三座巨型建築一併在眼前出現，場面壯觀。夕陽斜照下，海面波光粼粼，稀疏的貨櫃船在港口徐徐行駛，漁船也陸續歸航，船隻的倒影似在前端領航。

崗甯追隨落日，初次踏足新海旁，岸邊只有馬路，並無海濱長廊，行人路亦欠奉。波濤拍岸，偶爾浪花濺到岸上，馬路因而水窪四溢，汽車經過便輾起水花，在斜陽下閃閃生輝。

（三）

暮色漸沉，老區內老店泰半門庭若市，林老闆正忙於樓面打點，往來廚房和外賣部督促伙計，唯恐他們待慢客人。其中一枱客人剛離開，一名端莊高貴的婦人前來惠顧。

「小姐，一位？」

婦人默然點頭。

「請坐。」蓄著灰白鬍子的老闆指著牆邊小桌。

伙計奉上清茶和酸菜，她概覽菜單，隨意點選四餸一湯。

「小姐，吃得下？」老闆故意對客人的稱謂加重語氣，似在提醒對方，她笑而不答。

頃刻小方桌上美食紛陳，有滷水拼盤、煎蠔餅、凍蟹、欖菜肉碎四季豆和紫菜魚蛋湯，以及一碗潮州粥。婦人拆蟹舉止優雅，纖幼的手指輕巧靈活，尾指微翹，細心淺嚐各樣小菜後輕輕放下筷子，然後用紙巾柔柔地抹嘴。

老闆問：「剩下這麼多食物，味道不合心意？」

「好滋味，尤其是滷水的傳統風味。」

「滷水越陳年越馥郁，本店以家傳的滷水膽製作食品，無與倫比。」

「怪不得與別不同，格外芳香。」

「尚有功夫茶和清心丸綠豆爽，隨時送上。」

「謝謝！」

（四）

　　毖甯於跑馬地居住多年，逾二千平方呎的家居寬敞舒適，景觀開揚。每天坐在露臺眺望寧靜怡人的環境，享受清新的空氣，真的不捨搬家，然而非走不可。既然離婚，住下去沒意思，不再留戀這個不可白頭到老、永結同心的家園，遷出只是遲早的事情。

　　當務之急是物色新居，毖甯打算搬到一個陌生的地方，一切從頭開始。西環沒有大型商場，正好洗盡鉛華，樸實地過活，於是她委託地產公司物色租盤。跟地產經紀視察了多個單位，有的貼近大馬路，交通方便，但噪音和廢氣嚴重，她接受不了。有的比較清靜，興建在陡峭的斜路之上，梯級多不勝數，上上落落，又怕辛苦。毖甯終被經紀的花言巧語打動，租下一個位於斜路中段的單位，面積僅僅前住所的一成半。對她而言，大屋令自身覺得渺小，反而渺小的蝸居顯出主人的重大。

（五）

　　遷居後毖甯忙於執拾東西，懶得煮食，日常惠顧鄰近的食肆。她最滿意的畢竟是「西樓潮州飯店」，於是重臨「西樓」，看不見老闆，客人也在打聽，伙計稱老闆娘死忌，老闆前往拜祭亡妻。牆上張掛的相片展示某某影視藝人和政商界名人曾到訪與老闆合照，當中有老闆現今中年模樣的照片，也有舊相，毖甯猜想與他肩並肩的女子就是離世的老闆娘，老闆年輕俊秀，老闆娘相貌平庸。無老闆在場招呼，毖甯有點兒失落，草草用膳，結賬回家。

（六）

　　毖甯是全職家庭主婦，慣常到銅鑼灣、金鐘一帶逛百貨公司及商場，藉購物和美容來打發時間。前夫是中學同學，求學時期初戀，她認定對方是終生伴侶，也就謝絕了其他追求者。丈夫中學畢業便創業，生意蒸蒸日上；毖甯預科畢業後結婚，未曾在社會工作過。婚前身體檢查發現，毖甯患上嚴重多囊卵巢綜合症，將來流產機會甚高，成孕則微乎其微。未婚夫表示不介意，生兒育女只是次要，微不足道。他們結成夫婦，婚姻生活美滿。

丈夫是家中唯一男丁，家姑不時催促愍甯為家族繼後香燈，得丈夫諒解，她從未把家姑的說話放在心上，夫妻一直恩愛。婚後九年，丈夫承認有外遇，在內地另築愛巢，並育有一子，理直氣壯提出分手。愍甯一時接受不了，失意絕望，後來思緒開通了，不再勉強維繫這段感情破裂的的婚姻。法庭頒令前夫支付指定金額的贍養費，日後保持進賬，生活應該不成問題。她毅然放棄居所，主動遷出。

（七）

林老闆親力親為泡製滷水，加入花椒、八角、桂皮、丁香、甘草、陳皮和沙薑等香料，以及高粱酒、醬油和冰糖，烹調鵝、鴨、五花腩⋯⋯讓滷水滲入肉類，混合肉香。滷熟的食物掛起來，透過冷卻吸收滷水汁，上枱前再澆上熱烘烘的滷水，使食物香濃暖和。為求保持滷味香滑，老闆晚晚親自隔渣，去除雜質，一再煮沸以防變質。他與滷水膽朝夕相對，視為命根。

（八）

離婚後愍甯心灰意冷，消費慾大減，況且新居地方淺窄，搬家前已經丟棄不少物品，再沒有多餘空間，她改變了生活習慣，不以逛街度日。愍甯決意融入新地方，展開新生活，先從認識社區著手。西環與其他地區一樣，年輕力壯的族群上班去，剩下長者和婦孺留守，生活安閒。除了住宅，區內有不少學校，還有香港大學，三五成群的學生為平靜的社區帶來朝氣。科士街石牆樹同樣朝氣勃勃，枝葉茂盛，源自其充滿生命力的樹根。根部如同人的心臟供應養分，心臟藏在身體內，樹根則埋在泥土裡，心臟外露肯定令人驚嚇，氣根外露卻不足為奇。許多榕樹的氣根都懸在半空，好像人的鬍子一般自然，石牆樹的根部並非深入泥土裡，長在牆上，長度比行人高出數倍。逾二十株細葉榕組成的石牆樹長達一百米，蔚為奇觀，為途人提供蔭庇。老樹根滿載滄桑感又保持堅韌力，密密麻麻的樹根縱橫交錯地纏繞著石砌護土牆，構成一幅優美的圖案。愍甯試圖從樹根追溯所屬的大樹，終究無從識別。石牆樹不能當作配對遊戲，卻是渾然天成的藝術品，成為她自拍的幽雅背景。

入伙一個月，除了執拾家居，便是在街上流連，或到士美非路圖書館借書，逛卑路乍灣公園，近在堅尼地城室內泳池游泳，遠至中山紀念公園、孫中山紀念館、醫學博物館遊覽，以及漫遊高街的佐治五世紀念公園和西營盤社區綜合大樓。大樓前身是精神病院，有高街鬼屋的稱號，真的聞名不如見面。它的花崗岩外牆、圓拱形長廊及圓拱形窗戶等構成饒富西式風格的古建築。她覺得這個老舊的社區是一個寶藏，許多新奇有趣的事物有待發掘。

西區社區中心的名字平淡無奇，建築設計卻出人意表。該中心是一幢從麻石基座築起的紅磚大樓，用瓦簷蓋樓頂，以木製半圓形螺旋樓梯連接樓層，建築融合中西特色。它的前身是贊育醫院，列為歷史建築。愻甯與朋友參加烹飪班，初次來到中心上課，感覺回到從前。

（九）

臨近黃昏，愻甯喜歡到卑路乍灣海旁，享受蘊含海鹽味的清風送爽，同時欣賞鹹蛋黃一樣的落日，涼快之中不失溫暖的感覺，而海鹽味的鹹蛋黃在嗅覺和視覺上相得益彰，情景賞心悅目。

旁人收拾魚具，背棄夕陽，不留一抹身影。愻甯憶起前夫，他教過自己釣魚，講述垂釣是一門學問，挑選釣餌、釣鉤綁法、拋竿、握竿和收竿的技巧都要全面掌握，至於季節、氣候、氣壓、水流、時間和釣點亦一併考慮周全。表面上釣魚是一項寫意活動，實質是血腥殘忍的行徑，設下圈套誘使魚兒上當，任由鋒利的魚鉤刺破牠們的口腔。她認為捕魚無可厚非，卻不齒釣魚使用陰招，曾為此事與前夫爭論，他沒有放棄嗜好，如常垂釣。「道不同，不相為謀」，怪不得大家各走各路。

（十）

不足一年，愻甯的贍養費便停止了，因為前夫成功申請破產，毋須履行法定責任。她從未如此徬徨，過去有父親、丈夫照顧，生活無憂無慮。一下子失去經濟支持，不想投靠娘家，自身欠缺工作經驗，愻甯恐怕積蓄耗盡，未來日子苦不堪言。她苦惱惆悵，好想鬆弛一下，沒留意天色，信步到海邊。雨水突如其來，偏偏空曠地方無處藏身，她只得趕

快走避。一時悲從中來，臉上的是雨水抑或淚水，自身也混淆不清。

　　悆甯饑腸轆轆，想念滷水的色香味，趁有騎樓遮風擋雨，朝「西樓」進發。她推門而入，林老闆上前接待。

　　「妳久未露面，看來清減了。」他伴隨入座。

　　「逃不過你的銳利目光。」

　　「吃下兩道小菜，自然豐腴豐潤。」

　　「買一送一？」

　　「沒問題。」

　　「老闆，幫我發辦。」

　　老闆吩咐伙計：「先來一碗熱湯。」

（十一）

　　悆甯患婦科病，需要定期覆診，花了半天時間，中午才離開醫院，她站在車站等候。

　　「這麼巧！」

　　「林老闆，我來覆診，你呢？」

　　「我來探親。」

　　「親人入院？」

　　「不，他們住在那裡。」老闆指著薄扶林華人基督教墳場。

　　「——他們？」悆甯錯愕。

　　老闆點頭傾訴：「我來探妻兒。」

　　「對不起！」

　　「不要緊，巴士到站，上車長談。」

　　他們選取車尾位置以便交談。

　　「妳久沒來惠顧了。」

　　「要節省開支，在家做飯。」

　　「說笑吧。」

　　「坦白說，我正在找工作，『西樓』用人嗎？」

　　「怕妳屈就。」

「怕甚麼？」

「飲食業工時長兼操勞。」

「哪怕？就讓我一試？」

「如不嫌棄，歡迎妳來幫手。人工方面──」

「多少無拘，何時上班？」

「下星期一正午前？」

「多謝老闆！」

<h2 style="text-align:center">（十二）</h2>

踏入「西樓」，毖甯的心情與慣常不一樣，以前是顧客，如今是伙計。她戰戰兢兢上前，林老闆如常熱情招呼。

「甯，過來吃飯。」

她跟隨老闆入座，他循例介紹員工，其實她早已認識大部分同事。席間，老闆夾了一箸菜給她，低訴：「員工伙食不一樣？」

毖甯吃了一口，問道：「燊哥弄的菜？」

同柏的燊哥向她眨單眼，毖甯讚賞伙食可口。

「吃飽便開工。」老闆再夾一大箸菜給毖甯，她三扒兩撥，不想耽誤工作。

<h2 style="text-align:center">（十三）</h2>

搬家以來，毖甯只化淡妝，衣著簡樸。當伙計後，她完全不施脂粉，一來不配合街坊生意，二怕化妝溶掉，故素顏示人。老闆先安排她在樓面工作，任務簡單，執拾杯碗碟筷、拭抹枱面、落單和傳菜，還可與客人閒談。毖甯待客彬彬有禮，而且談吐大方，討客人喜歡。與她相熟的大學生正為「港漂」女同學尋找租住地方，隨口向她打聽。

「有啊，就在我家。」毖甯有意以二房東身分出租房間，減輕租賃開支。熟客告訴她，同學是內地人，來港修讀碩士課程，暫時寄居親戚家，要求稍後實地視察房子。

「當然無問題。」

（十四）

　　內地女生春蕾看完房子遲疑不決，訴說堅尼地城與香港大學之間有一段距離，走路嫌遠，乘車嫌近，要求調低租金。愻甯認為雙方分擔一半租金，做法合理，但她諒解對方是留學生，依賴內地家長負擔生活費，壓價亦無可厚非。她覺得春蕾溫順，是合適的分租伙伴，樂意減租遷就。雙方達成協議，春蕾繳交了兩個月按金及一個月上期的費用，一星期後入住。至於水電費用，日後攤分。

（十五）

　　電視正在播放一則新聞：「兩株位於般含道的古樹面臨砍伐，有保育人士到場抗議阻撓，也有區內居民聲援斬樹行動，未知古樹能否逃過一劫？」

　　「過去多次塌樹意外造成人命傷亡，政府好應該汲取教訓，杜絕事件再度發生。無妄之災，一樁也嫌多。」老闆喃喃自語。

　　熟客插話：「問題是政府沒有好好保育樹木，未曾挽救就動輒砍掉百年古樹，一了百了。」

　　「難道古樹比人命可貴？人有生老病死，老樹同樣會生病，斬樹有何不可？」

　　「關鍵是古樹真的生病？無可救藥？」

　　「若發現有倒塌危險，無法保障市民的生命安全情況之下，斬樹是萬全之策。」

　　「政府豈不是可以寧枉無縱？為求置身事外，令參天古樹毀於一旦。」

　　老闆不肯罷休，繼續與客人舌戰。愻甯看在眼裡，不明白性格隨和的老闆為何如此執著。

（十六）

　　春蕾是獨生女，來自四川省遂寧市一個小康之家，她的加入，愻甯有點不習慣。她由中午一直工作至晚上，回家春蕾隨意向她招一招手。若春蕾做功課或溫習，至少保持安靜，但她不停通電話，愻甯入房睡覺，

隔著牆壁也聽見她談話。夜深聲音額外響亮，悆甯把腦袋埋在枕頭下，四川話仍不絕於耳。悆甯按捺不住，勸喻她早點休息，春蕾識趣掛線。自此她多加注意個人的習性，一改豪邁奔放的言談習慣。

春蕾每逢用膳，例必拍照，然後把膳食及自拍相片上傳到社交網與朋友分享。事無大小，她都用手機記錄下來，成為生活習慣，當作個人日誌。春蕾把握百貨公司大減價的時機瘋狂購物，滿載而歸後急於將戰利品的相片公諸於世，其崇尚物質主義和炫耀的心態，悆甯自愧不如。

自從春蕾入住，家中有蟑螂出沒。她從不打掃，也不執拾，衣物隨處擺放又不清理垃圾。飯枱上經常有碗筷和菜汁、茶几上有汽水罐、果汁盒、梳化上有薯片碎、朱古力和酸臭衣物。廚房雜亂無章，盆子堆滿碗碟刀剪和積水，座廁內壁油漬斑斑。全屋彌漫著麻辣味，悆甯受不了，藉香薰油掩蓋氣味兼寧神安睡。

（十七）

嫌樓面工作太單調，悆甯主動要求轉換崗位，老闆同意，調配到外賣部，並親自教授斬鵝切鴨的技巧。刀功易學難精，少量工作她尚可應付，大量就力有不逮，初時手軟痙攣，長時間就麻痺酸痛。悆甯未能勝任，老闆改派她到廚房工作。廚房侷促又熱氣騰騰，爐頭和抽油煙機發出的聲音，以及廚具器皿的碰撞聲，喧鬧不息。悆甯為求掌握一門謀生手藝，在所不惜。她先做「打荷」工作，負責「執碼」，按照客人點菜而預備所需材料，交給爐頭師傅烹製，出菜前美化菜餚的擺設，確保整潔美觀。一個月後，悆甯負責切瓜菜、肉和配料，訓練刀功，另兼顧醃製食材。悆甯入職以來任勞任怨、手腳勤快，出乎老闆意料。

（十八）

與侍應相比，廚房工作艱辛得多，悆甯下班時總是疲憊不堪，儘快回家就寢。她開門時感到有點不尋常，一亮燈，嚇了一跳，一名陌生漢側臥在梳化上，面向梳化背，打著鼻鼾，旁邊有一個巨型行李篋。

「噢！你是誰？」

男子乍醒，轉過身來，睜開矇矓睡眼，一開腔就說普通話：

「我是──」

悠甯目瞪口呆，春蕾打開房門答話：「他是我爸。對不起！沒預先知會妳。」

蕾父坐起來，身上僅穿背心內衣和平腳內褲，令悠甯吃驚。春蕾出來，後面有一名穿著睡袍的婦人。

「妳好！」婦人操普通話，悠甯被春蕾拉入廚房。

「甯姐，父母來港探望，他們只居住數天，請妳見諒。」春蕾幽幽地說。

「豈可如此，何不入住酒店？」悠甯不滿。

春蕾把食指豎在唇邊表述：「他們年紀大，我放心不下。」

悠甯建議：「妳可以陪他們入住。」

「我租下房間，媽媽與我同床，有權使用。客廳是共用的，爸爸只佔用梳化而已。」

「春蕾，租房前早已訂明只供妳一人居住，連同學也不可借宿一宵。」

「租約不外乎人情，顧念他們是我的家人，而且一把年紀，妳通融一次吧。」

「不！沒有商量餘地，我無法與陌生男人共處。」

「晚了，姑且讓他們暫住，明天處理？」

「莫怪我不近人情，只此一次，下不為例。」悠甯太累，無力糾纏下去，暫且讓步。

（十九）

清晨房外傳來聲音，悠甯起床查看，蕾父在客廳看電視，蕾母在廚房弄早餐。

「大姐，過來吃早飯。」

「早！春蕾呢？」悠甯理解她的善意卻不為所動。

蕾父回答：「上學去。」

悠甯氣得七竅生煙，暗罵春蕾違反雙方協定，先用緩兵之計，繼而一走了之。悠甯不敢妄下逐客令，然而上班前不處理事件，唯恐晚上下

班局面依舊，容讓春蕾奸計得逞。悉甯隨即致電春蕾，未能接通電話，自當設法處理。安置他們住宿附近酒店容易，要春蕾承擔費用則艱難，於是她改發短訊給春蕾，表明即將採取行動，如不回應，當作默許，後果自負。不久收到春蕾回覆，她承諾即日安排父母入住親戚家，謝絕悉甯代勞。悉甯尚且「聽其言、觀其行」。

（二十）

老闆宣布由下星期開始，每天免費派發八十個飯盒予長者，日後員工需要提早兩個小時上班，自願參與，至於加班費，將以雙倍計算。同事均擁戴老闆，並表示人工毋須加倍，把資源撥歸善舉，飯盒數目增至一百二十個，讓更多長者受惠。悉甯欣賞老闆樂善好施，對他的創舉感到莫名其妙，無同事發問，她直問不諱，老闆回應：「心血來潮。」

（二十一）

悉甯心血來潮，恐防春蕾反口覆舌，提前下班，兩名過客確實撤離。春蕾看見她回家，瞬即繃臉，不瞅不睬返睡房，「呼嗙」關上房門。家人留宿帶來凌亂，春蕾未有執拾整理，三套用完的餐具既沒有清理，也沒有浸泡，擱在飯枱上，垃圾桶載滿廚餘，地面的鞋印和包裝紙屑一概置之不理。悉甯叩門，毫無反應。

「春蕾，不要裝聾扮啞，趕快清理餐具和垃圾。」悉甯發怒。

「租約無此規定，妳休想管我。」

「枉妳作為碩士生！」

「不要與學歷相提並論，我有人權和自由。」

「雖然租約沒有訂明，但妳作為一個人，有應負的責任和道義。濫用人權和自由為自己開脫，推卸責任，不仁不義。」

春蕾不作聲，悉甯也不作無謂的堅持，乾脆丟掉垃圾，收拾枱面的餐具，連同廚房的器皿一併清理。

「甯姐，給我自行處理。妳倦了，休息吧。」春蕾悄悄地站在廚房門外。

悉甯脫掉手套，除下圍裙，離開前輕捏春蕾的胳膊，春蕾明白甯姐

傳達的心意。昨晚悉甯睡不安穩，今夜安然入夢。

<h1 style="text-align:center;">（二十二）</h1>

即使免費派飯加重工作量，一看到長者飽足的樣子，員工和老闆都很欣慰。悉甯往昔安逸，漠視民間疾苦，如今幹粗活才知生活艱難。為清貧長者略盡綿力，準備飯盒和湯水，著實微不足道。由於熱誠投入工作，認真兼賣力，對長者關懷體貼，獲老闆器重，被派駐爐頭工作。她先學習炒飯，每天炒飯多不勝數，以女性的體力而言，的確了不起。

爐頭師傅以男性居多，大部分敞開衣服散熱，不停用濕毛巾抹汗。悉甯在熱廚房工作比較不便，不能掀起衣裳，也不能當眾抹身，以致香汗淋漓。老闆免她吃力，由學習炒菜改為滷製食物。滷味是「西樓」的招牌菜，老闆親自主理，只教授員工滷製技巧。至於滷水的獨門秘方和烹調竅門，視為商業秘密，旁人無從知曉。

她獲得老闆賞識，委以重任，反而加添心理壓力，害怕出現差池，有損「西樓」的名聲，失卻客人和老闆的信任。在滷豆腐的過程中，悉甯誠惶誠恐，擔心豆腐碎裂；同時顧慮火候不夠，豆腐的香味不足；又害怕過了火候，令幼滑的豆腐變得粗糙。老闆凡事包容，從沒責怪她慢手慢腳，支持她「慢工出細貨」。

<h1 style="text-align:center;">（二十三）</h1>

西區海底隧道早於一九九七年香港回歸前通車，連接西九龍填海區及香港島西營盤，西環的交通和面貌並未因而大幅改變。十八年後，港鐵西港島線啟用，老舊的社區起了顯著的變化。港島線西延至堅尼地城，帶動人流及城市發展，加快舊樓拆卸的步伐，取而代之的是高尚住宅和酒店等，買樓或換樓的市民、內地同胞和洋人紛紛遷入居住，連香港大學也成為旅遊熱點。

隨之而來的是樓價和租金飆升，商舖因大幅加租而經營困難，倒閉的老店不勝枚舉，「西樓」是自置物業，得以置身事外。許多地產經紀曾經聯絡林老闆，聲稱有發展商願意以高價收購其單位，事實上，該區不少業主都出售了物業謀取厚利，林老闆卻不為所動。「西樓」逾半男伙計

屬單身而且年長，飯店除了提供兩餐以外，還包括住宿。一旦結業，居住宿舍的伙計將受影響，至於有家室的員工，生計亦成問題。縱有天價報酬，遠勝辛苦經營的利潤，老闆始終堅持不變賣資產，保障所有員工的飯碗和住宿。

（二十四）

林老闆善待員工，人工和伙食都不俗，伙計稱讚他是不可多得的好老闆。老伙計與堃甯熟稔，私下透露老闆背後一段鮮為人知的辛酸往事。十多年前，懷著八個月身孕的老闆娘獨自前往贊育醫院做產前檢查，等候過馬路的時候，身後一株逾十米高的百年石牆樹倒塌，她被折斷的樹幹壓倒，動彈不得。途人合力挪開大樹幹，但不成功，浴血的老闆娘失去了知覺，送抵瑪麗醫院時呼吸和心跳已經停頓。超聲波檢查顯示她的胎兒尚有微弱的心跳，醫生隨即進行緊急剖腹分娩手術，男嬰一出生便危殆，接受深切治療，可惜一天也活不了。

臨盆的妻兒無辜慘死，老闆大受打擊，為未有抽空陪伴及好好保護太太而自責。霎時間失去至親，他的情緒極度低落，哀慟終日。老闆痛不欲生，意志變得消沉，肇事後「西樓」停業良久。期間，老闆仍要奔波折騰，到域多利亞公眾殮房認領遺體。對於死因不明或屬非自然死亡的遺體需要解剖，他堅決反對，堅持枉死的妻兒不應再受傷害。老闆娘頭顱骨嚴重破裂、腦幹出血，胸骨、肋骨和手腳骨折，解剖驗屍無疑多此一舉，所以他向死因裁判官申請豁免遺體剖驗。裁判官申明死因不明可能影響日後遺產承辦和保險賠償，考慮到情況特殊，以及家人承受的悲痛，酌情豁免剖驗遺體。老闆終於吁一口氣，取得「葬紙」，為妻兒辦理殮葬事宜。

老闆夫婦十分恩愛，老闆娘在「西樓」協助打理賬目，與員工融洽相處，待客親切友善。一心迎接小生命的來臨，他倆布置好嬰兒房又購置用品，並邀請燊哥屆時幫手煮薑醋，派發給親友、街坊和熟客。天意弄人！一場橫禍奪去兩條生命，拆散美好家庭。老闆不捨得妻兒，一直念念不忘，此後不再踏足石牆樹一帶地方，免得觸景傷情。老闆出席了歷

時三天的死因裁判法庭聆訊，陪審團一致認為罹難的老闆娘死於意外。

飯店停業近一個月，老闆怕影響員工的生計，全數支付所有伙計的薪金。大家非常感激，視「西樓」如同自己的家庭，失去老闆娘如同失去家人。老伙計指著牆上其中一幀相片，說道：「她就是老闆娘。」

<h2 style="text-align:center;">（二十五）</h2>

悡甯獲提拔成為副手，由老闆親授烹調滷水的秘技。滷製的食物品種繁多，滷水鵝是重點項目，他選用汕頭的獅頭鵝，因為肉質厚、鬆軟、鵝味香濃。鵝鴨等都要汆水，清除血水和髒物，以免滷水渾濁。老闆把潔淨的鵝輪流浸入香醇通透的滷水內，經過大概兩小時烹煮，鵝皮色澤亮麗，香氣四溢。

每隻鵝約十斤重，每天烹製數目多達半百，並要保持肉質嫩滑，火候控制和時間掌握皆十分講究，需要豐富的實務經驗和持久的耐力。老闆從旁協助，悡甯勉強勝任，他預告明早要出外處理私事，滷鵝工作交給她代勞。她猜度老闆有甚麼事情比親自熬製更重要？何不託付燊哥處理？疑惑未解的悡甯翌日一早返抵「西樓」，展開艱鉅的工作。

由於責任重大，她整晚失眠，心神有點恍惚，單憑依稀的記憶調製滷水，每一個工序都患得患失。悡甯嫌滷水混濁，花大量時間清除雜質，又憂慮趕不及中午準時供應。她越緊張成事，越慌張失事；越要辦好，越益潦倒。在加入香料的時候，她一時忙亂，弄翻了容器，滷水膽傾瀉而出。器皿及滷水太熱太重，無法即時托起，結果滷水膽剩得不足一半。悡甯呆望著一地滷水，同事一瞧見她的右前臂，趕忙上前看顧。陳年滷水膽是「西樓」的鎮店之寶，林老闆向來珍而重之，一交到悡甯手上，一下子瀉掉一大半。她魂不附體，自責太魯莽，以致覆水難收，如何向老闆交待？她的右前臂被沸熱的滷水燙傷，竟然遺忘了傷勢。同事催促她立刻沖洗，她的視線方才轉移到自己的前臂。悡甯目睹通紅的手臂、隆起的水泡和滲出來的液體，忽地感到痛楚無比。女同事為她清理傷口，並塗上燙火膏，灼熱感未曾減退。悡甯梨花帶雨，強忍劇痛，在同事陪同下入院醫治。

老闆接獲同事通知，並無即時返回「西樓」，直接前往瑪麗醫院。他差遣伙計回去工作，由他陪診。醫生診斷嫀甯的傷勢為二級燙傷，治理後可以出院，短期內需要每天清洗傷口，預計康復需時三至四週。離開急症室，老闆瞥見她淚眼汪汪，問道：「疼痛？」

「嗯，」她一邊抽泣，一邊道歉：「對不起！」

老闆遞上紙巾，一臉無奈，欲言又止，面對楚楚可憐的嫀甯，他出言安慰：「沒有甚麼大不了，最緊要妳無大礙。」

她拭抹淚水，說下去：「可是——」

「不要緊！」

「怎辦？」

「沒辦法！」

「只怪我太粗心大意——」嫀甯一再濺淚。

「『西樓』不會因此倒閉，妳怕甚麼？」

「怕連累大家。」

「不！是我連累了妳，害妳受皮肉之苦。」

老闆寬大為懷，嫀甯反而不安。兩人乘搭的士，老闆先送她回家，臨別時叮囑：「妳安心休養，不必為『西樓』操心。」

他折返「西樓」，走入廚房，地面已經打理乾淨。老闆探視器皿的存量，喉頭哽咽，黯然告訴伙計：「下午停售滷味，晚市堂食限量供應，不設外賣。鼓勵客人點選小菜，八折酬賓。」

（二十六）

老闆失眠，因為臨時安排只是權宜之計，長遠不是辦法，必須解決滷水膽不敷應用的問題。「西樓」沿用傳統滷水，每天加添香料，滷製大量豬鴨鵝，滷水混和肉味和油香，味道濃郁、色澤深厚，免不了油膩。明知道重新製作的滷水缺乏經年累月的醞釀，色香味不會俱全，他打算引入潮州滷水以外的味道以彌補不足。平心而論，顧客並非一律喜歡傳統滷味，口味因人而異，喜好隨潮流而改變。以往食客偏重濃味，現代人則追求健康，飲食清淡。老闆趁機將滷水改良創新，提供另類選擇給

顧客。除了保留傳統風味之外，當天另行烹調新鮮滷水，減免油膩。把醬油改為魚露，高粱酒轉用玫瑰露酒，使用新配方來製作滷味，色澤稍遜色，但清淡芳香。

「西樓」的熟客大都是上年紀的潮州人，對潮州滷味情有獨鍾，至於新推出的清新口味，完全提不起興趣。他們認為滷水講究色香味，好比香醇美酒，新品種淡然乏味，更便宜也不會考慮。生客和年輕一代追求新口味，抱著一試無妨的心態，願意接觸新鮮事物，他們有褒有貶，以賞識居多，新客源正好補充生意流失。

此外，老闆在滷水中加入川椒和豆瓣醬，烹調麻辣滷水，經過連番測試，直至調較出最合適的味道。區內有不少來自內地的大學生、學者和遊客，麻辣滷味迎合他們的口味，招徠更多生意。因時制宜，意外開拓新商機，使老闆喜出望外。

（二十七）

愁甯因工受傷，春蕾不但慰問，還為她預備午餐。

「春蕾，怎麼不回學校用膳？我的傷勢不太嚴重，可以自理。」愁甯站在廚房門口。

「大家各有各忙，未曾同枱用膳。」春蕾端出兩碗麻辣餐肉蛋米線，說道：「甯姐，試試味。」

愁甯盯著米線，遲疑未吃。

「甯姐，不合胃口？」

「傷患需要戒口，辛辣食物和蛋類均不宜食用。」

「原來如此，讓我再弄。」

「不用了，我吃麵包。」

「只怪我欠缺常識。」

「不要緊，別耽誤妳上學。」

「不著急啊。」春蕾拿起手機，拍完照才起筷。愁甯覺得彼此的飲食習慣和生活模式格格不入。

「甯姐，今晚我陪妳逛街購物？」

「恐防人多擠迫會碰撞傷口，不去為妙。」悠甯早已失掉逛街購物的樂趣，況且兩人的品味不同，藉詞婉拒。

「看電影？」春蕾不死心。

悠甯不得已也要應酬，回答：「好主意！」

<h2>（二十八）</h2>

習慣長時間工作，悠甯賦閒在家並不自在。過往逛街、購物和美容都興致勃勃，樂此不疲，如今淡如止水。自從婚姻和經濟狀況起了變化，一改生活態度和價值觀，一切華麗的衣服和妝容皆不切實際，只有踏實工作最稱心。儘管手臂受傷，她不想無所事事，做完家務，踏出家門。悠甯沿著域多利道西行，初次登上摩星嶺炮臺，它失去了軍事戰略價值，淪為一個圓形廢墟，安躺在香港島的西面邊陲。

悠甯極目眺望，陌生的海峽中有她熟悉的島嶼──南丫島、大嶼山，遙遠而細小的長洲依稀可辨。四面環海的大嶼山接駁青馬大橋、港珠澳大橋，連接新界西，貫通珠海、澳門，她思忖：「它還算離島嗎？」便捷的公共交通運輸系統縮短了乘客往來市區的「時間」距離，同時破壞了離島的寧靜生態，不再是遠離繁囂的島嶼。

柔和的涼風不徐不疾撲面而來，她暫且放下當前秀麗景色，合起雙眼，聆聽大自然的呼喚。時而寂靜無聲，時而隱隱聽到颯颯的風聲，驀地傳來汪汪的狗吠聲，打破山海之間的恬謐。悠甯張開眼睛，到處追尋狗的蹤影，不知不覺來到摩星嶺配水庫，被一大片青草地深深吸引。清幽的園地僅得一雙戀人和一對狗，他們一邊牽手，一邊牽狗。悠甯回復單身以來獨來獨往，一看到別人有影皆雙，自己卻形單影隻，不禁顧影自憐。往事不堪回首，她接連深呼吸，驅除滿腔鬱氣，心情便平復下來。

秋高氣爽，挺拔的芒草搖曳生姿，漫山遍野白茫茫，猶如澎湃的巨浪，在斜陽映照下閃爍生輝，銀光蕩漾。悠甯輕倚欄杆，仰望鬱鬱蔥蔥的西高山，俯覽平靜的西博寮海峽，獨享良辰美景。她豁然開朗，趕赴「日落觀瀾亭」觀賞落日，涼亭靠近海岸，一望無際。她感到夕陽透進心扉，體貼溫馨，趁四野無人，放聲高唱《夕陽之歌》。

斜陽無限

無奈只一息間燦爛

隨雲霞漸散

逝去的光彩不復還

遲遲年月

難耐這一生的變幻

如浮雲聚散

纏結這滄桑的倦顏

漫長路

驟覺光陰退減

歡欣總短暫未再返

那個看透我夢想是平淡

曾遇上幾多風雨翻

編織我交錯夢幻

曾遇你真心的臂彎

伴我走過患難

奔波中心灰意淡

路上紛擾波折再一彎……

　　當悤甯唱到：「一天想，想到歸去但已晚」，正值黃昏將盡，連接日落觀瀾亭的長石階沒安裝街燈，她把握餘暉，歸去未晚。

<h2 style="text-align:center">（二十九）</h2>

　　秋天清涼乾爽，有利悤甯的傷口癒合，可以提前復工。同事替她高興，老闆也趕來問候，她徇眾要求，掀起右邊衣袖，展示傷勢。紅腫完全消退，表皮脫掉後，皮膚上留下一道傷疤。

　　「唷，多麼可惜！」男同事直言不諱。

　　「傷勢可算輕微，」悤甯自我安慰：「穿著長袖衣服或戴上手套就不

礙眼。」

「虧妳若無其事，女人雙手很重要，影響男人的觀感。」

女同事插話：「她早已嫁出，所以不放在心上。」

「不是失婚嗎？」男同事口不擇言，悉甯不屑回應。

「還不去工作，在這裡胡說八道。」老闆支開伙計，回頭對悉甯説：「來。」

老闆帶悉甯到廚房，問她：「有心理陰影嗎？」

悉甯搖頭，答道：「上次一時疏忽才招致意外，只要小心處理，煮滷水有甚麼好怕？」

「好極了！我會調派燊哥過來幫手，教妳配製清新滷水和麻辣滷水。」

「新口味？」

「對，拜妳所賜！」

「老闆真厲害，轉危為機。」

「將錯就錯，順應潮流而已。」

「大受歡迎？」

「清新滷水迎合年輕人口味，麻辣滷水則受內地人士鍾愛。」

「太好了！」

（三十）

「西樓」座無虛席，悉甯除了應付廚房的工作，也要支援樓面同事。三道滷菜同時備妥，傳遞由近至遠，悉甯先就近放下一碟潮式滷水豬手給年長熟客，繼而送上一碟清新滷水鵝片予大學生，托盤尚有一碟麻辣滷水拼盤，她未到牆角便聽到操普通話的小孩叫嚷：「我要酸奶，我要酸奶。」少婦哄孩子之餘，呼喝旁邊男子：「還不趕快買回來。」悉甯臨近枱邊，男子剛起身，與她面對面。她目瞪口呆，男子也怔住，彼此意想不到此時此刻此地碰面。

「爸，快去！」小孩子撒嬌。

男子急急忙忙奪門而出，悉甯木然睄看母子。少婦不悅，回敬她一

眼，愁甯慌張放下拼盤便返回廚房。老闆留意到愁甯的舉動和廚房的動靜，進去了解事情。

「我的前夫和妻兒來了——」愁甯主動和盤托出。

「那麼妳留在廚房，不必理會樓面工作了。」老闆諒解，即時調配人手。

愁甯躲在廚房，腦海中浮現剛才的情景，那女人比自己年輕十年，外貌娟好，個子較小，妝扮與本地婦女的風格截然不同，小孩的長相則活像前夫。母子嘹亮的嗓音令她煩厭，那女人的凌厲眼神更使她望而生畏。愁甯鬱結難舒，不想見到他們一家人，更不想他們見到自己落泊的樣子。正當她意興闌珊，老闆親自前來通知：「放心，他們走了。」

（三十一）

打烊後老闆陪伴愁甯回家。

「妳整晚悶悶不樂，擔憂前夫再出現？」

「不，他不會重臨。」

「他的妻兒令妳耿耿於懷？」

「嗯。」

他閉口，沿途默不作聲。

「你依然記掛老闆娘——」她打破沉默：「——和兒子？」

他臉色一沉，厲聲責備：「哼，老伙計幹的好事！」

「別怪他。我將近到了。」

「太累了？」老闆接著問：「可有興趣聽我講家事？」

「不累，不累，你講吧。」

「就在這裡？」

「上我家？」愁甯愕然。

「不！妳會錯意了，」老闆面紅耳熱，慌忙坐在路旁的石壆，拍一拍旁邊石面，說下去：「這裡不錯。」

她忍不住發笑，就坐在旁邊。老闆驀然站起來，說要買飲品，問：「妳要甚麼？」

「檸檬茶。」

「妳坐一會，我速去速回。」老闆橫過馬路，走入對面的便利店，未幾回來。愨甯剛接過飲品，老闆已喝下幾口啤酒。

「當天妳灼傷入院，正巧是妻兒的死忌，我在墳場拜祭，一接電便趕到瑪麗醫院，勾起許多往事。」

「塌樹拆散大好家庭，比起我離婚時所遭受的創傷，你承受的打擊肯定多千百倍，難以放下。」

「怎放得下？」他繼續喝酒。

「也不要借酒消愁，多喝無益。晚了，大家早點休息。」

「陪妳上樓？」

「不用了。」

「獨行要小心。」

「不必憂心，明天見。」

（三十二）

「每逢佳節倍思親」，節日一到，老闆分外憶念親人但他並不孤單，「西樓」生意興旺，他與伙計忙個不停，大夥兒共度佳節。單身男人日常欠缺湯水滋潤，但他是飯店老闆，湯水供應源源不絕。單身女人最怕夜半聽到怪聲，不怕鬼魅，也怕竊匪光顧。老闆明白愨甯的處境，而她亦明白他的缺欠，彼此歷盡滄桑，懂得從對方的角度出發，為對方設想，晚上如何？晚年將會怎樣？一同工作，下班同行，情愫漸生，拉近了兩顆寂寞的心。

儘管年齡相差近二十歲，兩人意氣相投，日常溝通合作都很有默契。老闆一星期忙足七天，從未有空與愨甯正式約會，不過每晚收工一齊聊天。老闆喜歡入廚多於營運生意，愨甯則善於打理業務，正好分擔他的職務。由她負責收銀和會計，處理財務收支及出糧事宜，同事有時戲謔：「老闆娘，妳好！」

「胡說！」愨甯假裝生氣。

（三十三）

　　毖甯應約，與春蕾到西環碼頭，驟雨過後積水斑斑，人頭湧湧。眾人前來拍照，擺出各樣姿勢，有的俯身，有的蹲下，也有的挨近濕滑的地面，為配合拍攝不惜一切。

　　「為何他們一窩蜂拍照？」毖甯不解。

　　「為了天空之鏡。」

　　「天空之鏡？」

　　「不要問，只要信。」春蕾提議拍攝「天空之鏡」，對著毖甯挪移手機，用心揀選合適的角度，呼喚：「甯姐，挺胸翹臀。」

　　她嫌甯姐姿勢僵硬、表情呆板，笑說：「忘記找老闆來合照。」

　　毖甯旋即春風滿面，春蕾趕緊拍攝，隨後毖甯問：「甚麼老闆？」

　　「晚晚與妳在樓下幽會那位。」

　　「怎算幽會？」

　　「還裝蒜！」

　　「維港的景色真美。」毖甯岔開話題，作勢眺望。

　　「甯姐，看看天空之鏡。」春蕾上前展示手機相片。

　　毖甯接過手機，看得著迷，讚嘆：「美得出神入化！」相片中維港的美麗風光倒映在澄明的大水窪，水天相連，自己好像照鏡一樣，又似置身湖畔。漫天浮雲投入湖中，渾然不知身在天上抑或人間。

　　「我們等到日落，雲彩絢麗繽紛的效果更悅目。」春蕾告訴甯姐：「這兒是拍攝婚紗照的好地方啊！」

　　毖甯裝聾扮啞。兩人在碼頭徘徊多一會，夕陽為毖甯帶來溫暖，使她不期然想起老闆。

　　「甯姐，好好珍惜黃昏！來，幫我拍照。」

　　「好的。」

（三十四）

　　毖甯放假，老闆好不自在。她不在旁，工作倍感吃力，時間過得太慢。他辛勞半天，從悶熱的廚房出來喝一口茶便外出，想看看傍晚的景

色。他在門外駐足，頭上黑壓壓一片，傳來關關鳴聲，始知騎樓底下有一個鳥巢。他好奇窺探，巢內有一雙燕子，估計一雌一雄，築起了牠倆的安樂窩。愛巢使老闆感到溫馨，不期然想起娭甯，手機響起，接電：「喂，甯⋯⋯」

立錐之地

（一）

　　陀螺屹立在平面上，主軸挺直，下擺持續旋轉，儘管只得一丁點地方，依然平穩。一旦轉動力減弱，它就搖晃不定，砰然倒下。同樣地，任何人在社會立足都要努力不懈，否則全然倒下。

（二）

　　陽光充沛變成折磨，草木一一枯萎，嫣紅嫩綠的花卉凋謝。整年未曾下過一場雨，土壤未沾過一滴水，土地在朗日下飽受煎熬、龜裂。得不到滋潤，田間山野的物種顯得頹蕪。堪虞的境況使民眾頹喪，終日愁眉不展。他們依賴農牧維生，河流相繼斷流，耕地和草原缺乏水分，人畜缺糧缺水，牲口瘦骨嶙峋，豬不像豬，羊不像羊，人亦不似人形。

　　農民望天打卦，藉祭祀賄賂上天，祈求天降甘霖潤澤土地，紓解旱情和民間疾苦。意想不到蒼天廉明，不為所動，秉持天意難違的原則，降服世人。有村民不信天命，嘗試打井，將地下水引入稻田。由於地下水不敷應用，農夫無奈，眼巴巴望著池塘乾涸，水稻田變成荒漠，山徑和祖屋亦出現裂縫。

　　五十年一遇的大旱災令大地寸草不生，大自然失去生機，眾生也失去希望，農作物欠奉使農民陷於絕望邊緣。長期持續高溫，小孩子呱呱啼叫，成人也叫苦連天。面對糧食危機，牲畜率先餓死或被宰殺；面對饑荒，饑民掙扎求存，到處挖掘泥土找食物。長年累月缺水潔淨，衛生情況差劣；植物大幅減少，連空氣亦不再清新，在枯乾的地方過活，生命漸趨凋零。

　　為求存活下去，民眾決意離鄉別井，遠走他方，因應「南澇北旱」，

集體向南大遷徙。路途漫長艱苦，弱老和婦孺陸續倒下，死亡枕藉，包括漢子。哀鴻遍野，僅得小部分草草埋葬，其餘曝屍荒郊。饑荒中永無餓狼，肉體橫陳，牠們覓食易如反掌。在南遷的過程中，災民苟延殘喘，人口遞減。他們身心俱疲，爆裂的皮膚擠不出血，乾澀的眼睛擠不出淚，唯獨心坎裡血淚直淌。

（三）

天天埋怨，為何背棄家園、潦倒漂泊？

天天祈求絕境逢生。

天天守候奇蹟出現。

沿途山坡光禿禿，採摘野果成為天方夜譚，到了山窮水盡的地步，誰料得到跨越山巒便有轉機？迎面的土丘有一叢耐旱的灌木茁壯成長，枝葉上疏疏落落掛著青綠色的山桲。誰想客死異鄉？他們明知紫紅色才成熟而未成熟有毒性，但饑不擇食。饑民罔顧後果，為求充饑，爭相採摘山桲，有人滿以為山桲到手，豈料尚未入口就被奪走，互不相讓。他們饑腸轆轆，連同外皮吃，加上果肉未成熟，味道苦澀卻生津止渴。

大夥兒來到深山，發現一個蒼翠茂盛的山谷，預料山中必有水源，無不欣喜若狂。兩旁山坡陡峭，並無山路可行，稍一不慎，隨時墮落深淵。一小撮人自告奮勇，甘願冒險深入山谷查探，一行六人分成兩組，同組互相照應，兩組互相支援。他們游繩而下，沒入幽谷之中。留守的民眾等候半天，聽到山谷內有人叫嚷：「有水源，果然有水源！」回音太響亮，貫穿在場人士的耳窩，儼如發掘到寶藏一樣，他們興奮歡呼，熱烈擁抱。

在單對單的護送下，所有人憑著信心安然降臨崖底，浩浩蕩蕩前往水源。一聽到久違的流水聲，眾人如獲至寶，淙淙聲變成世間最動聽的音韻。樹林陰翳、陽光熹微，山溪蜿蜒而下，溪水奔流到瀲灩的湖泊。許多漢子興高采烈跳進湖裡，婦孺躍躍欲試，後來圍繞湖邊嬉水，感受清新舒暢的滋味。男女老幼在溪水旁喝過痛快，水彷彿是人間極品，足以洗滌身心靈。他們在山谷徘徊，恍如置身世外桃源，雖則峽谷沒有桃

花，梅花倒有不少，以及罕見的物種。

「叫紅梅谷？」有人提出。

「叫梅窩？」有人別出心裁。

「大家先安頓，何須急於命名。」

（四）

山谷遼闊，地勢平坦而且水源充足。從色澤、觸感和氣味來判斷，泥土頗肥沃，怪不得野生植物豐盛，果實纍纍。遠處有村莊，在這片與世隔絕的偏僻地方竟然有田園和村屋。莊園有一群人正在幹活，聽到鼎沸的人聲，主動上前了解。隱世的原居民先開腔，用廣東方言說話，外來群眾操外省語言，大家難以溝通，幸好當中有能者可以充當傳譯，傳達雙方的訊息。原居民表示，早於清朝時遷入，為這片樂土命名「快活谷」，至今約有十戶人家，香氏和江氏參半。初來甫到的災民過百戶，自此在這深邃的山林落戶，與原居民共處，生活簡樸安穩，與世無爭。

（五）

除了原居民村落和田園不可僭越，其他地方任由外來者使用。新移民可以大興土木，建立家園，又可開墾農地，把帶來的種子散播到田裡，以及向原居民討牲畜來飼養繁殖。此後稻米和瓜菜魚肉一應俱全，糧食自給自足。另外，移民養蠶吐絲、織布、漂染、做衣服，不愁衣食。日常生活不假外求，當然不用上落出入，山谷從未開闢過通道，以免引人進佔。

快活谷有一口井被原居民視為聖井，井水是聖水，新婚婦女飲用有助懷孕，長者飲用則延年益壽。移民飲用後生息繁衍，數十年間人丁興旺，健康長壽，古稀老人比比皆是。

原居民住在祖屋，移民居於獨立屋，人口增長了，土地需求相應增加，雙方覓地建屋，加蓋房舍。基於土地有限，原居民為了守護其土地權益，早於新移民遷入時明文規定——原居民子孫世世代代各自享有一座村屋的房地權益。在未開墾的土地上，原居民擁有優先徵用土地發展的特權，包括預留風水地作先人墓穴之用。

（六）

鴨子結隊暢泳，劃破平靜的湖面；鳥兒集結枝頭唱詠，打破郊野的恬謐。長長的蘆葦在湖畔鬆軟的泥土上矗立，左搖右晃；勞苦的婦女們在潯淖的稻田弓身插秧，不慌不忙。相比之下，綠油油的草芥最無拘無束，昂然挺立。枯黃的禾稈擱在畦畛，砍下的樹幹橫在路旁，樹樁上殘留著幾許傷痕。

秋去冬來，日落月升，烏鴉啞啞啼叫，漫天霜雪紛飛，村民一年一度前往梅林賞梅。那裡栽種了逾千棵梅樹，晚冬梅花盛開，數以十萬計的花朵交織成花海，雪白和粉紅的花兒爭妍鬥麗，幽香瀰漫，堪稱「世外梅源」。到了春夏之交細雨綿綿的時候，梅子相繼成熟。在梅雨季節踏入梅林，梅樹結滿了嫩綠的果子，陣陣微風吹拂樹葉，颯颯作響，同時散發梅子的香氣。村民紛紛採摘梅子，然後用鹽、糖和甘草來醃製，曬乾成為話梅，又或加料配製成陳皮梅。當霜雪再度漫天紛飛，吐艷的梅花提醒了村民一年又過去。賞梅十遍即度過了十個寒冬，老村民賞梅五十遍，就在快活谷快活了半個世紀。

（七）

五十年一遇的大旱重臨，引致大饑荒，災民流離失所，到處尋找可供食用的東西。北旱南澇，大批災民南下，長途跋涉投奔南方。氣候反常，南方亦出現旱情，同樣民不聊生，災民失望洩氣。

天天埋怨，為何背棄家園，潦倒漂泊？

天天祈求絕境逢生。

天天守候奇蹟出現。

雖然怨氣未消，但災民停止埋怨，既無力氣，亦於事無補。正陷於進退兩難的時候，他們偶然發現深山有一個大峽谷，眺望到一個潛藏人間煙火的村莊。村民隱世，深居簡出，沒有通道可達。災民怕吃虧，各施各法爭逐入村，有的魯莽失足滾下山坡，招致皮開肉綻，其他人有驚無險，順利抵達崖底。與山溪湖泊久別重逢，他們的情緒立時高漲，舀水、喝水、潑水、踢水，大家樂極忘形，弄得渾身是水。災民找到水源，

好想落地生根，請求當地村民收留。

（八）

眾多不速之客一窩蜂擁入，驚動了村民，村民怕影響安定的生活和治安，更擔憂利益被瓜分蠶食。除了原居民，村民中的祖父母輩也是過來人，經歷過災劫和苦難，深知民間疾苦。老村民對災民寄予同情，然而下一代並非單純從人道立場出發，他們意識到村莊人口老化問題嚴重，加上出生人口放緩，年輕一代不想在山谷終此一生，過半數有意外闖，勢必有田無人耕、有豬無人養。災民舉家遷徙，大部分老弱婦孺在途中亡故，故此外來者以年輕人為主，外來人口可以補充勞動力，有助解決勞動人口不足的問題。村民沒有既定立場，無可無不可，通融災民遷入，或許可以達致雙贏的局面。

村民騰出地方收容移民家庭，又捐出糧食、撥出農地、借出工具。村民要維護既得利益和業權，聲明他們的土地不容侵犯，新移民只能集中在指定的外圍地帶建造臨時平房，租用農地才可以耕作，並按時繳付定量農作物作為報酬。今後村民毋須下田，憑藉出租農地，全家過著逸樂的生活。新移民能夠在新環境安家落戶，萬分感激村民襄助，樂意效犬馬之勞。

（九）

災民陸續有來，平房區已經飽和，無處擴展。有移民把其平房改建成若干分間單位，自住以外的單位一概出租，既紓緩房屋供不應求的情況，自身亦可從中得益。其他移民發覺有利可圖，爭相仿傚，分間單位數目急遽增長，導致平房區的居住密度飆升。由於新移民不停湧現，分間單位也供不應求，移民審時度勢，轉移到公共地方僭建寮屋來謀利。

自從房地產成為一盤利潤豐厚的大生意，快活谷的貧富懸殊開始浮現。村民搖身變成「土豪」，美其名曰「鄉紳」。他們大都賦閒，不再到田間幹粗活，藉著提供耕地以收取莊稼，生活自由自在。移民均被視為「外邦人」，限於擠迫的平房區或簡陋的寮屋區居住，日常落田或到農場工作。至於懂得利用分間單位及寮屋獲利的外邦人，可算「夾心階層」，比

上不足，比下有餘。部分人嚮往村民安逸過活，誓要設法圖利，奢望不久將來與村民分一杯羹。

（十）

快活谷有一項流傳已久的村規，就是嚴禁村民焚燒垃圾，免得釀成山火，毀家滅村。故此，有些荒地專用作儲存棄置垃圾，除了自然分解的東西埋入土裡之外，其他雜物露天擺放。地方長期囤積廢物，帶來環境污染，這般未經清理整頓的地域，村民稱之為「囟地」，反映他們妄想一把火焚燒廢物的心態。

大部分囟地由土豪家族擁有，族人認為囟地零散分布，污染後不能重置為耕地。與其荒廢，倒不如賣給夾心階層，省卻處理污染問題之餘，還有龐大得益。鄉紳們一致同意，協議分階段發售囟地，避免一次過釋放大量土地儲備，自貶價值，損害家族利益。數塊污染特別嚴重的囟地率先推出，售予有意脫離貧民區的夾心階層。難得有房地供應，夾心階層明知要承擔處理污染的重大責任，依然爭相競投，因為土地真的難求，所以在所不惜。

（十一）

為免影響景觀和破壞山谷的靈氣，規限樓房的高度已約定俗成，鄉紳的樓宇無一超過三層。若要增加居住密度，向高空發展並不可行。土豪租賃房地予外邦人時加入了條款，平房區的房屋就只得一層，高度亦有限制，不容擅自改動。租客鑽空子，取巧開拓地下空間，挖掘地窖來擺放東西，從而擴大實用面積。地窖一般非居住用途，但外邦人住戶仍然不見天日，其分間單位大都無窗戶，他們寧可到外間活動，享受陽光和清新空氣。

農田居多，房地有限。土豪寧願將農地改為露天倉庫，也不用來增建房屋惠及移民。一方面，快活谷缺乏完整鄉村規劃；另一方面，土豪不想外邦人遷離平房區或寮屋區，擴闊疆界，助長新勢力擴張，與他們平分秋色。更重要的是，物以罕為貴，房地價格持續高企，對地主有利。

土豪早已佔據大量土地，從未覺得地方不夠用，亦不關注人家的居

住情況。他們一直相信，一分耕耘、一分收穫，家族為快活谷付出過血汗，作出過不少貢獻，才得享今日的成果。土豪質疑新移民付出過多少汗水？有多大貢獻？為何到來便要分享成果？外邦人認為規矩製造不公平，同樣是移民家庭，早移民便可掠地，要多少有多少，長久以來一勞永逸；遲來者則要委曲求全，為求一丁點居所而幫土豪做牛做馬。

<h2 style="text-align:center">（十二）</h2>

居住人口不斷增長，房地嚴重短缺，外邦人期望地盡其用，改善居住環境。他們堅持土地資源屬於普羅大眾，人人有分，理應共享，平分土地。土豪不以為然，指瓜分私人財產有違公義。外邦人自覺比鄉紳付出更多努力，他們只懂剝削，不勞而獲。

「各處鄉村各處例」，在快活谷生活，無論鄉紳抑或外邦人，一律要遵守村規。外邦人希望打破常規，提出一連串改革方案。他們要求徵用中心地帶一塊空地蓋房子，因為道路設施完善，毋須另行開闢通道。鄉紳強烈不滿，表示「貧民區」設在必經之路，有礙觀瞻，損害村莊的完好風貌。外邦人又試圖爭取邊陲地帶建屋，同樣遭受反對，指稱開山劈石削減綠化面積，影響整體村民的生活質素。外邦人認為鄉郊的青山綠野多不勝數，反對理由牽強，怨聲載道。

外邦人主張填平部分湖泊，以增加土地供應。鄉紳指責此舉不但影響生態環境，而且減少水源儲備和水產，絕不可取。反對固然有理，諷刺的是，早年鄉紳共同在湖中興建人工島及亭臺樓閣作為私人樂園。鄉紳反駁，既然如此，湖泊更加不容縮減。外邦人慨嘆：「只許州官放火，不許百姓點燈。」無奈尋求其他可行方案，要求拆遷騎術及射箭場地，改作平房區，同時提倡到郊野享受騎馬和射箭的樂趣。鄉紳不同意，聲稱運動應該不假外求，村內康樂設施有限，村民的需求殷切，不許妄動分毫。

鄉紳派罔顧外邦派住宿擠迫之苦，普遍反對他們覓地增建房屋。鄉紳重申，當初先輩來到村莊，何嘗不是苦幹才有成果？責怪新移民「人心不足蛇吞象」，有食有住有工作，尚不知足，得寸進尺。外邦人在田間

辛勤工作，瞧見菜苗時難免自愧不如，小菜苗也不會栽得密密麻麻，成長空間充足，反而自身的居住空間闕如。

（十三）

　　天氣異常，連場暴雨侵襲快活谷，山溪頓變大瀑布，湖泊滿溢倒灌，湖水向四方八面流淌，湧入民居，農田泛濫。鄉紳慌忙登上高樓層棲身，外邦人無可退避，平房和寮屋沒入水中，地窖淹浸，個別房屋被沖破，家財毀於一旦。鄰近山坡的平房首當其衝，遭傾瀉的山泥覆蓋，住客被活埋，傷亡慘重。田地成了沼澤，農作物遭殃。外邦人改善不到居所，還要面對家破人亡，長期抑壓的憤怒頃刻爆發，遷怒於土豪惡霸。他們仇恨鄉紳的情緒日益高漲，堅持人權和住屋權凌駕於綠化地帶、湖泊和康樂場所的享用權之上，聲言惡劣的住屋問題必須優先解決，聯手抗衡霸權主義。他們收集支持者的簽名，呈交聯署聲名給鄉紳派，強烈譴責鄉村制度不公。彼此立場不同，價值觀嚴重分歧，始終未達成共識。

　　洪澇成災，外邦派和鄉紳派都被波及，外邦人的平房和寮屋不堪一擊，鄉紳派的樓房僅輕微受損，然而農田浸壞，損失慘重。災後，外邦派央求鄉紳派通融，借出閒置物業，例如農舍和校舍，作為臨時住宿之用。鄉紳恐怕外邦人有借無還，日後撒賴霸佔，不肯遷出；不借的話，又怕不近人情，破壞日後的協作關係，甚至引發民憤和暴亂。鄉紳慎重商議，酌情開放部分貨倉用地，將物資搬往山坡洞穴暫存，既可騰出地方，亦可避免水患波及。鄉紳派提供地方，解決了外邦派燃眉之急，並容讓他們日後在原地建造一定數目的三層高村屋。鄉紳依然故我，不忘從中取利，條件為落成後將每座其中兩層撥歸鄉紳所有。這項合作發展的模式可算是鄉紳的最大讓步，他們實力雄厚，自行興建根本不成問題，破天荒撥出土地來幫助外邦派重建家園，刻意釋出善意，疏導外邦派的怨氣，促進和諧共處。

（十四）

　　房地產與農地的收益有天壤之別，土豪覬覦前者利潤豐厚，相繼收回租賃的農地，改作房地用途。他們故意提高售價，超越農民的負擔能

力,然後明正言順售予富裕的村外人。此外,土豪銳意發展旅遊業,以「世外梅源」的生態特色招徠遊客,客人可以體驗農耕和鄉村活動,例如:翻土、打水、灌溉、腳踏水車、磨豆、舂米、蒸製糕餅,以及扎作稻草人、餵飼小動物、釣魚、騎馬、射箭……並計劃提供旅館,接待訪客留宿。

富者越富,貧者越貧。土豪藉著土地增值而富裕,好逸惡勞;外邦人為了籌謀房地而勞勞碌碌,依舊居住在貧民區。雖然土豪無憂無慮,但有部分並不滿足,不甘心從未離開過快活谷,從未越過高山,從未漂洋過海,覺得一輩子枉過。外邦人也不甘心,半生留守山谷務農,過著清茶淡飯的生活。儘管貧富有別,彼此在同一天空下聚居,外在環境大同小異;睡覺時,不管睡床闊窄軟厚,每人基本所需的面積其實相若。富者擁有額外的空間,知足的貧者認為是多餘,並不中用;不知足的富者總嫌地方不夠,與缺欠的貧者無異。

(十五)

為了引進村外人前來旅遊住宿,山谷完善了上落通道,連接外界交通。村內出現食肆、商店和公廁,並於谷頂出入口豎立巨型牌坊,標示:「世外梅源歡迎您!」旅遊人士慕名而至,山谷從此起了翻天巨變。遊客前來遊覽、體驗農莊生活,為村民帶來收益,同時為村莊增添許多垃圾。遊人三五成群,喧喧鬧鬧,有的亂拋垃圾,有的隨地吐痰,有損快活谷的安寧和整潔。

遊客喜歡觀看漣漪和浪花,每每隨地拾起石頭,狠狠地投入湖裡,又愛拾取漂亮的石頭回家留念,使石塊築成的湖堤漸漸鬆散解體。到了梅花綻放的時節,遊人更多,集中在梅林觀賞繁花。梅樹矮小,樹冠卻壯闊,枝葉茂盛,有人公然折斷枝椏,將梅花作為手信。其他人見狀亦不甘後人,每人拿走一兩枝梅花留為紀念,令梅樹遍體鱗傷。當梅子成熟,蹂躪更甚,一概被瘋狂採摘,充當戰利品。梅林空有「禁止採摘」告示牌,眾多遊客在木牌上留名及「到此一遊」等字句。他們到過的地方,外牆、岩石和竹樹等的塗鴉亦屢見不鮮。

一直被村民視為快活谷聖水的水井最糟糕，原擬分享飲用，但客旅偏要在井口洗臉、漱口、抹汗、洗腳，浪費純淨甜美的聖水，村民唯有上鎖封井，只供村民自用。

（十六）

在旅遊帶動下，食肆和商店亦興旺。世外梅源聞名遐邇，特色的「梅宴」有助吸引更多訪客。廚師以梅子入饌，製作諸多菜式，例如：梅子蒸烏頭、梅子蒸排骨、梅子燜豬手、梅子燜鴨、醬燒梅子雞、酸梅湯、梅酒、梅茶……還有脆梅、話梅、陳皮梅等涼果零食。行業相輔相成，旅遊蓬勃，風味美食功不可沒。無煙工業受到部分村民歡迎，因為締造了就業機會，提供農業以外的輕省工作。

快活谷平穩淡靜的日子一去不返，對外開放以後，村外人陸續來臨消費，振興本土經濟之餘，增添不少煩亂。鄉紳派急功近利，無視衍生的問題。外邦派大都分享不到經濟成果，日常生活卻受到打擾，不勝其煩。土豪有意出售房地產予村外人，房屋的租賃將會日趨緊張，外邦人倍感備受威脅。鄉紳之間意見分歧，反對者擔心得不償失。

村外人覺得快活谷是樂土，因它未完全開發，擁有世外梅源的幽情、淳樸的民風，加上價廉物美，可以盡情吃喝玩樂。正因為鍾愛，有人買地興建別墅，讓親戚朋友來度假。豪客多的是錢財，缺的是德，比土豪更難侍候。同一山谷之中，不一樣的生活自有不一樣的感受。富豪大都懶理窮人感受，自得其樂；窮人亦懶理富豪享受，同樣自得其樂，不過只佔少數。

（十七）

中午，山林冒起縷縷黑煙，瞬間演變成一大股濃煙，遮蔽了上空繚繞的白雲。鄰近村民率先察覺，放聲大喊：「梅林失火！救火，快救火！」鄰居一呼百應，各自挑起水桶前往滅火。水源頗遠，他們杯水車薪，局面一發不可收拾。樹木越燒越旺盛，無數梅樹浴火焚燒，被熊熊的烈焰吞噬，斷續傳出噼噼啪啪的哀號。山火熾猛，幸虧梅林外圍設置了「防火界」，阻止火勢蔓延。直至黃昏，山火大致熄滅，救火的村民早已力竭

筋疲，留守在熱烘烘的災場灑水，防止死灰復燃。

瞧見梅林付諸一炬，村民一臉茫然，紛紛議論起火的原因。遊人絡繹不絕，出入梅林的本地人大減，懷疑有遊客遺下煙蒂招惹祝融。梅林只剩一片焦土，梅樹只剩墨黑的枝條，殘缺不全。成蔭的綠樹半天內燒成焦炭灰燼，因人為的過失而化為烏有，芳香殆盡，徒剩焦臭。

「真掃興！尚未遊覽……」遊客大嘆倒楣：「燒掉整個山谷又與我何干？偏偏不早不遲，枉費心機。」

旁邊的村民震懾，一絲寒意即時湧上心頭，認為旅客的說話太涼薄，冷笑的嘴臉極猙獰。面對只顧自身享樂而不管梅樹和村民死活的客人，村民開始疑惑：「做生意向來『認錢不認人』，難道有錯？」

（十八）

失去了世外梅源，快活谷的旅遊生意一落千丈，土豪的生意蒙受巨大損失，從業員因開工不足而打擊生計。外邦派幸災樂禍，以往的得益絕大部分落入土豪的口袋，自身有百害而無一利，如今遊客數目銳減，幽谷回復原貌。道路暢通無阻，環境清靜衛生，村民重過安閒自在的日子。可憐的是美好的梅林壯烈犧牲，才換取到一眾幸福。

（十九）

遊客近乎絕跡，旅館、食肆和商店的生意慘淡，土豪的錢包萎縮，急於振興旅遊。若要世外梅源復甦，必須假以時日，他們等不及梅樹長大成林，權宜之計就是購置大量梅花贗品，移植到梅林的所在地，並在枝頭掛滿香囊，試圖魚目混珠。仿梅樹一年四季開花卻從不結果子，來者皆索然無味，不忿無良商人以自欺欺人的技倆瞞騙客人。以假亂真的醜行觸怒遊客，污名傳遍千里，自此世外梅源再無人問津。除了虧本的土豪之外，其他村民逍遙快活。

（二十）

又到黃梅時節，新栽種的梅樹尚未長成，梅林蕭索。綿綿細雨飄至，喚起村民的思念——梅子成熟的香氣和心馳神往的景象。

鶴唳

（一）

暴風雨前夕分外平靜。

不消兩小時，飛機降落香港，陽光比臺北明媚，清朗的藍天懸浮著數片不動的白雲。天氣悶熱，氣溫高達攝氏三十六度，從奧運站出來，一絲風也沒有。雨傘阻擋不了肆虐的日照，燙得要命，皮膚灼熱難耐。修飾過的眉毛只是兩道烏黑的油彩，阻隔不住額上沉重的汗水，汗珠簌簌而下，跨越睫毛，濺進眼眶，酸澀矇矓中遠處的避風塘依稀可辨。防波堤內船隻排列得密密麻麻，夕陽照耀下船身閃閃生輝，縱橫交錯地編織成一幅完整無缺的拼圖。

（二）

我先往酒店下榻，大門有告示牌提示客人：「三號颱風現正懸掛」，然而沿途風平浪靜，絲毫沒刮風。初到大角咀，安頓後隨意遊蕩，區內陳舊的唐樓林立，與比鄰的豪華屋苑相映成趣。社區規劃雜亂，舊區小店、大型商場、工廠、商業大廈，以及殯儀館共冶一爐，帶給我新舊交融、生死與共的印象。詭異的是殯儀館似曾相識，不自覺走近。

「訂花圈？」大叔上前招攬生意。

我不理睬，他別過頭走了。我對殯儀館充滿好奇，越行越近，越過靈堂大門，暗地裡張望。灰白牆壁配上素色布置，營造出潔淨安詳的感覺，除了披麻的子孫之外，在場人士的衣著幾乎非黑即白或灰色。我與先人素昧生平，黑白遺照中老翁的容顏顯然歷盡滄桑。儘管生前色彩繽紛，日漸褪色，最終遺留一片慘白。喪禮中，穿著袈裟的和尚們圍坐，捻著念珠，唸唸有詞，一同頌經超度亡魂。可是只聞其聲，完全聽不清

楚經文，結合敲木魚的聲音，使人煩燥不安，加上燒香催淚，催促我遠離。走廊堆放紙紮祭品，大屋、房車、新款手提電話和陪葬的傭人，應有盡有。

另一靈堂僅以鮮花和洋燭布置，了無祭品，氣氛肅穆。中年婦人的彩色遺照和顏悅色，有人正在泣訴她的生平事蹟，出席者沉默追思。我悄悄溜走，回望九龍殯儀館，赫然想起一段新聞片段，當年蜚聲國際的李小龍就在此處出殯，市民夾道送別的情景至今歷歷在目。真的聞名不如見面，小小的殯儀館承載著一代武術宗師終結的故事。

（三）

酒店的高空餐廳是觀賞維多利亞港的理想地點，我專誠登上頂層以見識香港的夜景。餐廳員工告知客人天文臺正懸掛三號熱帶氣旋警告，露天場地暫停開放，不便之處，敬請原諒。明明無風也無雨，酒店的安排未免杞人憂天，不切實際。乘興而來，敗興而歸，我只好提早休息。

（四）

一覺醒來，隨手拉開窗簾，惺忪的睡眼立時睜大，視線離不開窗外的駭人場面。身處天昏和地暗之間，隔著緊閉的玻璃窗，我依然清楚聽見颼颼的風聲。大量物件被風捲到半空狂然起舞，東西不時在窗外飛揚，不分西東亂飄。它們來自何方？往何處去？乍看天際風起雲湧、大雨滂沱、雷電交加，驚聞巨響，信以為天崩地裂，深深感受到大自然的威力。心中一凜，人算甚麼？

街道上空無一人，的士疾馳而過，濺起軒然波浪。颱風下無人橫過馬路，也沒有警察執法，停車等候喪失了本來意義，反而增添幾分危險，的士違法「衝紅燈」屢見不鮮。收看電視，報道員講述凌晨開始懸掛八號風球，起床時已改掛九號風球。當我享用早餐，餐廳員工知會各位客人，天文臺剛懸掛十號風球，以及發出紅色暴雨及山泥傾瀉警告，颱風「山竹」正面襲港。窗外風雨交加，所有店舖關上門，部分大閘外圍堆起沙包，招牌劇烈搖晃，恰似盪鞦韆，盪上盪落。個別招牌抵擋不住，被風摧毀，碎片散落，剩下空洞的框架。救護車響號，趕著救急扶危，來去

匆匆；颱風來勢洶洶，市民受傷意料之中。

　　初到香港便遇上超強颱風，行程受阻，遠的去不了，就近到大堂逛一會。大門緊閉，全部玻璃門窗貼上膠紙預防破裂。酒店外烏天黑地，單靠玻璃大門抵禦著虎嘯狂風，我望而生畏，不用員工勸喻，自行返回客房。電視新聞不停報道最新風暴消息，指風勢普遍達到烈風至暴風程度，離岸及高地更吹十二級颶風。天文臺預測「山竹」在本港以南約一百公里掠過，中心風力高達每小時一百七十多公里，為香港歷來最強的颱風。

　　大角咀橫風橫雨，險象環生。風雨飄搖下，遠處唐樓天臺栽種的大樹敵不過暴風，連同一堵外牆倒下。雖然相距頗遠又隔著窗戶，但內心感應到一聲巨響，吃了一驚。心神平復，對面住宅地盤頂層的天秤忽然折斷，垂直下墜，砸爛旁邊唐樓的天臺。一連見證兩樁觸目驚心的事件，比起電影的風災場面更震懾，因為此情此景絕非逼真而已，是千真萬確的災難。父母擔心我的安危，來電了解我的處境，再三叮囑我不要外出，留在安全地方，而且要遠離窗戶，使我想起經典武俠小說中一句發人深省的金句：「最危險的地方最安全」。事實擺在眼前，雋語似是而非，筆者故弄玄虛罷了。

（五）

　　購備的杯麵、乾糧零食和飲品正好派上用場，在房間內無所事事，我一邊看電視，一邊吃喝，可算是混亂不安中的自我慰藉。新聞報道大角咀有一棵大樹連同部分外牆從唐樓天臺塌下，同區的地盤天秤在風暴中斷開，壓毀鄰廈天臺。我親眼目擊過這些災禍，比觀看電視更震撼，恍如置身末日，四周接連發生不幸事件，死亡隨時臨近。新聞繼續報道，大角咀區有天臺屋被吹毀，翻倒的小屋架於天井之間。區內災害頻仍，感到大角咀岌岌可危，哪有地方絕對安全？

　　或許留在臺灣略為穩妥，至少沒遇上「山竹」，遇事也有人照應和支援，來到無親無故的地方，凡事都要小心謹慎。猶幸食宿不成問題，酒店玻璃窗牢固，安全感大增。

電視報道各區災情，近岸的低窪地區，如大澳和鯉魚門，因水位上升而嚴重水浸，棚屋和寮屋居民相繼撤離。杏花邨和將軍澳是重災區，洶湧的波濤沖擊海岸，颶風翻起滔天巨浪，足有數層樓高，氣勢如虹，形同海嘯。澎湃的潮水越過堤壩，淹浸海濱長廊、公園、遊樂場、停車場、商舖和民居。部分樓宇斷水斷電，颱風期間未能即時搶修，災民徬徨無助，商戶更損失慘重，苦不堪言。

看電視似隔岸觀火，與災禍保持距離。有見電視記者冒著生命危險在戶外採訪，周遭的景物不堪一擊，災民流離失所，縱然我只是過客，也看得血脈沸騰。我關掉電視，暫時擺脫惱人的畫面，入健身室做運動。熱身後踏上跑步機，漸漸加速，不停地跑，不顧世事。燈光一閃，跑步機突然暫停，我來不及收步，身體往前衝，若非及時緊握把手，胸口已撞到儀表板。只怪自己下巴太尖，有點兒擦損，輕微紅腫。做運動的客人無多，他們用健身器械操練，僅我一人受傷，員工慌忙上前慰問，給我貼上一塊藥水膠布。

（六）

來到香港，未窺其風貌就碰上百年一遇的風災，切身體會到天災驚人的破壞力，平添了一段非凡的旅程。颱風有風眼但沒有半點惻忍之心，越吹越起勁，無情地掃蕩，植物無處可逃，任憑風吹雨打。樹木橫七豎八倒下，有大樹安枕在車頂上，車輛無辜殉葬。建築物出現晃動，網上流傳某商業大廈經不起考驗，許多玻璃窗碎裂，文件雜物隨風飄去，漫天飛舞。十號超強颱風由早到晚蹂躪，持續十個小時才轉掛八號風球，風力逐步緩和。風球未完全解除，市面未回復正常，人流未出現，我亦未出門。

（七）

風災過後，我踏出酒店大門，空氣格外清新。附近街道有從高處墮下扭曲的窗框和玻璃碎片，以及棚架倒塌散落的竹枝，也有路牌、交通燈杆、甚至街燈傾側或折斷，阻塞道路，癱瘓交通。令人惋惜的是眾多老樹滅亡，我好奇察看，發覺香港的樹木很奇怪。苗壯的大樹根部異常

短小，與茂盛的樹冠不成比例，樹大招風，樹根抓不牢，自然下盤失據，連根拔起。

颱風吹走興致，我擱置了觀光行程，毅然前往重災區——杏花邨。巴士服務尚未全面恢復，部分路線暫停，乘搭港鐵最穩妥，於是我前往奧運站。避風塘重現眼前，前天船隻排列得整整齊齊，如今杯盤狼藉，亂成一團。

（八）

杏花新城大門關上，商場漆黑一片。據門口告示所述，風災損毀了供電系統，所有店舖停止營業，員工正忙於清理店內的積水和淤泥。我站在店外瞭望，海岸與街舖相距甚遠，可見沖擊無遠弗屆，近岸的樓宇情況更惡劣。

海濱頓成沼澤，遍地泥濘，多塊大石沖上岸，夾在圍欄之間。海洋生物與垃圾隨波逐流，魚、海膽和陳年膠樽等湧到岸上。兒童遊樂場變成水上公園，設施浸在水中央，「池」邊堆滿凌亂的樹枝，宛如蘆葦簇擁著歷劫的方舟。公園地面的膠墊和磚頭鬆脫，長椅翻倒，長廊部分崩陷，頹桓和敗瓦之中露出喉管和街燈電線，渠蓋一一揭開了，促進排洪。燈柱和喬木東歪西倒甚或斷掉，灌木叢朝同一方向傾斜，一個接一個白色的球形燈罩滾到爛路旁、水窪中。優美的海濱滿目瘡痍，不少樹木的殘枝懸在半空，潛藏危險，現場局部封閉。

住宅的玻璃窗幾乎全部貼上膠紙，展示居民所做的防風措施。獨立車位停泊著名貴汽車，車身和輪胎沾滿污泥，車主揭開車頭蓋，機件被海水浸透，夾雜沙石，事主一臉茫然。遠處傳來陣陣笑聲，一夥人聚在岸邊談笑風生，把握良機垂釣，在慘烈的災場悠然自得。

（九）

杏花邨擁有獨立的社區、恬靜的環境和旖旎的海景，浩劫令部分大廈停電停水，受影響的住戶魚貫到水車取水。有些大廈大門毀爛，管理員忙於善後；居民出入要涉水而行，還要踐踏泥漿；垃圾堆積如山，清潔工人疲於奔命。學校因應風災停課，青少年及家長三五成群前來清理

海濱，他們戴上手套，四圍撿拾垃圾。

　　我好想出一分力，自告奮勇向義工索取膠袋，徒手拾滿一袋接一袋的垃圾，可惜現場沒有掃把和垃圾鏟，否則事半功倍。義工偶然發現二十年前生產的發泡膠盒和膠樽，估計它們被棄置，流入大海，現在重回陸上。自然災難避無可避，人為污染最終自食其果，杏花邨居民不幸首當其衝。

　　我撿起一個舊膠樽，發覺內藏一張枯黃的紙條，倒出來看看，它寫上：「姍：祝福妳！」意外收穫帶來驚喜，字裡行間潛藏颱風的名字「山竹」，以及姍姍來遲的祝福。辛勞半天，我饑腸轆轆，食店停業，不得不離開此地。小孩子仍然努力執拾，使我汗顏。

（十）

　　當了半天清潔工人，渾身酸臭，衫褲污漬斑斑。沐浴後，我挾著一袋髒衣服出外，找到一家自助洗衣店。店內有一個小胖子，短髮下架著一副紫色框眼鏡，穿著寬鬆的球衣和短褲，以及一雙破舊的運動鞋。男孩捧著手提電話，手指不停按動，玩電子遊戲時大呼小叫。他目不轉睛，沒抬頭望我一眼。所有洗衣機和乾衣機均閒置，孩子明顯並非顧客。我把衣服放入洗衣機，付款啟動，然後坐在一旁等候。

　　「姐姐，妳毋須等候，三十分鐘後回來便可。」小孩搭訕，把手機擱在大腿上。

　　「反正沒事幹。」我反問：「你今天放假？」

　　我說國語，他改用普通話：「因為風災，學校停課。」

　　「你的普通話很流利。」

　　「我從內地移民來港。」

　　「怪不得。你在附近居住？」

　　他眨一眨眼，問我：「妳呢？」

　　「附近酒店。」

　　「妳從哪兒來？」

　　「臺灣。」

「臺灣有風災嗎？」

「當然有，但不及『山竹』厲害。」

「妳專誠來看颱風？」

「我被風吹來。」

小胖子搓弄飽滿的肚子大笑。

「你為何不回家？」

「這裡有空調，還有無線上網及免費充電，比在家好得多。」

「吃飯了沒？」

「尚未。」

「媽媽燒飯？」

「爸媽都未下班。」

「你自己烹煮？」

「不，我稍後到『麥當勞』吃包。」

「餐餐如是？」

「不是餐餐吃包，有時吃炸雞。」

「吃不膩？」

「怎會？嫌吃得不夠。」

「等我洗完衣服，一起吃飯？」

他從褲袋掏出兩張紙幣，告訴我：「只得三十元。」

「讓姐姐請客。」

入夜，顧客陸續出現，我們轉往角落聊天。胖子略述身世，他名叫楊翀，譚號洋蔥，在區內唸小五，父母都是清潔工人……我剛當過清潔義工，體會到他們的艱辛。

（十一）

我與翀返酒店，先回房間放下衣服，再到頂層高空餐廳。座位設在露臺，翀剛入座就彈起來，走近玻璃圍欄。

「姐姐，過來看我家。」他高聲呼喚，食指指著遠方。

我也豎起食指，貼近唇邊。他會意，輕聲說話：「那幢樓宇。」

我行過去，朝著䱷所指的方向直望，應道：「哦，那座天臺有破爛鐵皮屋的唐樓。」

「對，被風捲走了屋頂的天臺屋正是同學的家。」

「同學一家怎樣？」

「他們沒有受傷，不過住所水浸，東西損壞了。」

「真不幸！」

「不！」

我搖頭不明所以，䱷解釋：「他說有藉口不交功課。」

「大懶蟲！」我們返回座位，我問他：「你家怎樣？」

「我家居住『劏房』，比任何房屋都安全穩妥。」

「劏房？」

「即是一間屋分間成幾個細單位，我們住在其中一個小單位，感覺備受包圍，不怕風吹雨打。」

「這麼好。」

「有好有壞吧。」

「怎壞？」

「地方淺窄。」

「有洗衣機嗎？」

「沒有，放不下。媽媽自行清洗衣服也無處晾曬，與妳一樣要惠顧洗衣店。」

我點點頭。

「看，有激光。」

我們朝同一方向觀望，維港沿岸大廈外牆亮起 LED 屏幕圖案，光影閃耀躍動，激光從高樓頂掃射夜空，單一的光線左搖右晃，一束的光線則散發成扇狀，時而不規則地照射。

「姐姐，原來這裡可以欣賞到『幻彩詠香江』。」

「悅目嗎？」

「嗯，光彩奪目！」

我覺得由大廈頂發放的激光如同幾炷雜亂無章地插在香爐上的線香，毫無美感可言；對孩童而言，激光表演別開生面，新奇生動。

（十二）

「『洋蔥』，吃甚麼？」

「漢堡包、炸雞。」

「真的百吃不厭？」

「還有甚麼好吃？」

「吃意大利薄餅，好嗎？」

「我要漢堡包。」

「為甚麼？」

「沒甚麼，就是喜歡。」

「隨你喜歡，加多一個夏威夷薄餅，你陪我吃。」

「好啊！」

平凡的食物是窮家孩子難得的盛宴，翀吃得津津有味。

「味道如何？」

「比起麥當勞，好吃得多。」

「我怕你以後對麥當勞的漢堡包失去興趣。」

「肯定不會，安格斯漢堡昂貴，我寧願多吃幾餐『麥記』，勝過只吃一頓。」

胖「洋蔥」年紀小小兼幾分傻氣，竟然如此世故。在柔和的音樂中，我們享用晚餐又品嚐甜品，飯後我送他回家。

（十三）

「明天要上學，早點睡覺。」

「學校繼續停課。」

「爸媽呢？」

「一早上班。」

「我約你明天見面？」

「好的。」翀停步，說：「姐姐，我到了，我家就在樓上。」

「翌日一起吃早餐？」

「不用了，媽媽出門前為我預備好。」

「那麼早上十時在洗衣店會合。」

「無問題。」

（十四）

翀撐開雙手，伸一伸懶腰，打了一個呵欠。

「你睡眠不足？」我入去洗衣店。

「姐姐，早晨！剛剛相反，我睡得太飽。」翀笑一笑。

我雙手搭著他的肩膊，問：「可否探訪你家？」

他不假思索便回答：「反正爸媽不在家，妳可以來我家坐一會。」

經過兩個街口，我們重返昨晚話別的地方，乘升降機至十四樓。翀引領我到其中一個單位，開啟閘門，裡面有一條短小走廊及四扇木門。他行近左邊第二道門，熟練地打開家門，按亮電燈和風扇。房間淺窄，一覽無遺，看來面積不足一百平方呎。一家三口只有一張雙層睡床，上層積存東西，滿地雜物，通道似有還無，鞋子散布。門側放置雪櫃，櫃頂擺放水壺和水杯，牆上掛滿衣服，還有電視機。

「姐姐，隨便坐。」翀脫鞋上床，我坐矮凳，旁邊有一張小摺枱。

「它是你的書枱？」

「是飯枱，我和媽媽坐床，爸爸坐凳子。我通常伏在床上做功課。」翀隨即俯臥，前臂平放，撐起上身，裝模作樣寫字。

「姿勢不正確，下次用桌椅吧。」

他搖頭擺腦，向我傾訴：「始終睡床最舒適。」

我窺探洗手間，裡面堆放廚具，原來廁所和廚房合而為一。翀從衣櫃取出一部舊款手機，得意洋洋說道：「爸爸送給我玩。」

「嗯。你曉得下棋、打球嗎？」

「沒興趣，我喜歡『打機』。姐姐，可否借用妳的手機？」

我一口拒絕：「手機不是玩具，不借！」

翀噘嘴。

「我們去遊玩？海洋公園或者迪士尼樂園？」

「學校旅行經已去過。」

「其他地方也可以。」

「爸媽鮮少帶我遊玩，大角咀區還可以。」

「姐姐初次來香港，『人生路不熟』，原來你與我一樣。」我失笑：「好了，姐姐帶你旅遊。」

翀很雀躍，下床穿鞋子，急不及待關掉風扇和房燈。連一扇窗也沒有，房間陰暗，空氣凝滯，我的嗅覺向來敏銳，屋內瀰漫著霉味和揮不去的油煙。翀踏出家門便與鄰居狹路相逢，他主動開腔：「姨姨，早晨！」

「乖！」她揪著餸菜回家。

（十五）

栢麗大道旁硬朗的古樹穩如泰山，萎弱的老樹枕藉路邊。踏入九龍公園，粗壯的細葉榕大都枝葉殞落，殘枝懸垂半空，搖搖欲墜。

「小心！折斷的樹枝隨時墮下，與姐姐一塊兒走。」

翀懶理勸告，如脫韁的野馬東奔西跑，他體胖，跑不起勁，給我輕易迎頭趕上。我倆手牽手暢遊公園，翀對星光大道的漫畫塑像和雕塑廊的藝術品都不感興趣，又嫌兒童遊樂場和歷奇樂園的設施乏味，亦不懂欣賞亭臺樓閣。可是，百鳥苑中樣子趣怪的犀鳥、色彩鮮艷的鸚鵡，以及鳥湖中長頸幼腳的紅鸛、黑頸白身的天鵝卻逗他歡喜，慶幸牠們避過風災，安然無恙。翀喜歡噴水池，更喜歡迷宮花園，樂此不疲地穿梭往來。陽光普照，我陪他玩耍，累透！

（十六）

我們乘坐天星小輪，享受風平浪靜的樂趣。維港兩岸高樓巍峨聳立，對我而言，非常陌生；對翀而言，眼界大開。他的生活圈子狹窄，日常流連區內商場，卻未曾嚐過美食，皆因消費不起。一家人甚少遊玩，遑論搭船，他全憑地標和地圖的認知給我介紹，明顯所知有限，我的認識可能比他更多。儘管如此，我欣賞他竭盡所能為我講解。

「姐姐，我們到了。」小輪停泊中環碼頭。

我們登岸，鄰近的摩天輪如常開放。聽聞颱風期間它驟變風車，瘋狂轉動，安全程度令我擔心。觀察良久，似乎完整無缺又運作正常，我才購票。翀開心得躍起，拉著我前行又牽著我進入車廂，眼睛發亮。

「『洋蔥』，景色怎樣？」

「非常非常漂亮。」

「姐姐呢？」

翀慣性低頭思考，舉頭答話：「胖一點、高一點更好看。」

「太誠實了吧！」我瞪他一眼。

「誠實不好？」翀搔抓頭頂。

「怎會？」童言無忌，我又怎會放在心上。

（十七）

山頂交通未全面回復正常，巴士服務暫停，只有纜車、小巴行駛。據悉觀景臺一帶塌樹情況厲害，部分山徑堵塞，個別山坡的護土牆崩裂，潛藏隱患。犯不著冒險，我變更行程，改為參觀中央圖書館。途經維多利亞公園，這片鬧市中的園林飽受颱風摧殘，近海的樹木幾乎全數倒下或嚴重傾斜，遍地斷樹殘枝，以及毀爛的鳥巢，雛鳥下落不明。

雖然學校停課，但公園內孩童寥寥無幾，也許家長擔心子女安危，不許在戶外活動。兒童圖書館及玩具圖書館擠滿小孩子，翀覺得圖書乏味又嫌遊戲區設施幼稚，在兒童多媒體資料室自得其樂。我偏好小說，入香港文學資料室尋寶，圖書館好比寶庫，小說如同寶藏，使讀者的思想和精神富足。中央圖書館寬敞舒適，匯聚不少讀者，同時吸引了許多清閒人士，他們就像失去巢穴的鳥兒，到處棲息。

翀來資料室找我，細聲埋怨：「圖書館太沉悶了。」

「『洋蔥』，少『打機』、多閱讀才能增長知識。」

「我的腦袋能夠接收圖像，裝載不了文字。」

「只怪你『打機』太多，思考太少。」

（十八）

「姐姐，很高興遇到妳！」

「我早說過，我被風吹來。胖胖的你，連風也吹不動。」

「爸爸說肥胖是福。」

「他是胖子？」

「不，媽媽才胖。」

「你媽真幸福。」

「不過她常抱怨命苦。」

「為甚麼？」

「媽媽責怪爸爸沒本事，一家窮困。」

「你生活過得怎樣？」

「沉悶。」

「上學呢？」

「沉悶。」

「如何解悶？」

「上網。」

「閱讀圖書也可以解悶。」

「越讀越悶！」

我們在圖書館正門外閒談，回望梯級，石階的垂直面上刻上若干名句，其中一句為「學而不思則罔，思而不學則殆。」我藉此教導翀學習的態度，小子唯唯諾諾，欠缺誠意。縱使臺灣不乏書店，臺灣孩子的閱讀風氣同樣低迷。

（十九）

銅鑼灣人山人海，崇光百貨公司擠得水洩不通，我們亦湊湊熱鬧。臨近中秋，月餅是地庫超級市場的暢銷貨品。

「『洋蔥』，喜歡吃月餅嗎？」

他搖頭答我：「不及漢堡包好吃，妳呢？」

我也搖頭。

「老婆餅如何？」翀指著我背後的攤檔。

我轉身，透明餅櫃內的食品相當吸引。售貨員笑問：「熱烘烘的老婆

餅和皮蛋酥，要多少？」

我們合共購買了半打，即場品嚐，我咬了一口老婆餅。

「比臺灣的太陽餅美味。」

「太陽餅！比月餅更大？」翀的嘴角黏著餅碎。

「太陽餅是小酥餅，外形與老婆餅差不多。」

「相比月餅，皮蛋酥廉宜好吃。」他問我：「為何人們購買昂貴的鹹蛋黃月餅？」

「用來送禮，我送你一盒月餅？」

「我才不要。」

（二十）

鵝頸橋人來人往，晦暗的橋底有多個攤檔，檔主全是婆婆，有些攤子展示神壇的稱號。檔內設置袖珍的土地廟，廟內有福德老爺、觀音菩薩、關公和黃大仙等雕塑或肖像。案臺後排有橙、蘋果、柚子和衣紙祭品，前排有紙老虎、粘米和香燭，香爐旁邊擺放化寶桶。現場氣氛詭異，我和翀好奇加入圍觀行列。

「『洋蔥』，婆婆正在『打小人』。」我以為他不認識。

「我知道。」

風俗毫無科學根據，許多人卻樂意聘用這類「職業打手」代勞，懲戒他們心目中的「小人」。檔主坐在矮凳，兩膝之間疊起三塊磚頭，左手按著磚面上的人型紙條，右手執著一隻舊鞋子，使勁拍打紙條，打皺的手越打越起勁，砰砰作響。婆婆唸唸有詞：「打你個死人頭，打到你有氣無得透。打你隻小人腳，打到你無鞋挽屐走……」

顧客借助他人之力打罵「小人」，宣洩個人的怨恨。客人旁觀時嘴角不自覺上翹，暢快之情顯而易見。我們看夠了便登上過海隧道巴士，翀問我：「臺灣有『打小人』嗎？」

「我未曾接觸過。」

「我媽試過找婆婆『打小人』，我也在場。」

「是嗎？」

「她説上司刻薄，要教訓他一頓。」

「有用嗎？」

「不知道。打完之後，她説心情舒暢。」

「『洋蔥』，你相信『打小人』可以讓你媽媽發泄怨憤，帶來快樂？」

「半信半疑。」翀眼神狐疑。

「姐姐是臺灣人，如果祈求颱風『山竹』不要吹襲臺灣，轉吹香港，你認為這種心態正確嗎？」

「當然不對！」

「若然咒詛香港不對，那麼咒詛人、存心傷害人又如何？」

「也不對。」

「所以我們不應該用『打小人』的方式來咒詛別人。」

「同意。」

「不單止不咒詛，還要祝福別人。」

「祝福？」

「祝福他人，自己也會快樂。」

「好，姐姐，我祝福妳！」

「祝我甚麼？」

「──總之祝福妳！」他靦靦腆腆。

「姐姐祝你學業進步！」

下車，回到翀居住的大廈門口。

「姐姐，妳何時返臺灣？」

「明天，回去過中秋。」

翀從背囊解下一件小飾物，説道：「送給妳留念。」

「好精美的漢堡包啊！謝謝你。」我擁抱他。

他在我的耳邊低訴：「尚未知妳的名字？」

「楊翀，姐姐與你同姓，我叫楊桃。哈哈，同姓三分親！」

沉淪

（一）

　　牠們深居簡出，今朝破天荒走出深山。夏日炎炎，郊野公園燒烤爐閒置，垃圾箱空空洞洞，一家垂頭喪氣下山，來到鬧市碰運氣。牠們肆無忌憚，弄翻街市外多個垃圾桶。一看到爛生果瓜菜，眼睛發亮，牠們饞不擇食，吃得就吃，喝得就喝，饜足後隨處踱步。

　　我們運氣不濟，出門即與「怪獸」狹路相逢。牠們全身毛茸茸，體毛粗硬，狹長的面頰突出口脗，露出獠牙。面對猙獰的野豬，途人惶恐，爭相走避。豬群同樣受驚，豬媽媽慌不擇路，衝向攤檔，撞翻豆腐和芽菜，散落尾隨的小豬身上。小野豬一身黑毛夾雜著銀白芽菜，增添幾分光彩，牠踐碎豆腐，扭一扭臀尖便不顧而去。倒楣的檔主氣憤驅趕，另一隻饞嘴的小豬察覺形勢不妙，情急之下直撲他的胯下。膽怯的檔主猛然跳起，著地時一滑，栽在豆腐渣滓上，濕漉漉的褲襠散發著豆漿的氣息，以及濃烈的氨味。

　　人豬亂竄，我也不例外，頭也不回地拔足奔逃，直奔街尾轉角盡頭。當我拾回安全感，忽覺兩手空蕩蕩，懵然不知丟下女兒。我迅即跑回去，野豬無影無蹤，女兒不知所蹤，頓時心急如焚，頭皮發麻、手腳顫抖。

（二）

　　「綽嬈，綽嬈！」我到處高呼，儘管雙腿酥軟乏力。我找檔主，逐一展示手機相片，打聽女兒的下落。女檔主搖頭，隔鄰檔主上前一瞄，答話：「小妹妹追逐小野豬，跑往後巷。」

　　「謝謝！」我發了慌，氣急敗壞地走到後巷。抽風機和抽油煙機等星羅棋布，陋巷烏煙瘴氣，小野豬喝著髒臭的溝渠水，女兒在旁觀看。

「媽媽，小豬好可愛！」

尋獲女兒如釋重負，心情仍未安穩，我討厭醜陋的野豬，更怕被傷害，拉著女兒，催促她趕快離開。

小綽嬈道別小豬：「再見！」

牠仰頭嗥叫，我膽怯得要命。女兒邊走邊回望，傻氣的樣子活像一頭小傻豬，我怒不可遏，呼喊：「傻豬，有甚麼好看？」

（三）

女兒問：「豬爸爸往哪裡去？」

我答：「怎知道。」

女兒再問：「爸爸呢？」

「我怎——他去了外地工作。」

「哪兒工作？」

「地方太遠，妳不曉得。」

「何時回來？」

「數年後。」

「這麼長！」

「完成工程便回家。」

「爸爸不是巴士司機嗎？」

「別問題多多，快睡覺。」

「我掛念爸爸，睡不著。」

「乖孩子，睡不著也要睡。」我哄了好一會兒，她揉搓惺忪的睡眼，酣然入睡。自身長期失眠，睡不安寢。

（四）

我跨進吊籃，自行啟動加熱器，色彩斑斕的熱氣球徐徐升起，翱翔天際。穿越浮雲時視野迷濛，觸碰雲霧了無感覺，只有幾分寒意。雲外鳥瞰尼羅河東西兩岸，神殿和王陵盡入眼簾，古埃及使我著迷。正當看得入神，驀地傳來唧唧聲，一隻蜥蜴蹲在我的腳旁，其背脊有鱗角隆起，修長的尾巴從青色的粗糙身軀延續出來。牠鼓腮瞪眼，舉高前肢、伸出

長舌，分叉的舌尖直舔我的右膝，我及時左閃，牠改舔我的左膝，於是我右避。左閃右避了好幾回，冷不及防牠狡猾地突襲我的足踝，驚恐萬分之下，我失足飛墮。以為一命嗚呼，竟然沒有著地，身軀被軟綿綿的東西纏繞，恍似兒時玩具「搖搖」被拉上放下，上上落落好幾遍才發覺身陷捲動的長舌之中，無法動彈。滿鼻子唾液的惡臭，無比噁心，我寧可跌得粉身碎骨，總比遭受這怪物玩弄好。這時候耳根聽到怪聲，睜眼一看，小綽嬈臉貼臉伏在我的身上，垂涎累我一鼻子黏稠。

「媽媽，媽媽……」她的舌頭如同彈簧，靈活而恐怖！

（五）

「達，女兒思念你。」

「淳，我何嘗不日思夜念，但妳千萬不要帶她來探監。」

「當然，誰願小孩子探望坐牢的爸爸？一時開心見面，之後傷心一輩子！」

「怎麼辦？」

「隨便編一個故事，訛稱你到外地工作。」

「好的。妳們怎樣？」

「還可以怎樣？怎及得你有食有住！」

「說甚麼風涼話？」

「誰及你風涼寫意？」

「我失去自由，虧妳幸災樂禍！」

「你有資格埋怨嗎？人家失去性命又如何？家人失去至親又如何？」

「無謂舊事重提。」

「不提就當作無事發生？人家的悲劇沒完沒了。」

「我只是無心之失，並且付上代價。」

「嘿！無心？你一時意氣誤己誤人！牢獄生涯只是懲罰，可以贖罪？」

「不想與妳爭辯。」

「無話可說？」

探監時限到了，連趁機離座。

（六）

送完女兒上學，回家順道買菜，幼稚園為學生提供午餐，分擔了我的家務。如非接送綽嬈往返校園，我真的不想踏出家門一步，一旦碰見她的同學家長或鄰居，總要敷衍點點頭。家庭主婦有數不盡的話題，況且空餘時間鑾多，勢必喋喋不休，我可沒興趣與她們說是非，論盡人家的長短。

以往賦閒在家，我喜歡收看婦女節目，學習健康舞、烹飪等。現在對喜愛的事物及任何活動皆失去興趣，缺乏動力又無法集中精神，無意打理家務，煮食更可免則免，經常以麵包當作主糧。我幾乎整天關在屋子裡，白天躺在梳化上渾渾噩噩，上網亦心不在焉，長期情緒低落和食慾不振，連心愛的食物也吃不下咽。

一切轉變由丈夫入獄開始，分離後起居與行屍走肉無異，我喪失了情感。日間腦袋只間歇運作，思想遲緩；晚間胡思亂想，擔憂夜半有賊潛入，不敢關燈，令女兒難以入眠，終須關掉，漆黑的感覺恍若墮入深淵，無法自拔。

（七）

綽嬈活潑開朗，時刻掛著笑臉，張開嘴巴就絮絮不休。凡事好奇，興趣多多，跑步快而不穩，跌倒便呱呱大叫，然而她易受哄逗，一下子破涕為笑，蹦蹦跳跳，活現我年輕爽朗的影子。如今我對身邊事不聞不問，性格變得冷漠和沉默。

學校旅行屬親子活動，硬性規定家長陪同孩子參加。無論應酬老師抑或與家長打交道，我都非常吃力，為了女兒，勉強也要奉陪。大夥兒到達目的地，老師與小孩子嬉戲，部分家長參與其中，其他在旁圍觀。

「邢太，久未見面，清減了。」

「多謝關心。」交談時一陣大風吹掉了我的帽子，途人為我拾回。

另一家長看清楚我的臉容，說道：「噢！妳憔悴許多。」

「沒辦法，近來睡眠欠佳。」

「讓我教妳一個有助熟睡的方法，」鄔太興致勃勃插話：「跟我來。」

太太們跟隨她前往卵石徑，鄔太表示：「腳掌底部包含『失眠穴』，只要赤足踏過去，刺激穴位有助改善睡眠質素。」

我半信半疑，鄔太卻不假思索脫下鞋子，握著扶手踏入卵石徑。

「哎喲！走不動了。」她半途折返。

「這麼快放棄！看我的。」鄒太急不及待上陣。

她借助扶手撐起上身，咬著牙關半划半走，踉蹌走畢全程。

鄒太鬆弛繃緊的臉容，說下去：「邢太，妳也嘗試一下。」

我誠惶誠恐脫鞋，半推半就迎戰。出乎意料，我泰然自若踏遍卵石，絕無半點痛楚不適的感覺。

太太們誇讚：「邢太如履平地，真厲害！」

「我的腳皮太厚吧。」我暗忖：「今晚休想熟睡。」

（八）

母親獨居坪洲，甚少到市區，周末來探訪我們，先上茶樓品茗。

「綽嬈，可有記掛婆婆？」

女兒熱情地摟抱外婆，回答：「我很想念您啊！」

「真乖！婆婆也好想妳。」她輕撫外孫女的臉蛋，說道：「讓婆婆吻妳。」

「媽，您的嘴唇──」我插話，母親不管，親吻如儀。

女兒抹一抹額頭，瞄一瞄掌心的油漬，叫嚷：「婆婆，您未抹嘴！」

「婆婆最疼妳，只吻妳。」綽嬈開心不已，親一親外婆，還以顏色。

母親弄孫為樂，渾忘枱上的美食，我夾一件雞扎給她。

「先給綽嬈吧。」

「尚有一件，我和綽嬈分享。」

母親不領情，我只好轉讓給女兒。綽嬈忸怩：「不要！我不要雞扎，要馬拉糕。」

我夾走雞扎自用，母親將整籠馬拉糕交給綽嬈。

「媽，喝茶。」

母親把茶杯送到嘴邊，忽然放下，對我說：「我想探望逵。」

「甚麼？」我嚇了一跳。

「妳怎麼了？」母親指著我手握的茶壺。

「唷！」我居然把壺口送到自己的嘴邊，匆促放下。女兒望過來，笑得合不攏嘴。

母親慰問：「怎麼心神恍惚？」

「沒甚麼，一時冒失。」

母親覆述：「我想探望——」

「媽，點心涼了，別絮絮不休！」我眨單眼，向她傳遞眼色，母親點頭稱是。

（九）

母親小覷逵，從沒好印象，在我結婚前，她諸多批評，嫌棄他學歷低、工作沒出息、收入微薄……又小家敗氣、粗魯……一錢不值。可是我偏偏喜歡他，母親反對無效，無可奈何讓我們結婚。逵待岳母不薄，她的態度稍為軟化，誕下綽嬈後，母親曾經搬過來同住，協助照顧產後的我和小綽嬈。她習慣當管家，凡事過問，令本來一家之主的逵不快。相處時間多了，磨擦相應增加，彼此意見分歧，我夾在中間，左右為難。管教綽嬈方面，雙方各持己見，互不相讓。丈夫憤然頓腳，亂擲東西；母親亦不甘示弱，捶胸呼冤；小綽嬈也夾在中間，驚慌哭叫。家中糾紛不絕，吵架無日無之，後來演變成冷戰，岳母與女婿不睬不睬。直至綽嬈入讀幼兒班，母親返回坪洲生活，衝突才告一段落。

（十）

喝過早茶，三婆孫齊逛商場，讓女兒親自挑選零食。

「媽，我與逵鬧翻了，不必去探監。」我們在綽嬈背後輕聲談話。

「不會吧。」

「他連我也不想見。」

「早知他莽撞，結果累己累人。當年我反對你們交往，妳不聽老人言，吃虧在眼前。」

「外孫女這麼大，還重彈老調。」

「算了，算了。我去探監，責備他一頓。」

「嫌吵不夠，到監獄吵鬧？」

「不探也罷，反正責備於事無補，多留一口氣暖肚。」

女兒拿著一盒東西過來說：「婆婆，我要朱古力。」

「綽嬈，多取一盒吧。」

「媽，夠了。小孩子別吃太多零食。」

「又不是一次過吃。綽嬈，妳隨意拿來，婆婆買給妳。」

「多謝婆婆，一盒好了。」

（十一）

之前逵當巴士司機，家屬享有免費乘車福利，我和女兒時常乘坐巴士到處去。現在失去了福利和乘車的意欲，我很少出門，活動範圍總離不開區內。因為跨區覆診，我才登上闊別的巴士，途中有人插隊，司機勸喻一名女乘客守規矩排隊，她強詞奪理，還揶揄司機：「……別多管閒事，巴士佬！」

她出言不遜，司機仍然忍氣吞聲。巴士司機被乘客惡意嘲弄並不稀奇，蠻橫乘客出手毆打司機亦屢見不鮮，向來同情他們的處境，今次目睹感受良多。巴士司機工時長、休息時間少，匆匆上完廁所，連水也不敢多喝便繼續開工。工作壓力大，工資微薄，然而司機為保「飯碗」，維護一家人的生計，無論多辛酸，大都罵不還口。

早前有女司機為提升薪酬而發動罷工，與巴士公司抗衡，影響到正常服務，我並不苟同卻深深體會到巴士司機的困境。丈夫在日常工作中積壓了不少怨氣，他性格衝動，遇著傲慢的乘客，自然按捺不住怒火。儘管他壓抑憤恨，正常的駕駛態度備受影響。

（十二）

由逵當巴士司機開始便播下不幸的種子。

晚間新聞報道一輛滿載乘客的雙層巴士在一個彎位翻車，意外導致逾十人當場死亡，數十人受傷，其中九名傷者性命垂危，年齡最小的傷

者僅八歲。肇事司機僅輕微受傷，自行爬出車廂，他通過酒精測試，被警方通宵拘留。巴士損毀嚴重，車殼變形、車窗毀爛、座椅東歪西倒，部分被困乘客疊在一起，巴士內外血迹斑斑，慘痛的呻吟及哀慟的求救聲不絕於耳。數名上層乘客被拋出車外，頭破血流倒臥馬路；一名女子右手臂折斷，消防員在車廂內尋回斷臂，交救護員送往醫院進行接駁手術。一名死者為等車乘客，遭倒下的巴士壓斃；等候救援的傷者臉色蒼白、眼神驚慄、表情痛苦。生還者驚魂甫定，講述事發經過，指肇事司機曾遭一名婦人粗言辱罵，估計司機心有不甘，一時加速、一時急煞以洩心頭之憤，又超速入彎，因而失控翻側，釀成慘劇。

達因此停止職務，其後被控誤殺，以及危險駕駛引致他人身體受嚴重傷害罪，最終判處四年監禁及吊銷駕駛執照三年。他被公司正式解僱，入獄服刑，一家失去了經濟支柱，而我欠缺工作經驗，又要照顧女兒，不得已申領「綜援」。

達當巴士司機以不幸告終。我家固然不幸，巴士乘客和候車客更不幸，無辜遭受傷害，甚至丟命。傷殘使生命不再一樣，失去至親亦令家庭不再完整，改寫了他們的人生。

（十三）

財政緊絀加上情緒困擾，生活圈子變得狹窄，遠的地方不想去，近的地方不願流連。作為家庭主婦，長期糾纏在家居、學校和街市的三個關係之中。今天如常買菜，一踏出街市，對面商場外有一張久違的臉孔出現，面善的婦人正在派發宣傳單張，疑似當年的鄰家女孩。澄是芳鄰的女兒，年紀與我相若，性格爽朗，老是笑臉迎人。因公屋重建，我家遷離，澄一家獲原區安置，二十多年來只碰過一次面。面前婦人笑容可掬，反而覺得不可能是她！

我和家人曾經重遊故地，在邨口與澄相逢，她的臉容失去了光彩，與昔日判若兩人。不知何故，她走路時一拐一拐，料想這是悶悶不樂的緣由。我想問，不知如何開口；兩家人不算熟絡，爸爸不敢過問；媽媽不便向相熟的舊街坊打聽，澄的不幸從來是一個謎。

每當途人經過，眼前人主動遞上傳單，嘴巴微微開合，我隔得太遠，聽不清楚其聲音。若要確認她是否澄，方法很簡單，只要在旁靜觀一會，看她怎樣走路自有分曉。五分鐘、十分鐘過去，她仍舊站著不動。我提著菜肉，不想耽擱下去，直接探問卻差一點勇氣。剛巧一名老婦抱著嬰孩過路，嬰兒丟掉了奶嘴，老婦正要蹲下，派傳單的婦人踏前一步，撿起奶嘴給老婦。其間，我發現她行動並不利落，故此我肯定她就是澄。

我走上前，她機械式地工作。

「澄！」我張開手領取傳單，她住了手，眼神狐疑，我說下去：「妳的舊鄰居——淳。」

「原來是妳！」她咧嘴而笑。

「妨礙妳工作？」

「不，人流不多，接收傳單的更少。妳在附近居住？」

「那幢樓低層，面向商場。」我指著街角樓宇。

「看到這兒？」

「來我家就知道。」

「尚未收工，下次吧。」

「何日再來？」

「後天中午，開工前可以茶敘。」

「那麼早上十時商場酒樓見。」

「好的，屆時見。」

（十四）

女兒放學，回家丟下書包，要求借用我的手提電話。

「不許任性，妳未更換衣服，休想玩電子遊戲。」

「媽媽，不是用來玩耍，我要致電爸爸。」

「怎麼——怎麼要找爸爸？」

「老師找我參加朗誦比賽，好想第一時間通知爸爸。」

「那兒是半夜，不要打擾爸爸睡覺。」

「那麼等爸爸睡醒才撥電話。」

「他睡醒要工作。」

「上班前談一會兒罷了。」

「不行，長途電話費太貴。」

「使用 WhatsApp 視像通話。」

「國家落後，沒有網絡覆蓋。」

「可以購買流動數據卡。」

「地方落後，沒有儲值卡。」

「究竟爸爸在何方？」

「地方太遠，妳不曉得。」

「地名呢？」

「太陌生，媽媽記不起。」

「怎樣聯絡爸爸？」

「寄信吧。」

我坐在梳化，綽嬈用力搖動我的膝蓋，央求：「媽媽，幫我寫信。」

我輕拍她的小臀，催促：「妳先去更衣。」

<h2>（十五）</h2>

我家鄰近酒樓，我入座不久，澄一瘸一拐地踱過來。

「對不起！快不了。」

「不要緊！慢慢來。」

澄一坐下就對我說：「很高興與妳重遇。」

「妳胖了，人也開朗了。」我握著她的手。

「嗯。淳，妳清減了。」

我放下點心紙，回應：「陪我增肥吧。妳要開工，快叫點心。」

「別替我著急，我倆久別重逢，閒話家常好了。妳的近況如何？」

我一邊為她斟茶，一邊答：「平日照料女兒，她唸幼稚園高班。」

「丈夫養家，妳只管持家，多麼幸福！他從事甚麼行業？」

我一時語塞，澄通達，改口：「有點餓了，蝦餃、燒賣、粉果、叉燒包、牛肉腸粉、薑汁紅棗糕，合意嗎？」

「好啊，點心太多？」

「妳剛才不是説要增肥嗎？」

「是的，努力增肥。」

澄將點心紙交給侍應，她留意到我的視線，毫不諱言：「以前被人問及腳患，我未必肯回答，畢竟是一場惡夢。每次提起慘痛的經歷，總説不下去。」

「現在呢？」

「人始終要接受現實，坦然面對是唯一出路。」她呷一口濃茶，淡淡然道：「唸小六的時候，我獨個兒上學，遵守交通燈指示橫過馬路，遭一輛『衝紅燈』的客貨車撞到凌空拋起，倒臥在十米外。肇事車輛不顧而去，司機被逮捕及判監，我從此終身殘廢。」

「太不幸！」我心裡難過，哽咽道：「妳的傷勢如何？」

「右腳需要截肢，安裝義肢，重新學走路。」澄拉高右邊褲腳，袒露義肢。我瞄一眼，眼角濕了，嗚咽説不出話來。

澄吸一口大氣，説下去：「只怪司機害人，毀我一生。」

我聽到「司機害人」，赫然捏一把冷汗。

「妳臉色發青，不舒服？」

「沒事，接近空調風口，有點著涼。」其實不寒而慄。

「我們對調坐？」

「不必了。」我披上絲巾。

澄給我添茶，説：「淳，喝熱茶。」

喝完，我舒服一些，問她：「後來怎樣？」

「漫長的康復治療影響了學業，我未能升上中學，重讀小六。」

「替妳不值。」

「沒辦法。」澄嘆息一聲，訴説：「升上中學後也不如意，同學有的寄予同情的目光，有的在背後取笑我樣貌娟好卻瘸腿，真可憐。承受傷痛之餘，還要忍受旁人的歧視和嘲諷，我覺得很委屈，一度鬱鬱寡歡。」

「好端端弄成這樣子，的確無辜！」

「當『空姐』無望，以致無心向學，失去了人生目標，只想平淡過活。」

「妳的人生路比一般人難行得多。」我整理絲巾，問她：「父母好嗎？」

「爸爸去世多年，我與媽媽相依為命。」

「妳沒結婚？」

「若妳是男人，甘願娶一個傷殘人士為妻？」

「真正愛一個人，不會介意其缺憾。」

「真正愛一個人，何堪每天面對其缺憾？正因為於心不忍，男人不會動心，況且世間女人多的是。」

「妳未遇到情投意合的人而已。」

「遇上又如何？結婚不一定幸福，不幸也不定。」

我是過來人，有切身體會，但不會在澄面前自暴其短，反而認同她的看法。

「欣喜的是妳能夠拋開困擾，振作起來。」

「老套的說，開心一天，不開心也是一天，倒不如開心過活。」

「妳想通了。」

「不！只是思索不到出路，反而自尋煩惱，索性甚麼也不想，活得一天得一天。」

「採取消極逃避的方法？」

「只是消極，我沒有逃避，否則早就一死了之。」

「真的嗎？」

「我力求完美，討厭缺憾，更討厭自己，結果患上抑鬱。」

「好不幸！坦白說，我也抑鬱。」

「妳抑鬱？為甚麼？」

「我——我——總之抑鬱！」

（十六）

敘舊之後我如常買菜，回家發現廁所地面淹浸，水箱不斷漏水，積

水差點兒溢出走廊。我慌忙關上閘掣，從速清理一地鹹水。忙亂中醒覺錯過了接女兒放學，匆匆趕往學校，中途接到老師來電，催促我加緊腳步。到了學校，綽嬈在課室嚎啕大哭，一看見我就撲過來。

「媽媽，媽媽！」哭聲嘹亮。

「不要哭，媽媽帶妳吃朱古力雪糕。」

「不要——」綽嬈抽泣。

「不吃雪糕？」

「我不要朱古力味，要士多啤梨雪糕。」

「請老師吃朱古力雪糕？」我悄悄地瞅一瞅老師，回望女兒，綽嬈破涕為笑。

我恐防教壞了孩子，連忙補救：「讓媽媽吃朱古力雪糕，妳和老師分享士多啤梨雪糕。」

「那麼您與老師分享朱古力雪糕吧。」

「小孩子不可自私，要與人分享，否則我不買雪糕。」

老師插話：「邢太，我不吃雪糕了。」

「對不起！阻礙妳下班。」我提起書包，與女兒趕快離開課室。

「老師，再見。」我們離開學校，即到雪糕店，碰巧士多啤梨味售罄。

「綽嬈，選擇其他口味吧。」

「我不要其他，只要士多啤梨雪糕。」

「下次有貨才買，藍莓雪糕更美味。」

女兒呱呱大叫：「不等下次，我現在就要吃。」

「別胡鬧！」

「若爸爸在家，他定必買來給我。」

「妳找爸爸好了，我才不管。」

綽嬈在街上哭哭啼啼：「爸爸，爸爸，快回家！」

若達在家，他會親自維修水箱，免卻不少麻煩，然而全家只剩我倆，非找維修師傅不可。達，快回家！

（十七）

我牽掛著服刑中的丈夫，每每聯想到牢籠中的動物，過往對被囚禁的禽鳥和野獸不以為意，如今會同情牠們，不滿主人的所作所為。人若觸犯嚴重罪行，遭關押、剝奪人身自由也罪有應得，監禁為階下囚提供懺悔的機會，同時提供了逃避世人指責的避難所。徒刑使囚犯與親人分隔，既懲罰犯人，一併懲罰其親人。我和女兒並沒有為非作歹，亦受牽連，女兒在兒童成長時期失去一段與父親共處的寶貴時光，逢悔不當初。

丈夫肇禍後被當眾咒罵，險些被圍毆，新聞上載了有關片段，留給我的陰影至今揮之不去。逢的魯莽行為導致死傷枕藉，雙手沾滿了枉死乘客的鮮血，受千夫所指也無可厚非。從此以後，我被夢魘纏繞，不時夢到交通意外的血腥場面，恐慌驚叫，吵醒女兒。綽嬈容易入睡，我則長期失眠，睡眠不足使我心情煩躁、思想紊亂，動輒發脾氣，女兒往往成為我的發洩對象。我經常自責，她失去了父愛，還遭我薄待，真不配當母親。女兒傷心，我會更傷心，懊惱照顧不周；女兒喜樂，我卻惆悵，憂慮快樂不會持久。

（十八）

自從與澄相敘，我便心緒不寧。她是交通意外受害人，被司機害苦；我何嘗不是受害人，被當司機的丈夫害苦！同樣是交通意外的受害人，澄抑鬱，我也抑鬱。我的情感變得麻木，對任何事情都漫不經心，獨自瞎想，拒絕接收外界訊息。母親發覺我心神不定，千叮萬囑：「不要自尋煩惱，勿想不快事情。」。

若不去想就沒事，澄不用看醫生、吃藥。單靠意志力著實不行，不但不能不想，而且欲罷不能。思想影響行為，行為影響情緒，情緒又影響思想，互相影響，循環不息。澄曾向我引述醫生的闡釋：「抑鬱是疾病，與腦部傳遞物質失調有關，所以病人需要服藥治療。」性格樂觀的人經不起挫折一樣會患上抑鬱，澄受過傷害，驅不走內心的陰霾，多年來服用抗抑鬱藥，並接受認知行為治療，總算找到曙光。我悲觀、執著，腦子裡充斥負面思想，無法疏導，大大影響到自己的情緒和行為。

丈夫連累他人枉死，自當一生背負罪疚，而我亦內疚不已。為求養活妻兒，達堅守一份被公司虧待兼受跋扈乘客責罵的工作。丈夫雖平庸，但天生傲骨，上班時敢怒而不敢言，下班回家則大發牢騷，活像一名怨婦。

「達，你沉不住氣，遲早出事。」豈料一語成讖。明知丈夫早晚會出事，為何不早勸誡他息事寧人？為何不早勸喻他轉投其他行業？全是我的錯，對不起丈夫、女兒、受害人和所有受害人的家屬！我罪無可恕，內心充斥自責和愧疚。

<h2 style="text-align:center">（十九）</h2>

校方來電通知我女兒不適，由校工陪同送院診治。我吃了一驚，趕赴醫院，綽嬈躺在擔架床上，臉色蒼黃、氣喘吁吁，並且神志不清。因應病情緊急，獲優先處理，診斷結果為 G6PD 缺乏症（俗稱蠶豆症），輸血後情況好轉。主診醫生闡述，病人因紅血球溶解而出現急性溶血現象和貧血，建議留院觀察。

女兒天生患有蠶豆症，一直以來戒吃蠶豆，連其他豆類亦極少進食，家居衣櫃從不擺放防蟲的樟腦製品，滿以為做好防備，「小兒科」遺傳病沒甚麼大不了。有一晚女兒不適，我從藥箱找來「克痛」兒童藥片給她服用，及後綽嬈眼白泛黃、神情呆滯、呼吸不暢順、尿液呈暗紅色。漏夜求醫，醫生表示，「克痛」藥片含有高劑量亞士匹靈，蠶豆症病人忌用，幸而及時發現，不致造成嚴重的傷害。不幸的事件一再重演，今次達不在身旁，我盯著綽嬈的倦容，她半睡半醒地說：「爸爸，爸爸！」

事後我向校方了解女兒病發的來龍去脈。

「邢太，對不起！校方調查發現學生所穿著的表演服裝沾染了臭丸味，致令綽嬈發病。校工見她不適，為她塗上藥油，原來萬金油含有樟腦，使病情加重。」綽嬈入學時，我已經知會校方有關女兒的蠶豆症禁忌，並籲請小心為上，始終防範不了。「得饒人處且饒人」，既然校工只是無心之失，校長亦親自道歉，況且綽嬈已無大礙，事件就此平息。

（二十）

校方虧欠我，丈夫辜負我。夫妻本應同負一軛，共同承擔苦惱，可是達的擔竿折斷了，卸下擔子給我。我獨力難支，腰頸受壓，挺不起胸膛，看不見青天。天氣惡劣時何來好心情，天昏地暗時鬱悶難耐，淒風冷雨時倍感蕭煞孤清。我失去了妝扮的興趣，不再注重外表和別人的目光。小綽嬈每朝要我為她鬢孖辮，嬌俏的樣子討人喜歡，我對她卻若即若離。

學校舉行生日會，女兒興高采烈地提著一個黃色氣球回來，繫於床頭。晚上天氣轉涼，我起床關窗，皎潔的月光照到睡房牆角，氣球旁有一隻小蜥蜴出沒，勾起了舊夢。舊夢不須記，亦不想提起，難得沒有再發同一個惡夢，偏偏給我遇見夢中的氣球和蜥蜴，感受到夢魘的真實，以及人生的虛妄。快樂只是遐想奢望，苦痛則實實在在，擺脫浮生方能脫離苦痛。從悲哀絕望中尋求解脫，巴不得縱身一躍而下，正如夢中一樣。

「媽媽，我口渴。」女兒乍醒，摟著卡通攬枕。她一張開口便露出彈簧般的舌頭，如同夢裡結局，把我從絕境中救回。每當心灰意冷的時候，女兒激活我；在生死關頭徘徊，她打消了我衝動的念頭。

（二十一）

我被歉疚捆綁，一直無法開懷。

我不想隱瞞真相，但我不能告訴女兒實情，有損她的弱小心靈。

我不想父女分隔，更不忍意外死者家破。對著年幼女兒，有話不能直講，有口不能暢所欲言，是天大的懲罰。無形的罪疚感捆綁著我，每天活在深淵中不能自拔。

女兒是我生命的泉源、靈魂的倚靠，同時是我愧疚的對象，心情矛盾。我不願欺騙女兒，好想帶她探監，父女重聚，自身亦可開脫，唯恐弄巧反拙，傷害了女兒。我寧可當罪人，守護她；換著我受傷害，綽嬈也必來安慰我。

（二十二）

「淳，久沒見面，綽嬈好嗎？」達看來精神飽滿。

「你只顧念女兒？」

「當然──不是，我顧念妳們。」

「不久前，女兒的蠶豆症發作──」

逵撲過來問我：「綽嬈怎樣？」

「痊癒了。不然的話，你可以出去探望？」

「別借題發揮，慶幸她無恙。」

「有你這樣的父親值得慶幸？」

「妳又惹人生氣。」

「女兒面前隱隱瞞瞞，來到這裡實話實說亦不行。」

「我知道難為了妳！」

「我身心疲累不堪。」

「連累妳實在過意不去。」

「我每晚失眠。」

「有沒有看醫生？」

「正在輪候精神科治療。」

「精神科？以前妳不開心，只要吃一些甜品便開朗起來。」

「以前？以前不開心，有人哄我，現在呢？」

「怪我不好，淪落到這田地，連累妳孤單無助。」

「我一時孤單猶未及死者家屬與至親永遠分離可悲。」

逵默言。

「等到你出獄，回到我身邊又怎樣？」

「少一分牽累。」

「誰在意？」

逵無語。

　　丈夫出獄後不可能重操故業，加上有刑事罪行紀錄，日後如何謀生？一家人前景堪虞，一時傷感，與逵相對無言。

（二十三）

　　母親好一段時間沒露面，致電給她總說應酬多多。

「媽，妳的聲音有點異樣。」

「也許近日多吃煎炸食品，以致上火、聲音沙啞，毋須擔心啊。」

「要多喝水和休息，周末我和綽嬈來探您。」

「可不必。」

「媽，約定了。」

母親推卻不了，悶不吭聲。

（二十四）

我猜想母親不適，與綽嬈返回娘家，她來開門，嚇我一跳。母親大幅消瘦，臉色和眼白皆泛黃，一臉病容。她一見綽嬈，從疲態中擠出幾分活力，趕忙取來荳奶和餅乾。

「謝謝婆婆！」綽嬈歡天喜地收下。

「媽，快坐下，您怎麼了？」

母親按著上腹敘述：「近來腹部疼痛，老是飽飽滯滯、食慾不振。年紀大，器官退化，消化力弱和胃痛沒甚麼大不了。我吃過胃藥，好轉了，妳不必操心。」

「真的好轉？」

她支吾以對。

「您老實說出來，尚有何毛病？」

「——少少噁心、嘔吐，又有少少背痛。」

「這樣少少，那樣又少少，合起來何止少少！」

她緊張起來，連咳兩聲，按摩腹部。

我倒一杯水給她，低訴：「媽，喝水。」

她喝兩口，再咳兩聲，開腔：「沒事了。」

我問她：「大小便正常嗎？」

「持續腹瀉，小便呈茶色。」

母親沒患蠶豆症，卻出現黃疸徵狀，我推測她患上腸胃病。母親的嘴唇蒼白、抖震，洩露其嚴重不適的端倪，我急忙帶她到醫院診治。初步發現母親的膽管堵塞了，膽汁不能輸出，出現倒流。院方將會進一步

檢查，並儘快安排手術。

「我年紀大，有甚麼好怕？」母親口頭上滿不在乎。

醫生凝重地陳述檢查結果：「胰臟有一顆直徑四厘米的腫瘤，體積與乒乓球相若，壓迫著周邊器官及血管，癌細胞已擴散至肝臟，胰臟癌到了晚期。」

我聽完心中一凜，母親呆若木雞，她的眼簾沉沉下垂，宛如凋謝的花瓣。醫生指稱腫瘤頗大，加上擴散，不宜施行手術，如用化療，可暫且控制病情。我倆六神無主，聽從醫生的意見。

（二十五）

母親要求探監，與達單獨面談，岳母與女婿傾談過甚麼，我全不知曉。會面後母親不再批評達的不是，反而叮囑我多多體諒；另一方面，達抱歉未能好好關顧患病的岳母，託咐我陪伴她度過餘生。他們冰釋前嫌，言歸於好卻無緣再聚，母親的病情急遽惡化，尚未開始化療便病入膏肓，由確診到離世只短短兩個月。

丈夫鋃鐺入獄、女兒生死一線、母親撒手塵寰，凡此種種都困擾著我。達身陷囹圄，我孤單寂寞；照顧綽嬈，我彷徨無助；痛失慈母，我思憶懷念。當我萎靡不振，誰來扶持？無形的家庭枷鎖束縛著我，沉重的壓力使我透不過氣。

自以為平凡生活垂手可得，原來並非理所當然，顛沛的人生令我性情大變。生活空空洞洞，不思進取；內心空空洞洞，不求上進。

（二十六）

街上有年輕人派傳單，他只管派發，完全不作聲，街坊不知就裡，一般拒收，我亦無意接收無謂的傳單。我經過時他的手肘被途人碰撞，單張丟在地上，隨即派另一張傳單，我隨手拿來看看，單張宣傳「得救見證分享會」於當晚舉行。對我而言，「得救」兩字是絕望中最渴慕得到的訊息，於是滿懷希望帶同女兒出席。到達教會禮堂，我與澄相遇。她瞧見綽嬈，問我：「妳的女兒？」

「是的。綽嬈，叫姨姨。」

「姨姨！」

「桌搖？」

「嗯，風姿綽約的綽，女字旁邊加堯舜的堯字。」

「多麼優雅的名字！樣子挺像媽媽。」

女兒回應：「人家說我似爸爸。」

「爸爸沒有到來，上夜班？」

女兒瞪著我，交給我回答：「他到外地公幹。」

澄沒問下去，否則在女兒面前大話連篇，枉為人母。在分享會中，澄上臺細訴個人見證。她重提當年一場無妄之災改變一生，交通意外導致四肢不全、行動不便，起居生活、學業、事業、家庭和婚姻大受打擊。身心創傷使她失掉自信，日後面對交通燈和車輛時遲疑不敢開步，甚至失去方向，記不起要去的地方。長期服用精神科藥物依然沒有改善，父親不忍她一蹶不振，終日借酒消愁。有一晚，澄情緒低落，遷怒父親。半夜警員來拍門，查問家人是否齊全，方才發覺父親不見了，窗門敞開，父親的屍首懸掛在樓下的樹上。

家人自殺，澄的精神狀況陷於崩潰邊緣，樹枝戳穿父親胸膛留下不可磨滅的陰影，惦念父親總伴隨著困擾和內疚，大大加重病情。不論日夜，她躲在睡房，放下窗簾，漆黑的環境中蓋上被子、蒙著頭，渴望一睡不醒。偏偏無法入睡，坐起來倚在床頭，以右手撫摸左手，又撫摸自己的臉兒，幻想有人疼愛撫慰的滋味。可是虛假的感覺滿足不了孤寂，時而痛哭，時而激動失控，用頭碰撞房門。唯有年邁的母親對她不離不棄，然而老人家自顧不暇，對女兒愛莫能助。澄覺得世間虛空，不值得留戀。

直至認識基督，澄領悟到生命並非由個人掌管，喜怒哀樂全部是恩賜，神藉著哀傷軟化鐵石心腸，又用仁愛觸動脆弱的心靈。她明白到人的渺小軟弱，嘗試把一切愁煩交託予她信靠的神，凡事感恩和讚美。讀經、祈禱及唱詩歌如同良藥，使她心情舒暢，感受到出人意表的平安喜樂。澄憑著信仰不藥而癒，卸下了抑鬱已久的包袱。

<h1 style="text-align:center">（二十七）</h1>

澄的境況堪憐，難怪患上抑鬱症。我同情她，更同情她的父親——昔日隔鄰的慈父。

我是罪魁禍首的妻子，儘管並非同一樁交通意外，我同樣不安難過。我想贖罪，考慮與逵離婚，不過與丈夫劃清界線，不等如與罪孽分割。罪人怎能獲得寬恕？始終未有答案。

牧師引述聖經：「罪的工價乃是死……」，如要得到救贖便要認罪悔改。我響應他的呼召走到臺前，承認自己是罪人，求神赦免，欣然接受他的禱告和祝福，心頭的重擔頓然輕省了。

<h1 style="text-align:center">（二十八）</h1>

散會後與澄結伴離去，沿途女兒側著頭走路。

「姨姨，妳走路真趣怪！」綽嬈故意模仿澄的步姿。

我生氣喝止：「住口！太失禮了。」

女兒嚇得收聲兼止步。

「淳，不要緊，童言無忌。」澄不慌不忙，對綽嬈說：「姨姨好似飛鳥跌落凡間，不習慣行路。」

「我才不信！」女兒唱出一句歌詞：「有隻雀仔跌落水」，接著一本正經地說：「落入凡間的是金莎朱古力，姨姨沒看廣告吧。」

意想不到小綽嬈這麼風趣，我和澄不禁發笑。女兒到遊樂場嬉戲，我們坐在公園談天。

「澄，不想再瞞妳——」我嗆得說不出話。

「甚麼？」她愕然。

我說下去：「妳上次問我的丈夫從事甚麼行業，尚未答妳。」

「嗯。」

「他本來任職巴士司機，後來——後來發生意外，引致乘客及途人傷亡而被判入獄，現正服刑。」

「就是早前的翻巴士事件？」

「正是。太丟臉！不敢在他人面前提起，女兒亦不知情。當妳提及被

車撞倒，我更加不敢開口。」

「何以對我這般坦白？」

「因為隱瞞實在太痛苦。作為肇事司機的妻子，丈夫闖禍，自覺有很大責任。要不是為了養活一家，以他的性格，絕不會忍氣吞聲留在巴士公司幹活。丈夫有負乘客所託，不能平安送達，反而把他們送上絕路。我問心有愧，求妳原諒！」我只顧泣訴，視線離開了女兒。

澄幫我監察綽嬈的一舉一動，回應：「我的傷害與妳丈夫完全無關。」

「我當然知道，然而害人的司機和受害人在本質上並無分別。」

「妳怎麼硬要將自己與兩樁意外扯上關係，作繭自縛？」

「我只想知道，妳會否原諒肇事的客貨車司機？」

澄沉默不語，良久才答話：「神可以寬恕罪人，我也可以。」言詞堅定。

「澄，妳真的可以？」

「以往我視該司機為仇人，即使他願意下跪道歉，我絕不會饒恕他。其實，不管我原諒與否，那人並不在乎，亦絲毫無損。反之，自己承受傷痛之外，還要為憎恨付上沉重的代價。精神飽受困擾，藥物治療和心理輔導並不能改變憤世嫉俗的心態，直至從信仰中學懂寬恕的道理，仇怨的心結才得以開解。釋懷之後恍如重生，不再愁眉苦臉度日。」

「是信仰的力量？」

「也許如此。當人有堅強信念和正面思想，縱然人生路並非坦途，亦不會因崎嶇而怨天尤人，更不會因瘸腿而意志消沉，反而會堅持下去，努力跨越障礙，渡過重重難關。」

「談何容易？」

「確實知易行難，既要保留追求美好的心志，又要接受人生的不完美。」

「不完美？」

「假如追求完美的人生，容不下一點瑕疵，結果只會抱憾終生。若然接受人生不可能完美無瑕，仍然相信人生畢竟是美好的話，生命才有動

力和姿彩。」

「令我想起一節曲辭:『莫嫌碧玉有微瑕,致令終身埋恨怨。』同一道理,當妳參透了便改寫人生。」

「我不懂詩詞歌賦,卻牢牢記住一節聖經金句:『喜樂的心乃是良藥,憂傷的靈使骨枯乾。』」

「似懂非懂。」我搔一搔頭。

「妳想認識聖經,下次約妳一起──」

「媽媽,我想回家。」綽嬈跑過來催促。

「綽嬈,多等一會。」我敵不過女兒拉拉扯扯,澄諒解:「妳們先走,不用等我。」

我向女兒示意,她向姨姨話別。

「真乖!」

(二十九)

我與女兒手牽手,正想橫過班馬線,一輛單車疾衝過來,慶幸踏遲一步。一名老婦因驚惶閃避而失足跌倒,送外賣的青年騎單車絕塵而去,途人在背後高聲指罵,過路人扶起婦人折返行人路。

好想上前問老婦:「妳會原諒他嗎?」

不用我發問,答案就在眼前,老婦用狠毒的惡言不停咒詛。她沒有明顯的傷勢,也沒有寬容的胸襟,怒火中燒,瀕臨「爆血管」的樣子。寬恕是畢生難得的智慧,但智者未必肯寬恕,肯寬恕的不必是智者,乃是仁者。

女兒敦促:「媽媽,快過馬路。」

「別著急,馬路如虎口!」

(三十)

入夜,我驅車載母親橫越荒漠,然後登上熱氣球的吊籃。

「媽,難得一起看日出。」

「太興奮了,我這個年紀尚未見識過,終有機會大開眼界。」

熱氣球升上半空,我倆在天際漫遊,享受騰雲駕霧的滋味,靜候紅

日顯露。臨近日出，雲霧湧現，深厚的雲層阻擋視線，完全看不見地平線。未幾，曙光驅走了黑暗，不過為時已晚，旭日就在眼前。

「始終無緣觀看日出一刻的景致，未免可惜！」我心有不甘。

母親不以為然，讚嘆：「晨曦同樣吸引。」

「美中不足啊！」我埋怨。

母親問：「雞蛋的滋味如何？」

「美味。」

「那麼妳看過母雞下蛋嗎？」

「不曾。」

「既然妳未曾見過母雞下蛋，依然享受雞蛋的美味，那麼看見日出與否並不重要，重要的是好好欣賞往後的旭日朝陽。若只著眼於錯過日出而耿耿於懷，繼而無心觀賞當空紅日、艷麗夕陽和垂暮落日，失落更多。哪朝無日出？何必拘泥於一朝半夕？」

「對，不爭朝夕，放眼千秋。」

一群白鴿飛過來，簇擁熱氣球著陸。我率先跨出吊籃，母親搖身一變，化作白鴿，追隨鴿群飛去。

我呼喚：「媽，媽——」

「媽媽，媽媽！」我被女兒吵醒了。

濁世

（一）

　　他穿上潛水衣、蛙鞋，背起氧氣樽，戴上面罩，坐在船邊，向後翻身便闖進另一個世界，遠離了塵囂。海底寧靜和諧，與陸上的喧鬧、煩悶、哀傷、怨怒和紛爭告別，彷彿與世隔絕，沉重的心情一下子變得輕省。十多年前他接觸浮潛，覺得新奇刺激，難忘迷人的海洋世界。此後他正式學習潛水，每逢假日與朋友投入水世界，深海潛藏神秘感，潛水探秘極富挑戰性。海底有奇形怪狀的珊瑚，各色各樣的海洋生物在四方八面川流不息，魚群有的色彩絢爛、靈巧活潑，有的樣子古怪、目光呆滯，而且動作遲緩。與牠們為伍，真的不愁寂寞，心境變得平和，優哉游哉，恍似置身蓬萊。

（二）

　　她靠近飛機門，從離地一萬四千呎的高空往下望，悸動的心先跌下去。她驚慄怯懦，考慮臨陣退縮，其他參加者不停慫恿。教練是信心的保證，她毅然跨步，投入雙人串聯跳傘的活動。她張開四肢，急速下墜，空氣寒冷，血脈卻沸騰，喘不過氣來。一分鐘內，支離破碎和安全著陸的畫面交替在腦海浮現，心如鹿撞。直至背後的教練開啟降落傘，速度放緩，她才心神稍定，鳥瞰到開恩茲的絕世美景，大堡礁和昆士蘭熱帶雨林盡入眼簾。作為旅遊記者，甚麼旅遊項目都要親身經歷，驚險之餘，享受到 skydive 的非凡刺激和樂趣。她也曾在澳門旅遊塔體驗全世界最高的「笨豬跳」，縱身一躍而下，極速俯衝，脈搏飆升。急墜的快感歷時四、五秒，疾風在耳際呼呼作響，眼前的畫面一閃而過，視網膜趕不及接收連串畫面，弄成一片灰白。跳傘好不一樣，樂趣由跨出機艙的一剎那開

始，整個人無處倚傍，成為一個自由落體，在九宵雲外翻滾。當降傘張開，人變得自在舒暢，猶如小鳥翔太空，寫意觀光。

（三）

她的同事為保住職位，從未放過長假，但她為了長途旅遊，不惜辭掉工作，如今她兩者兼得，朋友無不羨慕。她習慣獨處，自主性強，擅長寫作、攝影和美術，又精通英語和日語，善於交際。她不怕接觸陌生人，敢於冒險，隻身闖蕩，到處訪尋商店、食肆、酒店和公共交通設施，或「自駕遊」，發掘新奇地方和事物。從衣、食、住、行各方面了解當地的生活和文化，把旅遊見聞整理成書，與讀者分享。

旅遊記者寓工作於旅遊，眼界大開，一般職業無可比擬。可是旅遊記者肩負重任，難以輕輕鬆鬆享受旅遊的樂趣，坐長途機及舟車勞頓在所難免，還要適應時差和趕稿。旅遊和工作結合有利有弊，她熱愛旅遊，自覺利多於弊，最有利的是她可以藉外遊避世。

（四）

她住在土瓜灣——一個平靜安穩的社區，十多年來，社區起了巨變，生活質素每況愈下。她討厭自己居住的地方，藉著外遊避世。

自從推出「自由行」（港澳個人遊計劃），旅行社慣性安排內地團友到土瓜灣用膳及購物，以致馬路塞滿旅遊車。參加「維港遊」的遊客遍布九龍城碼頭外及附近商場內，他們大都拉住行李篋又隨街執拾行李，阻塞通道，妨礙大眾出入。居民無奈以身犯險，沿馬路旁行走，接送兒童的校車亦難以駛近行人路停泊，小孩子唯有在馬路中心上落，驚險的場面司空見慣。區內經常塞車，狂躁的司機肆意響號，噪音日夜滋擾居民。屋苑內酒樓只接待遊客，居民飽受旅遊困擾，卻被酒樓拒諸門外。商場管理公司考慮商舖租約期滿後，租賃予專營香港手信的商戶，至於經營日常用品的商舖相繼結業，住戶用膳和購物都要外求，無疑不合情理。

內地同胞性格豪邁，男的說話粗獷，女的嗓音嘹亮，聲浪處處可聞。他們佔據行人路，個別遊客隨處蹲下、隨便吸煙、隨地吐痰、隨手棄置煙蒂和垃圾，影響市容衛生。居民屢屢向政府反映，不但沒有改善，反

而變本加厲。十月一日是中國國慶,遊覽維多利亞港夜景之外 還可觀賞煙花,登船人數特別多。碼頭人山人海,巴士總站外旅遊車堵塞道路,巴士無法進出,乘客強烈不滿。

（五）

二〇一二年十月一日晚上,南丫島西北海面發生嚴重海難,一艘客船被另一艘體型較大的雙體船碰撞後近乎淹沒,過百名前赴維港觀賞煙花的乘客和船員墮海,雙體船不顧而去。意外現場遇溺者垂死掙扎,等候救援。慶祝中國國慶煙花匯演如常舉行,電視直播維港兩岸興高采烈的情況,有關南丫海難的新聞則延遲報道。

由於客船迅速翻沉,乘客來不及穿著救生衣,當中不乏長者、兒童及不諳水性的乘客,加上風浪大,形勢相當危急。水警及消防處潛水組等部隊奉召到場營救,大量蛙人參與救援。大部分墮海人士獲救,二十多人失蹤,在飛行服務隊的高空照明下,肇事海域通宵進行搜索。

事故發生四十八小時後仍有人下落不明,儘管凶多吉少,家屬私下聘請潛水員搜尋,志在尋回親人遺體。他響應號召找尋失蹤者,在海床尋獲一具腐爛的屍首,了卻求助的心願。事件中三十九人死亡,包括六名小童,令他刻骨銘心。

（六）

他討厭現實中的生活環境,嗜好潛水,更愛避世。

他喜歡到印尼旅遊,水質澄淨,是愛好潛水人士的樂園。他可以親近海洋生物,與小丑魚、獅子魚和石頭魚邂逅,又與魔鬼魚、綠海龜和玳瑁結伴暢泳,締結浪漫情懷。在香港,他經常到塔門和海下灣潛水,海底不愧是一座水晶宮,珍寶包羅萬有:珊瑚、海葵、珊瑚魚、八爪魚、蝦、蟹、青龍蝦、海螺、海星、海膽、海參……雖不及印尼琳瑯滿目,但碧海景色同樣迷人。

（七）

工程潛水員並非寓工作於娛樂,反之屬於厭惡性行業,即使工資相當吸引,很少人願意入行,全港只有百多名全職潛水員。他本身從事五

金行業，具潛水一技之長，順利投身潛水工程，升至三倍薪酬。可是香港水質欠佳，海岸工程及填海破壞了海床，影響海洋生物的棲息地，生態環境大不如前。有別於碧波潛水玩樂，潛水員的工作環境侷促不安、光線不足，縱有燈光照明，污濁的海水晦暗不明，能見度低，視野模糊。遇上嚴寒天氣，手腳冰冷抖震也要強行下水，加上水流湍急，工作加倍艱辛。

潛水員工作範圍廣泛，包括：鋪設水管、電纜、光纖、氣喉，進行水底切割及燒焊，協助固定建設隧道的沉箱，築橋及填海工程，檢驗船底，安裝及維修防鯊網，以及打撈工作，性質艱巨繁瑣，並潛藏危險。此外，他須要潛入深海「垃圾缸」，清理淤泥和載浮載沉的海洋垃圾，其中以塑膠廢物居多，還有破樽、爛鞋、鏽罐、廢電池……儘管如此，他絕不認為潛水工作是苦差，單單清理散落海底的棄置漁網以免纏死海洋生物，他已經覺得意義重大。對他而言，「發揮所長、清潔海洋、保護動物」任重而道遠。

堤岸礁石和海邊洞穴也淪為「垃圾崗」，堆積了大量垃圾，如：發泡膠箱、膠樽、鋁罐……成為了常態。他留意到綠海龜改變了生活習性，多年沒到南丫島深灣產卵。在大埔和西貢的海灘多次出現綠海龜的浮屍，專家從牠們的腸胃找到塑膠袋，推斷因漂浮的透明膠袋與水母相似，致令綠海龜誤吞，因吃不下食物而餓死。

（八）

她戴著墨鏡和闊邊帽在紅磡海濱散步，遠眺對岸北角興建中的新地標——北角匯。清早人影疏落，一名胖漢牽著一隻白色小狗迎面而來。漢子停步，脫掉衣服和涼鞋，塞入布袋，繫於欄杆，繼而解開牽狗繩索。胖漢簡略做熱身運動，不一會走下石階，拉下額上的泳鏡，旋即撲進海裡。小狗自動尾隨而下，跳上主人的背部，接著滑入水中。她在旁觀看，狗兒別致，狗主泳姿古怪，相映成趣。大概十多分鐘，那人和那狗雙雙從海心游回來。主人先登岸，拉起泳鏡，看看手錶，快步跑上石級，從布袋中取出一條大毛巾。小狗隨後而至，在主人身邊駐足，牠猛然晃動

身軀，濕潤蜷曲的狗毛濺起點點水花。狗主發覺不對勁，牠一身藍色！主人尚未抹身，用毛巾拭擦愛犬，揩乾後淡黃色的毛巾變作綠色。

主人慰問：「怎麼了？」

小狗盯著布袋汪汪吠叫，主人會意，把大毛巾擱在欄杆上，取出另一條毛巾來為自己抹身。狗主懶理自用的毛巾甚麼顏色，穿回衣服，帶小狗離開，路上喃喃自語：「水質太差劣，以後不再來。」

她喜歡海洋、潔淨的海洋。她討厭污染，海洋污染直接影響海洋生物，也間接影響人類，以及小狗等。她想起不久前一則新聞，內地遊客前往西貢旅遊，在萬宜水庫暢泳。同胞率性而為，時有所聞，相比狗主，他們何等高明。

<h3 style="text-align:center">（九）</h3>

香港的食用水源主要是東江水，只得兩成左右來自本港水塘。昔日未有東江水和自來水，鄉村單靠井水已經自給自足。西貢鹽田梓有一口「活泉井」至今留存，全盛時期約有一千名村民在島上生活，井水足以供全島居民使用。至於鹽田，因居民遷往城市而荒廢。隨著生態保育和生態旅遊的興起，部分村民回歸，復修和活化鹽田梓村。

她到場採訪重新開發的鹽田，經紅樹林旁邊的小徑下山，找到著名的「活泉井」。她揭開覆蓋的鐵網，水井清澈見底，禁不住舀起一瓢來喝，井水清甜味美。水，清澈的水是人間恩物，滋養眾生，潔淨身軀。骯髒時渾身不自在，全賴清水清除污垢酸臭，使身心保持舒暢。

<h3 style="text-align:center">（十）</h3>

傍晚，維多利亞公園大草坪聚集了數百名外傭及教會人士，一同為印尼海嘯的災民禱告。印尼火山爆發觸發海嘯，排山倒海的洪水沖毀沿岸村落。在香港工作的印尼傭工為數不少，部分人因家屬下落不明而焦燥如焚。印傭集體禱告，祈求親人平安。

他經常到印尼潛水，對印尼和當地人有深厚感情。那兒是山青水秀、景色怡人的群島，可惜多災多難，地震、海嘯頻仍，令貧窮的島國倍添悲情。除了天災，還有人禍，海嘯來臨前政府無向市民發出預警，引致

傷亡慘重。他掛念印尼的友好，入場為他們祈禱。另一方面，為免家人擔心，他久沒踏足印尼。

<h2>（十一）</h2>

世界各地災禍連綿，去年她遊歷瑞士境內的阿爾卑斯山滑雪勝地，今年出現雪崩，雪浪好像暴發的山洪，活埋數名滑雪人士。在同一滑雪場，當中有幸有不幸，她傷感難過，為意外中遇難者的家庭及傷者默禱。她四處旅行，多少經歷過一些意外，每逢外遊，她必然加倍謹慎，反而本地旅遊就掉以輕心。

虎吼石河位於大嶼山狗牙坑，由於岩石風化崩塌，從山坡滾下，累積於山谷，形成一道天然石河。行經歪斜的亂石，必須手腳並用攀爬，既怕掉下去又怕被滾下來的碎石擊中。起初她步步為營，放慢腳步，後來操之過急，未站穩便踏前一步，碰巧石頭鬆散，整個人絆倒，雙手抓不牢，向下滑行了一段路才停下來。她翻身坐在石堆上，雙手掌心、雙膝和衫褲都破損，左腳疼痛，脫下鞋襪檢查傷勢，腳踝瘀腫。她自行清理傷口、貼上膠布、塗上藥膏。歇息一會，喝完水便繼續行程。站立時足踝劇痛，攀過石河看來不易。她嘗試慢慢爬行，但負傷爬越逾一百米長的石河必然要多花時間和精力，餘下漫漫長路，並無信心在天黑前完成。等候良久，始終沒有遠足人士經過，她只好致電報警求援。消防及救護員接報到場，礙於地勢崎嶇，拯救需時，故召喚飛行服務隊增援，將她救起，乘坐直升機到北大嶼山醫院治療。因自己一時大意而勞師動眾來救援，她慚愧不已。

<h2>（十二）</h2>

他熱愛潛水，也喜愛遠足，行經獅子山頭總會勾起往事。與他相熟的中學同學弟弟趁重陽節假期獨自登高，直至黃昏仍未回家，家人恐遇不測，報警求助。當值警員表示失蹤時間尚短，以未符合規定為由拒絕受理。家人無奈，翌日清晨舉家出動，他亦加入搜尋，率先發現學弟倒臥在獅子山頭下面約一百五十米的崖底亂石堆。屍首攔在荒山野嶺通宵達旦，全身冰凍僵硬，成群螞蟻在血肉模糊的殘軀上爬行。同學泣不成

聲，其母涕淚交加，母女互相依偎，父親老淚縱橫，埋怨蒼天無情。他當時年輕，不懂得安慰他人，暗自垂淚。家人埋怨警方耽擱行動，孩子返魂乏術。

重遊舊地，一名少婦正在獅子山頭自拍，險象環生，他著緊提醒：「小心，危險！」

對方不領情，為求取得最佳拍攝角度不惜後退，結果摔倒，崖邊婦人險死還生，爬起來按一按胸脯，吁一口氣。

（十三）

「小心，扒手！」

在巴士站候車，她發覺脅下的手袋張開了，身旁有一隻手影掠過，要不是有人喝止，她的錢包已經落入小偷的手中。往常到外地旅遊，尤其是貧窮落後的地方，她會加倍小心，慎防盜竊。現在港珠澳大橋通車，旅客大增，單單東涌，人數成千上萬，對該區居民帶來不便。同時，小偷來港犯案也相應增加，市民在公眾地方和公共交通工具上也要留神。

浩瀚的大海被港珠澳大橋分隔，阻礙了自然景觀，填海、築橋、興建人工島亦破壞了大自然生態。水質受到影響，漁獲減少，漁夫須轉往其他海域捕魚。她專注旅遊，同時關心各地的生態環境。屯門稔灣堆填區滲漏，垃圾汁經河流注入下白泥，污染海岸保護區。阿摩尼亞含量嚴重超標，魚蝦死亡，當地水產業大受打擊。此外，打鼓嶺堆填區亦對周遭農田造成污染，損害農作物及菜農的生計。

時移世易，無復往昔循環再用的環保概念和節儉美德，取而代之的是速食文化和用完即棄的消費模式，衍生大量塑膠垃圾。由於本地回收的混雜廢膠出口無望，在環保署批准下，它們一律送往堆填區。塑膠垃圾難以分解，殘留時間長達數百年，受到紫外線照射會釋出化學物質，污染環境。再者，現時許多衛生及美容產品均添加微細膠粒，污水處理無法過濾微塑膠，最終流入大海。塑膠垃圾含有塑化劑等有害化合物，或多或少進入海洋生物和海鳥體內，經常食用受污染的魚類和甲殼類等海產，膠質和毒素循食物鏈入到人體，危害人類健康。她向來支持環保，

以身作則，減免使用塑膠製品。對於全港三個堆填區相繼飽和，需要擴建，她強烈反對。

（十四）

他住在將軍澳，與堆填區為鄰，臭氣熏天，居所窗戶長期關閉，開啟空調也要視乎當天空氣質素。每逢溫度和濕度高的日子，臭氣特別濃烈，由康城站步行回家，沿途要掩著鼻子，夏天蒼蠅出沒，嘴巴也不敢張開。塑膠和建築廢料均不會發臭，臭味主要來自廚餘，腐化的食物渣滓釋放出硫化氫，令空氣惡臭，影響住戶的家居生活及樓價，正因為樓價較低，他才會遷居。

他的工作環境惡劣得多，有時熬夜清理污水渠，開動高壓氣槍噴射，再用鎚仔和鐵鏟清理淤泥和蠔宿。為博得一晚近萬元酬勞，他試過鑽進糞水渠進行清理，潛水衣雖有防水功能，但工作完成後他總覺得皮膚散發異味，用藥水消毒全身之外，還要到桑拿浴室冒出一身大汗，一再沖洗。此外，工作危機四伏，他的工作伙伴在六米深的密封污水渠內工作時遇上污水暴發，潛水面罩鬆脫，結果窒息而死。潛水員因工喪生，對業內人士起了警惕作用，然而工程潛水員的潛在風險就如沾臭一樣揮之不去。

（十五）

萬宜水庫的水光山色吸引她注目，脫俗的大自然美景使她無比舒泰。在東壩，她看見一大塊藍色錨形紀念碑，從碑文了解到恬謐背後一則令人痛心的事蹟。當年興建這個全港最大的水庫有逾萬名工人參與，其中五人不幸殉職。為了悼念無辜送命的工程人員和建築工人所作出的貢獻和犧牲，政府立碑供遊人憑弔。反觀今時今日，對勞苦功高的工人之重視程度迥異。

港珠澳大橋促進三地的交通往來，浩大工程背後藏著建築工人的血汗功勞。建築期間發生過百宗工業意外，中港海域約二十名工人喪生，逾五百人受傷。民間團體促請政府豎立工傷紀念碑，遭斷然拒絕。她不滿政府做事好大喜功，報喜不報憂，愧對枉死的工人。

政府不惜耗費龐大公帑進行一連串大白象工程，結果均高估經濟效益、嚴重超支及延誤，並考慮推展「明日大嶼」填海計劃，建造人工島來增加土地供應，指長遠有助解決房屋供不應求的問題。她認為香港越來越不像樣，民生越來越困苦，政府未能善用土地資源和公帑，在扶貧政策上吝嗇，卻將巨額的財政儲備傾注深海。計劃未見成效，先破壞海洋生態，影響本港漁業，中短期內滿足不了市民的住屋需要。面對氣候變化和天災肆虐，她質疑人工島是否市民安身立命之所，更擔憂大型工程再添工業意外和冤魂。

（十六）

即使大埔龍尾灘擁有逾四百類海洋物種，政府對保育泥灘的聲音置若罔聞，在強烈的反對聲中展開人工泳灘的改建工程。填海堆沙前，承辦商先派員到泥灘檢拾海星、海膽、海參之類的棘皮動物，又安排「蛙人」潛水捕捉海馬等物種，將數百隻海洋生物遷移到汀角東面的紅樹林。他參與行動，盡力搜救瀕危動物，不過搬遷的生物品種和數量太少。紅樹林與泥灘性質不一樣，新環境不一定適合牠們存活，海洋生態環境受到不必要破壞，門面的補救功夫無非是自欺欺人的公關技倆，使他十分失望。

（十七）

有家長帶同子女到烏溪沙灘邊，透過摸蜆、捉海星等親子活動教導孩子認識貝殼類海產，他們樂在其中，溫情洋溢。另一邊，內地遊客慕名而至，一團十多人帶備挖掘工具齊來尋寶，場面喧鬧。不消一小時，遊客收穫豐厚，有別於家長們，他們把撿獲的蜆全數帶走，足足一大箱。

她看到此情此境，不禁搖頭嘆息，內地旅行團無孔不入，遍布港九新界及離島。她想上前勸喻卻稍欠膽識，走前兩步便停下來，免得與同胞衝突時寡不敵眾。她如常遊覽，遙望對岸的船灣淡水湖，以及西面的龍尾灘。

（十八）

今天又再發現年幼海豚屍體，短短半個月，四條海豚分別在大嶼山

和西貢的岸灘擱淺。她曾於臺灣澎湖目睹十多條海豚追逐，船夫估計牠們躲避外海強勁的風浪而集體游回內海，壯觀的場面歷歷在目。海豚聰明友善，討人歡喜，本港海豚接連死亡，使她非常痛心。

中華白海豚通常在珠江口鹹淡水交界出沒，港珠澳大橋香港段在大澳海面建設跨海大橋，並於東涌填海興建人工島，工地幾乎覆蓋了牠們棲息的海域。填海造成污染，工程船帶來噪音，聽覺靈敏的白海豚遷入大嶼山西南海面，正正是高速船航道範圍，生命備受威脅。大橋興建前後，在香港海域活動的白海豚數目由八十條減少至四十七條，跌幅超過四成。機場第三跑道正在施工，它比大橋的影響範圍更廣，她憂慮工程會進一步危及海豚的安全。

（十九）

海洋生物繁多，他最喜愛海豚，牠們溫純和善、活潑可愛。有一次，他與朋友到澳洲潛水，突然出現一條鯊魚，一群海豚似察覺到鯊魚蠢蠢欲動，立刻游過來圍攏，護送兩人返回遊艇。海豚合力驅逐鯊魚、保衛人類的事件只是道聽途說，意想不到親身經歷，安然無恙確實要感激牠們熱心助人。對於本地海豚接連死亡，他感到非常痛心。機場第三跑道正在施工，它比港珠澳大橋的影響範圍更廣，他憂慮工程會進一步危及海豚的安全。海豚對他有救命之恩，每逢聽見牠們的不幸消息，總會傷感難過。

（二十）

澎湖積極推廣海底旅遊，以「澎湖之美，『郵』向世界」作為宣傳重點，她專誠前往採訪，深入探討海洋寶庫的秘密。她穿著潛水衣，戴上球狀頭盔，裝束好比太空人，頭盔供應氧氣，好讓潛水新手在海底漫步。海水通透，能見度高，她可以盡情觀光，趣味盎然。另外，她初嘗浮潛的滋味，在澎湖的海灣，她捉小蝦餵魚。最有趣的是她親自把預先寫好的專用防水明信片投入著名的「海底郵筒」，寄給一位懷念至深的人。

（二十一）

書店配合她的新書發布，特地安排一場旅遊分享暨簽書會，讓她暢

談臺灣旅遊的經歷和新奇見聞。出席者皆愛好旅遊,他們對於臺灣的美食和購物素有心得,所以她著重介紹新景點和新玩意。當出席者看到澎湖的海底郵筒和眾多海豚的相片,都很好奇和關心,紛紛詢問海底郵遞的運作和有關活動的收費,她逐人解答,加上幽默剖白,妙趣橫生。愛戴她的舊書迷和新讀者默默捧著新書輪候其簽名,她的署名生動趣緻,活像海豚一樣。

(二十二)

早上雲淡風輕,他與兩名同事乘坐工程船遠赴石鼓洲西南面。抵達後船長關掉引擎,升起紅旗,提示其他航船保持距離。他先行潛入深海,開始海底勘探工作。其間海面忽然刮起巨浪,工程船隨風浪漂泊,船長恐怕擱淺,趕急啟動引擎,打算轉移位置。同事見狀,慌忙上前制止,潛水員的聯絡繩已被割斷,失去了蹤影。因他遲遲未上水,同事急不及待下水尋覓,但遍尋不獲,唯有報警求助。水警、消防和飛行服務隊到場,幾經搜索,在肇事海域撈獲一個氧氣樽,繼而發現一截手臂殘肢。經過連日搜救,最終在焚化爐地盤對出海面發現一具浮屍,證實為遭殃的潛水員。

(二十三)

「將軍難免陣中亡」,他終須戰死沙場。

人死如燈滅,殘軀無從燃亮生命,等同垃圾。不論土葬抑或火葬,與堆填分解或焚化的垃圾無異。他酷愛海洋,火化後骨灰散落大海,繼續享受潛水的樂趣。

家人執拾遺物時瞧見他的潛水裝備,內心隱隱作痛。此外,從抽屜中找到一本旅遊書,夾著一張他生前愛不釋手的明信片。藍綠底色的明信片載有一隻藍色八爪魚纏繞著一個紅色郵筒的圖畫,圖形上下有白色字句,分別為:「Peng Hu」、「海底郵筒」,背面下款的署名活像海豚一樣別致。

際會

（一）

餐桌上的黃銅茶壺皎潔圓滑，金黃色的壺身明亮照人，與鏡子無異，清楚映照出一對正在品茗的男女容貌。女士的臉孔猶如剝殼焓蛋般白滑，男士滿臉疙瘩，就像潮州柑一樣。

「請侍應幫我們拍照？」

「不用，我們凝視茶壺便可。」她瞧著茶壺，眉宇之間散發嬌媚，訴說：「我的臉顯得又圓又寬。」

「那麼自拍吧。」

「不必，我們不要太接近茶壺便好。」

兩人整頓坐姿，稍微後移，女士將手提電話置於胸脯，向前對焦，輕聲說：「一、二、三，笑！」

他倆觀看合照，她說笑：「你的樣子真趣怪。」

他自貶：「因為妳，所以相形見絀。」

「可不是，很匹配啊！」

他的眼神不經意流露出一絲光采，暗忖：「何止匹配，簡直絕配！」

（二）

緹是獨生女，性格獨立，她是一名出色的室內設計師。父母相繼離世，緹倍感空虛，自覺年紀不輕，渴望覓得伴侶。她曾經透過交友應用程式結識異性，明知道網上充滿陷阱，單純少女遇上心懷不軌之徒的新聞屢見不鮮，依然一試。網絡身分甚至性別都曖昧不清，當中有興趣接觸的人士不多，聊天的更少，即使她主動打開話題，對方一般敷衍回應。畢竟大家自我保護，甚少坦誠溝通，互相猜疑居多，未能結交到誠懇的

朋友。

除此以外，婚姻介紹所是許多錯過適婚年齡的單身男女求偶的中介場所。香港陰盛陽衰，女士們躍躍欲試，緹也不例外。她認為婚姻介紹所的客人比起免費社交平臺的參加者較有誠意，於是找了一家口碑較佳的介紹所。顧問建議緹參加極速約會，可以在短時間內一次過認識到多位異性，但她怕社交應酬又怕尷尬，寧選單對單的配對安排。

介紹所核實顧客資料，然後配對適合人選，約會前不會向雙方透露太多個人資料，留待他們自行了解。顧問安排初次約會，緹單獨與一位陌生男士在咖啡店會面，事前她刻意打扮年輕一點，戰戰兢兢赴會。對方自稱現代獄卒，中學畢業後任職懲教助理十多年，自愧獄卒不如有期徒刑的囚犯，要一輩子坐牢。他被動，不過有問必答。緹認為沉默的人適合做沉悶的工作，又或沉悶的工作使他變得沉默。他不愛書本，日常喜歡玩遊戲機，談吐乏味。坦白是其優點，也是缺點，太坦白了，三十多歲男人安於現狀，不思進取。再者，他的牙齒既黃且黑，散發著濃烈的臭煙味，令她生厭，留下極壞的印象。

至於第二次配對安排，緹與一位浙江溫州商人在西餐廳見面。他的頭頂禿了大半，年齡相差十多歲。對方事業有成，在中山開設製衣廠，他剛離婚，六歲兒子交由前妻撫養。雖然商人不諳廣東話，但說話老練，而且主動細心。結婚七年才發覺雙方性格不合，多少惹緹揣測，缺乏信心。

（三）

第三次約會安排在高級中餐廳，緹束起一個髮髻，穿著一襲修長的黑色連衣裙，披上桃紅色圍巾，挽著一個時款手袋，秀麗端莊地踏著高跟鞋赴會。對方年輕，個子也小，滿臉疙瘩，鼻厚唇薄，蓄著小鬍子，身穿黑色西裝，沒繫領帶。

對方提起銅茶壺斟茶，問她：「難得這店有碧螺春，妳覺得味道如何？」

緹淺嚐，回應：「清香甘甜。澍？」

他點頭答道：「林嘉澍。緹？」。

「嗯，蒲緹。」

「身是菩『提樹』，心如明鏡臺。」澍故意晃腦，以重音讀出「緹、澍」。

緹笑說：「菩『提』本無『樹』，明鏡亦非臺。」把舌頭一伸。

澍假裝垂頭喪氣，嘆息一聲。

「振作！奮鬥！」緹為澍添茶。

「謝謝！妳信佛教？」。

她搖頭答話：「無宗教信仰，你呢？」

「沒有。」

她語調溫柔說：「還以為你——」

「眾所周知的佛偈，妳我皆曉。」他談吐溫文。

兩人一邊品茗，一邊閒談。澍在北京成長，曾到美國留學，來香港工作，在一家中資公司當土木工程師。彼此學歷和工作性質相近，說話投緣。

「你的廣東話準確兼流利。」

「我已在港居住兩年。」

「你住在哪區？」

「新界區。妳呢？」

「港島。」

「緹，妳喜歡吃甚麼？」澍挪動餐牌。

「甚麼也可以，宜多菜少肉。」

「怕辣嗎？」

「少辣無妨。」

「妳先挑選？」

緹看看餐牌，隨口說：「京蔥羊肉、京川秋葵。」

「遷就我？」

「一半一半吧，我也喜歡京菜風味。」她善解人意。

「加上雲耳百合炒勝瓜、糖醋魚。」

「迎合我的口味？」

「當然。」他禮尚往來。

兩人談笑風生，此刻她對內地男士刮目相看，澍年紀輕輕，思想和舉止比同齡的本地男士成熟穩重，具有明確的人生目標。

「妳喜歡寵物嗎？」

「喜歡啊，我家飼養了一隻波斯貓。」

「我家有一隻花貓。」

「真的？有相片嗎？」

各自拿取手機展示自己的寵兒，緹著了迷，說道：「花貓很可愛，雄性？」

「對，妳的呢？」

「雌性。」

「那就好。」

「多好？」

「可以交配。」

她生氣：「休想雜交！生下一大群貓兒，由你照料？」

「無問題。」他咧嘴一笑。

緹認為澍完全談不上俊俏，倒有幾分魅力，相同嗜好增添了幾分好感。澍無意中察覺到銅茶壺面上的倒影，問道：「可否與妳一起拍照？」

「當然可以……」

（四）

理工大學的中菜館異常暢旺，餐廳經理因時制宜，徵詢食客的意願後，安排燦「搭枱」。一名少女早已就座，面前有兩套餐具，她向燦點頭示好，他還以微笑。燦坐下，侍應前來放下餐具，並奉上一壺濃茶。他喝茶，她閱讀手機訊息後愕了然。燦翻看完餐牌，向侍應招手。

少女搭訕，燦垂低手。她用不純正的廣東話攀談：「我剛點了三道菜，同學臨時爽約，一個人吃不消。如不介意，一起享用好嗎？」他疑惑卻不便推辭，唯唯諾諾答應。

「我叫 Wayne，中文名字：燦，就讀酒店業管理學士課程四年級。」他主動自我介紹，繼而反問對方。

「我叫 Rain，中文名字：濡，唸 MBA（工商管理碩士）二年級。」

不一會傳菜員一併送上淮山雜菌炆豆腐、麻辣水煮魚和揚州窩麵。

「別客氣，拿碗來。」濡舉筷。

「自便好了。」話雖如此，他夾了一條鮮淮山給她。

「謝謝！」她回敬兩塊魚片，說下去：「嚐一嚐。」

燦順應她的心意，大口品嚐水煮魚，隨即嗆咳不已。

濡提示：「快喝茶。」

燦聽從指點，呷了一大口茶，舒緩了辛辣的味道，回話：「這麼辣！」

「水煮魚本是如此，香港的食店已經降低辣度。」

「真慚愧！幫不了忙。」

「不要緊，吃窩麵。」

「好的。」

濡是內地尖子，獲頒獎學金，從北京來港攻讀碩士。燦也曾到上海實習，對內地有若干認識，有利互相交流。

濡問：「這裡的雪耳紅棗元肉焗桃膠味美，可有興趣？」

燦看一看手錶，答道：「對不起！我有要事，是時候走了。」

「沒問題，你先走吧。」

「讓我結賬。」

「相請不如偶遇，不用了。」

「我倆平分支出？」

「No, be my guest！」

「Thank you！」燦覥覥腆腆拿起背囊辭別：「Bye。」

「再見。」

一會兒，他折返問她：「濡，可否給我電話號碼？」

「你的手機？」她含羞答答。

燦馬上取出手機，濡接過來輸入自己的號碼及撥出，手機鈴聲即時

響起。他輕快離開，背影躍動，濡看在眼裡，暗笑。

（五）

父親是醫院常客，燦如常上學，心情平靜，傍晚下課後步行往伊利沙伯醫院探望留醫的父親，母親先到病房，在旁伺候。

「爸、媽。」

「燦，我無大礙，只是例行入院——」父親未說完便咳嗽起來，母親為他掃背。

「爸，喝水。」燦遞上水杯。

燦父用飲管吸啜了一口便停下來說話：「你回家——（咳）——溫習——（咳咳）——」

「別說話，喝水。」

父親持續咳嗽，燦取回水杯，遞上紙巾。燦父吐了一口濃痰，包裹後投進床邊的垃圾袋。他嚴重氣促，需要戴回鼻導管吸氧，呼吸才稍暢順。燦父臉容清癯，喉管長期緊貼臉頰以致左右兩邊均呈現一道凹痕和紅疹，其中一個鼻孔亦因鼻黏膜受損而血迹斑斑。

母親囑咐：「爸疲憊不堪，你先回家。」

「爸，多休息，明天再來探您。」

父親一開口便咳嗽，右手外撥，向兒子示意，燦黯然離去。燦父長年累月吸煙，縱然患上肺氣腫，也不戒煙，結果自討苦吃。由於氣管擴張劑和類固醇等藥物治療無效，必須接受手術，切除壞死的肺組織。此後倚賴家居氧氣療養，終日與氧氣機為伴，形影不離。

（六）

除了吸煙，燦父嗜好杯中物，毫無節制，喝醉便語無倫次，亂擲東西，甚至毆打家人，弄得家無寧日。母親長期被父親當作洩憤對象，無故打罵，依然忍氣吞聲，燦年少時敢怒不敢言。

父親只有小學程度，當燒焊工人，四十多歲尚未結婚。昔日香港經濟起飛，基層市民的生活水平超越內地，低學歷和低收入的年長男人不愁找不到配偶，一窩蜂北上娶妻。燦父憑藉香港人的優勢，成功娶得雙

十年華、中學畢業的順德姑娘。雖然她樣貌平凡，但年輕溫順，嫁給香港中年人無非為其清貧家庭帶來一筆不薄的結婚聘金，以及日後金錢上的接濟，改善家人的生活。燦父以錢財疏通，短時間內成功「申請」妻子來港。

燦尚未出生，燦母在家無所事事，要求出外工作，丈夫極力反對，堅持供養得起，毋須她操心，後來他欠下賭債才肯讓妻子當兼職。鄰居介紹燦母做女傭，燦父強烈不滿，恐防男主人有機可乘，又怕妻子不守婦道，言詞尖酸刻薄，完全不留情面，夫妻之間欠缺互信。最終，燦母到超級市場當示範員，在大庭廣眾幹活，以釋除丈夫的猜忌。妻子工作不久便懷孕，丈夫疑心再起，直接質問她有否越軌？她心灰意冷，對丈夫徹底失望，早想離家出走，然而娘家在內地，投靠姊妹只會令丈夫惱羞成怒，加深夫妻嫌隙。燦母唯有放下工作，養育孩兒，直至燦三歲，她參與車衣外判工作，在家加工以幫補家計。

妻子任勞任怨，兒子乖巧，可是燦父仍舊「疑心生暗鬼」，從不相信嬌妻沒有做出對他不忠的事，每每借醉質疑她所生的兒子相貌完全不像父親。燦母心如刀割，要不是顧慮孩子，早該提出離婚，與這沒半點信任的男人分開。留在這個吵吵鬧鬧的家，面對不近人情的丈夫，燦母固然委屈，成長中的兒子亦受原生家庭影響，變得感情淡薄。

燦父執迷不悔，將中港婚姻視為一場買賣交易，女方必然貪圖金錢才願意嫁給自己，不會投放感情。只要人家有錢，妻子便隨風轉舵，捨他而去。他亦看兒子不順眼，兩父子關係疏離。多年來臥病在床，妻子不計前嫌，不離不棄看顧，他好生慚愧。

燦母問他：「怎麼兩眼汪汪？」

「眼睛乾澀吧。」丈夫哽咽。

（七）

初次約會就遇上志趣相投的伴侶，正如酒逢知己，暢快無比。

「尖沙咀海濱的星光大道翻新多年，現已重開，我陪妳遊覽？」澍夾起一塊糖醋魚，放到緹的碗內。

「你陪我？還是我陪你？」緹覺得可與澍交往，回應：「好！就讓你陪我。」

「那麼後晚六時在尖沙咀鐘樓會合。」澍眉開眼笑。

「你不來接我下班？」

澍目瞪口呆回話：「──來──榮幸之至！」

（八）

燦與濡相約到大學西餐廳晚飯。下課後她返回學生宿舍，脫下牛仔褲，換上一條短裙，薄施脂粉、淡掃蛾眉、輕抹朱唇赴會。兩人一見如故，比初次邂逅少了幾分拘謹。

「濡，相隔一星期，怎麼變了臉？還以為妳來自四川。」

「只怪你自己換上新眼鏡，視覺不同了。」

「果然觀察入微，兼且能言善辯。」

「謝謝讚賞！這一餐歸你。」

「當然。」

濡與燦分別選擇了鰹魚湯香蒜青口意粉和印度薄餅咖喱雞飯，兩道主菜先後送到。

「太多了，幫我分擔一些。」她將部分意粉和青口分給燦。

「與妳分享？」他指著咖喱雞飯。

「我只要薄餅。」濡自行撕下一小片薄餅，蘸上咖喱汁，將近放到嘴巴時醬汁滴下，丟到襟前，脫口：「喲！」

他急忙沾濕餐巾，交到她手裡。

「對不起！失陪了。」濡擱下薄餅和餐巾。

「沒問題。」

好一會她才回來，說道：「你毋須等候我，食物都涼了。」

「沒問題。」燦瞄一瞄她的衣襟，說下去：「清理完並不顯眼。」

「真失儀！忘記你唸酒店業管理，尤其注重餐桌禮儀。」

「那麼讓我來侍候妳。」接著他把一片咖喱薄餅放到她的嘴邊。

濡張開嘴巴，尚未吃下便說：「燦，給我多一片。」

（九）

澍擱置未完成的工作，準時下班，由金鐘太古廣場趕往鰂魚涌太古坊，在大門旁邊靜靜等待。

一見緹從大堂出來，澍立刻迎上前，呼喚：「緹。」

「久候？」

「不。妳的同事呢？」

「他們下班的下班，加班的加班。」

言猶在耳，一名女子走過來寒暄：「緹，哈哈！再見。」

「再見。」

女子轉身離去，回眸向緹眨單眼。

緹保持緘默，直至女士遠去，澍方問：「妳的同事？」

「嗯。」

「妳怕她誤會？」

緹睜大眼睛、張開口：「甚麼誤會？」

「誤會——誤會我是妳的保鑣。」澍慌張瞎扯。

「保鑣？」緹側起頭、蹙著眉，告訴他：「我身無長物，用不著保鑣。」

「我來護花！」

緹嘴角含春。

兩人邊走邊談，澍側身偷望。她改穿西褲、平底鞋，不再盤髮髻，長髮輕垂，拉近了彼此距離，姑勿論高度和關係。

「緹，肚餓嗎？」

「未餓，我們先去星光大道？」

「由妳作主。」

（十）

晚上香港歷史博物館關了門，燦與濡經過，他問她：「妳參觀過沒？」

「當然有，這麼近校園，我逛過一趟。」

「會否再去？」

濡耍手撐頭答：「雖然博物館保存了香港人的集體回憶，但香港歷史

止於九七回歸，其後四分一世紀的史實完全空白，簡直荒謬絕倫！「香港故事」常設展館故步自封，從來沒有增加新內容，枉稱香港歷史博物館！還值得去？」

「說得頭頭是道，」燦豎起大拇指說：「他日香港故宮文化博物館落成，我才邀請妳。」

「別忘記我是北京人，參觀故宮不下十次，對『香港故宮』完全提不起興致。」

「真的小巫見大巫，無法相比。」

「西九文化區偏重現代藝術和表演，『香港故宮』則以展示金器、銅器、玉器、書畫、陶瓷和宮廷文物為主，實在格格不入。」

「我只會當作多一個公共活動空間。」

濡碰一碰燦的臂彎，說：「星光大道重開了，倒不如去逛逛？」

「正有此意。」

（十一）

「緹，妳覺得梅艷芳的銅像如何？」

「形似神不似。重塑外觀形態而已，根本拿捏不到阿梅的神韻，無法展現她的獨特氣質。」

「我也有同感，銅像只得其形，不得其神。」

儘管如此，銅像仍然吸引到眾多遊客和市民聚集，輪流拍攝，緹和澍佇立一旁觀看水窪中的塑像倒影。

「承建商顯然利用流水臺階來阻礙觀賞者接近和觸碰銅像，卻美其名為《似水流年》的阿梅而設計，未免虛有其名。」緹疑惑。

「巧立名目亦無可厚非。」

「《似水流年》歌詞開首是甚麼？」

澍低聲唱出來：「望著海一片——」

「諷刺的是阿梅背向大海，真相不辯自明吧。」她指著銅像正前方的公廁，說下去：「倒不如說設計配合『廁所流連』來得貼切。澍，在此等我。」他凝望著緹飄逸的身影。設計師的構思委實荒唐，星光大道地方

寬敞，偏要將眾人聚焦的銅像設置在公廁外，使澍忍俊不禁。遊客們爭相與「梅艷芳」拍照，他只渴慕與緹合照。

緹如廁回來，瞥見水池邊碑石上載有「香港女兒梅艷芳」及其生平事蹟，敘述阿梅為社會貢獻良多，二〇〇三年沙士期間，她發起「茁壯行動」……堪稱「香港女兒」。

澍詫異：「阿梅有『香港女兒』的稱號！」

緹不以為然，訴說：「謝婉雯醫生為拯救『沙士』（非典型肺炎）病人而殉職，被譽為『香港女兒』。同年年底梅艷芳過身，並沒有這個稱號。」

兩人到堤岸漫步。

「阿梅是香港的實力派歌手，曾經代表香港赴東京參賽，載譽歸來，之後更蜚聲國際，為香港增光，她當之無愧。」

緹異議：「儘管如此，總不能隨意冠以『香港女兒』之名。冠名者在沙士的歷史上增添一段不盡不實的事蹟，無疑混淆視聽！」

「兩者的確有別，謝醫生是公認的『香港女兒』，然而梅艷芳也值得香港人驕傲。」

「對。」

「舞臺上阿梅是巨人，臺下只不過一名小婦人，婚嫁心願未了便撒手塵寰。」澍若有所失。

緹認同：「她帶病演出告別演唱會，演唱最後一首歌時盡訴心聲：『哪個看透我夢想是平淡？』歌聲韻味深長。」

「那麼妳有何夢想？」

「與你何干？」緹忸怩。

澍一笑置之。

（十二）

燦一看見銅像便趨前，著了魔似的手舞足蹈，模仿李小龍的英姿。他問濡：「相似嗎？」

她仔細打量，回應：「形似神不似。」

「我不是裝模作樣，耍正宗詠春啊。」

「噢！失覺了。」

「我崇拜李小龍，學會詠春。」

「我也喜歡李小龍，其英雄形象深入民心，揚名中外。」

「他是一代武術宗師，中國人引以為榮。」

「對。」

「看，銅像一舉手、一投足均維妙維肖，展現出武術家的風範。」

「『李小龍』一雙鞋浸在水窪中，未免有點奇怪。」濡大惑不解。

「承建商聲稱為配合『李小龍』《水的哲學》而設計。」

她調侃：「蒙騙小孩吧！設計明顯用來阻隔觀賞者，試問一窪水又怎談得上《水的哲學》？」

「偏偏有人相信，還稱讚兩者匹配。」

「那些人豈不是與牠匹配。」濡遙指不遠處另一尊銅像。

燦眺望「麥兜」，答話：「何止匹配，簡直絕配！」

「牠很可愛，過去拍照。」

他把握機會與她合照。

（十三）

緹對澍説：「星光大道增設了許多椅子和涼亭，綠化設施卻寥落。」

「遮蔭樹木少得很，攤檔多的是。」

「我沿途只顧注視『明星』的掌印和圖像，要不是你提起，也就忽略了這些攤子。」

兩人上前探視，小攤出售養生低糖茶和保健飲品，以星形玻璃樽盛載，非常別致。他們揀選了桂花雪梨茶和紅糖薑棗茶，喝起來與別不同。

澍暗想：「何不用心形樽來吸引情侶惠顧？」

緹提出疑問：「何不用心形樽來吸引情侶惠顧？」

恍似心有靈犀，澍和應。他瞧見招牌，打趣：「略改名稱，將會大受婦女歡迎。」

緹瞄一眼，檔名謂「好茶養生」，她好奇問：「怎麼改？」

「只要將名字改為『好生養茶』，肯定招徠更多女顧客。」他沾沾自

喜，説下去：「妳喝茶後定必好生養。」

「無聊！與你何干？」

澍一笑置之。

（十四）

交談良久，燦仍不願離座，留戀情侶專用座位及身旁的濡。她先站起來，走近一家茶檔。

檔主問：「妳要甚麼口味？」

「蘋果美顏茶。」

檔主轉問：「先生呢？」

「不用了。」燦付賬，他嫌一小瓶飲品四十五元太貴。

濡呷了一口，説：「味道可口，你也喝。」

燦毫不猶疑接過星形飲品樽，淺嚐後交回，濡若無其事喝下去，不拘一格。未幾，燦眼前一亮，面前攤檔出售手工鮮果雪條，售價動輒數十元。他不再嫌貴，渴望與她共享。

濡問：「你喜歡甚麼款式？」

燦即答：「奶香芒果，好嗎？」

「好！我要草莓北海道牛奶。」

「我也要草莓北海道牛奶。」瞬間改變主意。

檔主問：「小姐，要甚麼？」

「兩支草莓牛奶雪條。」

燦愕然，插話：「反正同一味道，一支便可。」

濡困惑：「一支雪條！怎吃？」

「對，當然買兩支。」他窘態畢露，連忙付賬。

濡未舔雪條，先舔嘴唇，姿態撩人。

「味道清新香甜。燦，快吃。」

他咬一口，古怪表情暴露了真相。

「你不喜歡士多啤梨味？」

「不！」燦張開嘴巴再咬一大口，嘴角滲出汁液。

濡用紙巾為他抹掉，笑說：「就像小孩一樣！」

他意想不到被視作孩子看待，她的舉止輕柔細膩，雙眼似是彎彎的新月，他目不轉睛，渾忘了自己討厭士多啤梨的味道，大口大口咬下去，吃出滋味來。

（十五）

緹和澍沿星光大道向西行，雲彩伴隨落日在維港上空把臂同遊。

「緹，室內設計師懂得風水學？」

「是的，不少客戶十分重視家居、商舖、辦公室的風水布局，若設計師具備有關知識，融合風水於室內設計，構思才會符合客人的要求。」

「對陰陽五行和八卦有所認識？」

「沒錯，不同方位、顏色和圖案均與陰陽五行對應，而易經八卦中四正四隅八個方位，關乎氣流和光源。設計師需要掌握通風採光的原則，運用色調來提升室內的空間感和格調，再利用裝飾物料和配置，創造出令客人稱心滿意的環境。」

「風水學蘊含迷信？」

「只要保持以辯證的思想來看待風水，破除迷信部分，當中的視覺和感知等哲理本身是一門大學問。」

夕陽沉沉落下，暮色漸濃，他倆的身影輪廓開始模糊不清。

「風水還有很多禁忌？」

「我不是風水師，只懂皮毛，晚飯再談吧。」

「也好。」

（十六）

濡逐一瀏覽名人的掌印及簡介，她特別留意其中一個掌印。爍好奇窺探，她開腔：「與我的弟弟同名。」

「林家聲！」爍把手掌放到掌印上，兩者差不多大小，說道：「我欣賞他的粵劇造詣和敬業樂業精神，可惜緣慳一面。」

「與我弟『林家聲』見面來得容易──」晚風輕拂，泛起絲絲涼意，她打了一個噴嚏。

燦正要除下外套給濡，她婉拒：「不必了，我們進入文化中心。」

「嗯。」

中心包羅形形色色的文化活動，濡對著一幅巨型宣傳海報凝神，海報刊登一個身穿「白無垢」純白和服的日本新娘，以及大字標題《結婚》。

「劇本來自日本著名女編劇，《赤的疑惑》和《阿信的故事》都是她的作品。」濡娓娓道來。

「妳有興趣觀看舞臺劇？」

「下月公開演出，你陪我？」

燦覺得話劇名字語帶雙關，爽快購票。他手持《結婚》入場券，興奮莫名。

「晚了，我要返回學生宿舍。」

「我送妳。」

（十七）

「緹，找妳幫幫忙！」

澍來電，劈頭便提出請求，令她有點意外。

「甚麼事？」

「借錢給我？」

「甚麼？」

「借十萬元給我應急，日後才向妳交代。」

「十萬元！」

「對，十萬元。」

緹義無反顧答應：「沒問題，你 WhatsApp 戶口號碼給我。」

「多謝妳！」澍掛線，緹隔著電話也感覺到他的焦慮，擔心他應付不了。

（十八）

濡主動約會，當燦到達校園的草坪餐廳，她坐在一隅沉思。

「濡，妳著急找我？」

「我有要事與你商量。」

「何事？」

「方便的話，借兩萬元給我。」

他吃了一驚：「兩萬元？」

「對，兩萬元。」

「為何一下子要這麼多錢？」

「當然是急用，暫時沒心情交代。可以嗎？」

燦滿腹疑團，臆測：「她考驗我的信心？試探我的誠意？還是存心欺騙我的感情和錢財？」畢竟初相識，他不敢輕率應允或斷然拒絕，面露難色。

「不便的話，我向其他人求助。」濡急躁。

他倉促回應：「我積蓄有限，最多動用一萬元。」

「好，先行應急，現在去提款。」

「——我稍後轉賬給妳？」燦放心不下，借故保留交收紀錄。

「謝謝你！」她寫下銀行戶口號碼，説：「我有事先走。」

（十九）

整整一個星期，澍杳無音訊，緹憂心如焚。她與他相識尚淺，單憑直覺，深信他絕非騙子。江湖救急，寧可信其有，不可信其無，她義不容辭。儘管借款不是小數目，緹從未擔心過受騙，只擔心澍。她堅定不移，因為借錢莫疑，疑人莫借。

（二十）

整整一個星期，濡杳無音訊，燦憂心如焚。畢竟與她相識尚淺，猜測是騙子，生怕被女人欺騙。何況借款不是小數目，他一再懷疑自己的眼光，對濡的信任大大動搖，祈求她早日回來歸還錢財，釋除他的疑慮。

（二十一）

緹心血來潮，記起澍提及他曾到美國某著名大學留學，好奇上網查閱該校的畢業生名單，搜尋不到「Lin Jia Shu」。此外，香港工程師學會會員中也沒有「林嘉澍」的紀錄。緹忖度，澍沒必要虛報學歷，何況婚姻介紹所必須核實顧客的資料。香港客人普遍被動和冷漠，大都避忌，隱瞞

個人資料。內地客人比較積極進取，不介意透露年齡和展示學歷及工作證明，甚至屋契，務求得到異性的信任和青睞。疑團未解無損緹對澍的觀感，對她而言，失財事少，因財失義事大，決不想失去一個情投意合的朋友。

（二十二）

濡認真地問：「燦，可否多借一萬元給我？」

他嚇得臉如土色，暗自盤算：「舊債未還，又添新債！」

「不用緊張，說笑而已。」她從背囊取出一個信封，接著說：「先還五千元給你，點算一下。」

「不用了，難道不相信妳！」

同樣在草坪餐廳會面，與上次的氣氛不同，他的顧慮一掃而空，空氣不再靜止，呼吸舒暢。濡看來滿懷心事，燦問她：「這兩星期怎樣？」

「母親在北京養病，我趕回去探望。她罹患肺癌，正在接受免疫治療，癌細胞似乎受控。藥物有效，每隔三星期注射一次，一旦中斷，病情便會惡化。藥費高昂，需要長期注射，一時周轉不靈，故一家人四處張羅，我才向你求助。」

「既然醫療負擔沉重，毋須急於歸還給我。」燦退回信封。

濡明知他小心眼、著緊錢財，依然仗義幫忙，算有情有義。「患難見真情」，她有點兒感動；燦希望藉此打動她，將來博得美人歸。

（二十三）

緹與澍約定在太古坊外一家酒吧見面，她在廣場的露天茶座等候，隔別兩星期，他終於露面。緹著緊地從椅子彈起來，問澍：「你怎麼了？我一直放心不下啊！」

他想回應，她搶話：「先坐下，慢慢說。」

澍細訴：「母親在北京養病，我趕回去探望。她罹患肺癌，正在接受免疫治療，癌細胞似乎受控。藥物有效，每隔三星期注射一次，一旦中斷，病情便會惡化。藥費高昂，需要長期注射，一時周轉不靈，故一家人四處張羅，我才向妳求助。」

「我擔心你因財困受到滋擾、恐嚇，原來只是醫療費用問題。若然不足，不妨提出。」緹從未懷疑過他的誠信，伯母患病，她樂意援助。至於網上查閱之事，她隻字不提，免得澍誤會自己在背後調查，損害彼此的互信。

（二十四）

看完話劇，燦與濡離開元朗劇院。

「燦，《結婚》好看嗎？」

「以往觀賞的話劇，劇本以中外文學巨著為主，時代和背景抽離，感覺陌生。《結婚》寫實得多，略嫌通俗。」

「確實無傷大雅。女劇作家揭示女人的幸福並非單純來自結婚，乃是藉結婚達成女性自主命運，觸動女觀眾的心靈。」

「男觀眾的感受沒那麼深。」

「算了，算了，下次我找其他人陪我。」

「我是妳不二之選，捨我其誰？」燦乘機牽著濡的手，說：「我倆下次去『戲曲中心』觀看妳弟弟的劇目。」

「我弟弟？」

「林家聲。」

「這是他的舊名字。」

「新名字？」燦錯愕。

「林嘉澍。」

「喔！」燦蹙起眉頭問她：「大陸推行計劃生育政策超過三十年，為何妳有弟弟？」

「你有所不知，自治區和少數民族的情況特殊，每對夫妻可生育兩個子女，我的父母後來遷到北京。」

「原來如此。」

（二十五）

雖然燦與濡忙於應付畢業試，但兩人相處的時間反而大增，大家不用上課，經常出雙入對，一同溫習書本。自修室內鴉雀無聲，手機驀然

震動，令枱面隱隱作響，燦知道母親來電，匆匆拿起電話奪門而出。

「喂，媽。」

「你的爸爸病情惡化……」她的聲音抖震。

「——媽，擔心不了，我馬上趕來。」

燦惆悵地返回自修室，濡湊近問他：「有急事？」

他低訴：「爸爸危在旦夕，我要趕往醫院。」

「我陪你去？」

「好！快！」

（二十六）

抵達病房，燦母出迎。

「媽，她叫濡。」

「伯母。」濡恐怕在這場合微笑並不恰當，收起笑容，表情繃緊。

燦母憂心忡忡，淡然地應了一聲。燦父器官衰竭，倚靠維生儀器保持呼吸和心跳，處於彌留狀態，神智不清。

「爸，爸！」燦輕聲呼喚，父親毫無反應。

「爸，我帶女友到來。」父親的眼簾顫動卻張不開。

「世伯，我專誠來探您。」在濡親切而溫柔的攀談下，燦父的眼縫微微張開，燦母也感到欣慰。

「媽，妳守候了半天，總要吃點東西。讓我留守，若情況有變，即時通知您。」

「我放心不下，怎會在這危急關頭踏出病房半步。」燦母眉頭緊蹙。

「寸步不離也沒用，倒不如速去速回。」

「伯母，燦講得有道理，我陪妳？」

燦再三催促，母親與濡離開病房。他凝望著父親蒼白的臉容、深陷的眼蓋和兩頰，傾聽著游絲般的氣息，緊握著其冰冷的手，哽咽地承諾：「爸，放心，我會好好照顧媽。」

（二十七）

她倆歸來，燦母神色凝重，濡心神恍惚。

「媽，明天濡要考試，不便久留。」

「濡，妳應付考試已經忙透，還要抽時間來探世伯，耽誤了妳。」

「伯母，別這麼說。」

「快回去溫習吧。」

「那麼您好好保重。」

「有心了。」她親一親濡，對兒子說：「燦，你送行，去！」

「不必了。燦，你不便行開。」濡多望一眼，與燦父話別：「世伯，告辭了。」

她一轉身便濺出淚花，匆匆離去。

「燦，濡人品不錯！可惜你爸無福氣──」

「大家總算見過面。」

「對，相信他此生無憾。」

母子徹夜在旁守候，燦覺得父親的而且確命懸一線，他的性命維繫於維生指數監察儀上的波浪線。當晚燦父過身，波浪線轉變為水平線，旁邊的數字變成沒有意義的符號。燦領悟到有波浪起伏才是人生，否則只是一潭死水，失去生命力。母親的情緒宛如監察儀上的線條般跌宕，反映出她的激動和哀慟，以及無窮盡的失落。

（二十八）

翌日濡從試場出來，立即致電聯絡燦。

「濡，爸爸在半夜走了。」

「──這麼重要的時刻，你竟然沒有通知我！」電話中傳來啜泣聲。

「妳一早要考試，不想打擾。」

「怕甚麼？當你最需要人支持的時候，不就是找我嗎？」

「當然，不過──」

「我們下午見面？」

「好的。」

（二十九）

紅磡碼頭旁有酒店落成，二樓平臺一大片草地恬靜怡人，它屬於公

共空間，公眾有權享用。這家酒店設有美食廣場，提供各地飲食，價錢大眾化，又鄰近學生宿舍，成為了燦與濡校外相聚的首選地方。

濡先到達酒店平臺花園，在草坪隨意觀望維港風光，她感慨生命如同面前的過眼雲煙，昨天初次見面的長輩如今已不在人世。社會的步伐從來不會因失去一條生命而停頓下來，儘管某人生前豐功偉績，社會大眾至多默哀一兩分鐘，何況燦父只是尋常百姓。相隔一天，兩岸的景致不變，山還是山、樓還是樓，小輪還在綠水航行，變幻的是內在心境。畢業試結束，她的情緒仍未平復；燦未完成考試，同時承受著雙重煎熬。

「濡。」

她轉身一看，燦未刮鬚根，容顏憔悴。她給他一個擁抱，深信這就是最佳的慰藉。兩人不發一言，讓愛流動，傾注彼此的心田。

濡打破緘默：「燦，心情如何？」

「還可以，事情在意料之中，早有心理準備。」

「伯母呢？」

「她痛失老伴，一時接受不了，悶悶不樂。」

「你要溫習，我去陪她？」

「不用了，有姨媽開解。」

「那麼我陪你溫書？」

「尚有兩天可以溫習，今天先鬆馳一下，妳陪我看電影？」

「也好。」

毗鄰的黃埔新天地有戲院，臨近父親節，上映的電影無獨有偶，以父親為題材。

「燦，我們不一定看電影。」

「既然來到，看吧。」

燦讓濡作決定，她選擇了一齣愛情電影，藉溫馨浪漫的劇力來舒解燦的愁緒。

（三十）

一套時尚的運動服裝使女孩子著迷，更令男孩子如癡如醉，運動背

心配合緊身褲將緹的窈窕身段展露無遺。她與澍在黃埔海濱長廊並肩緩跑，他怦然心動，故作目不斜視。

「緹，時常單獨跑步？」

「嗯。」

「不覺得沉悶？」

「習慣了。」

「以後我陪妳？」

「我考慮參加富士山馬拉松賽事，你也陪我？」

「旁觀抑或陪跑？」

「當然是陪我跑。」

「只怕有心無力。」

「十一月底舉行，半年多時間足夠預備，我們加強訓練便成。」

「為甚麼特地到日本比賽？」

「大夥兒環繞著河口湖跑步，遠眺漂亮的富士山、欣賞優美的紅葉，其樂無窮。」

「妳參加過？」

「未曾，之前找不到伙伴，現今有你。」

澍忽然興起，唱起歌來：「陪著妳走，一生一世也不分——」

「好，停。」她停下腳步，他也停步、住口。

緹問：「怎麼不唱下去？」

澍反問：「妳不是叫我停嗎？」

「我想停下來聽你唱歌。」

於是他繼續引吭高歌：「天天編出兩雙足印，過千山，過千海。如果走到這世界邊端……」

「因你身邊有我緊握你的手……」兩人十指緊扣唱和，罔顧旁人目光。

（三十一）

他倆在酒店平臺花園席地而坐，感受著陽光的撫弄。

「緹，下月陪我返北京探望媽媽？」

「久沒到北京，倒想去旅遊。不過見家長就──」

「妳不是陪著我走嗎？」

「你弄錯了！」緹鄭重聲明：「是你陪著我走。」

澍氣結：「我應承陪妳去日本，妳就不肯陪我赴京。」

「別小器，誰説不陪你去？」

「説我小器！」他擺出一副生氣的模樣。

「別動！讓我拍下你這個趣緻的神態。」

他裝模作樣配合她拍照。

「你的姐姐也回去？」

「也許。」

<h2 style="text-align:center">（三十二）</h2>

白事已過，一切都變成新的了。

考試完了，大殮完了，燦覺得周遭起了大變化。家人在世間消失了，家中感覺不一樣，不再完整、家不成家。少了一把熟悉的聲音，加上母親變得寡言木訥，氣氛孤寂。他自覺淪為半個孤兒，渴求重建家園。

濡畢業後將回到北京工作，她急於與家人重聚，離別在即。燦的同學計劃畢業旅行，他打算捨棄同學，陪她返北京。他渴望趁機認識北京，或許他日在當地的酒店工作，毋須與濡分隔兩地。況且香港樓價不菲，置業安居實屬奢望，燦審時度勢，渴慕北上發掘發展機遇，然而他需要留港照顧母親，感到進退兩難。

<h2 style="text-align:center">（三十三）</h2>

香港機場離境大堂川流不息，燦與濡完成登機手續後，在航空公司櫃位外蹓躂。濡欣喜地向一對男女招手，他們各自拉著行李篋，手牽手迎面而來，男士呼喊：「姐，她叫緹。」

緹也稱呼她：「姐姐，妳好！」

「緹，大家本是年輕人，叫濡好了。他叫燦。」濡笑瞇瞇。

燦搭話：「早晨！緹、家聲。」

「家聲？」緹訝異。

「燦,家聲是我的舊名,現在叫嘉澍。」

「對不起!一時冒失叫錯了。」

「不要緊。」

濡敦促:「你們先辦理登機手續。」

「對,容後再談。」澍倆逕自前往櫃位輪候,濡倆在旁等待。

「澍,人家知道你叫林家聲,我竟蒙在鼓裡!」緹不滿。

澍傾訴:「與粵劇名伶同名同姓,免得成為別人的笑柄,不提也罷。」

「有甚麼好笑?」

「有甚麼好提?」

「你還有甚麼瞞我?」

地勤人員向他們示意,澍與緹快步上前辦理手續,然後與姐姐等會合,進入離境禁區,悠閒地共晉早餐。

(三十四)

一對小鳥莫名地闖進候機室,雙雙降落在明亮的地面上,他們毫不怯場,如常雀躍,四人湊熱鬧圍觀。雀鳥羽毛黑溜溜、頸背黑中帶紫、腹部灰白,豎起修長的尾巴。途人訴說:「喜鵲啊!」

其中一隻鳥兒不停鳴叫,聲音嘹亮,似在求偶,同時惹人暇想,似來報喜。有頑童突然趨前,驚動了「雀侶」,牠們振動黑白分明的翅膀,拍翼齊飛。正巧傳來廣播,召集乘客登機,他們喜氣洋洋邁開闊步,彷彿航機飛往鵲橋,締結兩地情緣。

市井

（一）

聖問：「有石崇魚嗎？」

海鮮檔少女反問：「甚麼？」

聖清楚重申：「石——崇——魚。」

她旁邊的魚販靜止了劏魚的動作，插話：「這深海魚罕有，街市間中供應，如有需要，可以預訂。」

「現在訂購，何時領取？」

「你要多少？」

「價錢多少？」

「每斤二百四十元。」

「這麼貴！」

「它有助病人手術後傷口完善復原，但品種稀有。一般人嫌貴買生魚，結果適得其反，始終石崇魚好，物有所值。」

聖猶豫，魚販繼續劏魚。

「老闆，我要一斤。」

「先付一百元作訂金，明天到取。」他沒有停手，也沒多看聖一眼，吩咐：「潔，收錢。」

她除掉膠手套，收取訂金，發收條給聖，輕聲說：「多謝！」

（二）

聖害怕斬魚時血肉橫飛的場面，更怕沾污衣衫，又怕被腥臭的污水弄濕鞋子和褲管，也嫌棄找續得來黏附鱗片的輔幣。要不是購買石崇魚，他絕不會踏足街市，亦不會逛魚檔。聖躡手躡腳往來魚檔，一無所獲，

直至少女的魚檔才可以訂購得到。

母親患上急性膽囊炎，接受了摘除膽囊的手術，需要戒掉油膩的飲食。聖搜尋飲食調理的良方，坊間普遍勸喻動完手術的病人忌喝具有「埋口生肌」功效的生魚湯或山斑魚湯，因為牠們的豐富蛋白質既加速傷口癒合，也促使肉芽增生。石崇魚別具溫和滋補功能，配以黨參、北芪、杞子、紅棗和陳皮的湯水尤其適合長者手術後飲用，對深層傷口癒合很有幫助，促進康復之餘不會留下疤痕。

（三）

聖看到收條上的秀麗字迹，自愧不如，意想不到這麼秀氣的年輕女子願意在街市撈魚、劏魚。翌日他再到魚檔，尚未出示收條，少女搶話：「來取魚？」

「是的。」他交付餘款和收條。

女孩遞上一袋魚，背後的胖婦說：「重量逾一斤，全部清理妥當，並去除有毒的鰭刺，你可以放心食用。」

「謝謝，生意興隆！」

身旁女顧客呼喊：「魚佬，我買兩份魷魚，要算便宜些。」

「甭講價！不做妳的生意。」檔主最討厭客人稱呼他「魚佬」。

她衣著土氣，發怒扔下兩盤魷魚，散落一地。檔主氣憤，衝出來指罵，要求對方買下。婦人去路受阻，放聲大叫：「非禮！」

「惡人先告狀！誰非禮妳？」女檔主走出來，捉著滋事婦人不放，喝令：「快拾起來！」

顧客拒絕，兩個女人互相拉扯。

「媽，無謂與她計較，省回一口氣暖肚。」

「對，一人少一句吧。」聖掏出錢包，指著地上的魷魚，說道：「老闆娘，賣給我。」

「五十元好了。」老闆娘收下一百元，交給少女。

刁婦大搖大擺一走了之，老闆心有不甘：「臭婆娘，算妳走運。」

「多謝你！」少女找續給聖，他欣然接過魷魚和濕漉漉的鈔票。

（四）

潔捨棄文職工作，在街市賣魚差不多一年，初時不習慣，濕冷、腥臭、髒亂的環境使她憎厭，心態上欲拒還迎。營營役役，日子久了適應下來，不再抗拒從事厭惡工作。生活逼人，潔變得務實，無復以往那般注重儀容裝扮和指甲修飾，不管一雙纖纖玉手日漸粗糙，也懶理手上留下多少道新傷舊痕。她戴上膠手套，揮動一斤多重的利刀，先用刀背拍打魚頭，刮掉魚鱗，在鰓位直剎一下，橫刀剖開魚肚，順勢把刀刃插入鰓蓋及肚腔內，斜斜削去魚鰓，連同內臟一併別除，不消一分鐘便大功告成，魚尾尚在顫動。她熟能生巧，但受傷在所難免，常常被魚鰭刺傷、間中遭刀刃割傷。繁忙時段最容易受傷，偏偏無機會停下來處理傷口，充其量用水沖一沖，沒空貼上防水消毒膠布就繼續工作。即使發炎，也不會特意求診，塗上消炎藥膏了事。

（五）

活魚腥味淡，死後轉趨濃烈。鹹水魚比淡水魚鮮美，魚腥味較重，死後更腥臭。海鮮檔是海鮮的屠場，魚鱗四濺、肝腸塗地，魚腥及血腥的氣味令人噁心，無人不抗拒腥臊，魚販也不例外。

街市貨品林林總總，生果檔東主只要打開生果箱，弄出來販賣便可圖利；營運瓜菜檔不難，多下一點功夫而已；凍肉包羅豬牛雞魚，仍比經營鮮肉檔輕鬆得多，至少不會太肥膩血腥。潔反覆思忖，為何一家人賣魚為生？何不賣鮮花？反正做生意，經營花檔優雅得多，然而魚販轉行賣花，談何容易。厭惡只是小事，謀生才是要緊的大事，為了生計，大多數人不會「厭錢腥」。相比可有可無的鮮花，海鮮貨如輪轉，利潤可觀，求財當然要付出代價，為何要考慮轉型？海產營養豐富，老少咸宜，營生之餘，為他人提供身體所需，意義重大，為何要轉型？為何不停思前想後？糾纏半年的心結解開了，此後她不畏艱辛，盡心盡力投入顧己及人的家庭式生意。

（六）

中午門市生意少，聖獨個兒看管店舖，如常播放流行音樂解悶，他

剛安裝完一臺電腦，準備維修另一臺。一對男女光臨，聖迎上前招呼。

男士從環保袋中取出一件東西，問道：「外置硬碟無緣無故失靈，儲存的東西無法開啟，可否修復？」

「留下來讓我檢查。」

女士著緊地提出請求：「內裡有大量初生女兒的相片，皆拍不回，請設法修復。」

「當然。」聖留意到她雙眼通紅。

「何時完成？」

「明天。」

「可以提早嗎？費用不是問題。」

聖考量一會，答道：「我盡力而為吧，今晚來取回。」

「謝謝！」

似是夫婦的客人離去，他優先檢查硬碟，想辦法處理故障問題。幾經努力，成功修復內藏資料，過千張女嬰相片和短片陸續顯現，聖興奮得難以名狀，期待他倆儘快前來領取，可以安心。到了晚上，兩人重臨。

「除了數張相片未能讀取之外，大致修好了。」聖將硬碟連接到電腦。

女士注視螢幕上可愛的小臉，激動得熱淚盈眶，喊著：「萱萱，萱萱！」

「小女不足周歲便走了，全靠你幫我們挽回寶貴的回憶。」男士再三道謝。

早殤女嬰的相片觸動了聖，他拒絕收費，男士放下一千元，堅持不用找續。

（七）

父母經營海鮮檔，潔兒時未曾到過街市幫手。日常朝早六時前父母已經起床，親身到魚市場挑選海產，直至晚上七時才收拾攤檔。他們長時間從事體力勞動工作，回家時疲態畢露。長年累月在潮濕的環境幹活，年紀大了，雙雙患上風濕骨痛，嚴重時提不起魚刀，靠服食止痛藥開工，骨痛減弱卻引發胃痛，只得吃胃藥。瞧見貼著風濕膏藥的父母一時搬運

一大桶海鮮，一時吃力地抬起幾十斤重的大龍躉到砧板上，潔感到辛酸。潔父刀工精湛，輕易劈開龍躉頭，然後斬魚尾，把魚身分開發售，鏗鏘的刀聲反映出其切魚多費勁。每隔三兩天，父母要劏一條龍躉，潔著實於心不忍，既然未能讓老人家過安樂的日子，就只好分擔工作，減輕他們的勞苦。

（八）

學校推動電子書及上網學習，由關愛基金提供援助，資助清貧中小學生購買流動電腦及裝置。基層家庭的兒童和家長對電腦非常陌生，每每到附近電腦店查詢，聖樂於為街坊解答疑難，有口皆碑。電腦店售賣經濟實惠的電腦產品，以及提供廉宜的維修服務，生意不俗。賢是他的大學同學，志趣相投，畢業後一起創業。賢文質彬彬、性格內向，喜歡面對電腦多於接觸人。他的女友不時攜同美食來探望，每逢她出現，聖就打趣：「賢內助駕到。」

（九）

潔學歷有限，任職教學助理，在學校做後勤職務，負責簡單的文書和技術支援，薪酬雖不高，文職工作總算舒適。她主動提出辭職到街市幫手，父母認為荒謬，一致反對。他們拒絕女兒走其舊路，因為賣魚沒出色，不必自討苦吃。儘管妻子患上肩周炎，幫不了忙，潔父不肯讓步，寧願聘請一名替工代勞。替工嫌辛苦，又嫌人工少，做不長久，縱不情願，他終讓女兒入行。

初到街市開工，潔穿起白色膠圍裙和水鞋，戴上膠手套，「工欲善其事，必先利其器。」她首先學習磨刀，魚刀鋒利才可得心應手。海鮮品種不勝枚舉，諸如：盲鰽、紅䱛、金䱛、石斑、鱠魚、寶石魚、鱸魚、青斑、老虎斑、黃腳鱲、沙巴龍躉、桂花魚……她自小吃過不少，活魚的樣子卻陌生得很，認識的寥寥可數，一切由零開始。

起初潔越幫越忙，她用魚撈從大水桶舀魚，魚兒總是逃之夭夭，人魚互相角力。她一時焦急，水花四濺，過路人破口大罵。潔劏魚也碰壁，有客人回來投訴，責怪她錯手弄破魚膽，膽汁滲進魚肉，苦澀得吃不下

咽，枉費功夫烹煮。潔母恐怕得失顧客，補償對方損失以息事寧人。

收市時潔要傾倒積水，並清洗所有盛器，然後帶著一身污漬和魚腥味回家，與鄰居乘搭升降機曾遭白眼。為免尷尬，在人多擠迫的時候，她寧可退避，免得惹人生厭。她每次洗澡至少二十分鐘，務求洗盡一身腥膁，睡房內檸檬草、薰衣草、尤加利及茶樹香薰油應有盡有，藉著滿室芬芳來除臭、舒緩神經和肌肉酸痛。自從到街市勞役，短短一個月減了近十磅，不過有失有得，她能夠分擔父母的勞碌。

（十）

街坊生意著重誠信，童叟無欺不在話下，斤兩既要十足，還要予人優惠。大多數人要求食物新鮮，會趁早選購食材；也有人節儉，留待收市時段削價沽貨才購物。有時滯銷，潔母會提前減價或以捆綁式銷售促銷。當貨品所剩無幾，她反而抬高價格。潔大惑不解，母親解釋由供求來決定。

「老闆娘，便宜些吧。」

「無問題，減收五元。」實際上收回原價又令老婦高興。潔始知魚檔並非單純賣魚這麼簡單，原來街市販賣也是一門學問：Marketing——市場營銷。

（十一）

當年政府出售了房屋委員會轄下公屋商場、街市及車位予「領匯」，獲利二百多億元。聖和賢合夥創業，租賃領匯旗下翻新商場的舖位，後來領匯易名為「領展」。領展一再翻新商場，派員遊說聖和賢租用兩個相連舖位，他們妥協以換取優先租賃的機會，得到熟客和街坊的支持，電腦店有利可圖。

到了洽談續約的時候，領展要求他們將店舖搬往商場的偏僻位置，從而騰出地方給大集團使用。人流稀疏的淺窄舖位，租金反而大幅提高，極不合情理。為求營運下去，他倆委曲求全以續租三年。最令聖、賢氣結的是，商場承辦商引入其他競爭者，使他們的經營環境更惡劣。更意想不到的是，一年半後商場再度易主，領展轉售物業予財團「基匯資

本」。該財團單方面提早解約，要求商戶提前結束，按照合約條款給予半年通知期了事，屆時指定店舖必須離場，令不少租客大失預算。

（十二）

「爸，有點不對勁！」潔赫然發現一缸魚相繼反肚。

潔父聞言立即擱下魚刀，過來視察，高呼：「糟糕！」

他找妻子頂替崗位，脫除手套，連按氣泵數次又探手入魚缸，神情懊惱，訴說：「氣泵壞了！」

「怎辦？可有後備氣泵？」

「沒有備用器材。潔，快舀活魚到其他魚缸。」他調節另一個魚缸的氣泵，增加氧氣供應。

「來不及！許多魚奄奄一息，」潔自怨自艾：「只怪我敏感度不足。」

「不要緊，總比停電好，未全軍覆沒。」

潔垂頭喪氣，調遷三兩條一息尚存的魚，然後挪走其他死魚。眾多魚缺氧死亡，一律平價發售，餘下的改以半價傾銷，無人問津的只得棄置。

潔覺得可惜，提議：「爸，不要浪費，取回家自用。」

他回應：「一家賣海鮮，竟要吃死魚！不但舌頭受罪，亦於理不合，與貪便宜的顧客一樣吃死魚，我們豈不關門大吉。」

（十三）

聖、賢對財團的苛刻手段極度反感，聯同其他不滿的商戶前去交涉，對方不肯退讓，電腦店結業勢所難免，兩人面臨失業。相距交回店舖不足半年，他們要及早另謀出路。區內沒有合適舖位，捲土重來也不成，終要作出結業的準備。他們不求利潤，悉數出售存貨，損失慘重，多年來的心血化為烏有。賢心灰意冷，打算結業後外遊散心。

適逢僱員再培訓局與工會合作開辦「豬肉分割技術員」全日制課程，顧名思義，課程專為培訓「豬肉佬」而設。美其名謂技術員，無非要降低年輕人的抗拒，吸引他們入行，解決行內人手短缺的問題。換著以前，聖肯定不會考慮，當他想起年輕貌美的賣魚姑娘投身街市，自己作為男

子漢，難道不及女兒家？況且「庖丁解牛」是一門大學問，學習劏豬機會難逢，正好銜接結業後虛空的日子，加上課程費用全免，還提供津貼，另有三個月在職培訓，月薪逾一萬元，並安排就業，聖躍躍欲試。

賢訝異：「開玩笑？大學畢業生做豬肉佬！」

「不是豬肉佬，是『豬肉分割技術員』。」

「兩者有何分別？根本『換湯不換藥』，何必自欺欺人。」賢抱歉：「恕不奉陪了。」雖然賢拒絕相陪，但無損聖的決心，自行報名。

（十四）

為保育海洋資源，政府將原本兩個半月的休漁期延長至三個半月，期間禁止拖網捕魚。魚販和漁夫一樣要面對一年一度的休漁期，市場上雖仍有海魚供應，但冰鮮鹹水魚如紅衫、木棉和牙帶等，以及蝦蟹的供應影響較大。潔父售賣養魚亦受影響，因為魚穫種類和數量銳減，以致供求緊張，魚價上漲，生意減半。

魚群要休養生息，漁業的從業員也不能置身事外。除了刮颱風時無魚供應，魚檔幾乎全年無休，節日就更加操勞，劏魚停不了。休漁期生意縮減，潔一家人趁機歇息。

（十五）

透過一百二十小時的課程及訓練，聖對豬隻身體結構有初步認識，掌握到肉枱刀具、機械設備和切肉實務技巧。專業切肉員並非機器足以取代，加上工作穩定、收入不薄，促使他畢業後加入「豬肉佬」行列，而分派的工作地點正是他購買石崇魚的街市。

領展的翻新工程令街市煥然一新，聖重臨舊地，攤檔分布截然不同，那魚檔和少女猶在，與他任職的豬肉檔只有一巷之隔。

聖上班當天，魚檔少女在他面前出現，說：「要——」

她住了口，開腔：「很久以前你曾來買石崇魚？」

早市已過，午市尚未正式營業，老闆用膳未返，正是交談的時機。

「對，妳記得！」

「當然記得，上次你為誰買魚？」

「媽做完手術，用來調理。」

「伯母怎樣？」

「魚確有功效，她早已康復。」

　　兩人一見如故，要不是有客人惠顧，談話尚未罷休。此後，潔經常過來買肉，聖不時前去買魚，交往與日俱增。

（十六）

　　潔滿肚冤屈，前來豬肉檔訴苦：「聖，我被顧客責罵。」

「為甚麼？」

「客人説觸摸過剛剛劏開的魚，感覺不到其體內有餘溫，懷疑我調換了一條死魚給她。」

「這人多麼無知，魚類是冷血動物，體溫隨著外在環境而轉變，水寒冷，魚自然寒冷。妳真的無辜！」聖嗤之以鼻，説下去：「叫她不要買魚，去買雞好了。」

「有理説不清，她冥頑不靈，堅持自己受騙，揚言不再光顧。」

「不光臨也罷。」

「我也不想做她的生意，最冤枉的是她當眾指罵我們魚目混珠，瞞騙顧客。」

「豈有此理，反告她毀謗，賠償名譽損失。」

「海鮮檔有甚麼聲譽可言？一般人認為魚販慣例『呃秤』，沒清白可言。」

「清者自清，濁者自濁。」

「別忘記我家賣魚，真的水洗難清。」潔自嘲。

「別人誤解妳，我絕對相信妳！」

　　潔聽見這句説話，覺得最受用，滿腔怨氣一掃而空。

（十七）

　　潔經過聖任職的攤檔，豬肉堆積如山，往日顧客輪候、刀手不停切肉收錢的場面消失了。受到內地爆發「非洲豬瘟」影響，豬肉滯銷，聖和夥伴背著肉枱無所事事。

「潔，今天生意冷清。」

她趁老闆不在場，笑說：「不用苦幹便有工資，應該高興才是。」

夥伴是老闆的親信，他連咳兩聲，潔把舌頭兩邊捲起來扮鬼臉，夥伴登時一怔，默不作聲。

「早晚被解僱，還值得高興？」聖笑笑。

「少擔心！新聞也曾報道過鮮魚樣本驗出『孔雀石綠』，事後魚檔慘淡經營，當事件告一段落，一切便回復正常。」

「時間可長可短，未知何時告終。」

「不要為明天憂慮，何況你不是老闆。」

聖聽到「你不是老闆」，內心戚戚然。

<h2 style="text-align:center">（十八）</h2>

聖耿耿於懷，要不是被財團欺壓，自己何嘗不是電腦店老闆？大集團是財團的租客，小商戶也是租客，而且租金不菲，但完全得不到應有的尊重。大集團財雄勢大，小商戶勢孤力弱，財團對小租客視如無物。租約條款並不平等，合約期形同虛設，財團可以為所欲為，小租戶只不過是砧板上的魚肉，任由宰割。

大學畢業生由老闆變成了豬肉佬，聖自覺可笑。自己不想任人魚肉卻宰割牲口，現實就是如此荒謬，身不由己。他不甘心一世當豬肉佬，只視為踏腳石，為將來的發展鋪路。做切肉員著實不壞，因為人工勝過許多文職人員，失望的是切肉員居然無肉可切，為世間增添荒謬。聖佇立在豬肉枱前，街市人來人往，偏偏沒有客人惠顧。他對著被肢解紛陳的貨品：豬頭、豬手、豬腳和豬尾，豬骨、豬肉、豬腸和豬肚（胃部），豬心、豬肝、豬橫脷（胰臟）和豬肺……發呆。

「一條豬舌。」婦人提著一袋咸酸菜。

一句鐘才賣出一條豬舌，十元八塊的生意額應付不了最低工資。鮮肉原封不動，放進雪櫃冷藏，翌日要轉行販賣「凍肉」了。

<h2 style="text-align:center">（十九）</h2>

「非洲豬瘟」的新聞銷聲匿跡，豬肉檔的生意回復正常，聖朝氣重

現。除了碎肉可以用機器代勞之外，砍斬劈切全賴人手，相當消耗精力。他體力充沛，遊刃有餘。無論顧客買多少，他一刀鍘下去，偏差無幾。他了解熟客的口味，自動按他們的喜好切割鬆軟或耐嚼的豬肉，又投其所好除掉豬皮和肥膏，因而攏絡到客人長期惠顧。至於生疏的顧客，他會多切一塊肉，以小利來吸引他們再次光臨。由於生意暢旺，一早沽清，可以提早收市。

老闆親自結賬，聖和夥伴負責清理肉枱，從砧板面刮起厚厚的肉糜木屑，然後沖洗枱面和地面的油漬。儘管翌日又再擺放豬肉，他倆依然把地方打掃乾淨，忙碌半小時，聖終可卸下黑色的膠圍裙和防滑鞋。他站立了大半天，邁步屈膝並不暢順，故緩步行走。潔的魚檔生意應接不暇，她管不了閒事。

聖問：「有元朗黃油烏頭嗎？」

潔抬頭說：「是你，下班了麼？」

「嗯。」

潔熟練地捉魚起來，劏魚乾淨俐落，相比其他客人多花了一點時間，務求處理得更妥貼。聖交付五十元，與標價有別，多找十元，還附送一個鹹檸檬。

老婦向潔說道：「阿妹，幫我挑選一條肉厚的多寶魚。」

「好，保證妳滿意。」

聖讓開予其他顧客，潔俯身為老婦舀魚，馬尾辮擺動似向他告別。

（二十）

夜半街市無故起火，肇事攤檔的火勢蔓延，波及鄰近貨攤，連環焚燒。街市大閘上了鎖，消防先行破閘，火場面積大，眾多消防員到場灌救。火勢一發不可收拾，威脅到附近民居，樓上住所的火警鐘響起，刺耳的鳴聲驚醒睡夢中的居民，沒有人再留戀睡床打鼾。男女老幼慌忙撤離，深夜跑到戶外，有的揉著惺忪睡眼，有的打呵欠，有的行動不便，留在輪椅靜觀其變。他們赫見街市火光熊熊，不停冒出濃煙，吹向自己的屋苑，以致坐立不安。

太太懊悔：「我們一走了之，尚未關窗，黑煙吹入屋，怎辦？」

「我回去閂窗？」丈夫氣結。

「好，你去。」話雖如此，夫婦寸步不離。

街市傳出噼噼啪啪的火舌聲、叮叮咚咚的澆水聲和嗆人的白煙，圍觀的街坊議論紛紛，喧鬧不絕。

「大火將近撲滅。」

「商販損失慘重。」

居民當然不會為老鼠、蟑螂葬身而難過，最怕牠們四散奔逃，爬上樓、竄入屋。部分人同情蒙受損失的檔主，而大部分人都為封閉街市將為自身帶來不便而苦惱。街市內外擾攘多時，火海終於化作一池死水，鼎沸的人聲並未因而平息，彌漫的煙霧散發燒焦味，臭不可當。大廈稍後解封，街坊陸續散去，趕回家、趕上班。檔主焦急等候災場解封，好想趕回去評估損失。街市付諸一炬，死灰可能復燃，消防繼續灑水降溫。基於安全考慮，市場關閉了，商戶全部被拒諸門外。

海鮮檔老闆望門興嘆，街市停電，海鮮必然缺氧而死；海味檔老闆忖度，縱使鮑參翅肚和金華火腿等珍饈沒有焚毀，也會弄濕弄壞；其他老闆……檔主皆十分沮喪，因為貨物和生財工具毀於一旦，損失不菲；他們非常失落，因為暫停營業，復市需時漫長，生計堪虞；年邁檔主愁看廢墟一樣的街市，淚灑當場；女檔主哭哭啼啼，其他檔販亦呼天搶地，儼如天要塌下來似的。

（二十一）

街市遭祝融肆虐，商販營業無從，訂貨已經運到，他們割據街市外行人路販賣，其他檔主爭相效尤。食物環境衛生署酌情考慮，暫且通融擺賣。可是大量客人流失了，惠顧的寥寥無幾，大減價促銷也挽救不了頹勢，生意額暴跌。他們意圖在街市外繼續經營，食環署遭居民投訴縱容攤販阻塞街道又在街上劏魚切肉，影響市容衛生，要求嚴正執法。檔主旋即接獲清場通知，面臨掃蕩，復市遙遙無期，他們不得不另謀生計。

商戶固然受到影響，居民亦失去購物的地方，超級市場無法完全取

代街市，貨品普遍昂貴，基層市民大都改往較遠的街市買菜。潔和聖所在的街市因而受惠，平添了大批顧客，生意大增，貨物供不應求。兩個街市有人歡喜有人愁，那街市失火，商戶失意，這街市得益，商戶得意，個個笑逐顏開，急於補充貨品。

<h1 style="text-align:center">（二十二）</h1>

肇事街市經修葺後重新開放，三個月以來獲益匪淺的街市境況不同了，客量回落至前水平。生意淡靜下來，父母負責收市的善後工作，讓潔先行離開，與站在街市「公磅」處等候的聖會合。

「聖，我未換衣服，通身腥臊。」

「沒甚麼大不了，我也渾身豬油。」

「男女有別，氣味可增添男人的魅力。」

「妳感覺到？」

她咧嘴一笑：「為何無緣無故請我吃飯？」

「臭味相投吧，我們吃甚麼？」

「『冬菇亭』（熟食亭）的小菜不錯，好嗎？」

「好提議！」

冬菇亭近便，聖與潔踱步前去，他們剛剛入座，鄰枱男食客正在付賬。

「多謝惠顧！下星期不要來了，以免白走一趟。」老闆提示。

客人莫名其妙，老闆略述：「大牌檔營業至星期日，大家後會無期。」

「好生意也要結束，老闆，你要退休？」

「憂是憂，憂心的憂。自從領展收購冬菇亭，每次續約例必加租，早前還要求租戶關閉店舖以進行優化工程，日後只准在亭內經營。清拆僭建物、裝修翻新及裝置空調設施均自費，我憂慮花錢裝修後未必可以長期續租又擔憂大幅加租。我不信任領展，結業一了百了。」

「幾十年街坊生意就此了結，未免可惜！」

「可惜也沒辦法。當年『沙士』（非典型肺炎）爆發，生意一落千丈，我們仍能渡過難關，然而最終敵不過領展的苛政。」

食客站起來，輕按老闆的肩膀，傾訴：「人生本是如此，終歸一場空。」

「感謝您多年關照，慢行。」老闆送別客人。

他過來招呼：「待慢了，贈送大家一窩例湯？」

潔答謝老闆送上蘊含人情味的例湯，久違的大牌檔風味帶給客人稔熟的感覺，不過這一切即將成為眾人的集體回憶。所謂「集體回憶」，就是你、我、他共同經歷失去可貴的東西，此後只能從記憶中回味從前種種。

「我不滿領展的所作所為，箝制商場、街市、冬菇亭商戶的死活。」聖衝口而出：「我討厭領展！」

他不吐不快，一口氣傾吐過往被領展和財團欺負的經歷，桌上的生炒排骨、豉椒鮮魷、椒鹽九肚魚和馬拉盞炒通菜都涼了。潔細心傾聽，嘆惜：「真可憐！電腦店老闆淪為『豬肉仔』。」

聖了解她快人快語，「豬肉仔」只是反映彼此相熟的稱謂，而「可憐……淪為」則寄予同情，他並不介意，誓言：「若我將來再創業，絕不考慮租賃領展旗下的商場或街市。」

「有志者事竟成！」潔衷心祝願。

（二十三）

潔留意到聖的夥伴生意少得很，顧客集中在聖的一方輪候，他顯然獲得大多數顧客的愛戴。每當聖放假，豬肉檔生意便大跌，收市時豬肉仍舊多不勝數，老闆助陣亦於事無補。

好幾天不見聖的蹤影，潔開始掛慮，若旅遊還好，最怕他病倒。她不便向老闆打聽，透過 WhatsApp 詢問其近況，他瞬間回覆：「今晚收市後在老地方見面。」

「聖，甚麼老地方？」收市時仍然得不到回應，她嘗試到冬菇亭碰面。熟食亭人去樓空，租戶一律遷出，商舖七零八落，往昔的熱鬧情景盡在歲月中沉澱風化，不留痕迹，印象難忘的是早前與聖同枱共敘的時刻。

「潔。」

她拍一拍胸口才答話：「冷不防你躲在背後，嚇我一跳。為何連日來不上班？」

「辭職不幹了。」

「真的？做老闆？」

「半個而已，我與朋友合夥。」

「甚麼生意？」

「肉類零售。」

「即豬肉檔？」

「凍肉店。怎麼變了『問題少女』？吃飯再談吧。」

「可是冬菇亭結業了。」

「唯有光顧商場食肆。」

「冬菇亭風格獨特，小炒別具滋味，非一般連鎖快餐店能及。」

聖憤慨：「領展助紂為虐，使小商戶無法立足，輔助大集團壟斷市場，令我們消費者別無選擇。」

「別老是嗟怨，吃飯再談吧。」

（二十四）

潔恭維：「老闆，吃甚麼？」

「不敢當。」

她瀏覽餐牌，對他說：「這餐廳明顯要迎合內地人口味，地道小菜其次。」

「時代不同了，本地食肆不一定照顧本地人，大趨勢是討好眾多新移民和內地遊客。」

潔饑腸轆轆，催促：「言歸正傳，吃甚麼？」

聖作主點選了兩道菜，她探問：「凍肉店籌備進度如何？」

「現正密鑼緊鼓，預計兩個月後開張。」

「恭喜！恭喜！在哪區開業？」

他沉聲靜氣：「商業秘密。」

她賭氣：「好了不起！」

「別生氣，我坦白說吧。」

「我可沒興致聽下去，」潔回心轉意：「算了，給你一個機會。」

「我的首要考慮是脫離領展的魔掌，大埔墟的舊樓商舖符合要求，租金比市區便宜，故與前生意夥伴再度合作。」聖一本正經。

「店名叫甚麼？」

「聖賢凍肉店。」

「又不是書店，怎麼叫『聖賢』？你的夥伴叫阿賢？」

「對。」

「話雖如此，總覺得名稱不倫不類。」

「有何好建議？」

「聖潔凍肉店，」她不假思索，接著補充：「你千萬別胡思亂想，瞎諗罷了。」

聖忍俊：「聖潔？好名字！下次與妳合資開店時用得著。」

「想得多麼長遠，真的老謀深算！」

「深謀遠慮啊。」

潔狡辯：「總之你年紀比我大，就是老謀啦。」

聖呵呵大笑：「如此好口才，應該去做大律師。」

「我做『大狀』，你做『師爺』，哈哈！」

「這麼早做夢！」

「現今時勢不利營商，創業恍如做夢。」

「創業殊不容易，舉步維艱，然而夢想有望成真。」

潔附和：「不錯，如果做人無夢想，同鹹魚有何分別？」

「香港人喜歡拾人牙慧，將電影對白變成日常用語和人生金句。」

「你踐踏香港人和我？」

「我絕無失敬之意，只是實話實說。反過來說：『做人要有夢想，就像鮮魚一樣？』無夢有夢、鹹魚鮮魚，只不過是人云亦云的空話。」

「倒有道理，那麼用甚麼說話取而代之？」

聖想一想，答道：「十六字真言：『志在心胸，豈在夢中？機會難逢，掌握手中！』我的座右銘。」

潔搔頭，回應：「文縐縐！怪不得你不當『豬肉仔』。」

「今非昔比，街市不單止市井之徒，還臥虎藏龍。」

「今時今日大學畢業生劏豬賣菜，比比皆是。」潔凝望著聖。

「與我何干？我洗手不幹了。」

「難為我雙手被鹹水浸到皺皮。」潔展示玉手。

聖仔細考量：「魚何曾被鹹水浸到皺皮？」

「魚有鱗片保護。」

「有的魚無鱗。」

「所謂無鱗魚也有魚鱗，只不過太微細了，加上表面有黏液。何以將我的手與魚相提並論？」

聖一時語塞，碰巧上菜，藉詞：「吃飯吧。」

（二十五）

一回家母親呢喃：「妳爸不舒服，一早上床休息。」

父親痛苦呻吟，潔走到床前慰問：「爸，您怎麼了？」

「沒事，吃了止痛藥，睡一覺便好。」

她觸摸父親的額頭，對他說：「您發燒！究竟有何不適？」

「——周身酸痛、忽冷忽熱。」父親作嘔卻吐不出來，掩著嘴巴。

潔留意到他的左手貼上一塊膠布，問：「受了傷？」

「今天不小心被魚鉤戳破。」

「讓我看看傷勢。」

「小傷口，有甚麼好看？」

「傷口雖小，但可能深入，即使消毒，只消滅表層細菌，未夠徹底。疼嗎？」

「感覺有點灼熱。」

她著緊揭開膠布檢查，發覺傷口皮膚紅腫，還有水泡和黑點，蹙眉道：「不尋常！要立刻求醫。」父母吃驚，一家人趕往急症室。

（二十六）

潔父需要留醫，醫生推斷其傷口感染了創傷弧菌，引致壞死性筋膜炎。雖無引發敗血病或多重器官衰竭，但毒素已經擴散，必須切除壞死的左手掌來保命。形勢危急，父親倉促決定接受手術，嚴格來說，他根本下不了這沉痛的決定，只是聽從妻女及醫生的意見。要不是為了家人，他情願一死了之，以保全屍，自覺活像魚一樣任由宰割。與自己的肢體分離，感覺不好受；不習慣身體兩邊不對稱，左手短了一截，感覺不自然；腦袋控制不到失去了的部位，左臂的重心轉移了，斷肢殘臂恰似鐘擺般來回晃動。他自慚形穢，由初時情緒激動變成嚴重低落，嘀嘀咕咕：「自作孽！我殺生無數，結果報應在自己身上。」

潔父出事，一直由妻子照料，潔和幫工倆應付不了，故魚檔暫停營業。「一朝被蛇咬，十年怕草繩。」不幸事件為全家帶來陰影，縱使感染食肉菌的個案萬中無一，然而父母都會憂慮到食肉菌防不勝防，不想悲劇重演。可是魚檔要交租、伙計要出糧，一家人要吃飯，父親不可能重出江湖，潔決定結束生意，找工作養家。

聽聞潔父的魚檔停業，聖主動慰問，得知潔的處境，訴說：「我的店舖剛開張，生意比預期好，急需人手，可有興趣加入？」

「有啊，老闆！」

「不要老闆前老闆後，大家年輕人，一齊合作而已。」

「是的，聖哥哥。」

「潔妹妹，一言為定。」

她體會到禍福相倚，逆境中有天使守護扶持，並肩同行。

（二十七）

潔穿起半身款淡色碎花棉布圍裙，開展新工作。她以為聖的合夥人是其女友，情侶共同創業，直到上班才知道賢是男人。「賢內助」偶爾來探望男友，幫手打理業務，她與潔年紀相若，兩人很投契。賢的女友從事廣告行業，商舖的裝潢和陳列皆是她的精心設計。賢具有典型資訊科技從業員的特質，不擅交際，專注採購、營運管理及財務事宜；聖外向

熱情，善於與顧客溝通，兩人正好互補。

經營這家店舖和街市攤檔沒有多大區別，但兩者的顧客則有天壤之別。聖和賢事前做過資料搜集和市場分析，發現大埔區擁有許多高消費族群卻缺乏高級凍肉店，故此他們專營優質肉類食品，包括：西班牙黑毛豬、安格斯牛肉、和牛、韓牛、法國穀飼雞、新西蘭羊扒……還有挪威三文魚、越南虎蝦、北海道帆立貝、澳洲鮑魚和生蠔等海產，以及來自歐美日韓的醬料。由於優質商品迎合區內的特定對象，招徠一批對食物要求高又捨得花費的顧客，當中不乏知名人士和影視紅星，讓潔有機會一睹他們的風采。客人大都有教養，偶有財大氣粗之輩恃勢凌人，他們氣焰囂張，自以為了不起，習慣使喚店員。有一次，一名花枝招展的婦人不能帶愛犬內進便命令潔在店外為她看守，又吩咐聖幫她搬貨上車。為免得失大客戶，老闆和店員唯命是從。

<h2 align="center">（二十八）</h2>

潔邊做邊學，一方面應付門市零售、訂貨和理貨工作，另一方面學習切肉、醃製和包裝，工時雖長，但下班時不會一身腥臊。日子久了，她的父親開始面對現實，由自怨自艾轉為努力適應，克服身心障礙；母親則重投街市，在生果檔做兼職工作。一家人經歷過困境，齊齊展開新生活，不再重操故業，遠離厭惡工作和食肉菌的陰影，生活過得閒適自在。

聖和賢本身修讀電腦，他們發揮所長，利用社交媒體作宣傳推廣，並引入網購，讓顧客在網上訂購，提升生意額。推出後反應良好，應客人的要求預備海鮮拼盤、火鍋材料和燒烤包。潔負責搜羅本地時令海產、清洗、醃製肉類及包裝工作，度身訂做的火鍋及燒烤食品乾淨衛生，方便使用。聖、賢經營有方，凍肉店開業半年已經回本。

<h2 align="center">（二十九）</h2>

潔負責打掃，最先回到凍肉店，她開啟捲閘，頓時吃了一驚。店舖遭大肆搜掠，收銀機和抽屜撬開了，雪櫃和貨架被翻箱倒籠，存貨凌亂不堪，散布一地。她立刻通知老闆，聖、賢趕至，視察情況後報警。他

們不敢妄動現場物件，讓警員到場套取指模，後門有損毀痕迹，警方相信竊匪從後巷潛入。許多客人以信用卡付賬，店內積存的一整天收入，連同流動現金，損失數萬元。此外，所有珍貴貨品被盜竊一空，整體損失需時點算。警方取去閉路電視紀錄作調查之用，並邀請潔返警署錄取口供。聖、賢負責清理和盤點，執拾單據和文件，補訂貨物；潔完成任務，趕回去幫手善後。

全日停止營業，工作比平日更勞累。他們事後檢討，店內存放了不少貴重物品和現金，保安卻不足，給竊匪有機可乘，故此即日找來鐵匠維修後門及加裝防盜設施，並考慮短期內安裝「八達通」系統，減少現金交易，以防爆竊。

（三十）

聖未踏入店舖便聽到潔與顧客爭論。

「女兒害怕煙燻野生三文魚有甚麼尼斯湖——菌，叫我退回。」

「尼斯湖菌？李斯特菌！太太，我們的貨品保證優質，沒有問題。如妳不放心，回去煮熟來吃。」

「熟透不好吃，乾脆退錢吧。」

「對不起！貨物出門，恕不退換。」

「吃壞了怎辦？你們賠得起？」客人惱羞成怒。

「吃壞！妳——」

聖一直旁觀，禁不住插話：「太太，妳看看有何合適的貨品，拿過來更換。」

潔噘嘴。顧客息怒，連隨取了一包雞翼過來櫃臺，補回一元。她明顯有備而來，預先認定了用作退換的貨物，轉身離去。

「謝謝！歡迎下次光臨。」聖友善地送走客人，儘管她沒有回望。

顧客一出門口，潔叫嚷：「怎麼要遷就她？」

「難道食物比人重要？」他漫不經心。

潔懶得爭辯，打開冷藏櫃。

「潔，不知它有否變壞，丟棄吧。」

「虧本了！」嘭一聲，她扔掉退貨。

「我們做食品生意，焦點不僅投放在食物上，必須尊重客人的意願，重視他們的健康，不對嗎？」

「你是老闆，當然是我錯，錯在為你的利益著想，自尋煩惱。」潔撇嘴。

「人非草木，妳處處為我設想，難道我不知曉。」

「甚麼？」她兩頰緋紅。

「沒甚麼。」

「沒甚麼！老闆，我辭工了。」

「甚麼？」

「沒甚麼。」潔抿嘴一笑。

（三十一）

多家供應商被揭發利用化學物掩飾變質凍肉，甚至使用致癌物加工，食物安全中心宣布即時暫停所有巴西肉類產品入口，各大超市繼而停售巴西凍肉。一直以來，巴西供應中低價凍肉，如雞翼和豬扒等，佔香港的進口凍肉四成。專家表述高溫可以殺滅一般細菌，毒素則無法消除，引起公眾恐慌。市民為求安心，紛紛改買其他產地的凍肉，專售優質肉類的聖賢凍肉店因而得益，生意滔滔。聖認為黑心凍肉事件過後，生意隨之減退，建議乘勢推出會員優惠制度，以吸引客人繼續惠顧。賢贊同，負起策劃和編寫電腦程式的重任，潔協助宣傳推廣。因應巴西凍肉的檢測及抽驗結果全部合格，兩個月後解禁，期間凍肉店新增了大量會員。

（三十二）

聖、賢對業績相當滿意，考慮到凍肉店全年無休，趁開業將近一年，罕有地休息兩天，連同潔和「賢內助」一起出外旅遊，共享努力成果。出發前，他們接獲業主通知，來年要加租一成半，令旅行的興致大減。

「還有一年『生約』，業主坐地起價。」聖心心不忿。

「旅行後約他會面，磋商加幅最多一成，否則寧可終止租約。」賢慎

憤不平。

聖同意：「不要影響心情，我們如期旅行，回來才從長計議。」

（三十三）

度假村位於惠州，建築風格和飲食別具客家傳統特色，如同入住圍屋，餐廳以東江菜為主。席間，聖夾了一件梅菜扣肉給潔，訴說：「這是我的家鄉名菜。」

她問：「你是客家人？」

「嗯。」

賢解說：「客家人普遍謙和忍讓。」

「他著實如此。」潔反問賢：「你呢？」

賢以潮州話說出：「我是潮州人。」

「潮汕人以節儉和拼搏聞名。」潔解讀。

賢內助插話：「他節儉有餘，但拼搏不足。」

賢回話：「我和妳正好互補長短。」

「你暗諷我拼命花費？」

「他豈敢！」潔解圍，夾了一塊釀豆腐給賢內助。

賢振振有詞：「嘿，她不打自招。」

「今次饒不了你！」賢內助鬧別扭，作勢打人。

聖夾一塊鹽焗雞給賢內助，說道：「嫂子，請息怒。」

「誰是你的嫂子？」她情不自禁捂嘴失笑。

（三十四）

傍晚天氣清涼，四人各自裹著大毛巾來到露天溫泉。他們卸下毛巾，身穿泳裝跨進水池，齊齊浸泡在熱燙燙的溫泉之中，讓熱力滲透肌膚。享受著神經鬆馳的感覺，疲勞盡消，心情舒暢。小池內只得他們四人，近距離袒胸露臂，賢內助不以為意，潔則靦靦腆腆，渾身不自在。

賢內助打破沉默，朝著聖、潔發言：「你倆朝夕相對，感情肯定大增。」

潔張口結舌，由聖作答：「倒不如說我與凍肉產生了深厚感情。」

「不要轉移話題，」賢內助盯著潔，笑說：「瞧，臉紅了。」

「溫泉灼熱，我的臉發燙。」潔自圓其說。

「聖，還不摸一摸佳人額頭，探測有多熱？」

聖連隨舉高右手，潔發愣閉起雙眼。她感覺不到絲毫觸碰，不一會張開眼睛。

「它丟在妳的頭頂。」聖張開手掌，掌心有一片小枯葉。

「謝謝！」

賢發問：「有興趣到中藥池浸泡嗎？」

聖正想開腔答應，潔另有所圖，向他眨單眼，問：「可有興趣到玫瑰池？」

聖會意，回答：「還是玫瑰池好，芬芳怡人。」

賢內助提議：「賢，去牛奶池？」

「好，我陪妳。」

四人組合分拆成兩對，就此分道揚鑣。

<h2 style="text-align:center">（三十五）</h2>

業主願意調低加租幅度至一成，聖、賢妥協，續租一年。隨後三個月，凍肉店銷量保持平穩增長，他倆相信生意仍然有利可圖，雄心勃勃想再下一城，日後在其他地區開設分店。

「大事不妙！」聖一踏入凍肉店便脫口而出，當時店內沒有顧客，他說下去：「附近有凍肉店開張，營銷模式與我們一式一樣，人家覬覦我們的生意，也來分一杯羹。」

「不就是『瘦田無人耕，耕開有人爭。』我去看個究竟。」賢惴惴不安。他回來後坐立不定，敘述：「新店面積大、品種多、價錢平，還推出新張期內十大超值貨品。我們的客人肯定會流失，生意大跌。」

「顧客精明也很現實，會員制亦無法挽留熟客。半天客人疏落，比平日冷清，市況已即時反映出來。為今之計，我們必須減價迎戰。」聖依然冷靜。

「惡性競爭必然兩敗俱傷。」

「沒法子，不然我們的貨物未能到期前沽出，只會血本無歸。資金未能回籠，周轉不靈，若債主臨門，勢必提早滅亡。」

賢無話可說，與聖商討應變策略。潔趕忙更改價錢牌，張貼優惠告示，從此兩店正式交鋒。

（三十六）

聖賢凍肉店揭開了減價戰的序幕，部分商品蝕本發售以作招徠，並提供大量優惠貨物，以及捆綁式銷售，如買二送一的誘惑，務求薄利多銷，挽回流失的客人和生意。連月來銷量回升，利潤反而下跌，收支僅僅平衡。

「聖，我們最吃力的是應付租金，嘗試與業主商量，要求調低下半年度的租金。」

「別幼稚！業主哪理會租客的生死？市道暢旺，他不愁沒有其他租客。」聖靈機一觸：「我們與對手競爭，優勝劣敗的確在於租金高低，由我找地產代理打聽一下行情。」

「也好，知己知彼。」

（三十七）

聖氣急敗壞返回店舖，沒理睬潔，逕自跑到茶水間找賢，怒斥：「太過分，太過分了！」

賢愕然：「冷靜點，慢慢說。甚麼過分？誰過分？」

「競爭對手的業權竟然與我們的店舖同屬一人擁有。換言之，業主提高我們租金之餘，同時將鄰近的物業租賃予相同業務的客人，而且平均尺租比我們的舊租金低兩成，毫無道義可言。」

「真過分！業主極不道德，實在欺人太甚！」賢勃然大怒，猛力拍打蒸餾水機，連串小氣泡「咕嘟咕嘟」從水底中央冒起，咬牙切齒起誓：「租約期滿，我們決不續租。」

「這樣只會便宜了競爭對手，屆時獨市經營。我們豈不是白費心機？」

「有道理，怎辦？」

聖建議：「預先物色另一個鄰近商舖，搬過去繼續經營。」

「既然搬遷，為何不遷往其他地區以免惡性競爭下去？」

「不想流失熟客，何況競爭在所難免，處處皆有。」

「半年內另找舖位和重新裝修，時間緊絀。」賢憂心忡忡。

「沒辦法！」

（三十八）

聖大驚失色，因為賢突然提出拆夥，他解釋：「女友認為，與其留在區內與勁敵周旋下去，倒不如退一步海闊天空。她勸我引退，不要再投資金錢、時間和精力去做吃力不討好的生意，當機立斷，擺脫困局。」

「你認同她的見解？日後有何打算？」

他點頭告訴聖：「可能投靠未來岳父，為其公司效力。」

「既然你心意已決，祝你得心應手。」

「聖，對不起！耽擱你的大計。」

「人各有志，不能勉強。」聖苦笑。一旦失去唯一的合夥人，自身獨力難支，難以另起爐灶。聖無可奈何作出最壞打算，到了山窮水盡的時候，他將會重拾豬肉刀，做回「豬肉佬」。那麼潔何去何從？同樣重操故業？他不敢想像下去。

（三十九）

面對老闆拆夥而未能重整旗鼓的局面，潔縱然失望，並未想過放棄。她與父母商量，他們願意拿出一大筆積蓄來支持她與聖合夥，承接凍肉店的生意，共同進退。驟然柳暗花明，聖喜出望外，喜孜孜與潔籌謀新店，先斟酌店名。聖主張定名為「聖潔凍肉店」，潔強烈反對，唯恐貽笑大方。她苦心思量了一個名稱，聖亦贊許。數月後租約期滿，聖賢凍肉店光榮結業，取而代之的新店名謂「Sell Well Gourmet」，中文為「市井」。

作樂

（一）

「媽媽，那人只得下半身！」懌毅躲在其母背後。

母親一聽，大吃一驚，仔細一望，冒出冷汗。她說話抖震：「怎麼？怎麼可能！」

遠處真的有人只剩下身，半身人雙腳踱步。

兒子探頭偷望，問道：「媽媽，看清楚沒？」

她擦亮雙眼，一名老婦弓腰緩步行上斜路，她彎身時脊椎與雙腿形成直角，後腦勺朝天。懌毅與母親正好由低處向上瞧，視覺上婦人與魔術中的「刀鋸美人」無異，一場虛驚勾起了毅母的陳年回憶。

（二）

「津津，猜猜婆婆買甚麼給妳？」

小津津穿著病人衣服，臥在病床嚎啕大哭，聽到外婆的呼喚即停止哭泣，涕淚縱橫回答：「朱古力。」

佝僂的外婆用手帕拭抹小孫女的臉蛋，藏在臀後的左手突然亮出，展示一件禮物。她親一親外孫女，輕聲說：「它不是朱古力，保證妳喜歡。」

津津眼睛一亮，收下禮物，揭開包裝紙，高呼：「好可愛的小青蛙！」

「喜歡嗎？」

「喜歡！」她摟著毛絨娃娃。

「蛙蛙」全身青色、頭大身小。頭頂隆起兩個小圓拱，兩拱分別嵌入一塊黑色半球形珠片，造成一對圓瞪的明眸。眼睛下面是一張用黑線縫合而成的彎彎大嘴巴，圓潤的下頷與單薄的小軀幹相連，接駁位置有一

個黃色的小領結。牠安閒端坐，豎起雙手、伸長雙腿，展露一對大腳板。「蛙蛙」的左手舉起一枝深綠色的花梗，托著一塊青綠色的荷葉，葉邊有一道缺口，恍似一把帶有缺憾美的雨傘。牠哄得津津非常開心，驅走了愁眉。津津不自覺模仿蛙蛙的嘴形笑起來，她一笑便咳嗽，鼻水流出，外婆幫她抹掉。

津津感染了麻疹，正在醫院接受治療，她剛才退燒，雙眼通紅，面部和全身皮膚出現紅疹。外婆苦口婆心勸告：「乖！不要亂搔，不然留下疤痕，長大後不漂亮。」

津津痕癢難耐，不停搔脖子，外婆用蛙蛙輕撫小孫女的頸項，問：「舒服嗎？」

「好一點，還有其他部位。」

津津指著背部，乖巧地轉身伏在床上，讓蛙蛙隔著衣服搔癢。她又指向大腿，外婆乾脆交出蛙蛙，提議：「妳自己動手吧。」

津津用蛙蛙按摩全身，訴說：「真舒暢！」

她向來與外婆同床共寢，入院後不習慣獨睡，小小年紀單獨在陌生地方過夜，缺乏安全感，日夜哭哭啼啼，嚷著要回家。父母上班，晚上才可探望，日間由外婆照料。蛙蛙轉移了津津的視線，牠連夜陪伴主人睡覺、默默聆聽她的心聲。

（三）

蛙蛙是津津的玩伴，陪伴她長大，締結出深厚的友誼。蛙蛙為她平添歡樂，共度美好時光。睡覺時沒有蛙蛙相伴，津津會失眠。失意時，蛙蛙是傾訴心聲和嚴守秘密的忠實朋友。每當津津緊張焦慮，只要觸摸蛙蛙，心情便平復下來。津津外遊，甚至考試，蛙蛙必然如影隨形。

除了蛙蛙，津津童年時有其他玩物，端午節有紙龍舟，中秋節有柚子燈籠，聖誕節和生日有禮物。玩具是兒童的恩物，津津常與女孩子分享玩物，一起裝扮洋娃娃，玩「煮飯仔」，扮演家庭主婦的角色。此外，她們喜歡「跳橡筋繩」、「挑竹籤」和「抓子」，一條以橡筋圈串連而成的繩子、一束竹籤和幾個小豆袋足以令眾人著迷。小女孩輪流用腿鉤繩和

跨越，又或小心翼翼地在交錯的竹籤堆中逐一提起五色竹籤而不觸動其他竹籤分毫，以及拋擲、抓拾、承接所謂「子」的小豆袋。大家盡情投入遊戲之中，勝負並不重要，玩耍在乎集體參與和互動，每次都盡興而歸。與男孩子嬉戲，津津學懂摺紙飛機的方法和秘訣，能夠保持直線航行才飛得遠。另外，他們用紙箱改裝成車或船，扮演司機、船長接載津津，到達後她要佯裝支付交通費。他們鍾情鐵皮玩具車、塑膠士兵和獨特面具，各自投入賽車手、軍官和超人的角色，津津並不感興趣。也許女孩下象棋比男孩遜色，她與男孩子弈棋不外乎波子棋、飛行棋和康樂棋。

友伴有時會利用廢物自製玩具，或者公開私人珍藏，舊滙豐銀行總行模型錢罌、滙豐獅子錢罌和渣打銀行唐老鴨錢罌皆當作玩具珍而重之，津津將蛙蛙公諸同好，同樣羨煞旁人。

（四）

鄰家男孩找津津出外遊玩，天氣清涼，沙灘杳無人跡。他們兩小無猜，追逐、濯足、嬉水，樂此不疲。他拾獲一大塊夾板及兩條木方，忽發奇想，建議：「我們划艇？」她未置可否就被帶到岸邊，半推半就登上夾板，木板不知不覺漂浮出海。男孩將木方當作木槳，划「槳」阻截水流，可惜徒勞無功。他俯身用手划水，津津也加入，兩人不懂划撥，大浮板團團轉，結果越漂越遠。她手忙腳亂，丟失木方，男孩撲入水裡，抓緊木板，一邊游泳，一邊推進。中途多次停下來，上肢靠在木板邊，喘息一會繼續努力。返抵沙灘，他筋疲力盡，大字型躺下，津津自行上岸。

「懋川，全靠你奮不顧身，終可安全登陸。」

「只怪我一時大意，累妳受驚。」他氣喘吁吁，胸膛急促起伏。

津津靜靜地躺在他身旁，閉目感受生命的氣息。她張開眼，重見艷陽天，陣陣暖意湧上心頭。

（五）

兒子年幼時獨自在公園騎單車，不小心輾過一隻小龜，急忙帶牠到鄰近診所，拿出所有零用錢，請求醫生救回小龜一命。當時小龜沒有生

命氣息，醫生告之真相，他接受不了，放聲痛哭。兒子本性善良，因無心之失而悶悶不樂，母親設法哄他，同往深水埗玩具街（福榮街）尋寶，讓他親自挑選一件最喜愛的玩具。

「懌毅，你喜歡魔術道具？」

他點頭稱是：「魔術神秘有趣。」

「回家好好練習，你做魔術師，表演給爸媽看。」

懌毅沾沾自喜，彷彿搖身變成魔術師。

（六）

兒子曾經觀看過一次街頭魔術表演，現場一名觀眾應魔術師的要求，借出一張親自簽名的十元鈔票，同時為魔術師保管一袋物件。轉眼間鈔票不翼而飛，變成一張草紙，然後魔術師指示該觀眾打開布袋，取出一件東西——檸檬。魔術師當眾切開檸檬，找回有識認的鈔票。此後，兒子對魔術趣味盎然，希望自己能人所不能。

他開始接觸和自學魔術，重複練習一些招式，學有所成就在父母面前賣弄。他作勢用魔術棒刺穿絲巾而絲巾最終完好無缺；又將手帕塞入拳頭之中，張開手，掌心只有一顆朱古力；還能徒手變出銀幣來，父母的熱烈讚賞無形中促進了兒子追求魔術的熱忱。

「懋川，兒子熱愛魔術，孰好孰壞？」

「藉著魔術訓練，提升智力、肢體協調能力和自信心，應該是好事。」

「可是魔術教導孩子故弄玄虛，利用假象掩飾，以成功瞞騙為榮。」

「沒那麼嚴重，魔術只是玩樂，犯不著操心。」

「稱得上『魔』術，最怕走火入魔。」

「少擔心，我們靜觀其變。」

（七）

「爸爸，彼得兔斷了一條腿。」

父親察看牠的傷勢，母親問：「怎麼受傷？」

兒子回答：「牠從梳化躍下來，所以受傷。」

「我嘗試維修。」花了半天時間處理，終於完成任務，父親召喚：「懌

毅，修好了。」

兒子欣喜地衝入睡房取回彼得兔，對父親說：「恭喜你！爸爸真棒！」

懌毅返回客廳，津津低訴：「戀川，孩子變了。」

「變了？」

「變得不負責任。彼得兔怎會自己躍下？他沒有全面交代和承認責任，你修好兔子，他恭喜你卻沒多謝你。」

「小問題而已，他畢竟年少。」

「問題不容忽視。懌毅自幼愛惜小生命，純真和善，勇於承擔過失，現在掩飾真相和逃避責任。據我判斷，學習魔術影響心智發展。」

「不會吧。」

「多少有點影響。」

「怎樣解決？」

「放棄魔術。」

「反對不來，也就靜觀其變吧。」

（八）

新一代兒童有的玩具多不勝數，單單一件玩物，動輒過千元；有的家庭境況堪虞，普通玩樂也視為奢侈。富裕家庭玩意多多，孩子未必會珍惜它們，家居寬敞，多多玩具都容納得下，偏容不下老舊的東西。香港玩具業蓬勃發展，推陳出新，遇上貪新忘舊的子女和家長，舊玩具一錢不值。或許他們不想個人物品落入他人之手，寧可摒棄。

對津津而言，每一件玩具都承載著主人的故事，她與蛙蛙的感情甚至比兒子還深厚，包含她與外婆的珍貴回憶。即使物件破舊，無損本來的價值，反而潛藏的感情卻是無價，是獨一無二的瑰寶。蛙蛙毋須人工智能，猶如寵物善解人意，是津津的強大後盾。除牠以外，她收藏的經典懷舊玩意蘊含赤子情懷，簇新的時興玩物根本無法替代。

丈夫也有陪伴自己成長的玩具，因兒時搬家而被父母棄置，保留下來的所剩無幾，他最珍惜的是「小雞啄米」玩具。在一塊乒乓球拍形狀的

木板上，東南西北位置各有一隻面向圓心的木製小雞，四隻小雞的頸項均有一條幼繩穿過小孔，連接到木板底下一個小球。只要握著把手平推，小球便會擺動，繩子拉動小雞的脖子，接著小雞的嘴巴就輪流下降。木板中央糊了一張圓形色紙，紙上有一顆顆白點，形狀和大小如同白米。當雞嘴啄「白米」時，嘴尖撞擊板面，發出叮叮咚咚的響聲。兒子年幼時覺得很有趣，長大了不屑一顧，因為更有趣的流行玩意俯拾即是。

（九）

久沒見外孫，外婆一看到懌毅，皺臉綻放笑容，露出閃亮潔白的牙齒，瞳仁在狹窄的眼縫之間若隱若現。

「媽，來住就好，毋須買東西。」

「懌毅喜歡吃鮮雞，我買給他吃。」

「多謝婆婆！我表演魔術給您看。」他賣弄擅長的項目，外婆嘖嘖稱奇，讚賞孫兒本領高強。

「懌毅，婆婆也懂魔術。」她靈機一觸。

他半信半疑，問：「真的嗎？」

「不相信婆婆？」

懌毅滿腹疑團，催促：「婆婆，婆婆，快表演給我看。」

外婆輕彈自己的臉兒，外孫機靈，給她一個吻。她喜上眉梢，摟著孫兒強調：「別眨眼！」

懌毅著緊定睛，外婆從容轉臉，回頭張大嘴巴，宣稱：「看，我變走了牙齒。」

他目瞪口呆，他的母親怪責：「媽，好噁心呀！嚇壞小孩子了。」

外婆笑得合不攏嘴，只因口腔空蕩蕩。

懌毅掩著鼻孔，不諱言：「婆婆，這不是魔術。」

「你認為是甚麼？」

「小把戲！」

（十）

無論乘車或搭船，懌毅喜愛觀賞沿途風景，母親則喜歡看書。她抗

拒電子書和電子遊戲，重視實體的感覺，好比旅遊影片無法取代實地旅遊一樣，必須親歷其境。儘管當下 Virtual Reality 科技虛擬實境，感覺逼真，始終並非實物，難以產生感情。

津津覺得玩具可以帶給小孩子歡樂，喜樂的心是兒童發展的正能量，陶造樂觀性格和正面思想。兒童渴望從玩具取得樂趣，作為母親，她渴望玩具帶給兒子歡欣。當年她從外婆送贈的蛙蛙領受到安全感和幸福，期盼懌毅也能從玩具中得到終生受用的福氣。津津相信蛙蛙與背後溫馨動人的故事恆久不息，盼望將「家傳之寶」傳承下去。

（十一）

火車上，中年男乘客童心未泯，沉迷平板電腦的電子遊戲。鄰座小孩一直低頭旁觀，看得入神，貼近大叔的臂彎，興起時高聲叫囂。大叔不勝其煩，暫停玩樂，盯著孩童。孩子膽怯退縮，貼著椅背不敢妄動。出乎意料，大叔和顏悅色把平板電腦借予男童又悉心教導玩法。男孩掌握到遊戲，興奮莫名，旁邊的老人家卻吩咐孩子歸還電腦，接著老少倆下車。

對於別具意義的玩具，津津加以愛惜，兒子則視為可有可無的東西，在他眼中，舊玩具只不過是雞肋，食之無味，棄之可惜的物件。若玩具收藏在家中不動，不管多寶貴，與埋葬在墓園無異。她反思，以往過分重視玩具背後的人情味，反而令玩具失卻了人情味。玩具不一定要留為紀念，有福同享才能最有效發揮玩具的功能。喜樂並非單純源於物主與玩具之間的互動，而是緣自物主與玩伴之間的互動。與家人、朋友一同參與玩耍才會喜樂，承載著喜樂的玩具才有價值。

今非昔比，連相片也不再停留在紙本，普羅大眾都習慣採納電子影像，堅持追求實體變得脫離現實。世界變了就要接受現實，況且快樂並非收藏在玩具之中，乃在於物主和玩家的記憶之中。玩具只是提示，提示你、我、他曾經擁有過的歡樂時光，失去玩具並不會失去過往的美好回憶，所以津津決意捨棄心愛的玩具。

（十二）

玩具層出不窮，兒童可以免費享用玩具圖書館的服務，接觸到新奇

的玩具，家長亦可減省購買玩具的開銷。懌毅偶爾跟隨父母前去消磨時光，玩具種類繁多，功能各異，如：刺激感官、培養觀察能力、訓練肌肉、強化肢體協調、灌輸生活知識和發揮創作思維，還可以作為家庭活動，以及讓孩子從集體活動中學習與其他小朋友相處。

父親問：「懌毅，你喜歡來玩具圖書館抑或在家玩？」

「多人一齊玩總比自己玩開心得多。」

父親認同，玩樂者的快樂是互相感染的。時下盛行室內遊樂場，在商場內設置玩樂設施供兒童嬉戲，懋川曾帶同兒子去玩耍，懌毅覺得不好玩，因為場內只有他獨個兒嬉戲，欠缺朋輩互動分享。玩樂設施有趣也只不過是一件死物，無法予人喜樂。

受妻子感染，懋川對事物的態度轉變了，他贊同津津捐出自家玩物，與人家的孩子分享。兒子有所保留，反問：「若捐贈收藏的玩具，屆時豈不是人有我無？」

父親表述：「怎會？絕非一件不留，你仍然可以保留個別玩具。況且我們可以再到玩具圖書館玩樂，那兒提供的玩具五花八門，遠勝我們的藏品。」

「我要精挑細選三件，其他交由你們發落。」

父母透過慈善機構轉送玩具，讓清貧家庭的兒童受惠，一家人閒中會購買新玩具，留待日後捐獻。

（十三）

懌毅視魔術為與眾同樂的表演藝術，他用心練習，憑藉熟練的技倆贏得觀眾的掌聲。他從魔術中學懂掩眼法只是掩人耳目、隱藏真相，改變不了事實，努力不懈探求魔術的奧秘。父親表示支持，母親嫌魔術自欺欺人。

現今網上遊戲大行其道，除了具有升值潛力的玩物備受追捧之外，實體玩具市場日漸被蠶食。電子遊戲營造出各樣的虛擬實境，志同道合的玩家可以一起互動，抽離現實及時行樂。至於魔術，在芸芸的玩意中保持流傳，自當有其存在價值。相比虛擬世界，魔術來得實實在在。故

此，津津不再執著於魔術弄虛作假，反正世界變了，變得虛擬、不真實，何況現實世界比魔術更虛假！津津知道自己的思維守舊，不合時宜，對魔術應該改觀。

（十四）

「又餓又累，我想提早吃飯、睡覺。」

津津嚇了一跳，兒子默默做功課，蛙蛙蹲在電視機頂對她說話。

她以為幻聽，問道：「甚麼？」

「又餓又累，我想去睡覺。」牠與兒子的聲音明顯不同。

津津注視懌毅，他一直閉著口，懷疑自己患上精神病。她拿起蛙蛙，放近耳朵，傳來：「媽媽，媽媽！」

津津嚇得魂飛魄散，蛙蛙脫手而出。

「媽媽，別害怕！」懌毅拾起蛙蛙，告訴她：「我剛才使用腹語術。」

她驚魂未定，豎起耳朵，靠近兒子的腹部。

「媽媽！」津津嚇得要命。

（十五）

和煦的陽光穿透玻璃窗，照射到「啟德兒童醫院」病房的壁畫上，房間仍舊冷冰冰，還有揮不去的消毒藥水味道。純真的孩童受病痛折磨，喪失了爛漫的笑容，小手插上吊針的導管，在床上嗚嗚咽咽。接受化療的癌病兒童剃掉頭髮，頭頂光禿禿，樣子悶悶不樂，其他病童亦愁眉不展，驀地他們笑逐顏開，嘻嘻哈哈。

一對男女尚未踏入病房，先在門外露出鞋尖引人注目，然後蹦蹦跳跳地走進來。兩人穿著工人牛仔褲和醫生袍，戴上小丑帽，女的臉孔左黑右白、櫻桃小嘴，男的臉孔上黑下白、血盆大口，他們都有紅色球狀鼻子。

資深病童大喊：「小丑醫生！」

小丑倆一同招手，沒精打采的孩子精神大振。懌毅化身其中，利用套手布偶和腹語術與病童交流，逗得孩子們捧腹大笑。女助手假裝打針，原來用大針筒泵氣球，扭出許多得意的款式，送給小孩。到了魔術環節，

懌毅施展渾身解數，令全場病童及醫護人員入迷。小丑醫生特地來探訪，透過活動為小朋友解悶，病房一時間熱情澎湃，變得暖洋洋。

（十六）

　　一個突如其來的電話使津津著了慌，一家三口撇下飯菜，匆匆趕赴醫院。當晚她的母親感到胃部不適，吃不下咽，在家中暈倒，由懌毅的舅父陪同入院。三口子來遲半步，醫生剛剛宣告搶救無效，估計與急性冠心病引致心肌梗塞有關，留待解剖確定死因。驚聞噩耗，津津到病榻前下跪，按著母親的遺體泣不成聲。兒子一同落淚，頻頻呼喚婆婆，丈夫和兄長在旁飲泣。各人淚眼汪汪，矇矓中遺體被移離現場。懌毅好想揮一揮魔術棒，令外婆起死回生，然而魔術畢竟是魔術，不能信以為真。津津和懋川希望面前發生的情景只是假象，就讓真相掩藏下去。

（十七）

　　津津執拾母親的遺物時找到一張生日卡，它是懌毅小時候送給外婆的自製賀卡，卡上有簡單的圖畫及稚嫩的文字，想不到留存至今。

　　「懌毅，再畫一張心意卡給婆婆。」

　　「一張夠了，我打算送另一樣東西。」

　　「甚麼？」

　　「屆時揭曉。」

（十八）

　　「牠的左腿被蟑螂咬壞了！」津津帶蛙蛙去看玩具醫生。

　　他接過來檢查，小蛙蛙雙腿向前伸，一邊腳板底破爛，相當礙眼，訴苦：「動物世界弱肉強食，可憐的青蛙慘遭蟑螂咬噬。」

　　「好可惡！」津津義憤填膺。

　　「牠很可愛，有名字嗎？年紀多大？」

　　「牠叫蛙蛙，年紀——與我相若。」

　　他打趣：「主人與蛙蛙一樣青春常駐！」

　　津津與有榮焉，問醫生：「幫蛙蛙整容？」

　　「非如此不可。」

（十九）

　　男醫生不單止懂得針黹，而且手藝上乘，為蛙蛙修補得完美無瑕。津津帶牠回家，睹物思人，緬懷從前種種。到了大殮的日子，津津親自把母親視為至寶的生日卡火化，化作一縷青煙飄遠。靈堂上懌毅追思婆婆，借助她生前常用的絲巾變出一隻白鴿，他張開雙手，鴿子振翅高飛，瞬間失去蹤影。

看重

（一）

正值非繁忙時間，東鐵北行線列車上一名女子在座位打盹。她累透，腦袋左搖右晃，時而觸碰到左邊的座椅側板，叮咚作響，之後不自覺地傾向另一邊。姿勢如同鐘擺，右擺之後回復原位，這樣的動作重重複複。「鐘擺」靜止，她的頭枕在隔鄰男乘客的胳膊上。未幾，唾沫從她的嘴角徐徐而下，沾及他的衣襟。他默不作聲，不打擾她安睡。

火車駛離大學站，山丘上的中文大學教學樓和水塔恍似後退，迎面而來的是科學園。它沿途與東面九號幹線上的汽車並駕齊驅，繞過馬料水和樟樹灘後分道揚鑣。火車穿越了隧道，他背向吐露港，湖光山色展現眼前，湖中有大型的充氣水上活動設施，還有岸邊的小白鷺餐廳和燒烤樂園。當它進入大埔滘路段，再度與吐露港公路的車輛並排行走，繼而又分開奔馳，汽車駛往北面，火車則向西行。臨近大埔河，火車減速，抵達大埔墟車站。列車一停頓，她的頭連隨磕一磕，猛然睡醒。她抬起頭，撥開蓋著前額的長髮，露出一副渾圓的臉蛋和惺忪睡眼。

「對不起！」她自知失儀，慌忙道歉。

「不要緊。」

她隔窗觀望月臺，發覺火車停在大埔墟站，車門已經敞開，她趕緊離開車廂。他從座位拾起一個紙袋，下車呼喊：「小姐留步，妳遺下東西。」

她摸索兩側，回頭一看，他手持著自己擱下的食物包。

「謝謝！」她伸手領回。

「不必客氣。」

「對不起！列車關門了，連累了你。」

「不，我已經到站。」

她留意到他的襯衣上有一斑小水漬，估計與自己冒失攸關，頓然蹙起眉頭。她自覺太丟臉，佯作不知情，顧左右而言他：「你要下車，怎麼不預早叫醒我？」

兩人邊行邊談，他回話：「不怕，下一站太和下車也可以。」

「若到太和，我仍然瞌睡，怎辦？」

「換言之，妳亦錯過下車，那麼妳又如何？」

她一笑置之，越過閘口便告辭。

（二）

她自幼圓潤可愛，旁人喜歡捏其臉蛋，冠以「肥妹」。她相信肥胖是命定，伴隨一生，起初覺得體胖是自身的福氣。她嗜睡饞嘴，多吃也不長高，個子矮小、贅肉橫生、腰粗背厚、雙十年華體重已逾二百磅。她頭部細小，五官端正，眼睫毛長長彎彎，牙齒整齊亮麗，容貌肥美。她習慣乘車打盹，不時依傍到鄰座的乘客，內斂的乘客可忍受片刻，剛烈的乘客慣用手肘撞開她。剛才邂逅的男士氣度不凡，印象深刻難忘，令她頓生遐想。

（三）

肥妹到達廣福道投注站附近，從紙袋中取出雀粟，一撮一撮地撒向鷺鳥林，餵飼一大群小白鷺。大白鷺出外覓食，小白鷺留守樹叢，有的安然在樹上鳥巢棲息，有的在斜坡上悠閒徘徊，也有的在行人路上輕鬆散步。當牠們在樹下發現雀粟，紛紛上前啄食。她羨慕體型纖巧的小白鷺，細心觀看牠們的食相，以及寫意翱翔的大鷺鳥。她樂在其中，時常帶食物來臨，幫大白鷺養育雛鳥才上班。

大埔墟「四里」食肆林立，肥妹在其中一家任職侍應，由中午工作至晚上。食店提供免費膳食，對她無疑是恩賜。美食當前，她不愁吃不飽，勞碌過後總有回報。縱使她粗手粗腳，並不笨手笨腳，跟同事一樣，足以應付樓面的大小事務。老闆從沒歧視過她的體型，因為老闆本身是一

個大胖子；再者，肥妹曾經是她的常客。她在區內就讀中學，多年以來出外用膳，長期光顧該店，畢業後由顧客轉為員工，她視為一份優差。

「荷，幫手執拾六號枱。」

「好的，老闆。」

（四）

肥胖是否遺傳？荷心中有數。她的父親瘦削，母親體態豐腴，她相信自己承傳了不少母親的特質。妹妹的長相和身型跟平庸的父親相若，她與母親則不相伯仲。遺傳是上天作弄人的工具，世代相傳。

母親是家庭的 C.E.O.（Chef—Evil Operator），負責持家，按照其個人口味和份量，主宰全家飲食。父親和妹妹天生不受家庭飲食習慣的影響，即使餐餐進食高脂肪、高熱量的食物，他們的體型沒有多大變化。荷不一樣，無論節食抑或禁食均無助消脂減肥。

荷試過減肥，因為肥胖使她遭人白眼，招來冷言冷語。求學時期，她經常追趕巴士，由於身體太沉重，跑不快也走不遠，眼巴巴目送巴士駛離車站。有一次，巴士司機停車等候，荷十分感激，上車時連聲多謝，司機苦口婆心勸喻她減肥。有一回，荷渾身大汗，尾隨乘客擠進升降機，其中一名中年漢按捺不住，向她破口大罵：「豬一樣的身材、豬一樣的腦袋，連累街坊忍受豬一樣的惡臭。稍有自知之明，應當乘搭下一班——」言猶在耳，升降機門因超重而未能關上，紅燈亮起，並且發出蜂鳴的響聲。荷識趣退出，漢子揶揄不休：「爬樓梯吧，趁機減肥啊，肥妹。」類似事件不勝枚舉，大大打擊其自尊和自信，也改變了她的生活習慣。從此以後，每逢夏天荷就扇不離身，一座小型充電式「芭蕉扇」陪伴她到處闖蕩，不但涼快舒暢，還可免遭他人藉故責難。

荷曾經專誠到林村，在許願樹下拋寶牒，奢望減肥成功。許願為她帶來希望，可惜事與願違，願望落空。荷當然知道迷信無濟於事，就如年少時，每年正月她和妹妹都跟母親到富善街文武廟向文昌君膜拜，祈求考試順利，結果成績大失所望。個人如不努力學習，考試成績不會因求拜而突飛猛進；同樣地，若經不起刻苦的減肥過程，絕不會「瘦身」

成功。

<h2 style="text-align:center">（五）</h2>

祈福不靈驗實在平常不過，荷未曾放棄減肥的念頭，想像成功後自己的模樣，以及別人的讚美。古往今來，「窈窕淑女，君子好逑」，為未來著想，她要盡力達成心願。時下許多肥胖女藝人擔任纖體公司的代言人，她們迅速「瘦身」，連剛分娩的也立竿見影，短期內回復苗條的身材。荷考慮過花錢換取理想的身段，然而纖體收費動輒以萬元計，她捨不得花費，故退而求其次，購買減肥藥物。服用初期，荷頻密腹瀉和腹痛，十分疲倦，她以為是正常反應，持續服食，出現抽搐和暈眩，需延醫診治。醫生指藥物導致其身體脫水和電解質不平衡，必須立刻停用，兩星期以來的心血付諸東流。

之後朋友從日本買來一盒減肥藥，聲稱功效顯著，不會招致腹瀉，指使她安心服用。荷深信不疑服藥，身體並無嚴重不適，不外口乾、食慾不振，長期使用後問題湧現，諸如：便秘、頭痛、失眠、血壓上升、心跳加快、心律不正等。醫生告知該藥物含有禁藥「西布曲明」，用來抑制中樞神經，令人厭食、營養不良，引發精神問題，如思覺失調。荷一再因服藥而傷害身體，從此引以為鑑，謝絕任何減肥藥物。

<h2 style="text-align:center">（六）</h2>

由飲食著手，荷每朝起床後先喝兩杯水，早餐喝一杯蔬菜汁，午餐只吃一杯乳酪，晚餐再喝蔬菜汁，就寢前多喝兩杯水。除此以外，她隔日嘗試每三小時吃一個蘋果，一整天共吃五個，兩個節食方法交替進行。

食店為員工提供膳食，不享用是個人損失，也是一場嚴峻的考驗。每當荷送交烹好的熱葷給食客，芳香撲鼻，在視覺和嗅覺上衝擊其神經。她因節食而飢腸轆轆，抵受美食誘惑的意志分外薄弱，容易動搖。荷自我克制，堅決戒掉高脂肪的食物，捨棄了街頭小食、零食、甜品、雪糕和宵夜。為求達到目的，她採用「輕斷食」的方法來加強減肥效果。七天之內有兩天禁食，在禁食期間，只進食四百卡路里食物，其他日子則進食二千卡路里食物。

節食期間，她顧影自憐，猶如幫助漁夫捕魚的鸕鶿，受緊箍的頸環掣肘，銜到食物亦無從下咽。荷自覺比鸕鶿更可悲，牠們並不是徒勞無功，吃不到捕獲的大魚，尚有小魚作為獎賞。她已經很久沒有吃魚，連小魚也沒有吃過。「吃不到的魚兒是霉的」，荷自我安慰，豬牛雞全是致肥的壞東西，不吃也罷。

按道理，減肥餐足以維持生命。荷從事飲食業，工作勞碌，需要長時間站立，踱來踱去傳送食物和飲品，又要弓身執拾碗碟等，低熱量的飲食不足以應付體力消耗。雖然她的過剩脂肪能夠釋放一些能量，但體力透支引致頭暈目眩和手軟腳軟，故此她頻頻破戒，私下向廚師討食物充饑。

（七）

燃燒脂肪是荷的終極目標。她在上班前參加體適能班，對她而言，簡單運動都極其艱辛。一個月的密集式帶氧運動加上大幅節制飲食雙管齊下，體重大減，跌破二百磅。荷相信堅持下去便可達成心願，努力不懈做運動。上完堂，她必然在體育館更衣室洗澡，以免汗味倒了食客的胃口。

荷經常笑臉迎人，年長男食客特別喜歡與她交談。

「肥荷，近來清減了，生病？」

「沒事，多謝關心。」她嫣然一笑。

「減肥？」

部分食客轉過頭來，凝視荷的身段，她尷尬地回應：「你才要減肥。」

「說笑吧！老人家歲月無多，多活一天、多吃一頓都要感恩。」

「看你多年輕啊！」

「看妳多苗條啊！」

「哈哈！彼此彼此。」

客人同時招手，同事應接不暇，荷急忙分擔工作。

（八）

荷如常在星期二上班前探望鷺鳥。春夏是鷺鳥繁殖的季節，她帶備

多一倍雀粟來餵飼雛鳥。未到鷺鳥林，她已經眺望到一輛工程車停泊路旁，數名康樂及文化事務署員工正在施工。驟眼一看，樹梢上築了不少鳥巢，但工作人員罔顧雀鳥的處境，修剪樹枝如儀，荷放心不下，在旁觀察。斷枝連同鳥巢應聲而下，起初只是一個空巢，尚且無傷大雅，繼而另一個鳥巢墮下，巢內有一隻雛鳥，摔得奄奄一息。他們完全漠視雀鳥的生命，並無預先妥善安置鳥巢就強行剪樹。荷見形勢危急，馬上上前制止，工作人員聲稱奉命行事，繼續為所欲為。途人看不過眼，也勸喻關顧小生命，建議暫時擱置修樹，然而工作人員不肯罷休，粗暴對待樹木和雀鳥，荷的心坎隱隱作痛，聲淚俱下哀求他們手下留情。雖然圍觀者齊聲責難，依然無法改變工作人員的鐵石心腸，阻止不了殘酷場面的發生。工人公然對幼鳥狠下毒手，弄翻載有雛鳥的鳥巢，墜落在滿布樹枝的山坡上，當中約有七個摔散的鳥巢和十二隻雛鳥，以及至少兩具屍首，其中一具更插在朝天的斷枝上。

稚鳥體型嬌小，比手掌還細，由於羽翼未豐，不能即時飛走，最終被迫從高處墮下受傷，甚至喪命，無辜慘死在城市人的手上。此外，尚有一些未孵化的鳥蛋掉了下來，支離破碎。毀「鳥」家園的局面令目擊人士慘不忍睹，女士們心酸難過，男士們搖頭嘆息，怒罵康文署人員不仁。荷悲忿不已，緊咬下唇，責怪自己保護不力，阻撓不到惡行。

當時數隻大白鷺在上空盤旋，其中可能有小鳥的父母。家園盡毀，子女負傷、葬身鷺鳥林，牠們看在眼裡，情何以堪！難怪牠們遠飛他方，免得留在傷心地觸景傷情。康文署職員亦撤離，他們沒有清理現場，更沒有為雀鳥善後，遺留一個亂局便不顧而去。雛鳥屍體橫陳樹下，負傷的幼鳥無家可歸，與父母分離，失去所依。牠們得不到餵飼，虛弱地瑟縮在斷枝草堆之中。荷見狀，闖入圍封的小山坡，圍觀人士大都散去，個別人士加入，共同拯救苦命孤雛。

荷立即致電求助，漁農自然護理署及嘉道理農場野生動物拯救中心隨後派員到場，尋獲近三十隻鷺鳥，當中約二十隻傷重死亡，倖存的不足十隻。受康文署差派的人員大模大樣，以為公事公辦就等於奉旨行事，

不必理會其他事情，毋須顧及人情道理，因而造成一場不必要的人為災劫，輕視眾生，草菅鳥命。康文署的過失轉嫁予嘉道理農場彌補，他們帶走受傷的雀鳥，回去農場治理。直至有關部門介入，事件交由專責人員處理，荷才放心離去。她延誤了上班，食店在繁忙時段人手不足，被老闆狠狠責備，同事亦埋怨她不負責任，連累大家手忙腳亂。荷自知失職，誠懇地向老闆和同事道歉。暗地裡，她認為康文署在今次剪樹的禍端中責無旁貸而且罪無可恕！

（九）

當晚荷寢食不安，惦念著可憐的孤雛，翌晨連減肥餐也未下嚥便逕自前赴鷺鳥林。她發現小白鷺的不幸尚未終結，有兩隻幼鳥在叢林外馬路上遭汽車輾斃，牠們被壓成兩塊無以名狀的東西。其他小白鷺無處容身又未懂飛行，在路邊徘徊，有時會誤闖馬路，險象橫生。荷再經不起打擊，十分著緊鳥兒的安危，情急之下為牠們開路，提示司機小心慢駛。另外，她尋求該區議員援手。區議員高調處理，召集記者到場，繼而聲討有關部門的不是，敦促政府謀求補救措施。經傳媒報道後，小白鷺的景況依舊，在破落的藩籬下苟且偷生。

（十）

荷下班途經廣福坊垃圾站，聽聞貓兒的淒厲哀嚎。好奇心驅使下，她繞到垃圾站後方，發現一隻大狗狂噬花貓的後腿，小貓無從掙扎，擺脫不了惡犬肆虐。荷一心挽救落難的流浪貓，心焦如焚，連凶狠的野狗也不畏怯，隨手拾起一塊紙皮向惡狗橫掃。巨犬被擊退，遺下可憐的小花貓，牠的傷口很深，血流如注。荷發慌，不知所措。夜靜人稀，她向唯一青年途人求助，尚未開口，對方揚長而去。報警亦不會受理，她乾脆自行處理。

荷記起大埔有幾家獸醫診所，其中一家就在附近，於是她抱起小貓，擱在紙皮上，捧著牠跌跌撞撞找診所。幸好有夜診，她立刻推門進入，交給醫生打救，可算不幸中之大幸。鑑於情況危急，簡單登記後，醫生立時接見。助理接收貓兒，安放在診療枱上，接著醫生檢查傷口、止血

及消毒，並安排 X 光檢查。

「董小姐，我們又見面。」獸醫除下口罩。

荷發愣。

「上月杪某朝早，妳乘搭東鐵來大埔？」

她凝望醫生，刹那記起來，反問：「你——坐在我旁邊？」

他點頭，荷怔住，感到侷促不安。

醫生言歸正傳：「X 光結果顯示小貓的右後腿骨折，需要進行接駁手術。」

荷問：「費用多少？」

「手術費、十四天住院費連同藥費，至少一萬元，」醫生提示：「事不宜遲。」

「我並非小貓的主人，剛才在街上發現牠受傷，於是找你救治。」

荷思索一會，說下去：「道義上我有責任。可否轉介愛護動物協會？」

「S. P. C. A. 只提供緊急支援服務，例如拯救被困的貓狗脫離險境，以及調查懷疑虐待個案等，至於緊急獸醫服務則視乎情況而定，提供手術的機會渺茫。」

「那麼由我承擔醫療費。」

「難得妳為小動物在所不惜，給妳半價優惠。」

「醫生，多謝你！」

他盯著荷的左前臂抓痕，問她：「被抓傷？」

她沒有理會，問醫生：「可否儘快安排手術？」

「最快也要明天下午。」

「我要上班。」

「妳放心交給我們處理吧。」

「嗯。」

「讓我幫妳消毒傷痕？」

「謝謝你，傅醫生。」荷留意到他的制服繡上「傅衍」。

（十一）

對荷而言，挽救動物無比重要，她雖節儉，但捨得花費救助弱小。她連日往來診所探望小貓，視牠如同家人一樣看待。傅醫生得悉荷在附近工作，特地前往她任職的「灃記湘菜館」惠顧。菜館面積不大，他剛登門便看到荷正忙碌工作，自行到靠近牆壁的位置坐下。荷發覺傅醫生坐在一旁，即時上前招呼：「傅醫生，專誠光臨？」

「特意來品嚐湖南風味小菜。」

荷奉上清茶和菜單，讓他慢慢看。

「湘菜太陌生，可否介紹一下？」

「好！東安雞肉質鮮嫩、皮脆爽口，血鴨黑裡透紅、香辣酥脆，毛家紅燒肉色澤金黃、肥而不膩，剁椒魚頭鹹鮮味重，干鍋茶樹菇酸辣香濃，還有——」

「那麼給我一碟紅燒肉、一鍋茶樹菇和一碗白飯吧。」

「好的，請先用茶，待會兒贈你例湯。」

「謝謝！」

茶餘飯後，荷問醫生：「味道如何？」

「不錯！」

「不嫌太辣？」

「我嗜辣。」

「你上夜班？」

「是。小貓已經康復，何時接牠出院？」

「今晚下班後。」

（十二）

小花貓溫馴可愛，康復後怯懦消減了，增添幾分柔情，恍若孩子喜歡纏住母親，無時無刻依偎著荷。

「妳打算領回家中飼養？」

「嗯。」

「牠遇到妳真幸運！日後毋須再流落街頭。」

「遇到你，我也算幸運，醫療費減半。」

「說來慚愧，好應全免。」醫生岔開話題：「現行法例並無規定貓隻必須植入晶片，如果妳想為牠植入的話，可以豁免收費。」

「寵物晶片對狗隻的作用較大，牠們經常跟隨主人上街走動，走失時能夠發揮作用。貓隻一般只留守家中，情況有別。至於醫療紀錄，不必收藏在體內吧。」

「說得對。妳考慮過為牠命名嗎？」

「——叫『敷衍』。」

「甚麼？」醫生瞪眼。

「敷衍你罷了，傅衍醫生。其實我未曾想到，有頭緒才告訴你。」

「用心思考一個美妙絕倫的名字。」

「一言驚醒，就叫『妙妙』吧。」

「又敷衍我？」

「不，真的叫『妙妙』，因為我未見其面，先聽到其『妙妙』聲。」

「妙啊！」

<h2 style="text-align:center">（十三）</h2>

荷帶「妙妙」回家，父母沒有異議，妹妹非常雀躍，支持飼養小花貓，她在教育大學唸書，適逢暑假，趁機弄貓為樂。妙妙的大眼睛老是含情脈脈，令人著迷；挺起尖長的耳朵，好像曉得傾聽心聲；動作乖巧活潑，嬌聲嬌氣，卻蓄起幼長的白鬚；行路微拐扭臀，婀娜多姿。在貓群之中，牠稱得上尤物。

荷和薇兩姊妹略嫌妙妙瘦弱，決意幫助牠增肥。薇知道貓的腸胃不能單靠乾飼料作為糧食，需要餵飼肉類和適量脂肪，故購入大量專供貓食用的罐頭。廉宜的罐頭引致妙妙腹瀉，荷愛貓心切，一概棄置，另行購買較佳的罐頭。由於長遠開支大，母親每天準備魚、肉、蛋、瓜菜之類的拌飯來替代。妙妙頑皮，有時會抓花梳化和櫃面，又或扯破坐墊，薇會定期為牠修甲，還幫牠洗澡、抹身，以及吹乾和梳理。姊妹倆寵愛妙妙，一有空就摟牠入懷。

父親戲謔：「妳倆與妙妙一家親，堪稱董家三姊妹。」

母親不滿：「你願做貓公，我才不做貓娘親。」

「母親當然不是貓娘，是包公，」薇插口：「看她的臉色。」

「對，黑臉的包公！」荷附和。

「若然我是鐵面無私的包公，還會饒恕你們？貓頭鍘侍候！」

「家庭暴力啊！」

妙妙忽然「喵喵」作聲，掙脫薇的懷抱，縱身躍下，靠近女主人，然後豎起尾巴，用舌頭輕舔她的足踝，「包公」的黑臉立即消失，還笑逐顏開。

<h2 style="text-align:center">（十四）</h2>

傅醫生嗜辣，成為灃記的常客，近來卻無影無蹤。荷擔憂他遇上不測，曾經向其助理打聽，回覆不便透露。荷正在工作，電視新聞報道一椿登山意外，當日上午，一支遠足隊伍離開梧桐寨井底瀑，前往主瀑途中遇上天色突變，滂沱暴雨驟至，數名行山人士在陡峭的山坡上滑倒，其中一名頭部著地受傷昏迷。據悉傷者為該區獸醫，送往雅麗氏何妙齡那打素醫院搶救，目前在深切治療病房留醫，情況危殆。荷心緒不寧，趁著「落場」休息時段，乘的士趕赴那打素醫院，當面查詢傅衍的下落。院方回覆並無此人的入院登記，讓她暫時放下心頭大石，但她仍然牽掛醫生的安危。

荷回到灃記，赫然發現傅醫生在下箸，桌上並無湘菜，他改吃清蒸黃花魚和涼拌青瓜雲耳。荷失魄落魄，呆望醫生。

「荷，身體不適？」

「沒事。」她喜極而泣。

「真的沒事？」

男同事插嘴：「她懷春！」

荷煞有介事，輕摑同事的嘴巴，嚴詞厲色：「胡說！」

同事呼求醫生：「救我！」

荷側著頭、皺著眉問同事：「你是貓是狗，還是飛禽走獸？」

同事敗興而去，老闆嘖嘖稱奇：「動物五花八門，獸醫比家庭醫生的

工作更繁複？」

醫生回答：「在外國，農場多、動物多，主人對動物的健康知識普遍較豐富，豬、牛、羊、馬等患病，他們都會找獸醫治理。本地以貓、狗為主，範圍比較狹窄。」

「獸醫罕有，特別矜貴？」

「全港近三十萬戶人家飼養寵物，寵物數目逾五十萬隻，本地註冊獸醫不足一千人，獸醫的確罕有。若以十八區計算，平均每區有數十名獸醫，競爭很大，並不矜貴。」

「傅醫生太謙虛！」

（十五）

荷乘搭火車，沿途風和日麗，臨近大埔墟站，烏天黑地迎面而來。局部地區性驟雨向來是大埔的一大特色，今天也不例外，例外的是她沒帶備雨傘。面對大驟雨，荷寸步難行又不想每逢下雨添置雨傘，因為家中的新雨傘堆積如山，她暫且到鄰近火車站的新達廣場避雨。

她一向購買不到稱身的衣裳，衣著寬鬆，忌穿短褲、短裙，更加不敢穿著泳裝。適逢商場大堂租予某游泳產品公司作宣傳推廣活動，擺放一幅巨型畫板，畫中有一位穿上該品牌比堅尼泳衣的苗條女郎，臉部位置鏟開一個洞，免費供途人拍照。荷如獲至寶，趁機把臉孔貼近板洞，然後自拍。她把手機從旁伸到畫面前，左試右試，只拍攝到自己的臉容，拍不到以下的美好身段。

「讓我幫忙。」耳邊有一把熟悉的聲音，荷探頭張望，傅醫生站在面前。

「——傅醫生，勞駕。」

醫生連續拍攝多幀相片，交還手機給荷，笑著說：「如不滿意，可以再拍。」

「滿意，滿意！很好，很好！謝謝，謝謝！」她慌張得說不出其他話來。

「不用客氣，妳接著上班？」

「是。噢,不是。」

醫生目瞪口呆,荷再作解釋:「上班前先去報名。」

「報名?」

「我打算上午參加爵士舞班。」自從認識傅醫生,荷加緊減肥,不過成效不彰,好像減磅已經到了極限,難以突破,設法加強運動。

「原來如此,我也想利用上午做運動,如不介意,一起報名?」

「——好的。」她喜上眉梢,恐防給醫生看穿,刻意收斂笑容卻情不自禁頓足。

兩人離開廣場,雨粉依然翻飛。醫生有一把輕巧的日本雨傘,傘面太細小,僅可遮蓋荷的頭肩胸臀,醫生被擱在傘外,襯衣和褲管皆溉濕了。荷不想獨佔雨傘,騰出一點小空間予醫生容身。彼此屏息靜氣,心跳聲異常響亮,突然傳來一聲驚雷,荷心跳加劇,大家靠得更貼近。

荷興致勃勃到社區中心報名,但爵士舞初班已經滿額。失落之際,職員提議兩人參加社交舞初班,她拿不定主意,視乎醫生反應。他爽快贊成,她樂意配合,一併登記,逢星期三上午,每堂九十分鐘,共十二堂。荷既熱切期待開課,又擔心自己屆時顛三倒四、大出洋相。

雨過天青,他們行到澧記,傅醫生打算進去,荷望而卻步。

他理解她的顧慮,說道:「荷,妳要開工,快用膳吧。我先逛逛大埔超級城,稍後才惠顧。」

「再見。」

(十六)

「傅醫生,怎麼過去兩個星期失蹤了?」

他降低聲線:「秘密。不過以我們的交情,不妨向妳透露,我入院做手術。」

「甚麼手術?」荷顯得緊張,張大了嗓門。

醫生單手豎起食指,貼近嘴唇,說下去:「進行膽囊切除的微創手術,我——患上急性膽囊炎。」

「難怪你改吃清淡小菜。」

「手術後消化脂肪的能力減弱，忌吃油膩和辛辣等刺激性食物。」

荷大惑不解：「你不宜吃湘菜卻時常來光顧！」

「妳幫老闆趕走客人？」

她豎起食指，貼近嘴唇，笑說：「他聽覺不靈。」

老闆厲聲：「荷，別在醫生面前說三道四！」

她回應：「豈敢！」

「無膽。」

「你才無膽。」

（十七）

舞蹈室內兩堵面對面的牆壁鑲嵌了光潔的鏡子，十二對異性夥伴包括傅醫生和荷置身其中，關係霎時密切起來，開課時學員並排而坐，大家有點拘束。中年舞蹈老師裝扮得花枝招展，一襲通花連身短裙，色彩鮮艷奪目，配襯一雙閃耀的舞蹈鞋；其年輕舞伴裝束簡單，配以一雙光亮的皮鞋。

學員大都未曾接觸過社交舞，初次學習慢四步舞，拉近彼此距離。按照老師指示，醫生用左手握著荷的的右手，右手按在荷的左腋下後方的玉背上，荷的左手則輕輕搭在醫生的右上臂，醫生厚實的手掌一直扣住荷的玉手。舞曲的節奏比較緩慢，「慢慢快快」的舞步易於掌握，初學者從容不迫在舞池中翩翩起舞。

荷估計大部分男士不會喜歡胖女孩，因為她本身不喜歡胖男孩，覺得他們肥頭耷耳，反應遲鈍。她自覺欠缺條件擇偶，猜想將來離不開與胖男孩交往，除非孤獨終老。荷從未想過參加社交舞班，一來欠缺舞伴，二來，她想像自己與胖子為伍跳舞時互相碰撞，肯定貽笑大方。如今與帥醫生共墮舞池，她自以為做夢，興奮得飄飄然，輕盈舞動。

（十八）

下堂後兩人朝著「四里」並肩而行。

「傅醫生，為何你當獸醫？」

「與年少時的經歷攸關。兒時跟家人到中國東北旅遊，在吉林有機會

參觀黑熊，我喜歡活潑可愛的小熊維尼，興致勃勃踏入養熊場，給恐怖的場面嚇一跳。大大小小的黑熊關押在狹窄的鐵籠內，活生生被插管抽取膽汁，痛苦嚎叫。由於熊的膽汁具有藥用價值，人類為求私利，虐待和殘害無辜的黑熊。牠們的傷口外露，腹部潰爛、血肉模糊，折磨到「求生不得，求死不能」。自從目擊這樁事件，我立志成為獸醫，挽救受傷害的動物。」

「聽聞有人把自製的爆炸裝置塗上蜂蜜，用來餌誘長白山上野生瀕危的棕熊，炸死牠們後破腹取膽、鋸斷熊掌及剝皮，然後棄屍荒野。他們的所作所為實在令人髮指，你正好相反，對動物宅心仁厚。」

「彼此彼此！」

「你好似一隻可憐的小熊，」醫生愕然，荷解釋：「被人摘取膽子。」

「或許上天要我深切體會動物承受的苦楚。」

「天降大任啊！」

「誇讚了。荷，妳喜歡甚麼動物？貓？」

「我固然喜歡妙妙，不過我最鍾愛的動物是海豚，牠們好像你一樣聰明、友善。」

「我也喜歡海豚。」

「主題公園的海豚真可悲，被迫與汪洋隔絕，囚困水池鬱鬱而終，樂園的歡樂無疑建築在動物的痛苦上。」

「無錯。」

「獸醫善於與動物溝通？」

醫生隨手輕輕一掃荷的頭頂，問她：「感覺如何？」

「被佔便宜！」荷伸一伸舌頭，改口：「感覺良好，說不出的甜蜜暢快。」

「獸醫日常透過觸摸動物傳情達意，建立彼此間的感情和互信。」

「正如我平日摸妙妙一樣。」

兩人將近到澧記，荷先行，醫生隨後。

荷轉身呼喚：「傅醫生，來吃小菜？」

（十九）

　　社交舞有助傳情達意。上一兩堂，從舞蹈上的肢體配合，促進彼此感情交流。再上兩三堂，舞蹈技巧難度提高，肢體不易配合，講求互諒互讓。舞蹈不單止要符合節拍，還要姿勢配合得當，荷越學越迷惘，難以掌握艱深複雜的花式。舞池上滿載難題：左右前後快慢、腳步升降、手部開合、狐步、斜上、併步、開步、大步、小步、保持重心、轉步、轉身、後退、原地旋轉九十度、後轉九十度、轉移重心、閃步……荷邁出每一步都患得患失，幸而社交舞由男士主導，帶領舞伴相隨。醫生循循善誘，荷如影隨形，在舞池中穿梭自如。

　　如此類推，其他類型的舞蹈亦不成問題。繼慢四之後，老師教授輕快的 Cha-cha-cha、Rumba 和牛仔舞，舞蹈種類增加，花式的變化容易混淆，要不是由醫生帶領，荷恐怕無法掌握。課堂中，老師要求每對學員輪流展示實力，荷膽怯，幸好有醫生引導，信心回升，儘管跳得雜亂無章，她泰然自若。

　　當老師教導華爾茲，荷異常興奮，陶醉於王子與公主共舞的情懷之中。學習探戈時，荷代入淑女的角色，在紳士的懷抱中，雙雙在舞池蕩漾，浪漫中散發激情。在最後一堂，醫生一邊跳舞，一邊問：「荷，妳喜歡甚麼花？」

　　「若然你送給我，甚麼花我都喜歡。」

　　「趁明天大家放假，一起郊遊？」

　　「去哪兒？」

　　「保持神秘，明早十時在診所會合。」

　　「好！」

（二十）

　　「荷，出發吧。」傅醫生牽著荷的手，離開診所。她回頭張望，找不到任何花束，連一朵花也沒有。兩人乘坐的士抵達大埔海濱公園，醫生腳步輕快，荷不敢怠慢，一起邁向香港回歸紀念塔。她瞧見四周色彩繽紛的花圃又嗅到清幽的花香，頓時心花怒放。矮牽牛、蝴蝶草，加上爆竹般的一

串紅，泛起一片萬紫千紅的花海；百日菊、鳳尾球、金苞花構成另一幅「黃金甲」；還有翠綠的雀尾花……面前的花草、撲鼻的芬芳使她迷醉。

「荷，送給妳的花——海，」醫生執著荷的手說話：「來，我們跳舞。」

荷來不及反應，伴隨醫生起舞。兩人在花田外、高塔下、流水旁「慢慢快快」，慢四只當作熱身，兩人尋回舞蹈的記憶和感覺之後，繼而跳Cha-cha-cha、Rumba、牛仔舞、華爾茲和探戈。初次當眾跳舞，荷有一絲害怕，方寸大亂，及後完全投入公主和淑女的角色，顯得輕鬆自在。

「荷，我們登上塔頂。」

她又來不及反應，跟隨醫生登頂。荷氣喘吁吁，醫生放緩步伐，跟她說：「讓我揹妳？」

「開玩笑？」

「當然。」

「傅衍，你敷衍我！」荷追打醫生。他走避，她追逐，不知不覺間到了塔頂。

荷喘息一會，問起紀念塔的螺旋型設計與香港回歸何干？

「天曉得！也許寓意香港兜兜轉轉，終於回歸吧。」

「社交舞同樣兜兜轉轉，最終回歸原地。」

「人生亦如此，時常兜兜轉轉，從頭開始。」醫生指向塔下，讚嘆：「嫣紅嫩綠的花海多漂亮！」

「對，換一個角度遠眺，飽覽花田，無疑是視覺神經的享受。」荷挽著醫生的臂彎，湊近說：「你看，吐露港及對岸馬鞍山景色多麼怡人。」

「荷，我們再換一個視野，騎單車往大尾篤，登上船灣淡水湖的主壩，回望大埔？」

「好！但我怕——」

「怕甚麼？Come on，baby。」

<h2 style="text-align:center">（二十一）</h2>

他們在塔下租賃單車，循單車徑離開公園，繞過工業邨駛上汀角路，在八仙嶺下闖蕩。荷不熟習騎單車，戰戰競競踏出馬路，跟隨著前面引

路的男友而行。他加快，她追不上；他減速，女友仍舊落後，不時回頭張望，有時折回她的身邊。荷過分謹慎，速度太緩慢，遇著馬路暗斜，更加吃力。她開始體力不支，大汗淋漓，勉強堅持下去。途中荷的左大腿突然痙攣，男友扶她到路旁休息。她叫苦，他從旁安慰兼按摩，舒緩其繃緊的筋肌和情緒。荷鬆馳完畢，不想耽誤行程，説道：「我倆可以繼續行程。」

「妳很累？」

她點點頭，他建議：「大尾篤太遠了，倒不如縮短行程，改往三門仔吃海鮮？」

「太好了，起程吧。」

由汀角路轉入三門仔路，中途有修路工程，當他們在斜路俯衝而下，荷的單車前輪輾過碎石，車身顛簸不定，她張惶失措，單車衝往對面行車線，慶幸當時無車輛經過，否則後果堪虞。單車失控，她飛身疾撲沙井，倒臥在石壆上呻吟。男友聽聞荷的慘叫，馬上棄車，跑回去看女友的傷勢。荷雙手掌心流血，右手腕嚴重瘀腫，痛楚莫名。他報警求助，一同登上到場的救護車往那打素醫院診治。

<h2 style="text-align:center">（二十二）</h2>

檢查顯示荷右手腕骨折，主診醫生稱可為她打石膏以固定骨折部位，其間關節會僵硬和麻痺。傷者亦可考慮在骨折位置鑲上金屬片，矯正骨折、避免移位，復原時間較短，之後再施手術拆除金屬片。荷一時之間難以抉擇，因為後者需要「開刀」。

男友陪同荷轉往私家醫院，尋求多一個醫療意見。沙田仁安醫院骨科醫生指出，微創手術和傳統手術同樣需要十至十二個星期讓骨折癒合，但前者只需一至兩個星期便可恢復手腕的活動能力，比起「開大刀」之後八星期才可活動較佳，更重要的是傷口細小，創傷性也相對地低。荷隨即入院，等候院方安排手術。

家人獲悉荷受傷入院，趕赴醫院探望，在病房與傅醫生初次見面。

「他是我的朋友，傅醫生。」荷接著介紹：「我的爸媽和妹妹——薇。」

大家點點頭，互相問好。

母親注視女兒的傷勢，氣憤責怪：「妳膽大妄為，竟然在馬路騎單車！」

傅醫生尷尬道歉：「恕我魯莽！」

「意外就是意料之外，誰意料得到？」父親表示諒解：「傅醫生不要把內子的說話放在心上，只怪女兒一時大意。」

「家姐，妳的傷勢怎樣？」

「右手腕骨折，院方將會安排明早進行微創手術。」

家人缺乏醫療知識，只知道手術風險高，擔憂稍有差池，後果不堪設想。傅醫生為他們排解疑難，釋除不必要的焦慮。

「大家放心回家吧。」

母親撫摸荷受傷的手，幽幽地說：「妳好好休息，我們明天再來。」

（二十三）

在家人守望下，荷完成手術，留院休養。由於她告假，同事都很忙碌，未能抽空探望，老闆訂了一籃生果，連同同事的慰問卡送到病房。

「荷，祝妳早日康復！」男友親自送上禮物。

「謝謝！甚麼東西？」她在病床上接收禮物，難以單手拆開。

「交給我。」他拆開包裝袋。

「噢！好可愛的 Piglet，」她舉高，對著一隻粉紅色的小豬毛公仔問：「妳的好朋友呢？」

荷發覺男友不解，於是補充：「你不就是可憐的小熊維尼嗎？」

「對！妳是小豬，我是小熊。」

「日後還要接受康復治療，短期內不能上班，恐怕飯碗不保了。」

「妳安心養傷。只要妳有興趣，過來當獸醫助理。」

「我可以勝任？」

「當然可以，而且勝任有餘。妳愛護動物，富憐憫和耐性，以及照顧寵物的經驗，非常適合。」

「單憑我收養妙妙？」

「不僅如此，過往多次在鷺鳥林外發現妳的蹤影。雖然擅自餵飼雀鳥

可能違法，但妳對動物的關懷愛護無可厚非。上次妳號召各方營救小白鷺的時候，我也在場見證。再者，妳甘願為一隻萍水相逢的流浪貓而付出不菲的醫療費，令我更加佩服和欣賞妳的仁慈和善良。」他把手機遞給女友，讓她觀看一段短片。

「你偷拍我？」

「不！我光明正大拍攝，只不過妳懵然不知。」

「我懵？」荷作勢掌摑，呼喊：「哎喲！」

他按著她的前臂，叮囑：「不要輕舉妄動，讓我檢查傷勢。」

「你是獸醫，我可不是寵物。」

「妳當然是我的寵物！」

<h2>（二十四）</h2>

傅醫生接女友出院。

「小豬，慶祝妳出院，吃自助餐好嗎？」

「不！我一直節食，只怕功虧一簣。」

「撫心自問：妳為自己抑或為別人節食？」

「——確實為了別人的目光。」

「為我？」

「你休想！」

「想吃便吃，何必捱餓而自討沒趣？」

「好！我倆痛痛快快大吃一頓。」

<h2>（二十五）</h2>

從此小豬不再節食，心廣體胖，體重大增，比減肥前更甚。她不怕被老闆解僱，也不怕吸引不到異性，因為她已經轉職為獸醫助理，正在蜜運之中。

小豬介懷小熊無膽，因為他不能盡情吃喝。

小熊從來不介意小豬肥胖，因為她的內在美不勝收。

小豬想問小熊：「你寵愛牠們多，還是小豬多？」她一直沒有發問，因為心中有數，自己何嘗不是他的寵兒。

崢嶸

（一）

電話鈴聲響徹公園，打破寧靜，鏗鏘的武俠片配樂《將軍令》使園內人士心中一凜，揚琴、琵琶、鼓、鈸……樂聲四起，氣勢磅礡，激昂的音韻令人血脈沸騰。石璞慢條斯理，擾攘近半分鐘才接聽電話：「喂！」

（二）

日落猶如老人退隱，卸下盛年的光芒，只剩餘暉。夕陽下，璞孑然一身，在荃灣海濱公園健步如飛，跑步是其畢生志趣，餘生也要盡情、盡力奔跑。年華老去，狀態無復當年，黃昏始熱身上陣，免受猛烈陽光煎熬。

雖然涼風撲面送爽，但蘊含惡臭，璞立刻閉氣，加快腳步遠離。他在該區居住，了解臭味的源頭，由於排污渠接駁錯誤，糞便和工業污水等從排水口直接流入大海，以致夜香味長期困擾鄰近居民。荃灣公園的空氣清新得多，海旁路面寬闊、筆直、平坦，璞跑起來倍感輕鬆。跑到青山公路汀九段，道路時窄、時彎、時斜，增添了幾分難度和趣味。儘管大汗淋漓，衣衫濕透，他依然大氣不喘，臉面微紅罷了。

璞的耐力比一般人高，透過承受肉體的苦楚來磨煉意志，意志力與耐力相輔相成。他從艱辛的運動中體現存在感，領受行動自如、呼吸自如，以及喘息的福氣，享受流汗「排毒」的暢快。跑步之餘，他順道觀賞風景，初段隔著藍巴勒海峽遙望青衣島；中段則遠眺夕陽斜照下的汀九橋及橋底的麗都灣泳灘，同時飽覽青馬大橋；末段，他沿著青山公路深井段直奔深井村，追求加速衝線的快感。對璞而言，七公里路程太輕易，不消一小時便完成。秋天，他會提前起步，把終點改為屯門三聖邨，全

程約十八公里，作為馬拉松的賽前練習。

（三）

璞年屆九十，頭髮銀白稀疏，皮膚乾澀發皺，老人斑多不勝數。寬鬆背心凸顯其瘦削體型，短褲下展露纖幼紮實的腿部，活像掛牆式牙刷架懸垂的刷柄。外貌蒼老卻聲如洪鐘，中氣十足，緣於他對跑步的熱忱，天天鍛煉，風雨不改。璞習慣跑步時收聽節奏感強烈的《將軍令》，保持與音樂一樣緊湊的步伐，越跑越起勁，常與身邊騎單車的少年並駕齊驅。他長年參與馬拉松賽事，曾經在海外元老級馬拉松比賽中奪魁，並獲廣告商垂青，拍攝體育用品廣告，其老而彌堅的形象深入民心。

（四）

呂悅融自從中學畢業便沒有返回學校，她再次踏足母校，擔任運動會的主禮嘉賓。校園佔大，擁有標準運動場，重臨舊地，感覺格外親切，就像投入母親的懷抱。女校長與悅融惺惺相惜，久別重逢先熱情擁抱。

除了在國際單車大賽中屢獲殊榮之外，悅融當選香港傑出運動員及香港十大傑出青年，成就有目共睹。她載譽歸來，深受學弟、學妹愛戴，爭相合照，致辭時掌聲雷動。悅融的學業成績平平無奇，體壇上的成績卻出類拔萃，可說是母校甚至香港的光榮，使校友和香港人引以為傲。她勝不驕、敗不餒，說話誠懇，呼籲眾師弟妹日常多做運動，並發揮其號召力，積極推廣單車運動，鼓勵有志者加入體育行列。

（五）

悅融年少時隨同父親到大圍公園，那裡沒有遊樂場，也沒有花草樹木，只得一塊空地，幾乎所有面前出現的人都騎著單車，她才知道來到單車公園。孩提時期，她也曾踏過小型三輪車，左右腳輪流屈伸便可驅車前行或後退，感到十分有趣。

父親蹲身問悅融：「妳喜歡騎三輪車抑或雙輪車？」

「兩款都喜歡。」

「不許貪心，只可二擇其一。」

她反問父親：「哪樣好玩？」

「兩樣皆好玩，妳必須學習自己作主。」

「雙輪車吧，」她果斷回應：「因為看來好像我們的姓氏。」

他笑一笑回應：「說得對，兩個車輪的確與『呂』字很相近。」

父女一同挑選單車，租借後父親扶女兒登上車。

「爸爸，我要自己玩。」悅融自以為騎單車很簡單。

他認為女兒有天分和能力，於是放開手。她提腿按下踏板，立即失去平衡，用力緊握把手，張開雙腿，但腳短未能著地，身體傾側。父親站在悅融的左邊，她向右邊倒下，他急忙扯著女兒的手臂，連人帶車拉回原位。

「別著急！爸爸在旁扶持，妳放心騎，不要左搖右擺。」

悅融戰戰兢兢踏下去，前輪隨之晃動，父親用右手撐著女兒的腋窩，左手抓著把手，相伴同行。繞了兩圈，她開始掌握到保持平衡的技巧。

「爸爸，不必幫手，讓我單獨嘗試。」

父親鬆開雙手，車身隨即傾斜，他尚未出手相助，女兒一下子把單車穩定下來。她覺得駕馭單車不難，放膽在沙場上馳騁。父親放心不下，跟隨著單車東奔西跑，氣喘吁吁。他停下歇息，她回來表述：「爸爸，相比三輪車，騎雙輪車靈活刺激得多。」

悅融驅車遠去，一邊騎，一邊按鈴，通知旁人：「我來了！」

她興高采烈，企圖在前面兩輛同一方向行駛的單車中間穿越，又故意不動聲色，發力衝過去。車頭剛竄入空隙，前面兩車貼近，她的單車被夾住，整個人向前衝，猛然拋出，在半空中翻了個筋斗就俯伏地上。父親驚惶上前察看，幸好女兒沒有大礙，僅擦傷手掌而已。他趕忙跑到單車檔借用消毒用品，為女兒潔淨傷口，接著交還單車。悅融意猶未盡，不肯罷休，父親聲稱附近的雪糕紅豆冰好吃，售完即止，催促她快去品嚐。女兒聽從，乖乖離去。

到了晚上，悅融嘔吐大作，父親以為與進食雪糕紅豆冰有關，女兒沒有腹瀉，不時觸摸胸脯。母親起疑，揭起女兒上衣檢查，赫然發現其胸口有一大塊瘀痕，不禁吃了一驚。找醫生檢查，悅融雖無大礙，但母

親禁止她再騎單車。

（六）

悅融活躍好動，終日蹦蹦跳跳，無意中在校內短跑比賽中脫穎而出，驚人的爆發力引起體育老師關注，因而獲邀加入學校田徑隊。她接受訓練後，在小學校際運動會中分別奪得一百米及二百米賽跑冠軍。此外，在四乘一百米接力比賽中她負責殿後，憑著凌厲後勁力挽狂瀾，衝線時後來居上，為學校再添殊榮。

每次參與徑賽，悅融都可以站上頒獎臺，與她的體能及不甘後人的性格有莫大關係。她享受比拼實力的樂趣，從比賽中取勝，使成功感大增。她最念念不忘的是騎單車，想像自身與單車能手激烈競爭必然別有一番滋味。

不管母親反對，悅融堅持夢想，既要騎單車，還要擁有自己的單車，天天騎著它踏遍四方。她省吃儉用，把上學的零用錢儲蓄起來，私下取得父親首肯，將母親蒙在鼓裡，然後先斬後奏，父女倆選購了一輛鮮紅色 BMX 單車，合力運送回家。母親非常生氣，聲色俱厲責怪丈夫縱容女兒，又擔心她重蹈覆轍而受傷。女兒苦苦央求下母親心軟，跟她到公園，了解其實力才下決定。悅融充滿自信，展現非凡的英姿，換來父母的信任。

他們居住公共屋邨，單位狹窄，安置單車的空間無多。再者，母親嫌車輪骯髒，堅拒納入家門。為免妨礙起居生活，父親遂將它存放在屋外走廊，以單車鎖鏈扣於水錶喉管。

（七）

璞退休前任職的士司機，朝六晚六工作，下午五時左右交車予夜更司機趙秉乾，翌日朝早兩人再交收的士，每天會面兩次，不知不覺合作了逾二十載。縱使璞退休，二十多年來與夥伴保持聯繫，這老夥伴比他年輕三十歲，諢名「餅乾」。秉乾自稱朱古力餅乾，因為其膚色太深，晚間工作亦無助褪色；璞則認為他是提子餅乾，無時無刻提及其子；其他司機打趣：「秉乾堪稱『朱』古力『提』子『餅』乾，簡稱『豬頭丙』！」璞

覺得此名比「餅乾」親切，故改變了稱謂。

兩人交更時少不免互吐心聲，璞敘述：「『阿丙』，我載客過海往大浪灣，之後一直無乘客，難得筲箕灣有客人前往石塘咀，走一趟長途倒已心滿意足。豈料途經銅鑼灣時遇上大塞車，乘客即時下車，白白浪費了一句多鐘。」

「真的『賠了夫人又折兵』！可是我比你更糟糕，醉酒客嘔吐物橫飛，錢包只得七十元，連車費也不夠，莫說加徵清潔費。」

「就當作日行一善。要不是你要開工，一起喝酒，多好！」

「兩兄弟要同枱暢飲，除非找人替更。」

「無問題。」

「不划算！」秉乾打開車門，坐上司機位回話：「恕不奉陪了。」

「那麼明朝一起喝早茶？」

「還可以。」秉乾關上車門，啟動引擎，絕塵而去。

（八）

融母清晨出外購買早點，旋即折返家門，嚷道：「糟了！單車不見了。」

悅融擱下好夢，從床上彈起來，赤腳奪門而出，父親尾隨而至。剪斷了的鎖鏈遺留在地上，簇新的單車不翼而飛，女兒呱呱大叫，母親咒罵，父親怒吼，全家一齊聲討，痛斥鼠竊狗偷。回到家中，女兒埋怨母親不通情達理，拒絕讓單車安放在家，給賊人有機可乘；母親則埋怨丈夫寵壞女兒，購買單車，招致不必要的損失；父親懶得辯駁，表示得失冥冥中自有天意，日後再買一輛纖細輕巧的車子。

悅融問：「我們報警？」

父母異口同聲：「報失也沒用。」

「爸爸，怎辦？我要騎單車。」女兒拉動父親的臂彎。

「不許再買單車！買給匪徒盜竊？抑或買來阻礙家居？」母親勃然大怒，狠狠地拍枱。

女兒頂嘴：「當然是買來騎。」

「不准騎！」

「暫且不買，姑且不騎。」父親息事寧人。

「我要買單車，」女兒嚎啕跺腳，呼喊：「我要──騎──單──車！」

<h2 style="text-align:center">（九）</h2>

不少的士司機對輪椅客避之則吉，免得費時失事，秉乾則不以為意，做生意之餘，又可幫助老弱傷殘，何樂而不為？坐輪椅的老翁在路旁等候，一輛的士迎面而來，車頂燈亮起以示空車，陪同老翁候車的婦人招手，司機反而加速，不顧而去。秉乾不齒同行所為，驅車上前，解除安全帶，準備下車協助老人家。

「的士佬，還慢條斯理，快過來幫手！」婦人厲聲呼喝，秉乾真想一走了之，礙於職業操守，勉為其難跟進。反而婦人袖手旁觀，交由秉乾攙扶老翁上車。

背後傳來刺耳的聲音：「別走！輪椅尚未收拾。」

的士司機無責任幫助乘客上車及搬動行李，秉乾不想與女人斤斤計較，更不想為舉手之勞而爭論，乾脆了事。

「小心呀！的士佬，輪椅貴重。」儘管她嘮嘮叨叨，令他生厭反感，他仍然保持克制，忍氣吞聲為乘客服務。抵達目的地，婦人繳付車費，秉乾予以找贖。

「尚欠五毛錢。」她心心不忿。

的士司機習慣以整數結算，多收五毛錢司空見慣。這異常婦人異議，秉乾苦笑，還給她一元，猛力擲入她的掌心。

「大姐，行李費盛惠──」

婦人充耳不聞，話題一轉：「『司機』，為人為到底，幫手提取輪椅。」

秉乾置若罔聞，她的語調變得溫和：「司機大哥，幫幫忙。」

「車尾箱開啟了，自便吧。」

「死的士佬！」婦人撒野，怒氣沖沖走到車尾箱。她始終不肯親力親為，發覺有人過路便脫口而出：「年輕人，請過來幫忙。」

青年毫不猶豫，提起輪椅，並協助張開。

「年輕人──」婦人把目光投向車廂內的老翁身上。

青年會意，幫助老人家坐上輪椅。

「謝謝！你樂於助人，遠勝那個鐵石心腸的司機。」她故意放聲大喊，唯恐司機聽不見。秉乾氣憤駕車離去，早前一連串尖酸刻薄的言詞揮之不去，也要到處招攬乘客。過了好一會，一名穿著西裝的男士登車，秉乾的心情稍為平伏，專心朝著目的地進發。

「老闆，這麼晚？」秉乾故意搭訕，從而舒緩高漲的情緒。

「若然我是老闆，何用加班工作？早回家休息了。」

「吃過晚飯？」

「尚未，回家吃夜宵。」

「小心餓壞身體。」

「沒辦法，飯碗要緊。」

「早點休息吧。」秉乾用力踏「油門」。

「司機，別為我著急，小心為上。」

「當然。」秉乾減慢車速。

（十）

「爸爸，我知道單車的下落。」悅融放學回家。

父親著緊問道：「在哪裡？」

「就在上一樓層 Dog（即 D）室。」

「妳肯定？」

「該單位的胖子剛才在公園騎單車，其單車與我們的失車一模一樣，坐墊背後遺留部分貼紙，粉紅色及白色方格縱橫交錯正是我的貼紙圖案，連甲蟲款式單車鈴亦相同。」

「罪證確鑿，我去報警。」

「千萬不可！」母親插話：「舉報會得失鄰居。」

「媽媽，快報警，我們要討回單車。怎可便宜那胖子？」

「如果胖子家人來尋仇，怎辦？妳不怕，媽害怕。」

母親不容報案，父親唯命是從，兩人連成一線，女兒孤掌難鳴。難

得追查到單車的下落，明知誰人所為，偏偏任由鼠輩逍遙法外，騎著單車招搖過市。悅融心有不甘，覺得父母太懦弱，連日來對他們不瞅不睬。

（十一）

雨天行人疏落，街道上爭奪的士的乘客反而增加，秉乾不愁沒有生意。眼前有輪椅客的同行者向他招手，他遲疑不決，日前接載輪椅客的情景再度浮現，好人難做的不愉快經歷動搖了他一貫助人的信念。雨勢加劇，候車乘客十分狼狽，他不敢怠慢，在她們面前停車。秉乾冒雨下車，印尼女傭攙扶老婦上車，他則協助收拾輪椅，放入車尾箱。婆婆和傭人連聲道謝，秉乾舒坦，實在不應為個別人士的無禮對待而改變自己的初衷——接載老弱傷殘，何樂而不為？

（十二）

「悅融，快出來看看。」女兒躲在睡房，父親叩門毫無動靜，他再叩門，她不勝其煩打開門，連隨別臉，背向父親。背後的鈴鐺聲觸動她的心靈，一轉身眼前一亮，一輛單車放置在客廳中央，款式比不上被盜取的 BMX 時興，還有點陳舊，看來是二手車。

「朋友移民，將單車送給我們，適合騎嗎？」

悅融如獲至寶，捏弄單車每一處，眼睛流露光采。父母返回房間，融母即問丈夫：「誰移民？」

「——別明知故問！」他如釋重負，躺下閉目養神。

大門通道從此用來存放單車，換著以往的話，融母必定過問及制止。她明瞭女兒的渴望和丈夫的用心，故破例不干涉。此後悅融放學回家便擱下書包，拿取單車到公園騎，後來改往馬路，先登上大斜路了解一下個人的能耐，繼而享受風馳電掣俯衝的快感。她越益喜歡這玩意，課餘時間幾乎都花在單車上，引起母親不滿。融母忠告女兒以學業為重，悅融屢勸不改，將單車放在人生首位，學業純屬次要。

（十三）

「丙，怎麼了？」璞探望秉乾，他斜倚在病床上，愁容滿臉。

「我——我——」秉乾的右邊嘴角歪斜，口齒不清。

秉乾太太述説：「昨天他右半身無緣無故麻木無力，站立不穩，倒在梳化上。」

「可算幸運，摔一跤就不得了。」

「當時他半身癱瘓、臉癱、舌結、偏盲，嚇得我失魂落魄，致電九九九也不曉得。」

「也難怪，檢查結果如何？」

「中——風——」秉乾結結巴巴，嘴角垂下一絲唾液。

她為他抹嘴，告訴璞：「醫生診斷為中度腦中風。」

秉乾嫂回望丈夫，神色凝重。

「丙，不必顧慮，老丁中過風，現在不是康復了嗎？」

「我——餓——」秉乾説話含糊。

「你餓？」璞想弄清楚。

「你——」秉乾答非所問。

「你亦要注意身體？」秉乾嫂接下去，丈夫勉強點頭。

「丙，嫂子最明白你的心意。」璞碰一碰秉乾的左手，安慰他：「你安心休養、接受治療、努力做運動便可以早日康復。」

「謝——謝——」秉乾戚戚然，雙眼紅了。

（十四）

香港單車總會年年舉辦「明日之星甄選計劃」，從中發掘潛質優厚的新秀予以栽培。悦融經體育老師推薦參加甄選，順利通過體能及專項測試，獲得取錄，然而父母不一致看好。母親認為香港對運動界的支持微不足道，許多運動員為了生計非做兼職幫補不可，並不是理想的職業。她憂慮運動員生涯短暫，轉行困難，更擔憂女兒周身傷患。雖不贊成，但她沒有強烈反對，深明反對無效。父親比較樂觀，贊成女兒趁年輕奮鬥，走當行的路，實現自己的理想，免得將來後悔。在他眼中，她不但喜愛單車運動，而且賦有單車運動員的素質、拼勁和鬥志。悦融得償所願，在單車總會嚴教練的賞識和邀請下，中學畢業加入香港單車代表隊，投身全職運動員的行列。

（十五）

　　一時間失去活動、語言和自理能力，連吞嚥也有困難，秉乾覺得人生無常，生活徬徨。他習慣白天睡覺，適應不了晚間睡眠，夜闌人靜百感交集。簡單的側身動作也做不了，怎樣應付起居？謀生更遙不可及，日後如何？為甚麼腦袋不一併壞掉？往昔接載輪椅客的情景在腦海中浮現，他也曾輕視過傷殘人士，猜想中風是報應，讓自己親歷其境，切身體會對方的感受。秉乾由硬漢子淪為弱者，喪失工作能力，還要他人長期護理，以致極度鬱悶。秉乾嫂的情緒同樣低落，但丈夫全賴她照料，自身堅強才可以鼓勵對方振作。

（十六）

　　對一般人而言，踏單車只是消遣娛樂的玩意，也許過往接觸單車的次數用十根手指數不了，加上腳趾亦足以計算。單車運動員大相徑庭，他們騎單車的時間可能比走路更多。悅融穿戴全套單車安全裝備，與隊友驅車到戶外操練，全體隊員由朝到晚接受密集式訓練，相處的時間比家人更多。

　　騎馬要領先，既講求騎師的策騎技巧，馬匹本身非常重要。要是騎上一匹瘦弱的老馬，不管騎師多高明也苦無用武之地。換上駿馬，只要盡展所長，騎師不費吹灰之力便一馬當先。騎單車不盡相同，單車的質素固然重要，更重要的是車手的體能、經驗、技巧和策略，充分發揮個人能力，賦予單車生命力，與「汗血寶馬」合而為一就無往而不利。

（十七）

　　秉乾遵照治療師的指示，接受復康訓練。他半身不遂，起立和步行等簡單動作都難以應付，藉著循序漸進的肢體運動和言語練習逐步恢復功能。在雙槓之間，他扶著欄杆學習平衡技巧，又透過一連串運動來加強肌肉力量、協調能力和持久力。儘管動作緩慢，相比三個月前，活動能力已大幅提升。他努力不懈做運動，恍如全職運動員。

（十八）

　　公路單車國際賽路程普遍為二百公里，是芸芸單車賽事中一項大挑

戰，考驗車手非凡的耐力。縱使悅融刻苦耐勞，高強度體能訓練觸發她的哮喘病，每次發作需要歇息良久。為免被逐離隊，她每晚私下操練，務求增強心肺功能，符合教練的嚴格要求。

日間，悅融與隊友照常進行公路練習，途中一隻流浪狗突然衝上馬路，領先的隊員冷不及防，急速拐彎，隊友左閃右避，她置身隊伍之中，空間不足以轉向，只得急煞，隨後的隊友迴避不及，前仆後繼，大夥兒恍若「疊羅漢」砸在一起。意外引致多人受創，她的傷勢最嚴重，右邊鎖骨骨折、肩部筋腱撕裂，須接受手術治療。

悅融因新傷舊患而被勸喻退役，她再三請求，嚴教練暫且通融。休養期間悅融急不及待操練，因為操之過急反而令傷勢加劇，教練責怪她不顧後果。話雖如此，他受到悅融的熱誠和毅力打動，重新考慮其去留，一切有待她康復再作決定。

（十九）

跑步熱潮席捲全球，無論運動場、公園、海濱長廊、健身房或家中都可以進行。帶氧運動可以促進新陳代謝、紓緩壓力及增強體質，本港越來越多人愛好跑步。長跑成為普及運動，每逢舉行馬拉松比賽，場面萬人空巷，當中少不了璞的身影。他參賽無數，經驗豐富，賽事前一晚，他會多吃高熱量又易吸收的食物，如澱粉質食物。即使長跑老手，比賽當天難免緊張而影響消化能力，故此他會提早數小時進食簡單早餐，之後穿上戰衣和石墨鞋底的輕便跑鞋，提前到達起點，做充足的熱身運動，尤其是拉筋動作。開賽後，他堅持不受其他參賽者影響，保持均速跑步。跑手未必能在限定的六小時內跑 42.195 公里全程，不少半途而廢，璞在耄耋之年能夠順利完成賽事，泰然自若抵達終點，稍作調息就接受傳媒訪問。

「長跑和做人做事沒有分別，目光要長遠，準備要十足，意志要堅定，還要勇往直前……」老人家有機會亮相便絮絮不休，說話與馬拉松一樣漫長，不過語重心長，啟迪和勉勵時下的年輕人。

（二十）

天賦或許有限，力量卻無限，悅融相信加倍操練，發揮無窮力量可以克服先天不足。她無時無刻鍛煉身體，即使操勞了一整天，昏昏欲睡，依然在床上持續做凌空踏單車的運動，直至入眠。

嚴教練要求單車運動員具備鐵人般的體能，利用科學化的訓練和數據分析，加強隊員的心肺功能和肢體力量。嚴苛的訓練似施行酷刑，悅融感覺到幾乎所有血液都注入雙腳，發脹的腿部如將近爆破的氣球，筋肌和血脈繃緊得難以承受。每次集訓後她總是筋疲力盡，舉步乏力，初時未適應，曾多次暈倒，需要吸取氧氣。日子有功，僅一年半載，悅融便脫胎換骨，擺脫了哮喘的掣肘，應付日常操練遊刃有餘，然而嚴教練的要求永沒止境。

按悅融的高度計算，標準的女士大腿圍是二十吋，圓潤光滑。她的大腿明顯粗壯，超逾二十二吋，肌肉結實，膝蓋瘀青，小腿還有幾道傷疤。她慣常穿著單車褲或長褲，家中了無短裙。

（二十一）

悅融聯同四名隊友代表香港參加亞運會公路賽，運動服的設計與別不同，包含紅白色的洋紫荊圖案，以及香港 HONG KONG 的字樣。她戴上欖核形通風頭盔和太陽眼鏡、穿著一襲貼身裝束，分外英姿颯颯。雖然悅融欠缺國際賽事的實戰經驗，但教練賞識其驚人的爆發力，破格提拔她為主將，由隊友充當「破風手」，她則擔任「衝線手」。

在長途賽事中，隊員並非各自孤軍作戰，隊友要充分發揮團隊合作的精神，輪流做先鋒為主將破風，降低風阻讓悅融減少體力消耗。她一路上緊隨隊友，臨近終點時開始超越前面一眾選手，立時成為眾矢之的，在重重包圍下如同被獵犬追趕的獵物。悅融面無懼色，拼命突圍而出，奮力登上一條大斜路，全身熱血沸騰，雙腳恍似安裝了「摩打」，心跳和呼吸的頻率急劇飆升，瀕臨極限似的，隔著頭盔也可以清楚聽見響亮的心跳聲和深沉的喘氣聲。

悅融獨佔鰲頭，從斜路俯衝而下，拋離所有競爭者。進入最後一段直路，她力氣不繼，速度放緩，回頭一看，有車手正力追上來。唯恐被

對方超越便功虧一簣，她耗盡僅餘的一點精力奮戰下去，俯身、伸頸、埋頭竭力衝刺，最終力壓對手險勝，為香港單車隊奪魁。悅融踏上頒獎臺，名義上她是冠軍得主，幕後全靠隊友沿途破風掩護，成就了她的勝利。破風手為衝線手作嫁衣裳，著實功不可抹，這枚金牌確切屬於整個團隊。

（二十二）

經歷過漫長的療癒過程，秉乾縱然動作遲緩，右手依舊僵直，手腕仍然蜷曲握拳，步行時毋須再依賴助行架，改用四腳拐杖輔助。說話方面，吐字也沒那麼生硬含糊。親戚慶祝秉乾有進步，送贈兩張粵劇折子戲的門票，碰巧當天秉乾嫂需要隨同娘家回鄉祭祖，於是他找來清閒的璞作伴。兩人初次踏足「戲曲中心」，感覺新鮮，中心大門儼如兩旁拉開了的銀色帳幔，虛掩著富麗堂皇的殿堂。中庭設有戲棚，周邊栽種了三棵榕樹，他們置身現代建築中也感受到中國的傳統戲曲文化氣息。

「璞，真佩服你！年紀比我長卻健步如飛，連年參加『馬拉松』。」秉乾蹣跚而行。

「只要天天抽時間跑步，馬拉松絕不是難成的事。」璞遷就秉乾減慢腳步。

他倆在開場前預先進入「茶館劇場」，場地光線幽暗，舞臺面積不大，臺下沒有與茶館相關的特別布置，觀眾席與一般劇院無異，排列得密密麻麻，座位之間添置了茶几和清茶，充其量只是提供茶水的劇場。

司儀率先上臺介紹「茶館新星劇團」，闡述演出的劇目和演奏的樂曲，現場提供中英文字幕，方便中外觀眾了解和欣賞戲曲。臺上的演員均年紀輕輕，先後演繹粵劇折子戲《再世紅梅記》和《穆桂英招親》，眼神、表情、唱腔和功架絕不比大老倌遜色，博得掌聲迭起。其間有中場休息，場內光線明亮起來，觀眾逾半乘機如廁。璞站起來伸一伸懶腰，舒展筋骨，員工上前派發點心盒。秉乾打開盒子一看，春卷、叉燒酥、合桃酥和紅棗糕各一小件。

「看來不錯。」璞瞥了一眼。

秉乾咬了一口叉燒酥，回應：「尚可。」

「點心僅次要，演員造詣非凡？」璞坐下。

「他們年資尚淺，但一板一眼一絲不苟，具備老倌的風範。」

「一代新人換舊人。」璞嚐了一口香茶，說下去：「香港終於有戲曲專用場地，不過名伶相繼去世，日後有賴他們接棒，傳承及發揚粵劇文化。」

「我們要多多支持粵劇新晉。」

「要不是你有贈券，門票這麼貴，怎捨得購買？」

「相比高山劇場和新光戲院，票價的確太貴。」

「多少影響粵劇迷購票的意慾，變相打擊劇團的存亡。」

「所以要把握機會好好欣賞，下半場即將開始，快吃點心。」

（二十三）

曲終人未散，璞和秉乾看完「大戲」後在中庭蹓躂。

「丙，二十多年前我曾經到江西南昌探親，遊覽著名的滕王閣。頂樓很熱鬧，有一座仿古戲臺，觀眾一邊品茗，一邊聽相聲、說書和唱戲，領略清末民初的茶樓戲曲文化。」

「換言之，戲曲中心的茶館劇場算不上甚麼新事物。」

「內地早有類似的懷舊場所，傳揚茶館文化。香港的茶館劇場虛有其名，只不過是「排排坐」的普通劇場而已，談不上甚麼茶館。」

秉乾問：「臺下觀眾可以暢所欲言嗎？」

「當然可以，觀眾不用保持肅靜，鬧哄哄才是茶館文化。」璞從錢包中掏出三張鈔票，接著說：「三家發鈔銀行一百元新鈔構圖均包含粵劇人物造型，其中渣打銀行以戲曲中心作為鈔票的背景。」

秉乾接過鈔票，戲謔：「它們頗像『陰司紙』！」

「就一併作為已故名伶的紀念鈔吧。」彼此哄笑。

（二十四）

悅融在西九龍海濱無拘無束地踏單車，與比賽的心情不一樣，輕鬆惬意，驀然傳來熟悉的樂聲，響亮的《將軍令》電話鈴聲直闖耳窩。她停

車追溯聲音的源頭，望見緩跑徑上一名老人家停下腳步，不慌不忙接聽電話。她發覺老翁很面善，即時想起馬拉松常客「石伯」，「全馬」賽事中不乏其身影，他是傳媒報道的焦點之一。她記得去年石伯初次無法在限時內完成路程，大會考慮到其高齡，以及逾時不遠，酌情頒發全馬完成獎，並高度讚揚他是香港馬拉松的元老、百折不撓的風中勁草。

「人老了，一年不如一年。」他彎腰喘息了好一會才回應記者：「可是我從未想過放棄跑步，只要行動自如就跑下去。明年視乎情況，若果跑不了全馬，我會改跑半馬或十公里。」

石伯硬朗如昔，通電話時中氣十足。悦融啟動單車，離開他的對話聲範圍，耳根清靜。她沿著單車徑繞圈，順道欣賞維多利亞港迷人的日落景致。

（二十五）

西九文化區尚未全面落成，黃昏時分人跡罕至，海濱長廊暢通無阻，璞跑得特別起勁，陣陣涼風輕拂臉龐，夕陽亦送上溫暖。旁邊有單車齊頭並進，耀眼的車身令人觸目，騎單車的少女英姿煥發，樣子似曾相識。

「石伯？」她停下單車，璞也停步，點頭微笑。

她固定單車，然後跨到緩跑徑，問道：「石伯，我很仰慕您，可否與您合照？」

「我一把年紀，竟有女孩子提出合照，真是求之不得！」他雙眼亮起光彩，看來並非客套話。

她貼近他，舉起手機自拍，輕聲說：「一、二、三，笑。再來，一、二、三，笑。」

她展示相片，璞訴說：「拍得好！好像兩爺孫。」

「真的有幾分相似，我傳送相片給您？」

「不必了，妳保管吧。」

「謝謝您！」

「妳的名字？」

「呂悦融。」

璞誇讚：「女為悅己者容，好名字！」

她澄清：「是共融的融。」

「也不是女人的女，是呂布的呂？」

「不！我真是女人的女。」

他捧腹大笑：「哈哈！」

<h2 style="text-align:center">（二十六）</h2>

「璞，水療有助中風患者復原，可有興趣陪我游泳？」秉乾在公園踱步。

「我不懂游泳，也沒興趣。」璞在旁做拉筋運動。

「那麼騎單車呢？」

「沒興趣。」

「要是你肯游泳和騎單車，相信你不單止是馬拉松健將，而且是三項全能的『鐵人』。」

「我一輩子不游泳、不騎單車！」璞暫停拉筋。

「你這麼好動，偏不碰這些運動，必然另有隱衷？」

璞吞吞吐吐，秉乾套他：「兄弟一場，有話不妨直說。」

「丙，說來話長。」璞欲言又止。

兩人前往涼亭促膝長談。

「我在上海鄉郊長大，那年七歲，表姐由江西來我家作客。我騎著父親親手製作的三輪木頭車，引領她到魚塘遊覽。」秉乾坐得筆直聆聽，璞繼續講述：「表姐內急，囑咐我不要亂動，留在原地等候。她剛躲在長長的蘆葦後面，有鳥兒飛撲到水面叼起一尾魚，我好奇靠近，腳踏車在顛簸不平的泥石路上弄翻了，連人帶車丟進池塘。下沉之際我極力掙扎，結果沉得更快更深，瞬即沒頂，失去了知覺。」

秉乾緊張探問：「後來怎樣？」

「甦醒時我躺在池塘邊，衫褲濕漉漉、嘴角濕潤，眼睛半張半合，朦朧中看見母親蹲在面前，以及臥在旁邊的表姐。她的衣衫同樣濕透，奄奄一息，舅父驚惶失措，赤腳醫生趕來為表姐急救。」

秉乾臉色一沉。

「表姐返魂乏術，母親和舅父哀傷，悲慟地抱著遺體放聲痛哭。她為了救我而犧牲，自覺愧疚和難過。」璞聲音抖震。

「你因而迴避單車和游泳。」

「嗯。」

「何以唯獨愛好跑步？」

「表姐熱衷跑步，入選學校田徑隊，可惜十四歲便跑完一生。為了延續其心志，我活下去就要代替她跑下去，每一天以跑步作紀念。」璞的嘴唇不停顫抖，秉乾搭不上話，嘆喟一聲。

（二十七）

嚴教練率領全體隊員遠赴昆明集訓，為公路單車世界錦標賽作賽前準備。世錦賽是體壇盛事，單車運動員都全力以赴，力爭世界冠軍，爭奪夢寐以求的彩虹戰衣。襟前有藍、紅、黑、黃、綠五彩橫紋的白色運動衣看來平淡無奇，他們卻以奪得這戰衣為榮。

公路單車賽路程一般為二百公里，耐力訓練則設定為二百二十公里，教練的要求遠高於比賽，隊員必須達到指標，由早到傍晚馬不停蹄。公路訓練為期一個月，初期隊員均不習慣當地的氣候和飲食，以及瘋狂的操練。一星期過去，他們才適應下來，教練大幅調整距離至二百五十公里，大大衝擊隊員的體能和意志極限。教練一直施以有形的督促和無形的激勵，常將「No pain，no gain」掛在嘴邊，苦口婆心地訓勉隊員，要不怕艱辛，又要不論得失，好好享受每一場賽事。儘管集訓嚴苛，悅融甘之如飴，因她充分信賴嚴教練，視他為嚴父，理解其鞭策為了琢磨子女，一心打好隊員的根基。

昆明四季如春，夏無酷暑、冬無嚴寒，氣候宜人。鮮花常開、草木常青，景色怡人。在當地集訓本來不錯，全年平均氣溫大約十五度，可是碰上嚴重乾旱，溫度持續偏高，打破了五十八年以來的紀錄，高達四十度以上，故此持續十多天的公路練習無疑是一項極大的磨練。即使他們體力透支，部分中暑倒下，但教練並無縮短路程。隊員疲憊不堪，

還要忍受苛刻訓練，大都暗地裡責怪教練不近人情，有的受不了「魔鬼教練」的折磨，考慮離隊。悅融亦苦不堪言，不敢出言勸止。晚上她輾轉反側，既不想親密戰友退出，更不想陣容有損。

<h2 style="text-align:center">（二十八）</h2>

淅瀝淅瀝，夜半傳來簌簌雨聲，隊友早已倦透，在夢鄉中流連未返。悅融獨個兒醒來，喜孜孜走到窗前賞雨。運動場夜靜無人，草地上的積水隱約生光，驟眼看來繁星熠熠。淅瀝淅瀝，夜雨帶來陣陣涼意，使身心舒暢。她伸手出窗外撥弄久違的甘露，拿來潤濕臉兒，感覺暢快無比。

這一場遲來的冷雨仍算及時，紓解了連續十一天的高溫天氣，亦緩和了團隊內緊張的氣氛，翌日隊伍如常出發。日前經歷過艱苦的日子，悅融覺得當下的腳步輕省得多，越踏越起勁。隊員近乎沒歇息，如貫駛過連綿的公路，繼而橫越江川渡橋。將近到達對岸的時候，一輛巨型貨車急速迎面而來，雙方狹路相逢。橋樑僅可容許單線雙程行車，沒有路肩可供退避，悅融位置最前，腦海閃現一個駭人的畫面——全隊人如保齡球瓶一次過被擊倒……她倉促作出反應。

說時遲、那時快，「呼嘭」一聲，貨車輪下鮮血淋漓，場面慘不忍睹，所有隊員都發了慌，意想不到一樁嚴重事故發生在自己的隊友身上。悅融剛才緊急煞車，轉動把手，使車身橫置斜傾，連人帶車卡住貨車車輪，阻止貨車前進。單車捲入貨車底下，車架扭曲、車輪變形。悅融遭車輪碾壓，手臂血肉模糊，呻吟一聲便昏厥。

由於悅融正進行劇烈運動，心跳厲害，以致傷口血如泉湧，隊友慌忙以備用的單車內胎來束著受傷的上肢，從而減慢血液流通。她被送到醫院時岌岌可危，醫生表示，她的左手已輾斷了，必須立即進行截肢手術，以及治理體內的出血問題。

交通意外好比一場狂風暴雨，霎時間摧殘了盛放的花枝。醫生做截肢手術就如花匠折枝一樣，只顧全大局，不理枝節。悅融的手臂和生命已經不由自主，宛如草芥任人切割。她保存性命卻失掉手臂，獨臂車手日後如何？重返單車隊備戰世錦賽？爭奪世界冠軍及彩虹戰衣？悅融無

法想像下去，手術後情緒極度低落，苦不堪言。教練和隊友輪流前來探望，女隊友説不到一半便淌淚，她也不強裝堅強，姊妹們痛痛快快地哭了一場。悦融哭夠了，堅定地表白：「大家不必再為我操心，我的字典中從來沒有『一蹶不振』四字！」

（二十九）

在助教陪同下，悦融提前返港休養。集訓完結後嚴教練親自登門慰問，出乎意料，她泰然自若。

「悦融，看來精神不錯。」

「我不用集訓，自然輕鬆得多。大家忙於備戰，您不必花時間來探訪。」

她用披肩覆蓋著肩膀，教練坐在身旁，不敢直視。他不勝唏噓和慚愧，自責沒有好好保護隊員，令這優秀的運動員永久喪失單車壇上發揮所長的機會，還招致終生的傷痛和遺憾。

「妳比我想像中堅強。」

「是嗎？」她咧嘴一笑，傾訴：「很久沒有笑，我怕再不笑的話，臉部會失去笑的功能，失去笑容肯定比失去手臂糟糕。」

「難得妳保持樂觀。」教練笑不出。

「面對死亡威脅，大家安然無恙，不是應該感恩嗎？」

「當然。要不是妳螳臂擋車，奮不顧身守護隊友，全軍覆沒了。」

「僅盡一臂之力罷了。」悦融自嘲，笑聲爽朗。教練悲慟，不懂半點黑色幽默。

（三十）

悦融相繼失去手臂和香港單車代表隊成員的資格，夢想就此破滅。始料不及騎單車導致自己肢體殘缺，還要放棄熱愛的運動，誠如歌手割掉聲帶，不能發聲，歌唱事業告終，日常溝通亦成問題。另一方面，她不習慣由緊密的訓練中抽身而退，也難以適應獨臂的賦閒生活，更接受不了成為傷殘人士的事實，不禁自慚形穢。體育健將一下子變成弱者，百無聊賴地過活，不但虛度光陰，而且蠶食靈魂。

她不想虛耗生命，獨自出外散心，信步來到路口，不知轉左轉右；入到商場，不知上行抑或下行，以往強烈的方向感往哪裡去？日後何去何從？誰可指點迷津？她踏入書店，希望從中找到答案。悅融在書架之間徘徊，左邊衣袖空蕩蕩，惹人注目。無論何時何地，只要有人的地方就有旁人投以怪異的目光，她不自在，感到難受。她隨意翻弄影音光碟，不經意望到粵劇《帝女花》。劇情家傳戶曉，明朝將亡，崇禎皇帝為免家眷遭受叛軍凌辱，揮劍殺戮長平公主，公主走避不及，被砍掉左臂，浴血倒下。長平公主大難不死，但國破家亡，她出家為尼，諱名「獨臂神尼」，悅融感懷身世，自覺命途坎坷。

悅融意興闌珊，裹足不前，她注視到陳列的書籍中有一本比較吸引，封面女郎清秀端坐，袒露截了肢的玉腿，旁邊擺放著一對義肢。她的樣子滿不在乎，笑得很甜美。悅融拿起來閱讀，得知相中人是一名內地舞蹈老師，在二〇〇八年汶川地震中被活埋二十六個小時後獲救，僥倖生還卻痛失雙腳、愛女、婚姻和家庭。她憑著頑強的信念，不單止重新站起來，而且繼續起舞，並組織新家庭。悅融對她的豁達肅然起敬，反問自己：「可做得到？」

（三十一）

悅融逛公園，一定會親近花草、依偎樹木。她看見心儀的大樹，活像對著戀人，雙手摟緊不放。如今獨臂，圍攏不成了，她依然要投靠它，因為失去戀人肯定比起失去手臂更糟糕，此時此刻更需要它的庇蔭。悅融尤其珍惜其獨臂，每次單手觸摸事物，她要取回雙倍的感覺。

順著貫穿公園的河流而行，悅融踏出公園範圍，來到下游，許多輛共享單車被掉入河裡，杯盤狼藉，小河成為了單車的亂葬崗。共享單車曾經盛極一時，簇新亮麗的車輛遍布各區，單車陣容看似黃綠交錯的花田，美不勝收。投入香港市場未夠一年，共享熱潮已經退卻，租用單車被丟棄荒廢，變成一堆堆爛鐵，比比皆是，使她感觸良多。童年時，單車是她求之不得的玩物，現今物質豐富，部分年輕人不懂得愛護東西，糟蹋了共享資源。草坡尚有一輛破爛單車，她上前察看，用觸覺重溫心

頭好，把手的粗糙觸感使她興奮莫名，一股失而復得的熱血直湧心頭。「不忘初心，方得始終。」悅融勢要迎難而上，重拾無可替代的單車樂趣。

（三十二）

從花蓮出發，逆時針環繞臺灣一圈的路程為 657 公里。過往四肢健全、訓練有素，悅融三天內必定完成。如今她只得一條手臂，預計需時十天，完成算是萬幸。活動不但測試其實力，還幫一個肢體傷殘人士自助組織籌款，別具意義。單憑技術，悅融張開雙手踏單車亦易如反掌，然而長途只靠單手並非易事。不過她敢於接受挑戰，希望克服困難，重建自信。她不斷練習以獨臂駕馭單車，其間吃了不少苦頭，翻車撞倒時有發生，擦損瘀腫在所難免，對她的心志絲毫無損。

半年後單車籌款活動正式展開，悅融「單騎走天涯」。平路上，她駕輕就熟；上斜路除了發力，一口氣攀登之外，還要隻手保持平衡，難度相當高；至於落斜路，順勢而下本來輕易不過，但單手控制單車高速俯衝，隨時失控，車毀人亡，因此她不敢掉以輕心，步步為營。悅融吃力得很，用雙腿牢牢夾住單車支架以穩定車身，騎一天已不容易，騎兩天，她的大腿內側嚴重磨損。之後越騎越傷、越傷越痛、越痛就越難騎，問題循環不息，少一分韌力也難以支撐下去。

在新北市，另有一番考驗在等候悅融。馬路上經常有泥頭車、勾斗車和大貨車與她的單車爭路，危機四伏，幸虧她身手不凡，每每化險為夷。到了屏東，悅融豁然開朗，因為沿途景色秀麗，墾丁的自然風貌最令她陶醉，要不是身負重任，真的捨不得遠離。騎單車的人永遠不會後退，悅融相信前面有更美好的風光夾道歡迎，她只會勇往直前，不到終點不罷休。

只消八天，悅融完成了壯舉，她覺得行程先苦後甜，期間樂趣總比辛酸多。活動引發港臺兩地對殘疾人士的關注，以及提升他們的自我價值。自身並沒有因傷殘而淪為弱者，反而磨煉出更剛強的體魄和堅毅不屈的精神，過去雙手完成的事情，現在單手便做好，不是值得欣慰嗎？

（三十三）

歲月不饒人，璞近年身體欠佳，體重和體力均下降，加上舊患困擾，減少了操練，狀態大不如前。他應付不了全馬，改為參加半馬賽事，由大尾篤起跑，未到鹿頸就疲態畢露，腳步放緩。他按照比賽路線規定折返船灣淡水湖堤壩，腳步越來越沉重，被其他參加者逐一超越。璞咬緊牙關也要急起直追，竭力登上一條大斜路，呼吸和心跳的頻率急劇飆升，提步時清楚聽見自己的深沉喘氣聲和急速心跳聲。他竭盡所能進入最尾一段直路，只跑得幾步便不支跪倒，兩膝著地，翻側大字型躺下。璞嘴臉蒼白、口吐白沫，手腳抽搐僵硬，陷入昏迷。現場救護員為他急救，使用按壓式心肺復甦法和心臟除顫器皆無效。

新聞隨即報道：「本港最年長馬拉松跑手『石伯』，原名石璞，在今天舉行的長跑比賽中猝死，適逢其九十三歲生日……」雖然石伯出師未捷，但馬拉松典故中的傳訊士兵正是長跑而死。他抵達終點與否並不重要，其馬拉松精神永遠長存。

（三十四）

悅融與石伯有一面之緣，當她聽聞噩耗，十分惋惜，相信他的馬拉松精神早已深入民心，起了啟發和推動作用。運動本身不受年齡或體能限制，乃在於堅持運動的信念，將信念轉化成力量。

自從臺灣環島遊之後，悅融更堅持做運動。受石伯啟發，她誓要繼續在單車比賽中逐鹿，相信「有志者事竟成」。她決意循精英運動員的途徑申請入讀大學，日後轉戰殘疾人奧林匹克運動會，實現競逐金牌的夢想。

她重臨西九龍海濱長廊悼念故人，並站回原地，從手機瞻仰石伯的遺照，重溫偶遇的點滴，接著徐徐踏著單車與身旁緩跑的長者並行。暮色漸沉，維港的半空只剩一抹晚霞，與相片中神采飛揚的石伯背景一模一樣。

藩籬（摘錄）

（一）

「不怕！」

（二）

「誰說不怕？」

～～～

附註：（三）至（六十八）之三萬一千字文稿就此湮沒無聞。

燎原（摘錄）

（一）

「非常時期，非常手段。」因應非常時期，採取非常手段可以理解，然而在非常時期，使用「非常人可以理解的手段」便無法體諒。新型冠狀病毒固然可怕，應變不善就更可怕！

～～～

附註：（二）至（三十九）之一萬八千字文稿就此湮沒無聞。

守株

（一）

「未經批准，在港鐵車站範圍內擺賣即屬違法。乘客切勿光顧無牌小販，多謝合作。」重複的廣播並無相應行動配合，取締不了阻塞通道的小販。

天氣酷熱，彩虹站行人隧道陰涼舒適，遠勝站外露天的地方。由於地方屬港鐵範圍，食物環境衞生署向來不會到場掃蕩。檔主知道港鐵職員鮮有巡查，安心在隧道內販賣。出售雨傘的攤檔銷情淡靜，另一檔售賣仿皮銀包，貨品款式有限，不過設計實用、價格相宜，招徠客人集結。「魔術銀包」較為罕見，設計獨特，它能夠快速收納及提出鈔票，輕便穩妥，大受年輕人歡迎。

「繆經綸！」

檔主愕然，途人叫喚自己的名字。

「我是宋宏宥，你的小學同學。」

「噢！宏宥，很久不見了。」經綸眉頭緊蹙。

「對，久沒見面。你好嗎？」

經綸不懂回應，宏宥意會，急轉話題：「你初次來這裡做生意？」

「嗯。」經綸覥腆。

「怪不得未見過你。」

「你在附近居住？」

「是的，我天天經過這兒。有空來我家嗎？」

少女插話：「老闆，魔術銀包有沒有其他顏色？」

宏宥讓開，接著說：「不打擾你做生意，下次敘舊。」

「好，再見。」

女孩子買了一個銀包，催討：「你未找續。」

「對不起！」他交付二十元給顧客，思忖：「宏宥讀書不成，但勝在務實，年輕時由學徒做起。剛才他衣冠楚楚，看來職位不再低微。」

彩虹港鐵站人流暢旺，職員卻從不過問非法擺賣，僅僅廣播了事，讓無牌小販有機可乘。可是經綸隨即收拾東西，頭也不回撤離。

（二）

經綸自幼在「蛇王憲」長大。父親在牛頭角經營一家蛇舖，金漆招牌「蛇王憲」高掛在牆壁正中，瓷磚牆上貼滿手寫價目紙條。猶如中藥店的百子櫃，排列整齊的陳年木櫃存放著林林總總的活蛇。此外，店舖不乏水魚、小鱷、果子狸、貓頭鷹、穿山甲等野味。蛇，具有行氣活血、祛除風濕的功效。秋風一起，店內座無虛席，客人來品嚐時令美食兼保健養生。父親是老闆也是主廚，母親協助打理，伙計都是鄉親。他凡事親力親為，擷取蛇膽、生劏活蛇、剝皮和分拆骨肉一概駕輕就熟，烹蛇功夫更勝人一籌。

一般蛇舖出售三蛇羹，「蛇王憲」則售賣五蛇羹，除了過樹榕、白花蛇、三索線，加上飯鏟頭和金腳帶。蛇越毒，蛇肉越好吃，牠們是鎮店之寶。濃稠香滑的蛇羹配合菊花、檸檬葉、薄脆，以清燥熱、減腥臊、增口感，食用時倍覺清新芬芳。客人光吃一碗蛇羹不足以滿足肚腹，每每加添一碗臘味糯米飯，酒徒會喝蛇酒，不喝酒的客人會喝蛇湯，也有的生吞蛇膽、呷一口白酒來清熱解毒。

秋冬季節客似雲來，蛇舖趁「好天斬埋落雨柴」就不愁春夏生意淡靜，換言之，蛇舖營業不足半年便可休息半年多。全賴蛇養活一家三口及鄉里，經綸吃蛇羹猶如家常便飯。另一方面，蛇是兒時玩伴，接觸牠們比玩具更多，被拔走牙齒的毒蛇亦只不過是一件玩物，可以纏在身上任意把玩。當玩伴作為食物，他也曾傷心流淚，揚言不再吃蛇，後來知道蛇生生不息，也就不以為意，如常吃喝。

（三）

「經綸，目光放遠一點，經濟條件許可，不妨考慮出國留學，擴闊眼

界，充實自己，此後人生不一樣。」父親放下酒杯，從煙灰缸撿起香煙，送到唇邊。

經綸將視線投向父親的右手，其中指和食指中段暗黃，中指比食指短。父親年輕時獨自捕捉一條黑白相間的蛇，遭牠咬傷，小傷口只輕微腫痛，他掉以輕心，無即時求醫。原來那條蛇是銀腳帶，與過山烏齊名的毒蛇，一毒發就為時已晚，須切除發黑的指頭保命，此後中指少一截。

兒子心不在焉，父親自說自話：「全球氣候暖化，天氣越來越熱。秋天失卻涼意，楓葉也不轉紅；冬天亦無寒意，蛇毋須冬眠。香港的秋冬在不知不覺間消失了，不久將來吃蛇進補的客人只會越來越少，蛇舖難以長久經營，一旦『蛇王憲』不能傳承，你好自為之。」經綸一點不在意。

（四）

在父親鼓勵下，經綸完成預科就遠赴美國修讀經濟，讓他從放洋的生活中學習獨立自主。校園內，他吸收經濟學知識；校園外，他嘗試實踐。三年來，經綸只需家庭負擔學費，他在課餘時間當兼職侍應，賺取生活費。

電話中父親透露「蛇王憲」生意不濟，縱使財政面臨巨大壓力，依然堅持供給其學費，充其量問朋友借錢周轉。距離畢業只差一年，經綸無法安心唸書，休學回港。父母非常無奈，父親特別痛心，覺得功虧一簣。

一場沙士弄得香港天翻地覆，市民聞蛇色變。「蛇王憲」風光不再，鎮店之寶亦無人問津，長期入不敷支，與其他蛇舖一樣瀕臨倒閉。減價無助挽回流失的客人，經綸目睹此情此景，想起從前的慘況。當年香港政府立法保護瀕危動物，禁止野生動物買賣，並加強監管，野味從此絕跡。禁賣野味大大打擊生意，幸虧蛇仍許出售，「蛇王憲」才有生存空間。今次的形勢更加嚴峻，顧客好比野味，就此絕跡，經綸為家業著想，設法化解當前危機，先安排伙計放無薪假期。父親恐怕心血付諸東流，要求業主減租，商討後對方訂下條件，若承諾續租三年，可減租三成，續租兩年則減租兩成，只續租一年則分毫不減。

「業主不念交情，表面幫忙，實質以退為進，見死不救。」父親訴苦：

「乾脆關門罷了。」

　　母親反對：「你捨得嗎？以後的日子怎麼過？」

　　「結業未免太可惜，我們不妨從長計議，轉危為機。」經綸語重心長。

　　母親急切問：「怎樣轉危為機？」

　　「將業務轉型。」

　　「轉型？」父親問：「如何轉型？」

　　「等候時機復蘇不切實際，與其坐以待斃，我們不如打破蛇舖賣蛇的既有思維，銷售其他食品，例如：燉湯和小菜之類，主動開拓一絲生機。」

　　母親贊同：「經綸說得對！」

　　「要是這樣，『蛇王憲』等同名存實亡。」父親猶豫。

　　「堅持是解決不了問題的，反令問題惡化。唯有拋開過去的枷鎖，勇往直前。」經綸提議：「既然不賣蛇，索性易名，讓客人知道店舖轉型，放心惠顧。」

　　「怎樣改？」父親無異議。

　　經綸思索一會，表述：「獻萃海鮮菜館，呈獻的『獻』、拔萃的『萃』。」

　　「好！有意思。」母親滿意，父親欲言又止。

　　「不僅要更換招牌、更改商業登記資料，而且要簡單裝修。」

　　母親詫異：「沒有生意，還要花錢裝修！哪有錢？」

　　「可以利用住所申請按揭貸款，解決燃眉之急。」

　　經綸發覺父親臉露難色，訴說：「嘗試不一定成功，完全不試便注定失敗，『蛇王憲』轉型事不宜遲。」

　　父親優柔寡斷，母親明確支持兒子。繆憲終被妻兒說服，同意摘下「蛇王憲」的金漆招牌。

（五）

　　逆市求存，繆家全力以赴，構思了多款別致的小菜和老火湯，諸如：荷葉蒸方利、龍蠆菊花球、玻璃蝦、花雕紅蟹、黃金蠔、辣酒煮花螺、蒜蓉蒸蟶子皇、椰皇雞、啤酒鴨、柚皮鵝掌、紅燒元蹄、紅酒燴牛脷、

孜然羊肉、青邊鮑燉烏雞、花膠百合燉水鴨、蛋白杏仁茶……他們一邊安排裝修，一邊研製新菜式，並找街坊來試菜，不斷改良烹調。試業期間，他們在區內大肆宣傳，並以數款優惠菜式吸引顧客。小菜、燉湯和甜品皆大受歡迎，「獻萃」的生意蒸蒸日上，伙計由半數增至全數上陣，半年便轉虧為盈。

家庭經濟逐漸回穩，經綸本可返回美國完成大學學位，卻捨棄了學業，留在香港發展，父母覺得可惜，但尊重他的決定。他成功挽救了家業，自覺具備實力，足以從飲食業分一杯羹。他要乘勝追擊，把握時機創業，反正毋須求職，學位可有可無。

（六）

小時候，父親已不在人世，宏宥和母親由叔叔供養。母親不想兩母子白吃白喝，自薦到小叔經營的大牌檔工作，兒子在課餘時間也會幫手做雜務，出一分力，博取一些零用錢。在大牌檔的環境下成長，宏宥自小接觸廚房工作，工作場所悶熱、油煙撲面，他卻從中找到樂趣。宏宥發覺中菜的做法變化多端，用煎、炒、煮、炸、蒸、灼、燜、燉、燴、烤、焗、燻、滷、醃、拌……各式方法，將材料製作成各樣美食，趣味盎然。眾廚師的烹調手法對他起了潛移默化的作用，宏宥只消下廚試煉便能做得一手好菜。叔叔滿意其表現，讓他入廚做幫工，宏宥樂此不疲，加上工多藝熟，他的本領不遜正職廚師。學業方面，宏宥成績平平，中學畢業後到中華廚藝學院學習，志願成為一位出色的廚師。

（七）

日本靜岡縣除了擁有瑰麗的富士山之外，還有盛產鰻魚的濱名湖。濱名湖位於濱松市，地理和水質得天獨厚，生長的鰻魚格外肥美、肉質結實。市內鰻魚料理店眾多，馳名的鰻魚飯吸引不少人士遠道而來，經綸是其中一位。他要自立門戶，專誠前來考察鰻魚料理。

靜岡縣天氣寒冷，冬季雖從不下雪，但寒風凜冽，催促經綸加緊腳步。一陣濃郁的鰻魚香味襲來，他情不自禁進去一家享負盛名的百年老店享用和食。小店裝潢以木材為主，配合米色牆紙，玄關掛著白色門簾，

上有「蒲燒」兩個黑色漢字，通道掛著紅、白日式圖案的深藍色簾布。服務員一律穿著靛青色的短打衣服，腹前繫上灰藍色的短圍裙，並戴上同色的頭巾。將近晚上八時，座無虛席，恰巧有顧客結賬，騰出座位。一名彬彬有禮的男侍應引領入座，經過包廂到達廳堂，陳設井井有條，散發簡樸的和風味道。柔和的燈光下，原木方枱上佳餚溢出香氣，客人對坐用膳。

經綸在矮背椅子上安坐，女侍應端上綠茶，他挑選了老店的招牌菜，良久鰻魚飯才呈現眼前，並有漬物、鰻魚肝湯，以及山椒粉。鰻魚飯的盛器十分講究，選用精美漆盒，陶瓷器皿亦很雅致。經綸掀起蓋子，香濃的炭燒氣味隨即冒出，鰻魚烤得金黃油亮，魚邊略焦，表面塗了醬汁，令人垂涎欲滴。他饑腸轆轆，不顧鰻魚燙熱，急不及待品嚐，甘香味美的魚肉激活起嗅覺和味覺的細胞，甚至連腦細胞也活躍起來。鰻魚皮脆肉嫩，醬汁甜而不膩；白飯香軟黏綿，口感細膩；醃蘿蔔清爽可口，湯水和綠茶滋潤解膩。他隨意灑點兒山椒粉，吃起來更加風味。經綸一邊吃，一邊想偷學人家的本事，不過商業秘密收藏在廚房，他無從窺探。經綸死心不息，向侍應打聽，也許顧客不乏外國人，侍應的英文水平較高，有助他增長知識。該店採用「關東風格」，從鰻魚背部下刀，剖開、剔除骨頭，切段後先蒸後燒，使用備長炭火烤，令肉質保持嫩滑。侍應略知皮毛，經綸意猶未盡。

（八）

初出茅廬，宏宥獲得一家臺式料理店聘用為廚房學徒，儘管他工作勤奮，不足半年便遭開除。以往香港未就最低工資立法，老闆辭退了舊員工，由工資更低的人手取而代之。努力付諸東流，宏宥心有不甘，領會到勞力不足恃，唯有自我增值，提升自身的廚藝和辦事能力至他人無法取代的層次才能夠保得住飯碗。他要躋身優秀廚師之列，在飲食業有立足之地。

（九）

經綸遠道而來，志在認識正宗的日本料理，尤其是烹調鰻魚的竅門，

食肆的獨家料理要訣秘而不宣,他只能透過觀摩和攀談汲取知識。與「關東」風格截然不同,秉承「關西」風格的廚師於鰻魚腹部下刀,清除內臟後,將整條鰻魚直接燒烤,吃起來香酥無比。逗留十數天,他惠顧了若干料理店,適逢冬季,鰻魚特別肥厚,任何風格的料理都額外滋味,顯然與鰻魚的質素及天氣攸關。「白燒」保留原汁原味的做法亦討人喜歡,烤製鰻魚時不用任何醬汁,只加少許鹽,食用時蘸點山葵醬油,感覺淡雅。另外,他嚐過茶泡鰻魚飯、玉子鰻魚燒、鰻魚天婦羅、鰻魚蒸蛋……雖然製作同樣出色,但吃起來不及「蒲燒」和「白燒」好味道。

經綸吃膩了,到居酒屋轉換口味,廚師把秋刀魚和多春魚放於長方形烤架上燒烤,撒上少許玫瑰鹽,又將一串串胭脂蝦插在爐火上細火慢烤。炭燒的香氣撲鼻,加上燒魚和烤蝦的視覺刺激,經綸早已垂涎三尺。他剝掉蝦頭,蝦膏鮮美濃稠,拆除蝦殼,肉汁傾瀉而出,指頭都沾上蝦汁。他一口吃蝦肉,一邊吃燒魚,肉質保留著鮮味,略帶鹹香,美味可口。他羨慕身旁客人的美食,禁不住依樣點菜,與鹽燒魚蝦不同,石蠔和元貝採用照燒的做法,藉香甜的燒汁提味。他考慮將當前的和食引進父親的菜館,以日本的風味吸引年輕人惠顧,擴闊客源。

此外,他前往海鮮市場考察,搜羅優質鰻魚及打聽市場行情,得悉環境和氣候的轉變影響了野生鰻魚的產量,以致數量銳減,價格飆升。若從靜岡空運鰻魚回港,成本更高昂。當地也供不應求,部分食肆已改用中國大陸或臺灣養殖場的鰻魚。縱使進口貨不及野生鰻魚品質上乘,然而掌握到烤製的秘訣和火候,以及醬汁的濃淡,做出來的鰻魚亦得以滿足口腹。

<h2 style="text-align:center">(十)</h2>

宏宥懷著抱負闖天下,以酒樓和高級餐廳作為踏腳石,累積工作經驗。他不介意重新由低做起,應徵一家五星級酒店的「見習廚師」,成功通過考核,在商業區金鐘上班。

上司的工作態度非常嚴謹,對廚房的大小事務一絲不苟,宏宥遇到嚴師,自覺幸運。師傅每朝拿起毛巾嗅一嗅又摸一摸爐具和碗碟,確保

東西清潔乾淨，並要求下屬在處理食物時認真看待每一項工作細節，盡廚師的本分。宏宥做得好的地方，得不到師傅一聲讚賞，因他認為這是理所當然的。反之，未符合指定要求，師傅會不留情面當眾責備。

「宏宥，你可知道食物庫存對廚房多重要？東西凌亂不堪，你要師傅親自收拾？」

「豈敢！」宏宥漏夜執拾庫存，禁不住濺淚，責怪自己連小事也做不好，觸怒師傅。

（十一）

自小跟隨父親劏蛇，經綸相信劏鰻魚大同小異，返港後購買大量鰻魚作為練習。首先在滑溜溜的鰻魚頸部砍一刀，放血結束牠的生命，繼而使用熱水沖洗表面的黏液。將清理好的鰻魚放到砧板上，用錐子固定尾部，接著一口氣從頸部剖開鰻魚，去除內臟，他反覆測試，鑽研去骨的良方。經綸漸漸熟悉鰻魚的肉體紋理，把竹籤從不同角度刺入鰻魚肉，放到烤爐之後，根據烤製時皮肉之間釋放的脂肪量和速度，以及肉質脆嫩的程度，尋求最佳的串燒方法。經綸仿照日本料理使用備長炭，因其密度高、耐燃兼少煙，燃燒時火力強而均勻，能夠鎖住肉汁，令鰻魚外脆內嫩。即使價錢昂貴，他認為物有所值。

經綸依照「關東」和「關西」風格，以不同形式實習劏鱔，又試驗先蒸後烤和調較濃度不一的醬汁，比較效果。過程中，他全神貫注，反覆燒烤，確保鰻魚不燒焦。當鰻魚釋放油脂，一滴一滴溢出就是出爐的時候。

「媽，過來品嚐味道。」經綸從廚房端出一碟鰻魚。

母親咬了一口，即豎起拇指大讚：「真棒！」

「也要嚐白飯。」

「好吃啊，甘香軟綿。」母親咀嚼完米飯，打趣：「天天烹煮鰻魚，難道牠們得罪了你？」

經綸反問：「爸爸以前天天劏蛇，莫非與蛇有仇？」

「恰好相反，靠牠們養活，蛇有恩於我家。」

「那麼爸爸恩將仇報！」

「蛇不是人，應該情有可原。要不是劏蛇、賣蛇，你可以白白胖胖、留學和旅遊？」

「事實證明我們不劏蛇、賣蛇，一樣可以過活。」

「生意今不如昔，僅可糊口。」

「不妨考慮轉型。」

「又轉型？」母親咋舌。

「嗯，專營鰻魚美食。」

「你可曾與爸爸商量？」

「尚未，今晚吧。」

（十二）

父親在床上輾轉反側。

「你失眠？」

「白天喝了一杯特濃咖啡，至今了無睡意。」他坐起來後躺。

「真的咖啡所致？抑或擔心『轉型』？」

「當然是咖啡，『轉——型』值得擔心？」他結結巴巴。

「不擔心就好，快睡覺。」

他起床。

「哪裡去？」

「我喝啤酒，妳先睡。」

她一想到轉型便忐忑不安，無法入睡，起來對丈夫說：「我陪你喝酒。」

（十三）

宏宥自知遲鈍，同事應付自如的任務交到他的手裡，往往逾時完成，而且吃力不討好，效率和效果都備受批評。延遲收工和提早開工是無辦法之中的辦法，他努力探索更快更好的做法，一時間找不到解決方法，只因他不是擅長思考的動物。師傅老是指指點點，偏偏無指點提升工作效益的要訣，單單提點他，廚房工作絕非單靠他人提點，乃是靠自己觀

察、靠自己練習，由自己主宰。從此宏宥不再只顧埋頭苦幹，多留意同事的動靜，學習可取之處，提升個人的技能和效率。他東奔西走，向師傅和師兄問東問西，他們樂意指教，因為宏宥熟習後可以分擔工作。

（十四）

涉及商業改革，父親誠惶誠恐，母親暗中幫兒子說好話，父親才答應經綸再次將老店轉型。一如既往，店舖暫停營業，裝修布置的規模遠超上次，以求打造日本風格。牆壁糊上牆紙，增添木材裝飾、陶瓷擺設，安裝門簾，更換燈飾、枱椅、炭爐、器皿和制服，並挑選供應商，安排提供優質鰻魚、魚、蝦、石蠔、元貝等海鮮，又訂購備長炭、珍珠米、米糠油、玫瑰鹽、醬油、味醂、綠茶，以及漬物、味噌、山葵……今次轉型所費不菲，父親揪心不已。

裝修期間，經綸與廚師切磋劏鰻魚和烤鰻魚，策劃工作流程。經過多月籌備，食店重開，全體伙計穿上短打衣服、短圍裙和頭巾在場候命。獻萃海鮮菜館易名為「鰻世流芳」，顧名思義，專營鰻魚，以即叫即燒新鮮鰻魚作招徠。弄好的鰻魚豐腴甘香，價錢大眾化，「蒲燒」和「白燒」鰻魚有口皆碑。經綸尚有一項新猷——炭烤棉花糖，利用一支朱古力「百力滋」貫穿三顆雪白的棉花糖，炭烤棉花糖至金黃色，在表面撒上海鹽，內裡的朱古力剛好溶化，成為外脆內軟的朱古力夾心棉花糖，味道甜而不膩，與鎮店之寶——炭燒鰻魚相得益彰，吸引客人慕名而來。店外長期大排長龍，比起往昔售賣賣蛇羹，有過之而無不及。一家人忙個不停，父親當初的憂慮愁煩一掃而空。

（十五）

廚房以流水方式運作，宏宥先後在「水枱」清洗食材，以及在「砧板」切材料，一年後才獲調派新崗位，協助廚師工作。他在「打荷枱」學習「執碼」，傳遞配料、跟進上碟，後來負責「上雜」，製備調味汁料、加上配菜。過了足足兩年的「學廚」生涯，才晉升為廚師，有機會烹製簡單菜餚。

師傅叮嚀，做一道菜不難，任何人也辦得到，但廚師與一般家庭主

婦不同，菜式迎合口味之餘，味道要層次分明，廚藝需要日積月累，不可能一步登天。不論客人點選鮑參翅肚抑或家常小菜，一樣要用心炮製，即使弄一碟番茄炒蛋、一碗炒飯，一概不能馬虎了事。

廚師工作粗重勞苦，工時又長，每天工作至少十二小時，早出晚歸，假日也要上班，與家人相處時間甚少。宏宥反而覺得每一天都過得很充實，視製作美食為光榮，使客人吃得滋味，自己也開心。他懷著滿腔熱忱，全情投入每一個崗位，辦好每一項職務。宏宥勤奮好學，不怕吃虧，認為熟能生巧，最終自己得益。他相信由汗水換來的知識和經驗分外實用，只要自我裝備十足，機會來臨時就可大派用場。

（十六）

趁伙計落場，經綸拉攏父親：「轉型不足一年，我們已經回本，目前生意應接不暇，應當考慮開設分店。」

父親一怔，唱反調：「擴充需要投入更多資金，增加風險，倒不如集中資源，專心經營一家便心滿意足。」

「富貴險中求，要不是冒險轉型，何來這麼多生意？」

「我不奢望富貴，知足常樂。」

「爸，現在鰻魚料理較罕有，生意才興旺。當他人發覺大有可為，必然會爭相仿效，屆時我們將會失去優勢，市場遭瓜分，利益受損。」

「你說得不無道理。」父親相當苦惱。

「我們必須把握時勢，不但開分店，而且要開多家分店。」

父親目瞪口呆。聽不下去。

「我有辦法籌募資金，預計可以同時開設三家分店。」

父親問：「經綸，我們如何保持高品質？」

「只要改變營運模式，足以應付。」

母親一直坐在旁邊，嘀嘀咕咕。

「媽，妳贊成嗎？」

她回答：「我無意見，你們決定好了。」

「不急於一時，從長計議。」父親拿不定主意。

（十七）

宏宥下班，拖著疲乏的身軀登上小巴，一坐下便打盹，延誤了一段長路才下車，夜闌人靜，街燈輪流陪伴著他孤單的身影。回家路遠，尚要多行數百米，他好想儘快上床休息，於是加緊腳步，拐彎時猛然眼前一黑，不支倒地。

「宏宥，宏宥！」惜陰頻頻呼喚男友。

宏宥被相熟街坊發現深夜伏在路口，頭頂出血，即時送院治療。警方接手調查，初步證實他遭人用硬物從後襲擊頭部，身上財物盡失。男友躺在病床上，身體接駁醫療儀器，額頭裹著繃帶，臉部瘀青、頭顱腫脹，雙腳間歇抽搐。經醫生診斷，傷者後腦受創，陷入昏迷，藥物的作用有限，復原有賴他本身的復原能力，並不排除變成植物人的可能性，提示親人作好心理準備和最壞的打算。惜陰愴然淚下，在旁的宏宥母親、嬸嬸和表妹都泣不成聲。

母親率先打破病房的寂靜，怒罵：「盜亦有道，求財毋須傷人。那賊人喪盡天良，行劫前先偷襲而且心狠手辣，我們的宏宥給他害苦了，活受罪！」

「那匪徒是禽獸，泯滅人性。」嬸嬸嚴詞厲色。

表妹附和：「真的不配為人，豬狗不如。」

惜陰忿忿不平：「咒罵也沒用，造成的傷害不可逆轉。大家同心禱告，求神賜平安予宏宥，早日康復。」

「求神有用？」母親疑惑。

嬸嬸搶話：「信則有，不信則無。」

表妹和應：「心誠則靈，我們跟未來表嫂祈禱吧。」

眾人聚攏閉目，齊齊伸出手掌，一起按著宏宥的胳膊，由惜陰領禱：「全能的上帝，求祢……阿門。」

她們同聲「阿門」，同時張開眼睛，宏宥同樣昏迷不醒。

（十八）

經綸躊躇滿志，父親並不樂觀。綸父堅持食肆與街市、超級市場的

營商不同，不能單靠價錢來吸引顧客。每家餐廳應該由老闆親自管理，做事親力親為，嚴格控制食物品質，水準穩定，客人才會持續惠顧。若兒子同時開設多家分店，獨個兒肯定兼顧不了，加上鰻魚製作需時，員工不一定個個有耐性和細心，一旦監督不周，食品質素參差，顧客必然流失。食肆倚重口碑，口碑好，生意源源不絕，反之毀了名聲，全盤生意邁向衰亡。

經綸自有另一番見解，「慢工出細貨」只是開店初期的謀略，食品不同藝術品，毋須追求完美。在商言商，一家小店接待客人的數量有限，管理模式就必須改革。如要提升生產力，烹調鰻魚的方式需要作出調整，並擴展生意的版圖，謀取更佳業績。

父親猶有顧慮，問經綸：「怎樣調整烹調方式？」

「由『蒲燒』改為『照燒』。」他留意到父親神情疑惑，於是詳述：「蒲燒費時，製成品終歸有限。等候時間長，客人流轉快不了，未能充分善用空間和時間。」

「甚麼『照燒』？」

「所謂『照燒』，先用醬油、米酒、味酥和砂糖調製醬料，塗在食材上，然後烹調。」

「與蒲燒一樣慢烤，製作時間相差無幾？」

「只要將燒烤改為烹煎，加上照燒醬，簡單快捷得多。」

「豈不是取巧欺客？」

「製作同屬照燒料理。我們只不過提供多一款廉價美食給客人選擇，彼此雙贏。」經綸說得頭頭是道，使父親回心轉意。

（十九）

兒子不再是小孩子，宏宥昏迷期間，母親將他交給未來媳婦照料。惜陰樂意代勞，不忌諱為未婚夫抹身、按摩，天天悉心看顧。宏宥未見起色，她保持樂觀，深信他終會甦醒。守候近一個月，宏宥依舊沒有好轉，惜陰仍未灰心失望，繼續懇切祈禱。宥母傷心難過，擔憂兒子變成植物人，恐怕未來媳婦早晚離棄他。

宏宥在職場上充滿鬥志，在病床上同樣鬥志頑強。他昏迷一個多月後，手部有活動跡象，一個細微的動作足以令惜陰鼓舞，雙腳的動靜亦令親人雀躍。醫生表示，傷者插喉太久，一下子拔喉，他可能無法自行呼吸，建議在喉嚨位置開洞，幫助呼吸。母親和惜陰非常焦慮，慶幸宏宥能夠自行呼吸，避過一劫。他的眼皮微微顫動，略略睜開。由於長期沒水喝，他的嘴唇枯乾了，惜陰用針筒餵水，水卻從宏宥的嘴角流出，她重複嘗試，他終於把水吞下。宏宥的活動機能慢慢恢復，四肢重新得力，站起來踱步。

言語上出現亂子，宏宥對著惜陰叫：「媽媽、媽媽。」母親覺得動聽，惜陰亦感欣慰，畢竟有進步。醫生解釋，其腦部的相關部位受損，造成語言障礙，轉介言語治療師跟進。宏宥的康復進度理想，復甦後不消一個月便回家休養，其後返回日間中心做康復治療，親人總算放下心頭大石，醫護人員也替他高興。

（二十）

得到父親全力支持，經綸積極拓展業務，一口氣開設三家分店。他分身不暇，委派得力員工當分店主管，協助打理業務。總店和新店統一採用新經營模式，除既有的「蒲燒」之外，增添「照燒」。前者只會限量發售，餐廳主力推廣後者，務求薄利多銷。

以往「蛇王憲」和「獻萃海鮮菜館」依賴附近街坊惠顧，為迎合他們的口味，菜式大眾化，價錢非相宜不可。「鰻世流芳」提升市場定位，銷售對象涵蓋消費能力較高的族群。自從業務地點由牛頭角擴展到旺角、荔枝角和北角，餐廳豐儉由人，兼容不同消費能力的顧客，「鰻世流芳」各店生意額皆符合預期，一年內便回本。經綸不時審視產品銷量和調校經營策略，早知道「蒲燒」不符合成本效益，仍然保留作為賣點。一年了，「鰻世流芳」已經闖出名堂，經綸適時取締「蒲燒」，集中人手全力投入「照燒料理」，並添加新款式，促使銷量最大化。

「所有分店都上了軌道，」經綸向父母透露鴻圖大計：「我要進一步擴展，多開六家分店。」

「真本事！豈不是將來擁有十家餐廳？」母親興奮。

父親臉色一沉，勸誡兒子：「做生意切忌急功近利，急速擴張令存在風險大大提高，倒不如安分守己，打理好現有的餐廳。」

「做生意肯定有風險，斷不能因風險增加而放棄多做生意的機會。」

「若要增添分店，必須切合實際需求，做完市場調查，分階段開設。」

「正是有雞先抑或有蛋先的問題，有分店自然會有顧客光臨，不必多費心思。」

父親不想爭論，兒子有其市場哲學，完全不為所動，更打消不了其野心和衝勁。好壞、利弊、成敗得失，他朝自有分曉。

（二十一）

宏宥輕撥頭髮，一觸碰到曾受創傷的部位如同觸電，全身毛骨悚然，覺得頭蓋好像一個砸爛了的漏電煲蓋。炊具外觀毋須完好無缺，礙眼亦不致令廚師生厭，嫌棄的話，更換罷了。頭顱只得一個，破了、裂了、凹了，也就修補不了、更換不了，肉體上的缺陷成了精神上的缺憾，傷害心靈。

午夜夢迴，宏宥的腦袋離不開無妄之災；驚醒後，片段不斷重演。一再問：「為何災禍降臨在自己的頭上？」當晚身上沒有金鏈和金錶，也沒有華麗的衣裳，竟然被劫匪選中。身無長物，賊人固然不幸，自身更加不幸。若不滿意打劫得來的財物，憤而傷人，尚可理解。可是未行劫先傷人，的確罪無可恕。為何這樣？為何那樣？宏宥受一連串問題困擾，始終得不到答案，只因他不是擅長思考的動物。

或許廚師的思想比較單純，宏宥自覺似堵塞了的壓力煲，鬱結難抒。當他目睹運作正常的壓力煲釋放蒸氣，彷彿開竅，明白到個人需要的不是解答困擾而是解放困擾。唯有拋開倒楣的經歷，化作水蒸氣消散才可化解爆煲的危機。他切身領悟到幸福不是必然，應當一無掛慮，為不幸中的大幸感恩，復原已是恩典，感激惜陰和親人愛護有加。只有接納人生的不完美，才可填平不完美的鴻溝。

（二十二）

「鰻世流芳」旗下六家新店陸續開張，遍布港、九、新界，經綸馬不

停蹄巡察業務，檢視各店能否按照規劃達成指標。部分分店顧客疏落，員工不難應付；部分分店生意暢旺，店員手忙腳亂，繁忙時段的出品水準不穩定。廚師燒焦了諸多鰻魚，有的棄掉，有的蘸上醬汁試圖掩飾，遭客人投訴醬汁過多、味道太濃，蓋過鰻魚的鮮味，更糟糕的是投訴鰻魚燒焦了，不能食用。為免影響口碑，他火速替顧客更換，還減免收費，並於管理欠佳的店舖駐場指導，確保產品質素符合規格，服務水平令客人滿意。

至於生意未如理想的店舖，經綸會查找不足，並加以改善，同時減價促銷。若生意沒有起色便縮短營業時間、省減人手，降低營運開支。分店大都有盈利，足以彌補個別分店的虧損，整體收支達到平衡，而且穩步增長。兒子事業再下一城，由一家蛇舖發展成十家鰻魚料理餐廳，母親高興之餘，不滿兩父子太忙，相處的時間太少。父親亦高興，又怕高興得太早，姑且處之泰然。

<h2 style="text-align:center">（二十三）</h2>

停工接近三個月，宏宥復工，一踏入廚房，同事都擱下手頭上的工作，簇擁著他，情深的手足與他擁抱。

「宏宥，終於等到你歸來！」

「多麼想你！」

「平安就好了！」

「……」

與同事久別重逢，宏宥恍如隔世，受到他們熱烈歡迎和親切慰問，他滿心感激，不停言謝。受制於語言能力障礙，笨口拙舌，他說話越多，錯漏越多，同事皆諒解，不以為意。

復工來之不易，當宏宥觸及廚房用具和食材，倍覺溫馨。雖然手腳稍欠靈活，但他下廚就如反射動作，不經大腦也可應付。終究腦部受創，他未能持久站立，幸好獲得上司體諒，減輕了工作，有機會歇息。工時不變，他依舊早出晚歸，下班時疲態畢露，睏得幾乎睜不開眼，眼圈越來越黑。母親每晚預留湯水給他回家享用，喝起來比自己烹煮的更滋味稱心。

（二十四）

食物環境衞生署派員抽取市面上的新鮮鰻魚和鰻魚製品進行化驗，逾八成半樣本含有致癌物質——孔雀石綠，署方下令即時回收及銷毀鰻魚。新聞一傳出，大陸鰻魚供應斷絕，加上市民聞鰻色變，「鰻世流芳」的客人近乎絕跡，只得零星熟客。

各店飽受前所未有的重挫，經綸改以入口貨代替，日本鰻魚太貴，採購了臺灣鰻魚，增加成本補充貨源仍然無濟於事，市民不理產地來源，暫停食用鰻魚。生意急遽萎縮，流動資金不足，不消一星期便周轉不靈，所有分店停止營業，員工放無薪假期。

生意不景並非單純個人問題，涉及過百名員工的生計，長期停業絕非好辦法，員工的家庭無以為繼，經綸晚晚失眠。苦候一個月，食環署宣布鰻魚通過檢查，符合食用，恢復市場供應，劣勢才得以逆轉。顧客重拾信心，各店重開，鰻魚飯與老饕一併重現。

伙計展露歡顏，笑問客人：「先生，歡迎光臨。請問多少位？」

「鰻世流芳」渡過難關，業務重回正軌，全體員工復工後更加投入和起勁。

（二十五）

「若不是惜陰照顧和祈禱，只怕你昏迷未醒。換著其他女孩子，早已捨你而去。」母親催促宏宥：「男大當婚，女大當嫁。她對你不離不棄，你好應該有點表示吧。」

「飲食業工時太長，如果結婚，我怕兼顧不了家庭。」

「若然，所有廚師都要獨身了。不如你辭職，找一份朝九晚五的工作。」

「除了廚師，我甚麼也不想幹，其他職業也幹不了。不如——」

「別推搪！耽擱了惜陰的寶貴青春。」

「——我——我——」

「事不宜遲，快約對方家長見面。」

宏宥嘀咕：「皇帝不急太監急。」

「渾小子，你是皇帝，老娘是太監！」母親暴跳如雷，險些拍到兒子的頭頂，急忙縮手。

（二十六）

春暖花開，杜鵑、雛菊、黃花風鈴、紅棉……繁花競艷。牆垣綠樹、蓮池碧水與曲橋水榭渾然一體，景致古樸典雅，別具嶺南風貌。

「繆老闆，過來看小龜，多麼像你。」

經綸靠近蓮池，俯身端詳，側頭問女友：「哪兒像？」

「像你一樣『小歸』來。」她刻意加重其中兩字的語氣。

他恍然大悟，回話：「妳借題發揮！我忙於籌備開新店，所以『小歸』來。荔枝角分店有妳做店長，我大可放心。」

「忙碌也要歸來巡視業務啊。」

「當然。」

兩人趁落場時段到附近的荔枝角公園散步，在陰涼的迴廊談心，之後挽臂返回餐廳。臨近門口，愷悅急忙縮手，免招同事口實，接著進入餐廳。

「好可疑！」男同事嘖嘖稱奇。

愷悅問：「甚麼？」

「妳時常與老闆出雙入對。」

她若無其事，轉移話題：「我請你喝鮮奶。」

同事蹙起眉頭，大惑不解。

「用來中和——醋意。」

「醋意！誰吃醋？」他猛然醒覺。

愷悅一笑置之。

「妳不打自招。」

「時間到了，開工。」愷悅竄往廚房。

（二十七）

宏宥與惜陰結為夫婦，雙方親朋不多，婚禮從簡，他們沒有鋪張的盛宴，也沒有蜜月假期。新婚時光短暫，三天的婚假轉眼過去，宏宥如

常早出晚歸。惜陰是兼職導師，為小學生補習功課，閒時與家姑共處。

惜陰的母親早逝，父親出外謀生，她從小生活自理。婚後成為家庭主婦，衣著樸實無華、不施脂粉。她負責家務，打理得井井有條。家姑有兒無女，自從媳婦入門，宛如晚年平添一個女兒。

惜陰夾一塊糖醋魚片給家姑。

「真美味！比宏宥技高一籌。不過——」家姑欲語還休。

「不過甚麼？」

「不過婚後只得我倆吃飯，宏宥沒陪妳，反要妳陪我。」

「婚前早知他夜歸，有您陪伴，我才不愁寂寞。」惜陰再夾一片涼瓜給家姑，說道：「要多吃蔬菜。」

惜陰感恩，日常有家姑相伴，不致獨守空幃。雖說相見好、同住難，但家姑通情達理，婆媳之間鮮有磨擦。宏宥也感恩，婆媳互諒互讓，她們和諧共處，自己安心工作，全賴賢妻持家有道。

（二十八）

春風得意，經綸籌劃人生大事，與女友的戀情公開不足一個月便宣布喜訊，同事皆大歡喜。愷悅亦喜出望外，本身從不沾手家務，由母親代勞，中學畢業後，她加入「鰻世流芳」當侍應，起初手忙腳亂，倒瀉東西又摔破杯碟。她不慣招待客人，也受不了氣，滿以為做不長久。出乎意料，她通過試用，兩年後升為店長，更意想不到將會榮升為同事口中的「老闆娘」。

經綸與父親交遊廣闊，在金鐘一家五星級酒店舉行盛大婚宴。當晚經綸的員工大部分都要上班，唯獨荔枝角分店除外，因東主辦喜事而暫停晚市，讓愷悅的同事可以前來共享喜悅。

（二十九）

宏宥下班回家，惜陰仍未入睡。

「今朝陪奶奶覆診，眼科醫生表示她雙眼有白內障，需要動手術摘除。她惶恐不安，拿不定主意。」

「眾所周知只是小手術，明天我與她商量。」宏宥翻開被鋪，爬上床，

訴說：「我晚上經過宴會廳，瞥見門口的結婚照有一張熟悉的臉孔，停步看清楚，新郎是小學同學。」

「這麼巧，他與你同樣今年結婚。」

「小學時我倆相熟，大家升上不同中學就甚少交往，他大排筵席也沒有我的份兒。」

「可有其他小學同學出席？」

「不知道。我趕回廚房烹製其婚宴的佳餚。」

「香港地方有限，說不定他日在路上重遇。」

「對。」他關掉床頭燈。

黑暗中她向他索了一個晚安之吻，低訴：「快睡覺。」

（三十）

由嫁給經綸起，愷悅覺得女人最幸福莫過於當繆太，婚宴高朋滿座，她滿身珠光寶氣，華麗登場，全場嘉賓的目光都貫注在自己身上，好比灰姑娘搖身一變，命運從此改寫。當晚，愷悅不斷接受讚美和祝福，相信人生將會更美好，夢寐以求到澳洲及紐西蘭度蜜月，率先夢想成真。

經綸度假期間不忘謀劃生意，夫妻歡度完悠長假期便入住新居，享受二人世界。他一上班就積極拓展業務，在太太的協助下，生意越做越旺，分店越開越多，全港十八區，除了離島，各區有一家。

財源滾滾，喜事連連，幸福在愷悅的肚裡膨脹。她懷孕了，肚皮越來越隆，不再陪伴丈夫巡舖，安心在家養胎，後來生下一個娃娃。受丈夫薰陶，他開店一家接一家，她就一胎接一胎，三年抱兩皆是女兒。一家豐衣足食，生育眾多完全不成問題，夫婦無憂無慮，決意生養下去，直至生下男丁，將來繼承家業。

（三十一）

大部分廚師回家都不願涉足廚房，將廚務留給家人。若惜陰上班，宏宥在家無所事事就會技癢下廚，家常小菜只要用心製作，簡單食材足以使人吃得滋味。惜陰是最大得益者，肚皮越來越隆，家姑以為她有孕，暗自歡喜。

宏宥老是霸佔廚房，招致妻子不滿，她向他投訴：「你剝奪了我下廚服侍丈夫的機會！」

他賠笑：「那麼我『金盆洗手』。」

「這樣不好，誰養我？」她用食指點著額角，提議：「你不妨考慮工餘時間當烹飪班導師，還可以賺取外快。」

「好主意！做『義廚』亦無妨。」

「我幫你打聽。」

（三十二）

愷悅親自照料女兒，沒再與丈夫並肩合作，以致經綸忙上加忙。他分身乏術，兼顧不了家庭。經綸單獨統率一支數百人的團隊，他要督導餐廳營運、調派人手和安排分工、監察製作流程、控制品質和成本、監管採購及庫存、檢視菜單編排、提升員工服務水平、管理財務、調整營銷策略⋯⋯不管任何環節，無不盡心盡力。名義上，他駕馭事業；事實上，他被事業駕馭。事業成了他的全部，容不下其他，包括家庭生活。餐廳全年無休，老闆亦然，比任何員工更勞心勞力。他嘗試下放更多權力給管理層，攤分重任，並減少社交應酬，騰出時間給妻兒。可是工作沒完沒了，他忙個不停，忙得不知為誰辛苦為誰忙。他騎虎難下，無暇深入探究，直覺上為了家人的福祉。雖則冷落妻兒，但他們生活富足、物質充裕，全是個人拼搏的成果，或多或少可以彌補。

（三十三）

宏宥在產房外乾著急，想像產房內妻子分娩的情況，不禁聯想到廚房內炮製新菜式的情景。廚師製作美食，越精美的食品往往需時越長，顧客何曾在廚房外焦急。他仿效客人默默安坐，耐心等候美饌出爐。在他眼中，婦產科醫生與廚師無異，整支團隊在室內動手工作，只不過捧出來的東西有別而已。望穿秋水，新生命誕生了。

「恭喜你！母子平安。」

宏宥眼前一亮，嬰兒就像新鮮出爐的麵包——暖洋洋、軟綿綿、香噴噴，他情緒高漲，好想咬一口。

（三十四）

宏宥親自為妻兒煲薑醋，豬腳薑專為產後十二天的妻子補身，並用來送贈親朋、鄰居和同事分享。宏宥的心思總離不開飲食，兒子白白胖胖，取名「富饒」。親友一致認為富饒輪廓分明、五官標致，深得漂亮母親的優質遺傳，看來十分貼切。宏宥相貌不揚、學業無成，不過宅心仁厚、刻苦耐勞。夫婦同樣思想單純，對孩子沒有厚望，但願他正直善良、言行端正便足夠了。

受丈夫薰陶，惜陰認為孩子好比發酵的粉糰，麵粉品質固然重要，否則頂尖的師傅亦一籌莫展。至於將來變成淡味的饅頭抑或香酥的麵包，視乎師傅的製作，夫妻不熟悉烘焙，相信製作得宜，包點有價。故此，只要培育得宜，孩子必成大器。

富饒為家庭帶來生氣，家姑弄孫為樂，一家四口樂也融融。逢新年、情人節、聖誕節……丈夫都要上班，惜陰倍覺冷清，今後有兒子慰藉心靈，覺得女人最幸福莫過於當宋太。

（三十五）

經綸家財豐厚，美中不足的是只得兩個女兒。「皇天不負有心人」，他如願以償，愷悅誕下子嗣，經綸自覺是人生的大贏家，萬事亨通。事業一帆風順，店舖大增至二十六家，僱員逾五百人。全家由觀塘樂意山遷往沙田九肚山三千平方呎豪宅，擁有三輛汽車，聘請三名家傭，以及司機，又飼養貓狗。

愷悅問細女兒：「妳喜歡舊屋抑或新居？」

「當然是新居，環境寬敞舒適，景色宜人，各方面都更勝一籌。還有工人姐姐和司機叔叔代勞，生活優越。」

愷悅問大女兒：「妳呢？」

「舊屋實用溫暖，出入方便。」

「人只會追求更美好的東西，妳太易滿足了。」愷悅再問：「考試追求滿分，難道妳合格便心滿意足？」

「毋須考試，我就心滿意足。」細女兒搶話。

大女兒懶得回應，愷悅告訴她們：「要不是爸爸竭力追求，生意也不會有今天的成績。我們衣著得體、吃盡珍饈百味、居住豪華大屋，還可以經常到外地旅遊，完全是他努力的成果。」

「不過爸爸很少陪我們旅行。」細女兒埋怨。

愷悅解釋：「他身不由己。爸爸有的是錢，欠缺的是時間。」

「真可憐！爸爸窮得只剩下錢。」大女兒戲謔。

細女兒大惑不解，問姐姐：「爸爸真的窮得可憐？」

愷悅代答：「姐姐說笑，爸爸怎會窮？」

（三十六）

每逢學校假期，愷悅帶同子女、家公和家姑外遊。經綸遲遲回家，工人都睡覺了，偌大的家居冷冷清清。受工作折騰了一整天，他疲憊不堪，躺在電動按摩椅上休息一會。他關掉按摩功能，一邊喝啤酒，一邊聽電話留言。

「爸爸，今晚我們很開心，到大通公園觀看絢爛的燈飾、逛市集，享用了許多美食，又購買了各樣的聖誕禮品，回家任您挑選。」大女兒未說完，尚有下文：「Merry Christmas！」

家人在北海道札幌歡度「白色聖誕」，齊聲祝賀聖誕，經綸聽見他們的聲音，感受到他們的興奮，分享到他們的歡樂。他疲勞未消，泡了一個熱水浴，隨即就寢。夜半，經綸被雷聲驚醒，他省察自己早出晚歸，實際使用大宅的空間不外半張睡床，這數晚破例獨佔豪華大床。原來千方百計賺錢買大宅，個人用得著的地方只不過九牛一毛，僅僅一宿之處，難怪女兒對愷悅調侃：「爸爸窮得只剩下錢！」

（三十七）

今天踏入酒店廚房，宏宥的身分不再一樣，他晉升為中菜行政總廚。雖然他只得三十二歲，但入行已經十三年，不少下屬的資歷比他更深，部分廚師不滿，發動集體辭職，對剛升任總廚的宏宥構成相當大壓力。行政總廚不僅要具備精湛的廚藝，還要管理廚師團隊，升職首天，宏宥利用落場時段，與不服氣的同事較量本領。過程中高下立見，充分展現

出其卓越之處，憑個人實力服眾。大家摒除隔閡，融洽合作，使廚房的出品精益求精。

粵菜講究時令，不時不食，宏宥採用時令食材來設計新菜式。一方面，他在傳統粵菜上花心思，改良口味。另一方面，他從各地菜系中挑選一兩道經典名菜，融入粵菜菜餚之中。此外，宏宥釐定製作準則，統一廚師的烹調方法，確保客人的舌尖獲得最佳的享受。

（三十八）

金融海嘯席捲全球，「鰻世留芳」的生意亦受波及，陷入財困。經綸推斷政府必然會出招挽救，不會持久影響香港的經濟，故向銀行借貸巨款以濟燃眉之急，先應付當前入不敷支的局面，一旦經濟好轉自會否極泰來。可是事與願違，虧損持續擴大，數月便耗盡貸款，經濟未見起色。他無計可施，關閉過半數分店，僅存的業務強差人意。結果「鰻世流芳」遭法庭頒令清盤，苦心經營的生意全盤敗北。親手打下的江山因個人一時錯判形勢而盡毀，與人無尤。經綸一貧如洗，數千萬元家財轉眼成空，還欠下逾千萬元債務，半生心血換來一身債務。

人生起伏本是平常，然而由富商淪落到債務纏身，落差太大，承受不了也是正常。落難非一己之事，愷悅責怪丈夫鑄成大錯，殃及全家。怪罪也沒用，經綸恨錯難返，遽變令一家人陷入絕境，住宅被強制拍賣填債。子女愁眉苦臉，愷悅情緒低落，心情久久未能平伏，精神科醫生指她患上抑鬱症，需要接受長期治療，奈何負擔不起醫藥費。經歷「有病無錢醫」，最傷心的並非有病，亦非無錢，而是由有錢變成無錢，由擁有健康變成失去健康，由應有盡有變成山窮水盡。

經綸人脈廣闊，嘗試致電友好求助，交談不足兩句，尚未入正題，對方就託辭掛線。他繼續聯絡友人，直接了當提出所求，大都砌詞推搪，偶有幫忙，象徵式的小恩小惠形同施捨，感覺難堪。世態炎涼，昔日社交應酬，經綸款待朋友吃喝玩樂不計其數，如今生意失利，即遭人唾棄。他深深體會到現實的殘酷，誠如「寒天飲冰水」，人情——冷暖——自知。

（三十九）

禍不單行，經綸母親年初病故，年中父親驚聞牛頭角總店不保，趕往「遺址憑弔」，「鰻世留芳」閘門鎖上，貼著封條。他的臉挨近鐵閘，一陣寒意直達心腑，回想過去，這家老店人來人往，經這道門進出的客人留下了無數足印，當下無法踏足。與故地依依惜別，恍似相識數十載的知己良朋老去，遺下冰冷的軀殼，挽留不到一抔黃土，禁不住老淚縱橫。

兒子是商業奇才，將小生意發揚光大，然而「猛虎終須山上喪，將軍難免陣中亡。」一語成讖，它是潛規則，也是魔咒。成王敗寇，經綸事業有成時，要風得風，要雨得雨；事業失敗，獨力承受風雨蹂躪。天理循環？老父看不透世情，兒子將一株樹木發展成樹林，竟被一把無情火焚毀淨盡。父親既難過又害怕，怕兒子一蹶不振，跟樹木枯榮與共，一同茁壯，一同萎靡。

（四十）

從富饒唸小學開始，如有家人生日，宏宥必休假與妻兒慶祝，同度歡樂時光。

「爸爸，送給您。」富饒戰戰兢兢地送上一幅親手繪畫的圖畫。

「畫得多漂亮！」宏宥初次收下兒子致送的生日禮物，喜不自勝。

富饒簡單構圖，一家三口在同一屋簷下手牽手，爸爸、媽媽和兒子自己分別選用藍、紅、橙色線條，房屋則用黃色加綠色，人物形象鮮明。兒子獲得父親的稱讚，展露燦爛的笑容。

宏宥指著圖畫問：「他們是誰？」

兒子答：「爸媽和我。」

「哪個最好看？」

「我。」兒子舉手。

「哪個最難看？」

兒子指著父親：「您！」

宏宥假裝不忿，富饒膽怯，將指尖移向母親。她不服，插腰瞪眼嚇唬，孩子慌張，隨手指向櫃臺上的相架。

惜陰責備兒子:「沒禮貌!快向祖母道歉。」

富饒即刻停手,瞧著相片說話:「祖母,對不起!」

宏宥問兒子:「祖母疼愛你,常常請你吃薯條和雪糕,記得嗎?」

「記得!」富饒聲線微弱,含情脈脈望著祖母的遺照。

(四十一)

經綸破產,在愷悅的心目中,丈夫的誠信亦破產。她心如止水,與丈夫沒有閒談。他失去事業、家財和妻子的信任,全家流離失所,拜託親戚看顧子女,愷悅於密友家中寄居,自身則投靠舊同學。債主派人登門追債,他們凶神惡煞,同學恐防滋擾家人,不敢再收留。經綸走投無路,幸得做廠長的朋友照應,晚間借宿廠房。

「富在深山有遠親」已成往事,「窮在路邊無人問」才是現實的寫照,或許親朋懼怕窮人借錢,相繼斷絕交往,處境坎坷,愷悅不稀罕他人探問。過往她養尊處優,慣常出入高級食府,風光不再,要不是有人接濟,三餐都成問題。從社會階梯滾下來,自知配不起名牌東西,連享用錦衣美食的資格亦喪失了。她擁有的奢侈品名副其實奢侈,生活上一件也派不上用場。

經綸經歷重大挫折,一連串負面情緒湧現,失意、灰心、失望、沮喪……家庭經濟命脈斷絕,他擔不起家庭生計,一家寄人籬下,精神飽受折磨。愷悅惱恨丈夫連累家人活受罪,對前景感到悲觀,覺得黯淡無光,了無生趣。苦無立足之地,不知窮日子怎麼過,她另謀出路,帶同子女投靠內地表親。

經綸自身難保,不得不尊重妻子的決定,值得高興的是他們不必再各自生活。再者,愷悅離開傷心地也有好處,有助她減輕精神困擾,盼望她不藥而癒。痛心的是孩子被迫輟學,但他愛莫能助。經綸有失父親的尊嚴,為保僅餘的一點自尊,他不可能靠攏妻子的表親,獨自留港過活。縱使漂泊潦倒,境況堪虞,他堅持不能自暴自棄。經綸沒有申領政府分毫援助,他要自力更生,發憤重整家庭,日後接家人回港過好日子。

（四十二）

「馬死落地行」，飲食集團搞垮了，經綸另找工作。他只當過少東和老闆，從未涉足其他行業，連學士學位也沒有，加上步入中年，求職機會渺茫。儘管經綸應徵低微的職位，總是落空，直至朋友介紹才得到一份工作。與其他行業的制服相比，他覺得派發的工人裝束格外難看，它是身分卑微的標籤。面對著一套制服、一件死物，經綸足足花了九分鐘來考量：「穿上抑或擱下？」他克服不了心理障礙，好想一走了之。可是，可是，可是人生中太多「可是」，「可是」只會窒礙人生的進程。他深思熟慮，「職業無分貴賤」不應只是一句專為低下階層自我安慰而設的空話，它是文明社會應有的普世價值。唯有拋開個人成見，自己方可踏前一步，走未完的人生路。他如釋重負，穿起洗車工人的制服，踏出更衣室。

車房的工作枯燥乏味，經綸跟隨年輕師傅學習使用高壓水槍和拋光機更不是味兒。洗車和打蠟並不複雜，複雜的是內心的掙扎，情景勾起了回憶。他曾經擁有三輛房車，任何一輛比客人的汽車貴重，現在為了賺取微薄的工資替他人效勞，一時感觸，慨嘆時不我與。

「開心是一天，不開心也是一天，何不開開心心度過每一天？」既是老生常談，也是金石良言。經綸親手令車輛光潔如新便沾沾自喜，自詡「汽車美容師」，協助改善市容，功不可沒。經理忽然召見，因有顧客聲稱左邊後座車門添了一道刮痕，投訴負責洗車的員工疏忽，要求賠償損失。由於差事與他有關，經理想了解真相。

「經理，刮痕原先就存在，車主無中生有。」

「為何你沒有即場向上司報告？」經理生氣。

經綸解釋：「刮痕不算嚴重，碰巧當時有另一輛汽車急於清洗，忘了通報。」

經理斥責：「漏報就是漏報，讓車主有機可乘。」

「對不起！我一時大意，連累公司。」

「事件交由公司處理。你難辭其咎，試用期需要延長三個月。」

經綸錯愕：「雙方協議試用期滿便調整薪酬，怎會因此延長一倍

時間？」

「若然不滿，你可以另謀高就。」經理說話不客氣。

經綸忍氣吞聲回去洗車，他激動得用水槍亂噴以洩滿腔怒憤。水壓太猛烈，水柱從車身反彈到自己的臉上，他精神一振，化解了些少悶氣。

（四十三）

洗車和打蠟千篇一律，幾乎不用動腦，經綸怕腦袋早晚一貧如洗、如蠟殆盡。他善於思考、精於計算，不時思考人生、評估得失。

人生是單程路，不容掉頭，走得多遠就走多遠。

人生路並非單一路線，每逢分岔路，人必須親自抉擇。前景不明，恍如賭注，有得有失。

人生路絕不是暢通無阻的康莊大道，也許是荊棘滿途的羊腸小徑，不過沿途風光可能更明媚。

人生沒有死胡同，「窮途未必是末路，絕境也可以逢生。」因為「路不轉，人轉；人不轉，心轉。」

走錯路會悔不當初，追悔只會越走越錯，恨錯難返，還是腳踏實地，安分守己。

經綸回顧前半生，事業有成帶來財富，全家豐衣足食；決策失誤令生意一敗塗地，家庭破落。成功換來短期物質享受，失敗卻招致長期心靈創傷，無疑得不償失。他不甘心，成功和擁有本來不是壞事，人好應積極爭取，不應為了逃避失敗而放棄追求成功，亦不應為了逃避失落而放棄擁有更好的東西。他滿以為，曾經擁有、曾經享受總比未曾擁有過、未曾享受過的人好。直至破產，得來不易的家財轉眼成空，由有到無的滋味實在苦不堪言。他引以為憾，情願從來未曾擁有過，也就沒東西可失去。他終於開竅，平凡生活素來安穩，淡薄名利原來更舒坦，他悔之晚矣。

永恆不變的是人生常變，人生充滿變數，既然世事難測，不必想得太多。執著得失多少，凌駕了理性思維，只會失去更多。經綸心知擁有過常人求之不得的生活，不失為過，亦深明緬懷過去於事無補。他開始

改觀，一心安貧樂道，於願足矣。

（四十四）

烹飪是宏宥的嗜好和專長，他不單止製作佳餚給客人和家人品嚐，工餘時當教會的義務廚師，烹煮食物給獨居老人、傷殘人士和長期病患者，因應對象的特殊需要，用心剔除骨頭，讓他們放心食用。菜式中鹹蛋蒸肉餅最受歡迎，他在肉碎中加入甘筍絲、節瓜粒和燕麥，容易咀嚼之餘，好味有益。一切從服務對象的益處著想，他絕不介意多花工夫。

宏宥越做越起勁，與一班志同道合的中廚義工定期舉辦宴會，免費款待弱勢社群。連同他在內有二十名廚師，每次包辦三十圍筵席，切菜、醃肉、煎煮、分菜都要親力親為，比起酒店廚房的工作更繁忙。有時院舍舉行大型節日活動，妻兒亦加入義工行列，當作親子活動。宏宥從服務中體會人生，人毋須擁有太多，只要無病無災便無憂無慮，生活越少負累越好。

（四十五）

經綸傾家蕩產，所有財產交予破產管理官悉數變賣，依然資不抵債，故此破產管理官將經綸的薪金減除日常生活開支，扣留餘款抵債。洗車工人的酬勞不多，抵債的款項有限，破產令為期四年，屆滿後債務一筆勾銷，債權人無權討債。雖則如此，他問心有愧，工餘時當兼職鍋具推廣員，努力賺錢償還多一點債務。

黃昏時段，經綸換上恤衫、西褲，在百貨公司的專櫃當眾示範烹煮。週末人流稠密，藉著煎炒聲和香氣吸引客人圍觀，即場分發食物給他們試味，從而推廣商品。

一名中年漢突然把雞翼吐在工作臺面，大吵大嚷：「又酸又臭！」

在場人士以婦女居多，她們驚惶閃避，部分人把未吃的食品扔到臺上。經綸慌忙向客人賠罪：「對不起！請大家稍後回來，品嚐其他美食。」

那漢子直指經綸的鼻尖，放聲大喊：「堂堂飲食集團大老闆淪為推廣員，欠債不還，活該！」

經綸醒覺對方是債主之一，有圍觀者幸災樂禍，暗中譏笑。他被公

然奚落，非常難為情，好想躲入工作臺下卻不能擅離職守、一走了之。經綸無話可說，任由對方辱罵洩憤，有圍觀者看不過眼，反斥債主得勢不饒人，欺人太甚。擾攘過後，人群散去，他無心工作，一不留神，手指碰到光燒的鍋具，燙得要命，連忙捏著耳珠，緩解痛楚。

（四十六）

風頭火勢，經綸唯恐債主再來「尋仇」，馬上辭掉推廣員工作。同事知道他擱下兼職，下班找他聯誼，礙於破產令的限制，經綸屢次推卻，同事以為他不喜歡交際應酬。「冬至大過年」，若再拒同事於千里之外，未免太不近人情，經綸破例與同事「做冬」。他們方才踏入菜館，老闆即上前接待，與經綸握手打招呼：「繆老闆，久沒見面了。」

經綸輕聲回應：「老張，你明知——別說笑！」

「反正一句，哪裡發財？」經綸面有難色，老闆知趣改口：「來吧，過來這裡坐。」

眾人坐下，同事探問：「經綸，你當過老闆？」

他支吾以對：「小生意不值一提。」

老闆插話：「『鰻世流芳』可不是小生意？」

一眾嘩然，他們也曾聽聞「鰻世流芳」老闆的傳奇故事，沒料到傳奇人物就在身邊。

「你是——你是『鰻世』——」

經綸點頭，一言不發。

鄰近的客人都注視經綸，他自覺是一隻褪去保護色的動物，備受矚目。

「大老闆落難！」「真可憐！」旁人一唱一和。

經綸尷尬，佯裝聽而不聞。同事責罵：「我們談話，與你們何干？」

對方沒有辯駁，也沒有賠不是，安然吃喝。

同事侃侃而談：「不在乎天長地久，只在乎曾經擁有。曾經擁有過、享受過，總勝過我們一生一世沒見識。」

「我們支持你，今晚不醉無歸。」同事一樣一唱一和。

經綸感激同事維護，挽回一點顏面，不過有苦自知，與其到頭來一場空，他寧可當初一無所獲。

（四十七）

自從破產令生效，綸父不想成為兒子的負擔，自願入住私營安老院，院費由院方協助申請綜援繳納。經綸有空就探望父親，他不適應院舍生活，健康急速下滑，老態龍鍾，腰板由挺直變成佝僂，臉面由飽滿變為清癯，聲音由洪亮變得嘶啞。每次見面，老父不忘叮囑兒子，在他有生之年接回妻兒。一家團聚不獨是老人家的心願，也是個人願望，經綸無時無刻記掛家人。

目前的人工雖少，經綸租得起劏房，但養不起一個五口之家。如欲一家人生活必須增加收入，他籌算工餘做流動小販，賺取外快。經綸憶起祖父在街頭劏蛇、賣蛇的舊事，作為「蛇的傳人」，他考慮過在街上賣蛇——皮腰帶，然而商品不屬市場主流，況且更改腰圍需時，不便販賣。他採購了其他貨物又選定販賣地點，趁休假展開新工作。經綸來到彩虹站行人隧道，隨地卸下手拉車上的大紙盒，提取部分貨物，置於盒蓋內，然後將盒蓋放在紙盒頂。他不敢當街叫賣，單單展示數款銀包，並標明價目，讓有興趣的途人問津。

他粗略推算，如果一百個途人之中有十個停步瀏覽貨品，而十個瀏覽者中有一個惠顧的話，有百分之一機會做成生意。往來者眾，若然一千人經過，售出十個銀包的話，生意應該不錯。營業接近兩小時，只賣出一個，時薪未免太低，於是下調價格，忽然有人叫喊自己的名字。他愕了然，初次當小販便遇見舊同學，一時措手不及，木訥當場。經綸恐怕同學誤會，好想澄清：「小販只是業餘性質，本身有正職。」他難以啟齒，隨口敷衍兩句罷了。

（四十八）

宏宥向來響應港鐵呼籲，從不光顧車站範圍內擺賣的小販，以免助長阻塞通道的歪風。當他遇到經綸販賣時完全無購買的意欲，及後發覺自己不近人情，特地折返原地惠顧，隔鄰檔主仍在叫賣，不見了他的蹤

影。不消一刻鐘，經綸消聲匿跡，箇中原因，宏宥心裡明白。對廚師而言，一樽鹽相當重要；對舊同學而言，一己尊嚴更重要。

　　此後宏宥多留意路邊的攤檔，再碰不見經綸，無意中發現一檔遠近馳名的「飛機欖」。求學時期，賣欖大叔偶爾來到其居住的屋邨，大叔一邊撥弄小結他，一邊引吭高歌，吸引居民注目。大叔肩負著一個欖形鐵箱，鄰居惠顧，只消投下硬幣，他便會用帽子一撥，兜取金錢，接著架開前後腿，促膝拗腰舉臂，把欖投入顧客的家中。宏宥住在九樓，故意考考大叔的準繩，嚷著吃欖。母親投幣後，大叔拋擲，飛機欖降落在宏宥的手掌之中。他興高采烈吃欖，味道清涼潤喉，母親略述飛機欖是白欖，以甘草、丁香、鹽和糖等醃製而成，生津可口。

　　別具風味的小食重現眼前，檔主是大叔的妻子。時移勢易，飛機欖早已絕跡，叔叔變成老公公，早年老去。泰籍老妻孤單地在街頭販賣，與陳年欖形鐵箱為伴，年輕人對「飛機欖」完全陌生，擦身而過。宏宥懷舊，買了一小包，一邊逛街，一邊回味。

<h2 style="text-align:center">（四十九）</h2>

　　愷悅迴避香港的不如意，與子女遷居台山，有棲身之所，精神舒暢許多。她曾資助表哥開餐廳，現在有他關顧，提供食宿、輕省工作和生活費。愷悅在餐廳幹活，子女插班入讀當地小學，他們不習慣內地的教育模式又不懂簡體字，初時備受困擾。孩子好想回港唸書，更想與父親團聚。

　　寄居異地由表哥獨力承擔，日子久了，表嫂發怨言：「多養四口子，我們多吃力！」

　　愷悅明白長貧難顧，表嫂不無道理，既然自家渡過了最艱難的時刻，斷不能長期累負他人，是時候離開了。她知道丈夫正努力賺錢，若然回港，大家勉強可以過活。儘管不情願返回傷心地，她答應了經綸，只要安排妥當便帶子女回去。

　　經綸與家人隔別經年，團圓在望，興奮得難以入眠。他急於為孩子找下學年的學位又忙於租房子，尋尋覓覓，終於找到一個較相宜的舊樓

單位，面積約三百平方呎。單單繳交一個月按金和兩個月上期租金，以及購置家居物品，積蓄無多。

（五十）

終日牽腸掛肚的妻兒在眼前出現，子女一擁而上，爭著喊：「爸爸，爸爸！」

經綸覺得聲音分外動聽，尤其享受擁抱一刻。愷悅對丈夫的態度若即若離，仍舊冷漠，臉上擠不出一絲笑容。他們從中港城碼頭乘車前往長沙灣，一踏入家門，眾人面面相覷，眼神流露出幾分掃興。所謂新居，一點不新，唐樓位於青山道，室內牆壁翻新了，天花板猶有霉斑。地方淺窄，遠不及故居的睡房，比台山的房舍亦不如。樓與樓之間太貼近，窗戶不能完全張開，住所位於二樓，光線昏暗，傳來陣陣垃圾味。

「快關窗！」愷悅嫌棄：「陽光不足，空氣污濁，還有一股霉臭味。怎居住？」

「可以亮燈、開動風扇，」經綸試圖遊說她：「解決不了，我購買一部空氣清新機回來。」

「你有錢買電器、交電費？」

經綸感到妻子的說話冒犯，在子女面前蒙羞。

「媽媽，別擔心。電力用多了，我們節省用水來抵銷吧。」大女兒幫父親解圍，使母親啼笑皆非。

經綸建議：「今晚我們出外吃飯慶祝。」

「大家都累了，不如在家用膳？」大女兒希望減輕父親的負擔。

兒子異議：「我要上酒樓。」

細女兒善解人意，贊同姐姐的主意：「很久沒吃爸爸弄的飯菜，我要在家吃飯。」

愷悅不反對，但諸多批評：「討厭的梳化！比命更硬。」

經綸無言以對，問道：「今晚吃甚麼？」

兒子率先回答：「黃鱔飯。」

在台山生活，它是兒子至愛的膳食；對父親而言，鱔魚別具意義。

經綸告訴兒子：「好！今晚烹製一大煲黃鱔飯。」

大女兒自薦：「爸爸，我陪您買菜。」

「我也要去。」細女兒湊熱鬧。

「我才不去。」兒子討厭街市，寧可在家看電視。陋室一覽無遺，他詫異：「電視機呢？」

父親解釋：「近期太忙，下月初購買。」

兒子不解：「為何要等下個月？」

母親不忍揭穿謊話，既要留一點顏面給丈夫，也要顧慮兒子的弱小心靈。

（五十一）

聽聞中央血庫告急，所有血型的血液存量均處於極低水平，僅可供兩三天之用。宏宥認為「捐血救人」既是口號，也是愛的召喚。他響應紅十字會輸血服務中心的呼籲，主動前去捐輸。宏宥也曾頭破血流、大量出血，接受過捐血者的恩惠。他本著「人人為我，我為人人」的精神，回饋他人。惜陰表示支持，陪同丈夫捐血，但她未能通過血紅素測試。

「不要緊！只要調理好身體，下次再來捐血。我打算一年捐足四次。」他捐血完畢，提議：「我們找糖水店。」

惜陰莫名其妙，丈夫稍作補充：「芝麻糊含有的鐵質比牛肉和菠菜更高，可以補血。」

「原來如此。你提起芝麻糊，真的好想吃。」她舔著嘴唇。

（五十二）

鰻魚飯所用的鰻魚也就是白鱔，經綸對其烹調瞭如指掌，黃鱔比較陌生。

「你不懂做法，讓我下廚。」廚房侷促，她不用支開，丈夫自動退去。

愷悅喜歡黃鱔肉質爽脆又補血，她依照台山的傳統方法，用鱔骨熬湯煲飯，當米飯開始收乾水分時，與爆香的黃鱔、薑蔥一併炒，以瓦煲盛載，贊上花雕酒烤焗。這一煲焗飯是愷悅為經綸精心炮製，她與子女在台山吃過無數次，偏沒丈夫的分兒，以致食不甘味。闔家團圓好應該

有福同享，同枱吃黃鱔飯是兩年來的心願。

「別碰飯焦！」

經綸聽從吩咐，把最香的全留給兒子。晚飯後他拿出三包糖果，子女看見西班牙手工糖，無不雀躍。糖果的外觀就像切開的橙和奇異果，雖則袖珍，但似模似樣，還有一款與棋子一模一樣，「棋子糖」上面有一個「家」字。

「手工糖騰貴，太花錢了。」愷悅不悅。

經綸不以為意，讓孩子品嚐珍味。兒子含著糖說話：「比真正的水果味美！」

愷悅吃了一顆有字的「棋子」，喜歡它甜而不膩，其天然蘋果味酸溜溜，吃起來果然有「家」的感覺。經綸窘迫，數包名貴糖果尚且負擔得起，讓妻兒齒頰留香，昂貴也值得。

（五十三）

當初專注事業，經綸兼顧不了家庭，與妻兒的感情由濃轉淡。事業失敗，與妻兒分離，關係疏離。至今雖未脫困境，總算團團圓圓，斗室共處使一家人更親近。從前因追逐浮華而迷失、因金錢損失而飽受困擾，夫婦倆身受其害。經綸不想禍延下一代，從不在子女面前重提舊事、抱怨辛酸，免得他們的價值觀帶來負面的影響，將金錢看得太重。他讓孩子了解生活儉樸也可以過得愉快，因為快樂並非來自可有可無的物質享受，無論得時不得時，務要保持心境樂觀。對孩子而言，父母的眷顧才不可或缺，經綸盡力彌補過往的缺失，做好父親的本分。

（五十四）

惜陰催促兒子：「別死蛇爛鱔，快起床。」

富饒放暑假，慣常賴床，母親扭他的耳朵，嘮叨：「你肥頭大耳、黑眼圈，行動懶洋洋，活像一隻熊貓。」

他睡眼惺忪，打了一個呵欠。

「別累爸爸等候，乖乖起床。稍後我們一同參加烹飪活動。」

兒子問：「烹完之後，我們有得吃？」

「當然。」

「好！有得玩，有得吃。」他興致勃勃起床。

烹飪反映個人的處世態度。在熱廚房，宏宥認真烹調每一道菜式，讓客人吃得暢快和健康；反之，惜陰甚少下廚，多少反映出她作為廚師妻子「積極不干預」的生活態度，她對廚務若即若離，廚房既然是丈夫的天下，就讓他雄霸。親子烹飪工作坊性質截然不同，一家人合力烹煮，宏宥跟妻兒一樣，本著初學者的心態從頭做起。他發覺兒子對烹飪有興趣，但他不急於教授，來日方長，先讓孩子享受「小廚師」的樂趣，提升個人生活自理能力便足夠。

「爸、媽，我將來要當廚師！」富饒衝口而出。

一句無心快語帶父親回到從前，宏宥兒時也曾對母親如此表白初心。

<h2 align="center">（五十五）</h2>

經綸與妻兒佔用了安老院客廳的角落，圍攏著坐在安全椅上的老人家。

「爺爺⋯⋯」「老爺⋯⋯」

孫兒們和媳婦的呼喚從耳膜沁入肺腑，綸父內心的喜悅如火山爆發，直湧臉頰，開心得合不攏嘴。牙肉如樹葉凋落的禿枝，說話口齒不清。

「爺爺，我請您吃手工糖。」孫兒把一顆糖果放到祖父掌心，說道：「您看，上面有字。」

「爺爺老眼昏花，看不清。」他瞇起眼睛。

大孫女揭曉：「是一家團聚的『家』字。」

「喔，有意思！」

孫兒驚訝：「爺爺，您貪吃糖果，牙齒丟光了。」

「爺爺兒時家貧，怎及得上你們幸福。」

細孫女打趣：「莫非爺爺說瞎話、丟大牙？」

「爺爺從不撒謊，或許以前拔除了不少毒蛇的牙齒，因果報應吧。」他有感而發。

孫兒發問：「甚麼因果報應？」

「沒甚麼，長者掉牙正常不過。」愷悅撥亂反正。

經綸提議：「今晚一家出外吃飯。」

妻兒一致贊同，老人家唱反調：「一會兒便供應晚餐，破費不好。」

經綸暗自感慨：「區區一餐飯都覺得奢侈！」

（五十六）

單靠丈夫洗車的入息不足以養活一家五口，業餘販賣的利潤高，但收入不穩定，愷悅覺得他身兼兩職太辛苦，希望減輕其重擔。由於情意結作祟，她不想重投香港的飲食業，況且年紀大了，高不成、低不就。同經綸一樣，她未從事過其他行業，也曾考慮當小販。她試過隨同丈夫上街擺賣，渾身不自在，自知勇氣不足，此後不再相陪。

愷悅的生活圈子離不開基層婦女，天天與她們閒話家常，有芳鄰發覺她日漸消瘦，有點兒眼凸、輕微手震，猜測與甲狀腺機能亢進症有關，叮囑她早日檢查。愷悅聽從意見前往驗血，檢測甲狀腺激素有否異常。抽血期間，她問抽血員入行途徑，對方解答之餘，還鼓勵她加入行列。驗血報告顯示愷悅並無大礙，其後她修讀了一個簡短的「抽血技術」課程。

（五十七）

過去，愷悅為展現玉手完美的一面，不惜一擲千金美甲；今時今日，她不再在乎十指亮麗，美甲反而與抽血員身分不相稱。往日他人服侍自己雙手，當下她用雙手服務他人。愷悅成功當上抽血員，修甲便可，最初幫人抽血，她心情緊張，故意指使對方側望，從而減低心理壓力，方便動手。習以為常之後，她應付自如，還在人前自嘲成了「吸血鬼」，靠抽血為生。雙手無護膚美甲更值得欣賞和自豪，她體會到樸實無華的寫意和豐足，日夜戀慕過去浮華的光景著實太傻！自從參與「抽血救人」，她開朗了，對丈夫改觀，暗裡佩服他不屈不撓的精神。

（五十八）

長期參與義廚工作，宏宥製作的膳食惠及不少長者，看見他們用膳時流露出一絲快意便意得志滿。他留意到部分人士吃剩頗多，懷疑烹調

不合其口味或分量過多，以致吃不消，當老人家咧嘴大笑，真相大白。儘管菜餚軟滑無骨，個別長者的牙齒近乎全部脫落，無法咀嚼食物卻不能強行吞嚥，自然吃不下。目前提供予特殊食用需要的長者膳食不外乎碎餐或糊餐，味道欠奉，加上老人家味覺退化，每一餐都食之無味。有見及此，宏宥召集義廚們共同鑽研新菜式，烹製容易進食和消化的可口軟餐。最終，研發出來的軟餐既可刺激長者的味蕾，使他們重拾食物的滋味，又可觸動心靈，平添生趣。

　　宏宥接觸過許多晚景淒涼的長者，他問自己：「真的愛莫能助嗎？」在五星級酒店掌廚，招待的客人大都非富則貴，他們不愁衣食。無依無靠的老人家不得溫飽，作為廚師豈可坐視不理，他認為廚師不應只為有消費能力的人士服務，人生亦不應只為累積財富，好應為弱勢社群貢獻所長。宏宥向惜陰傾吐心聲，計劃多儲些錢，提早於五十歲退休，在人生下半場，與志同道合的義廚籌辦自助組織──「軟玉生香」，以供應軟餐予獨居或住院的老弱傷殘人士食用為宗旨。

　　「人生匆匆，值得做的事情該當義不容辭。你願意擱下三十厘米高的廚師帽，捨棄行政總廚的高薪厚職，投入慈善工作，我當然支持你！」。她深明大義與丈夫同心同行。

（五十九）

　　在破產的歲月裡，愷悅念念不忘過去的美好生活，對丈夫的錯失耿耿於懷。

　　在破產的歲月裡，經綸不再緬懷過去的美好生活，對家財的得失不再在意。

　　因為留戀，所以放不下……

　　因為拋開，所以犯不著……

　　縱使經綸落泊，他迎難而上，在子女面前絕非弱者，乃是強人。愷悅被他深深打動，夫妻復和，重整家園，共渡破產的歲月。夫妻出外謀生，家庭生活愜意，兩年來無風無浪。破產令結束，經綸如釋重負，經歷過跌宕起伏，人變得踏實，預料洗車行業不會長久。自助洗車機日漸

普及，運用智能科技全自動洗車、全天候服務，便利車主，傳統人手洗車服務式微是大勢所趨。

「行到水窮處，坐看雲起時。」現實情況並不容許任何人安於現狀，經綸不得不為人生的下半場綢繆，世情激發起其未酬的壯志，難保有朝一日捲土重來。與初心不同，不求富貴，但求溫飽，還要推己及人，造福社群。經濟不景，「賤物鬥窮人」，他有意開店，專營價廉物美的「兩餸飯」，惠澤窮人。若願望成真，小店名叫「回味無窮」。

留盼

（一）

「荒謬！」

武哥口不擇言，偶爾吹兩聲口哨，生性輕浮。爾雅喜歡武哥聰明活潑、儀表不凡，全身白滑、金髮烏嘴、雙腳修長……彼此長期共處，感情深厚。武哥膽小，受驚時怒髮衝冠，恍似戴著頭盔的古羅馬士兵，趣怪可愛，討人歡喜。武哥貪玩又饞嘴，要不是有東西吃，不會安靜下來。武哥頗粗魯，咀嚼的聲音很響亮。雖然如此，爾雅對武哥情有獨鍾。

（二）

清晨陽光充沛，爾雅破例在休息日早起，先到窗前做運動。她大吃一驚，武哥無緣無故無影無蹤，發慌探頭張望窗外，不見其蹤影。在家遍尋不獲，出外四處尋覓，整整半天武哥行蹤杳然。她焦急無奈，淚水奪眶而出，自覺好像落泊街頭的瘋婦。她獨力難支，召喚朋友襄助，近十人在區內忙了一個下午，始終徒勞無功。雖然爾雅勞累，但她沒有放棄武哥，深夜起床製作「尋親」單張，晨早即到處張貼。啟事非常矚目，紅色大字標題「尋未婚夫」兼附載圖片──英姿颯颯的葵花鸚鵡，以及簡單資料，並註明重酬一萬元。

武哥精乖順服又怯懦，爾雅相信牠不敢亂飛，一直懶理腳環扣鬆脫，讓牠享受多一些自由空間，意想不到自己一念之仁竟然鑄成大錯。她飼養武哥五年多，恐怕牠在野外難以生存，十分擔心其安危。走失三天，武哥仍然下落不明，尋回的機會更加渺茫，爾雅的情緒極度低落。期間她接過多個電話，提供了一些資料，她按線索到場卻搜索不到武哥。爾雅又接獲兩三個電話，他們表示找到她的愛鳥，要求先付酬金，然後交

「貨」。她考慮付款，然而所有人均未能展示武哥現況的憑證，全部都是幌子，令她空歡喜。到了第五天，有人來電表示收留了武哥，相約交收地點。翌日，爾雅在鑽石山志蓮淨苑內守候，一名攜著鳥籠的青年準時出現。她半信半疑：「牠真的是武哥？」

他在園內東張西望，她不再遲疑，走上前搭訕：「你是葛先生？」

對方點頭，反問：「妳是失主——溫小姐？」

「嗯。」

「妳確認一下，牠是不是妳的『未婚夫』？」青年主動交還鸚鵡。

爾雅隔著鳥籠一看，興奮莫名，忸怩答話：「牠就是我的未婚夫！」

「真高明！故弄玄虛，引人注目。」

「不敢當。」她的視線沒有離開過牠一眼。

「言歸正傳，妳肯定牠就是武哥？」

憑著冠羽的形態和眼神的交流，她已確認其身分，問道：「武哥，近來好嗎？」

「荒謬！」

「有趣！我與武哥相處數天，牠鬱鬱寡歡，現在多麼開朗，還懂得說話。」

爾雅領回武哥，對牠說：「很高興你回到我的身邊。乖，等我一會兒。」接著把鳥籠放在花叢旁邊，從手袋掏出一疊鈔票。

「葛先生，感激你的幫忙，這裡一萬元作為酬金。」

他謝絕：「不必客氣，只是舉手之勞。」

「有言在先，怎好意思？」

「我家也養鸚鵡，明白妳的心情。」

「真的？甚麼品種？」

「也許我家的玄鳳鸚鵡吸引了妳家的武哥來作客。」

爾雅聽得津津有味，回話：「是嗎？真想多了解牠們的私情。」

「當然可以，要是妳想知道牠的婚外情。」

「別誤會，武哥未婚的啊！」

「明白。」他笑得挺不起腰板,她也暗笑。

（三）

「相約來這裡,妳信佛?」

「你猜錯了!我家在牛池灣,就近而已。你呢?哪兒居住?」

「井欄樹。」

「換言之,武哥由牛池灣一直飛到井欄樹。」

「不一定。自由得來不易,牠肯定把握機會,先環遊港九新界,增廣見聞,順道探望朋友。」

「葛生好幽默。」她笑瞇瞇。

「我叫葛誌韜,稱呼名字便可。」

「誌韜『先生』,我叫溫爾雅。」她的嘴角左上方有一顆小痣,說話時小痣在白皙的鵝蛋臉上隨著嘴巴的開合躍動,使他看得著迷。

兩人一見如故,環繞荷花池踱步閒談,若非關門時候到了,他們也不休止。誌韜提起鳥籠,陪她返回牛池灣村,在路口「牛池灣鄉」的牌坊下交還武哥。

她發覺他有點異樣,問:「你與牠相處數天,依依不捨?」

他直截了當回應:「是。」

「要是你掛念武哥,日後我帶牠出來與你見面。」

「太好了!」他喜上眉梢,話別後轉身離去。

「誌韜,」他聽到呼喚,轉過身來,方臉和齙牙重現眼前。她接著說:「我家樓下的茶餐廳食品美味可口,請你吃一頓便飯,可以嗎?」

他喜出望外,爽快答應。

（四）

半個月後,他們相約在南蓮園池會面。金碧輝煌的八角形圓滿閣,以及相連的朱紅拱橋是全場的焦點所在,人來人往,不宜交談。水月臺較寬敞,他們駐足觀賞蒼塘的蒼松翠柏。爾雅帶武哥前來相聚,誌韜亦攜同愛雀——小津,撮合牠們重逢。小津體型比武哥細小,羽毛以白色為主,頭冠鮮黃、臉頰淡黃,耳孔側邊有橙色圓點,外型嬌俏,宛如古

時新娘出嫁的妝容。

「武哥的冠羽豎起來，看來牠受驚了。」

「牠遇到雌鳥，興奮所致吧。」誌韜的理解有所不同，因武哥的反應正好反映出自己的心情。

「有道理，」她瞧見武哥用嘴巴梳理小津的羽毛，認同他的說法：「親近異性的自然反應。」

「牠們在我家共處時已很投緣。」誌韜與爾雅交流：「武哥頑皮，常戲弄小津。」

「對，武哥貪玩，小津則溫順伶俐。」

「牠嬌嬌滴滴，不時靠近我身邊。」

「名副其實小鳥依人。武哥愛裝模作樣，朝早吹口哨送我出門；當我回家，牠就左搖右擺，做一些滑稽的動作來吸引我的注意。」

「小津的肢體協調能力比較遜色，但牠善於模仿別人說話。」

爾雅問誌韜：「牠常掛在嘴邊的說話是甚麼？」

「——我——愛——妳！」他出於私心。

「你模仿小津說話？」

「當然。」

「不像！一點不像，好像智障。」爾雅蹙起眉頭，訴說：「你的模仿力遠不及牠。」

他顯然借題發揮，她卻若無其事。誌韜心想：「誰智障？」

「荒謬！」他給武哥一言驚醒，與爾雅初相識便急於表白，給她警覺，疏遠自己怎算？

（五）

一雙鸚鵡催化主人的感情，由每月一次的「武津」聯誼活動演變成頻密的「韜雅」相會。爾雅主動約會，誌韜應邀陪伴她參加一個工作坊，她故作神秘，不肯透露工作坊的性質。對他而言，活動內容並不重要，只要她喜歡的事情，自己也會喜歡。他跟隨她到達一家位於葵涌工廠大廈的工場，室內有一陣濃烈的氣味，四周擺放瓦缸、水桶和晾曬架。連同

其他參加者合共十二人，先由導師示範紮染工藝，之後他們自行製作。他倆獲分派白布、紮作工具、手套和圍裙，按照指示紮布。誌韜隨意拴綁，爾雅則仔細綑紮，然後將繫好的布料投入靛藍色的顏料中染色，繼而定色及清洗。兩人一齊體驗新事物，在互動之中增進了解。

誌韜先打開作品，布疋上藍色花紋錯綜複雜，與白色互相輝映，他頗滿意，催促爾雅公開她的傑作。她戰戰兢兢張開染布，在場人士都嘖嘖稱奇，讚賞其「曼陀羅」圖案均勻對稱。導師高度評價，認為線條細膩、縱橫有致，完全不似新手的製成品。得到眾人稱讚，爾雅受寵若驚，誌韜覺得她恰似小津，含羞答答。

工作坊結束，她問他：「你喜歡這活動嗎？」

「紮染新奇別致，一試難忘。」

「我喜歡紮染的圖案千變萬化兼獨一無二。」

「略嫌顏色太單調，不外乎靛藍。」

「紮染的色彩也可以多元化，過程比較繁複，參加深造班才有機會接觸。」

「我們儘快報名。」

「看來你比我更著急。」

「我想學以致用，幫小津變成一隻七彩鸚鵡。」

爾雅受武哥薰陶，「荒謬！」脫口而出。

（六）

誌韜任職銀行主任，工作時間穩定；爾雅當航空公司地勤服務主任，值勤時間浮動，間中需要深夜或清晨工作，加上往來赤鱲角機場的路途甚遠，分外勞累。每次約會取決於爾雅的值勤安排，他們約定週末下午參加紮染深造班，兩人興致勃勃由葵興站步行往染坊，沿途有說有笑，將近到達時爾雅忽然氣喘吁吁，呼吸困難。

「妳怎麼了？」誌韜發覺她臉色蒼白。

「我覺得頭暈目眩。」爾雅站立不穩，他攙扶著她。

「我陪妳看醫生。」

「不必，休息一會便行。」

誌韜找不到座椅，反而診所就在附近，他再問爾雅的意願，她不置可否，誌韜焦急，背起爾雅衝入診所。經醫生初步診斷，她暫時沒有大礙，可能過勞所致，只需多加休息。穩妥起見，醫生建議她日後作詳細的身體檢查。

誌韜問她：「現在怎樣？」

「精神一點。」

「歇息一會，我送妳回家。」

「來到樓下卻上不成深造班，功虧一簣！」她露出淡淡哀愁。

「不要緊，下次再參加吧。」

（七）

他們披著一身單車裝束，乘火車至上水站，在站外組合好單車，騎單車順著綿長的東江輸水管路旁北上，朝羅湖方向進發。浮雲在天空蔭庇，秋風在耳邊颯颯，迎風送爽，他倆騎得輕鬆自在，不經意到達河上鄉。臨近新界北部邊陲與深圳接壤的地方有隱世田園，風光如畫，在雙魚河畔並肩踏單車，浪漫寫意。

「雙魚河寬闊，河流清澈恬靜，令人心曠神怡。」爾雅初次遊覽，感覺新鮮。

「對，享受到清新的空氣，身心舒暢無比。」

「誌韜，乍看電塔比小山丘高。」她停車仰望。

「視角而已，我們過去拍照？」

爾雅擱下單車，在電塔前方立正，英姿煥發。

「好看嗎？」誌韜出示手機。

「我當然好看，」她低訴：「我們自拍。」

他展示合照，謙稱：「真的叨光不少！」

她沾沾自喜，接著從背囊提取東西，大嚷：「糟糕！」

「怎麼回事？」

「還打算獎勵你，」她攤開手掌，噘嘴：「可惜！」

黑朱古力熱溶了，他慰解：「可惜也沒辦法，這裡有一家豆品廠，去吃豆腐花、喝豆漿？」

「好啊！」她把溶掉的朱古力交給他。

「不知豆腐花混合朱古力的味道如何？」

「我沒興趣，你不妨一試。」

難為他拿著泥漿似的東西，黏黏稠稠。

<h2 style="text-align:center">（八）</h2>

豆品廠以新鮮製造為噱頭，然而豆腐花和豆漿的味道只是一般，露天茶座亦簡陋，他們享用完小吃，也不多留，繼續上路。歸途上誌韜專注風光，一時忽略了爾雅，驀然發現她單手控制單車，另一隻手按著腹部。

「妳不適嗎？」

「有點兒腹脹。」

「我們休息一會。」

兩人駛到前面的避雨亭停車。

「肚子如何？」

「越來越疼，快要腹瀉。」

「豆漿寒涼，只怪我不好。」

「怪不了誰，我急於如廁。」

「村口有洗手間，由我引路。」

「內急，快！」

兩人匆匆登上單車，雙雙加速，幸好公廁相距不遠，甫抵村口，她慌忙棄車衝進廁所。爾雅久未露面，他乾著急。

誌韜叫喊：「現在好嗎？」

「好些，你稍候片刻。」

等了好一會，爾雅終於出來，她蹣跚而行，倚在單車憩息。

「蹲太久，雙腳發軟。」

「快補充水分。」他遞上一瓶寶礦力。

「謝謝！」她連喝幾口飲品。

「太曬了，過來這兒坐。」

「嗯。」

他們在樹下乘涼，爾雅聽見「咕咕咕」的叫聲，抬頭一望，嚷道：「鴿子！」

誌韜述説：「妳看清楚，牠的黑色後頸和頸側皆有白點，叫聲獨特，斑鳩才是。」

「真棒！見多識廣。」她説話時牠飛走了。

「別忘記，我在郊區長大。」

未幾，斑鳩飛回來，牠的嘴裡叼著一根幼樹枝，放到樹梢築巢。

「多有趣！」她看得入神。

「妳看來──」

她撫摸肚子，站起來伸一伸腿，答道：「好轉了，我們可以起程。」

臨行前，她多看鳥巢一眼。

（九）

爾雅來電：「誌韜，武哥病了。」

「牠怎樣？」

「牠呆滯、鼻塞、呼吸急促、食慾不振，將頭藏在翅膀下。」她很著緊。

「武哥可能著涼，患上感冒。妳把牠移到室內，避免風寒，稍後我們帶牠看醫生。」

下午誌韜到村口接收鳥籠，撥開包裹在籠外的毛巾，武哥正閉目喘息，尾巴不停晃動。

他一邊走，一邊説：「牠沒精打采。」

「當年我拾牠回家收養，也是這個模樣。」

「拾回來？」

「五年前朋友為我慶祝生日，晚上回家經過垃圾站，傳來啁啾的聲音，驟眼一看，武哥如同垃圾被遺棄。」

「真可憐！」

「我收留牠，視為生日禮物。」

「因生病而被主人拋棄？」

「或遭遺棄而病倒。」

「也有道理。全賴有妳，否則武哥凶多吉少。」

「要不是牠失蹤，亦不會認識你。」

「世事微妙。」

「車來了。」

他們乘巴士前往獸醫診所匯集的何文田。

（十）

武哥康復，牠與主人同樣雀躍。爾雅用手指輪流敲擊枱面，牠善解人意，左右交替跺腳。她越彈越急，牠就越跺越快，懂得討主人歡心。

「武哥，乖！吃蘋果。」她以食物作為獎勵。

（十一）

工作上，爾雅偶爾協助運送貨物，冷不防拖卡有部分組件破損，她的右手食指和中指被割傷，血流如注，需要延醫診治。醫護人員為她消毒傷口，接種破傷風疫苗，醫生察覺到其傷勢輕微卻遲遲未能止血，有些不尋常，安排她抽血檢驗。畢竟因工受傷，她獲准回家休息。在武哥面前，她用包紮了的手指在枱面上輕彈，這次牠沒有跟隨她的節拍頓足，張開了翅膀，雙翼顫抖。爾雅溫柔地輕掃武哥的頸背，牠才合攏翅翼，彈舌發出沉鬱的聲音。

「乖！吃腰果。」她以食物作為撫慰。

（十二）

爾雅覆診，醫生神色凝重，他未講述驗血報告已知不妙，萬料不到自己患上「再生障礙性貧血症」！疾病名稱聞所未聞，她估計是奇難雜症，嚇得花容失色。醫生闡釋其造血功能衰退，以致紅血球、血小板和白血球數量較正常低，患者會貧血、流血不止、容易感染細菌、引起併發症。如病情嚴重，骨髓移植是一個可行的治療方案，從而修復骨髓的造血功能。她暫時毋須服藥，有需要時可服用鐵丸補血。日後她要加倍

小心，避免碰撞和著涼。爾雅心緒不寧，一踏出診所便想與誌韜見面。

誌韜下班趕往一家鄰近觀塘港鐵站的酒店，爾雅早已在園林餐廳等候。餐廳好像石屎森林中的後花園，在露天平臺栽種植物，又在樹蔭和盆栽之間放置巨型仿藤椅子、坐墊和茶几，她坐在其中。在燭光的掩映下，素顏增添了幾分慘白。

他坐下，搭著爾雅的手，感受她的體溫和內心的不安。他奔波勞累，她提議先點選飲品。她痛快地傾訴心事，他聽到「再生障礙性貧血症」，連喝幾口啤酒。

「這個病可大可少！一旦病情嚴重，親人幫到妳嗎？」誌韜未曾到訪過她的香閨，她亦未曾提及家人。

「直至升讀高中，我才知道自己並非父母的親生女兒。一直以來，養父母疼愛我，給我家庭溫暖，不過他們已相繼去世，現在無親無故。」

「他們有否透露妳的身世？」

「也曾略述一二。我的父親因工業意外身亡，母親無依無靠，改嫁他人。由於丈夫不容許她帶同女兒入門，於是將我送予他們撫養。」

「妳與親母可曾會面？」

「養父母稱不熟悉親母，由朋友引薦。」

「妳想與親母相認嗎？」

「從來沒此打算。她離棄我，何以要相認？」

「當年孤兒寡婦，她為勢所迫，妳應當體諒。」

「多年來她沒顧念我。」

「畢竟是骨肉至親，犯不著計較。妳可知她的名字？」

「她叫范荏苓。真巧！親父與你同姓。」

「原來不是溫爾雅，跟我姓，葛爾雅。」

「別瞎扯！」

誌韜裝聾扮啞。餐廳的客人漸多，幽靜的園林頓變爭鳴的場所，不便傾吐心事，兩人餓了，也就用膳。晚飯後兩人到觀塘海濱花園散步，入夜華燈初上，地標塔樓的燈光色彩變幻，旁邊地面噴發水霧，為花園

營造特殊效果。他們沒有閒情多看無謂的設施一眼，在晦暗不明的海濱長廊來回踱步，讓柔和的海風吹拂。爾雅抖擻精神，全神灌注於海面。

誌韜問：「海水黑漆漆，有甚麼好看？」

「它本身清澈透明，被黑夜連累。」

「沒所謂連累，黑夜從未玷污海水。」

「對岸亦被雲霧拖累，絢爛夜景黯然失色。」

「迷離的夜色別有一番景致，」他眺望港島，説道：「遠勝園內的人工水霧和光影，我們好應感謝雲霧。」

爾雅開竅：「外在因素永遠蒙蔽不了真相，黑夜和雲霧始終會消散，海水明淨不變，燈火璀璨如星。」

「人生亦然，就如霧裡看花，一頭霧水。」他脫下西裝外套，披在她的肩上，叮囑：「今後要更加注重身體，別著涼！」

（十三）

爾雅覺得井欄樹名字脫俗，只知道它是市區的後花園，其餘一概陌生，有意到場尋幽探秘，並了解誌韜生活的地方。週日，他引領她入村觀光。

「我家在三樓。」

爾雅循誌韜指示的方向望過去，一帶村屋大同小異。

「有人在家？」

「媽媽和妹妹。」

「帶妳家訪？」

「我不是社工，不做家訪。」她怕難為情。

「自動放棄機會。」

「來日方長。」她岔開話題：「三樓不及二樓方便，又曬又熱？」

「地方僻靜，村屋地下和二樓的單位往往成為爆竊的目標，賊人輕易潛入屋內搜掠，三樓比較安全。」

「別忘記我住在村屋二樓，幸虧竊匪只向地下商店下手。」

「妳幸災樂禍！」

「當然不是，東主是我的好鄰舍，我替他們揪心。」

「百業蕭條，有人鋌而走險。」

「這裡可有山賊？」

「賊人不笨，揀地方下手，這兒不利逃走，未曾出現過山賊，大可放心居住或行山。對了，我們行山，我帶妳去小夏威夷。」誌韜挽著爾雅的手。

「遠嗎？」

「不遠。」

沿途下行，輕鬆易走。小夏威夷下游的瀑布比上游壯觀得多，從堤壩缺口傾瀉而下，她讚嘆：「想不到市區邊陲有如此美景。」

瀑布旁石墩樹影婆娑，兩人促膝而坐，遊人疏落，他們可以靜心欣賞蜿蜒的石澗。

「兒時在這溪澗嬉水，不知危險，跨來跨去，踏著長了青苔的石頭，摔了一跤，弄得我損手爛腳。」誌韜自述。

「怪可憐！來，姐姐呵護你。」她自己也忍不住發笑。

「妳又幸災樂禍！」

「當然不是，你是我的好知己，我替你揪心。」她依偎著他，話題一轉：「你的妹妹『近水樓臺』，看過瀑布無數次？」

「不，屈指可數。」

爾雅詫異：「她沒興趣？」

「不，她患有先天性疾病，不宜行山。」

她愕然欲言又止。

他說下去：「我的孿生妹妹患有先天性心臟病，出生一年就經歷了兩次開胸手術。」

「她不宜做劇烈運動？」

「是的，否則會氣喘、暈眩、腳腫。」

「你家在三樓，妹妹出入吃力嗎？」

「父親在生時，揹她上落。妹妹升上中學，再次接受手術，停學足足

一年，期間幾乎足不出戶。」

「現已康復？」

「沒完全康復，無大礙而已。她的血液含氧量偏低，嘴唇長期發紫。」

「她有工作？」

「她不能勞累，只能做文職工作。」

「日常照顧女兒，伯母也操勞。」

「她確實勞碌，全副精神投放在妹妹身上，我則備受忽略。童年時妹妹患上肺炎，媽媽時常到醫院探望，我在家被父親狠狠責罵，憤而離家出走。」

「你年紀小小，往哪裡去？」

「我原擬逛旺角，步行至扎山道晨運園，順道蹓躂，倦透躺在長椅，不知不覺睡著了。」

「後來怎樣？」

「一陣寒意使我醒過來，赫然發現天已入黑，園內幽暗，空無一人，嚇得心驚膽顫。夜深，我想離開又不敢離開，想留下又不敢留下，進退兩難。我餓得發慌，不得不摸黑上路。」

「其後如何？」

「離開晨運園，馬路有街燈照明又眺望到高樓，心情立刻安穩。我走到清水灣道，遇見一名夜歸的大叔，他借手機給我聯絡家人，並陪我等待父親出現。」

「有好心人幫你。」

「是的。」

「你失蹤，世伯嚇壞了吧？」

「他一出現就嚴詞厲色，幸得大叔幫我求情。」

「世伯性情剛烈。」

「他向來暴躁，早年『爆血管』猝死。」

「你懷念他？」

「嗯。爸爸漏夜找我，其著急的樣子至今未忘。」

「他著緊你？」

「對。」

爾雅一口氣喝了大半盒檸檬茶，遞給誌韜，他拿來吸吮，訴說：「So sweet！」

（十四）

誌韜陪爾雅逛花墟，各花店擠得水洩不通。

「湊巧父親節，顧客特別多。」

他恍然大悟，對她說：「父親收花好似有點奇怪。」

「有甚麼出奇？子女送花是心意，況且全家受用。」

「有道理。母親節子女送康乃馨，那麼父親節呢？」

她不知情，問身邊店員，對方回答：「一般送贈玫瑰、向日葵或石斛蘭。」

店員怕他們不曉得後者，隨手一指，石斛蘭花瓣白色、尖端淡紅，花大下垂。爾雅對它有幾分好感，細心選購了一束，接著說：「人太多，不逛了。」

他單手捧著花束，一手拉著女友，回話：「走吧。」

在街頭行走時陽光燦爛，未到街尾，白晝驟變黑夜，兩人從途人口中得知日偏食剛剛開始。

「可惜沒有濾光片，看不成了。」爾雅一臉無奈。

「不用失望，我有辦法。」誌韜靈機一觸，帶她到面前的家品店購買一個竹篩，說道：「跟我來。」

她莫名其妙，跟隨他走入花墟公園。他擱下隨身的東西在空地，拿起竹篩左傾右斜。

「爾雅，目睹嗎？」

「有趣！」她瞧見地面繁多的光點。光線穿過篩子的圓孔投射到地上，光點並非渾圓，出現明顯缺損，正是日偏食的影像。「你真棒！」

「只不過應用簡單的針孔成像原理。」

他倆看夠了，心滿意足地離開公園，街上仍然天昏地暗。

（十五）

爾雅睡醒，四肢酸軟乏力，勉力起床。她明知臉色蒼白，皮膚出現血點，如常上班。在港鐵月臺轉車時，她心悸氣喘，來不及向職員求助就暈倒了。清醒時身在病房，醫護人員表示她嚴重貧血，急需輸血，然後留院觀察。

誌韜趕到醫院探望，她一臉愁容。

「剛接受輸血，情況已好轉，毋須擔心。」

「也擔憂不來。」他用手指頭平伏她眉宇間的皺褶。

「你要幫我照顧武哥。」

「牠在家？」

「不，今朝我無精神弄早餐，就在樓下茶餐廳用膳，將牠交給玲姐看管。」

「我稍後接武哥回我家，與小津敘舊。」

「牠們肯定好開心。」

「別管牠們，妳要多休息。喝水？」

「好。」

他把水杯斟滿，她喝了一半，放下杯子，低訴：「不知今次驗血報告如何？」

「不必憂慮，屆時自有解決方法。」

「但願如此。」

（十六）

牛池灣村建築物並排而立，村屋地下開設商店，有食肆、瓜菜、肉類和日用品等小店，兩排樓宇之間，顧客熙來攘往。生慈茶餐廳在通道中段，店外露天地方放置摺枱和膠凳，晚市前客人稀疏。誌韜發現武哥，牠的站架懸掛在餐廳門口旁的天花架。他走近收銀臺，一名束髮的矮小婦人正點算鈔票。

「玲姐，我是溫小姐的朋友。」

「我記得，你們曾經惠顧。郭生？」她收拾鈔票。

「妳的記憶力真好！我姓葛。」

「對不起！原來是葛生。」

「我替溫小姐領回武哥。」他望一望牠，牠點一點頭。

「喲，來帶走武哥。牠很乖巧，幫我們招徠客人，老闆很喜歡牠。」

「我受溫小姐所託，聽命行事。」

「沒辦法，你自便好了。」

「謝謝！」

「不必客氣。為何溫小姐不親自取回？」

「她身體不適，正在醫院休養。」

玲姐探問：「怪不得今朝她臉色欠佳，沒大礙吧？」

「未知道，有待檢查結果。」

「你是溫小姐的男友？」

「嗯。」

「她真幸福，男友一表人才。你幫我問候溫小姐。」

「多謝關心！」他自行把武哥拿下來，告訴玲姐：「我走了。」

「且慢。」

誌韜停步。

「溫小姐生病，不便打擾她。葛生，你可否留下電話號碼，方便聯絡。」

「沒問題。」

（十七）

翌日，誌韜與爾雅通電話。

「我發高燒，全身酸痛，剛剛服藥。」她説話氣促。

他隔著電話也感受到她非常不適，囑咐：「記得多喝水，我下班來探望妳。」

她如泣如訴：「太累了，我要休息。」

掛線後誌韜牽腸掛肚，諒解她大病纏身，心情欠佳。他工作時心神恍惚，出了一些差錯，被經理責備了一頓。他沒放在心上，趕忙善後，

免得耽誤下班。到了探病時間，誌韜馬上進入病房，爾雅望見他，楚楚的倦容展現一絲淡淡的光彩。

「很不舒服？」他輕輕碰她的額頭，依然熱燙燙的，微微冒汗。

「醫生表示，我的白血球不足、免疫力下降，因為感染引起發炎反應，出現敗血症。」

「敗血症？」

「醫生講述敗血症可引致器官衰竭，」她眼泛淚光說下去：「根治方法就是骨髓移植，利用正常的骨髓重建造血功能。」

「妳沒有家屬，找誰移植？」他遞上一張紙巾。

她一邊拭淚，一邊回答：「院方將會轉介紅十字會，協助搜尋合適的捐贈者。唉！有如大海撈針。」

「有超級電腦幫手，應該易於反掌。」

「即使血幹細胞吻合，還要對方願意捐贈骨髓，機會渺茫。」

誌韜安慰她：「放心吧，危中有機。」

「我心中有數了。」爾雅一臉茫然。

（十八）

「葛生，多天不見溫小姐，她還未出院？」

玲姐來電，誌韜認為女友並非患上不可告人的隱疾，坦率透露病情。她很緊張，問他：「我有甚麼可以幫忙？」

「有心了，只要紅十字會為她尋覓到合宜的骨髓捐贈者，情況便好轉。」

「希望早日收到好消息，拜託你探病時幫我問候溫小姐。」

「好的。」

當天誌韜探望爾雅，她的燒退了，仍未開懷，眉頭深鎖，他轉達了玲姐的慰問。

「玲姐是我的芳鄰，待我分外熱情。所謂『人夾人緣』，我覺得她猶如母親，愛護有加。」

「妳倆確有幾分相似。」

「真的嗎？」

「不僅輪廓近似，妳的左邊嘴角上方有一顆小痣，她也有一顆。」

「在哪兒？」

「左耳珠。還有──」

「還有甚麼？」

「妳倆豎起大拇指，同樣向後彎。還有──」

「還有！」

「口音亦相近，真的無獨有偶。」

爾雅若有所思，誌韜問她：「身體不適？」

「沒事，沒事。」

（十九）

爾雅接獲院方通知，紅十字會順利覓得合適的骨髓捐贈者，檢測配對顯示其骨髓吻合程度達 99%，而對方亦願意配合有關安排。她向誌韜覆述醫生的提示：「骨髓移植有相當風險，之後可能出現排斥、感染及併發症。」

她誠惶誠恐，誌韜表示理解，同時說出個人的看法：「與其長期受疾病困擾，甚至危及性命，不如把握這個難得的機會。」

「我當然明白，不過──」

「解決造血問題刻不容緩，要徹底治癒也就交托醫生。」

「你說得輕鬆，我怕受不了。」

「害怕不能解決問題，只會令問題惡化，絕不能錯失機會。」

她躊躇片刻，毅然下決定：「好，我聽從你。」

（二十）

爾雅接受完骨髓移植，入住保護性隔離病房，情況穩定。一星期後出現排斥反應，她持續高燒、皮膚出現紅疹、腹瀉、牙齦出血和口腔潰爛，肺部受到細菌感染，間歇咳嗽和氣喘。每次探病，誌韜看到她消瘦憔悴、進食困難便耿耿於懷，女友聽信他才會受盡苦頭。主診醫生處方免疫抑制劑，從而降低病人的免疫反應，有助紓緩爾雅的不適。醫生表

示，移植後大概三、四週，血液幹細胞開始建立新骨髓，排斥情況將會逐漸減退。

　　她終於擺脫了煎熬，出院指日可待。住所閒置多時，誌韜請縈協助大掃除，爾雅放心交給他代勞。他一心清潔居所，並趁機參觀香閨，站在家門外，內心充滿好奇。一入屋，眼前是潔白的牆壁、蔚藍色門窗和碎花窗簾，在冷色的裝潢中以暖色的條紋梳化和格紋地毯作為點綴，配搭馬賽克的裝飾、貝殼和玻璃器皿之類的擺設，睡房的白色書桌素淨淡雅，床頭的幔帳散發出少女情懷。布置採用地中海風格，使家居返璞歸真，居室打理得井井有條。他置身其中，感受到一個清新舒適的家。

　　好一段日子人去樓空，室內窒悶，誌韜打開窗戶，流通的空氣帶動滿屋的塵埃。事不宜遲，他動手清潔家居，清理過期食物，執拾東西時無意中發現梳妝臺上一件熟悉的物品，狐狸形木鏡正是他送贈的生日禮物。他拿起狐尾狀手柄，對著鏡中的自己說：「鏡子的確有趣，為何現在才發覺漏送梳子？你真笨！」

（二十一）

　　「玲姐！」爾雅應門，稀客到訪使她喜出望外。

　　「溫小姐，打擾妳休息。」

　　「不，歡迎妳來我家，請內進。」

　　「送給妳。」玲把一袋東西交給爾雅。

　　「玲姐，隨便坐。」爾雅打開一看，接著說：「車厘子很鮮嫩，妳太客氣了。」

　　兩人坐下，玲姐回話：「車厘子有益，很適合妳吃。」

　　「謝謝！大家一起吃吧。」

　　「不用，聊天好了。」

　　「喝茶？」

　　「我在茶餐廳工作，別為我操心。妳身體好嗎？」

　　「比早前好得多了。」

　　「何時復工？」

「需要長期休養，暫時停職。」

「對！調理身體比任何事情重要。」

「大家都要注重健康。」

「是的。如妳不便外出，可通知我代購用品。」

「有男友效勞，不成問題。如有需要，我必然找妳幫忙，事先多謝！」

「不必客氣。葛生體貼，與妳又匹配，他日辦喜事，切記邀請我。」

「太長遠了吧，痊癒後再說。」

「我祝妳早日康復、早日成親！」

爾雅害羞，說道：「我忘記服藥！」

「妳快吃藥，我回去工作了。」玲站起來。

「不多聊一會？」

「有空上來找妳。」

「隨時歡迎。」

（二十二）

由於免疫力薄弱，爾雅避免與外界接觸，一個多月以來留守家中，幸有武哥慰藉心靈，不覺苦悶。她戴上口罩和漁夫帽，在誌韜的陪伴下徐徐下樓。「生慈」過往是爾雅的日常食堂，她一踏入餐廳，老闆即笑臉迎人，與她打招呼：「溫小姐，久沒見面，近來清減了。」

他倆自行找卡位入座，爾雅答話：「隔著口罩也給你看穿，真厲害！你何嘗不是消瘦了。」

老闆大力拍打肚皮，嚷道：「無時無刻掛念著妳，怎不消瘦？」

「真討人歡喜，怪不得老闆娘下嫁給你。」

「除我以外，誰願娶她？」

旁邊的伙計竊笑，老闆佯言：「若有人通風報信，那就非炒不可！」

伙計扮鬼臉，各自工作。老闆親自送上兩杯清茶，打量誌韜，笑說：「尖頭蜢，這店的瑞士雞翼味道不錯。」

兩人面面相覷，老闆補充一句：「Gentleman！」

誌韜稱讚老闆風趣，爾雅問老闆：「玲姐放假？」

「不，今天人手不足，她入廚房幫手。」他返回收銀臺結賬。

他們瀏覽餐牌，商量後通知伙計。飲品連隨奉上，她呷了一口，訴說：「闊別的東西分外回味。」

「同意，人與人之間亦然，與故友重逢同樣是美事。」伙計傳上食物，他先夾一隻雞翼給她，提示：「小心燙熱。」

穿著綠衫灰褲制服的郵差進來，跟老闆說：「有掛號信，收件人是范莊芩。」

爾雅聞言，放到唇邊的食物止住了，她擱下叉子，將視線移到郵差身上。

「請稍候，」老闆回應，然後吩咐伙計：「你入去通傳。」

未幾，玲姐出來，她一邊行，一邊在圍裙上揉搓雙手。她簽收了郵件，回頭一望，發現爾雅和誌韜，興奮呼喊：「溫小姐，終於等到妳出現。」

爾雅迷惘，問玲姐：「妳就是范莊芩？」

「玲」姐臉有難色，把信件藏在背後，遲疑地回答：「——是。」

雙方默然不語，誌韜打破了僵局，提問：「妳是捐髓者？」

「芩」姐點點頭，告訴他們：「廚房正忙碌，恕我失陪。」接著趕回廚房。

爾雅發楞，芩姐沒有再露面，食物都涼了，她開腔：「陪我回家。」

（二十三）

自從真相大白，爾雅好幾天沒外出，門鐘響起，她開門，一時不知所措。

「爾雅。」母親直接呼喚女兒的名字。

「芩——媽，進來吧。」

芩穿上簇新紅衣，帶來一大袋提子和藍莓。

「多謝！」

「小意思。」

「多謝的是您救命之恩。」

「我做母親應分做的事罷了。」

彼此交往了好一段日子，她從沒相認，想必有其難言之隱。爾雅暫不過問從前種種，只著眼於當下共處的時刻。

「媽，給我一個擁抱。一分鐘，不，要六十一秒。」

芩目瞪口呆。

爾雅解釋：「我倆要好好享受這『一分一秒』。」她二話不說，熱情地摟抱母親，共抱的時間一分一秒過去，遠超約定。兩人太激動，胸脯不停起伏，雙方的肩膊都被熱淚沾濕了。

（二十四）

相認後芩經常探望女兒。

「媽，早就說過不必幫我買東西。」

「妳不方便出外，何樂而不為？」

「誰說我不方便？旅遊也可以。」

「荒謬！」武哥插話。

母女笑得合不攏嘴。

「媽，您喜歡哪兒？我陪妳去。」

「早前我捐骨髓，將假期用罄。我向老闆請假，有替工才行。」

「只怪我不好，旅行當作補償。」

「說甚麼補償？何需掛在嘴邊。」

「那麼提早慶祝生日吧。」

「慶祝我生日抑或慶祝妳生日？」

「總之一齊慶祝生日。」

（二十五）

每次爾雅接觸武哥，她的鼻子發癢、打噴嚏、流鼻水，醫生指她患上過敏性鼻炎，估計鸚鵡的羽粉是過敏原，刺激其鼻黏膜，產生過敏性反應。誌韜認為休養期間最忌生病，提議由他照料武哥，然而爾雅不想與牠分開，覺得鼻敏感只是小事，不外乎一時輕微不適，她相信戴上口罩便不成問題。

苓得悉爾雅患鼻炎，向她吐露自己患有鼻敏感，懷疑移植骨髓時將疾患一併傳播。

　　「媽，不一定關連，況且只是小毛病，毋須在意。」

　　「我明白。」

　　「上次提及請假，老闆如何回覆？」

　　「他替我高興，一口答應。」

　　「您喜歡哪兒？」

　　「與妳一起，何處也好。」

　　「可曾去過臺灣？」

　　「未曾。」

　　「有興趣嗎？」

　　「有啊。」

　　「若然臺中『自由行』，告假四天便足夠。」

　　「好的。」

　　「首尾兩天逛街，中間兩天遊覽清境農場和阿里山——」

　　鈴聲響起，爾雅接聽電話。

　　「爾雅，我下班不來了，因為妹妹入院留醫。」

　　「她怎麼了？」

　　「可能操勞過度，心臟不勝負荷。」

　　「希望無恙，你幫我問候她。」

　　「好的，容後再談。」

　　「再見。」

　　她掛線，苓問：「甚麼事？」

　　「誌韜的妹妹……」

（二十六）

　　妹倚在病床，母親在旁看顧。

　　「媽。妹，妳又暈倒？」

　　「甚麼又暈倒？我久未暈眩。」

「妳伶牙俐齒，應該沒撞傷腦袋。」

「誌韜，還開玩笑！當時我在場，嚇得魂不附體。」

「說來聽聽。」

「我與媽從西貢回家，下車後在村口昏厥。」

母親接話：「她抽搐、四肢僵硬、臉色發紺，我手足無措，不停叫救命！」

「後來怎樣？」

「碰巧有車經過，司機是外賣員，他停下電單車，過來救援。」母親猶有餘悸，說下去：「他懂得急救，推斷缺氧所致，表明要施行心肺復甦。」

「媽，夠了。」妹阻止母親長述。

誌韜探問：「之後呢？」

母親不諱言：「他除掉外套，披在妹的裙上，連隨跪下為她做甚麼『心外壓』。」

妹羞臊：「夠了，夠了。」

「按壓了一陣子，妹恢復意識便停止。」母親言猶未盡：「外賣員穿著短褲，一雙膝蓋都磨損了。」

「真可憐！」誌韜寄予同情。

「不用你可憐！」妹生氣，掀起被子蒙頭。

「傻妹，別誤會，我說的是外賣員。」

她繼續躲藏。

「別這樣，最怕妳缺氧，要找回外賣員為妳做人工呼吸。」

妹撥開被子，氣憤地說：「不睬你！」

（二十七）

苓掀起被子，輕輕下床，微微拉開窗簾，從窗簾空隙觀看南投的街景。

「媽，早晨！」

「真不該讓陽光溜進來弄醒妳。」苓轉過頭來。

「沒問題，是時候起床，我們早些出發。」

清境農場位於山坡上，四周林木蒼翠、遍地綠草如茵，清新的大自然空氣湧入胸懷，令人心曠神怡，爾雅認為早該擺脫家居來這裡休養。她倆走進一大片綠油油的草原，與散布的綿羊互動，爾雅活潑起來，模仿牠們咩咩叫。

「爾雅，還以為妳叫我。」

「我怎會對著小羊叫媽媽？」她心情開朗，向著母親不停叫：「媽媽、媽媽。」

苓笑逐顏開，與女兒在藍色風車下的草坡上親近羊群，寫意拍照，並登上高空觀景步道，欣賞起伏的峰巒，其後觀看牧羊人示範剪羊毛，以及騎術表演。高山草原上的民宿建築別具特色，兩人於富有北歐風情的農場住宿一宵，夜闌人靜，母女在靜謐的莊園內仰望著燦爛的星空，相依相偎。

<h2 style="text-align:center">（二十八）</h2>

母女南下嘉義，乘車進入阿里山森林遊樂區。

「爾雅，山區氣溫低，妳一定要添衣，切勿著涼。」

她們都著上厚衣服，披上風衣，爾雅把一條絲巾圍在母親的頸項上，問：「媽，這樣溫暖嗎？」

「很溫暖。」

「餓嗎？」

「今朝只吃過燒餅、油條配豆漿，現在有點餓。」

「我們先吃午膳，之後慢慢遊覽。」

「由妳作主。」

她們來到阿里山車站外一家簡樸的餐館，爾雅點選多款地道菜式：燒土雞、烤山豬、酥炸溪魚、炒龍鬚菜和柴燻竹筒飯，以及高山茶。

「這一頓太豐富了，我怕兩人吃不下。」

「媽，難得到此一遊，當然要多嚐一兩道菜。」

山林小館的食物饒富風味，她們吃得津津有味，還可在館內玩味高

山族的手工藝品。

「媽，這些編織的手機袋手工精巧，妳喜歡哪個？」

「色彩太鮮艷，不適合我。」

爾雅張望一會，再問：「那個比較淡雅，會否合乎心意？」

苓拿起來看一看，回應：「的確不錯。」

「我送給您。」

母親欣然接受，將手機放入袋中，掛於胸前，然後跟隨女兒乘火車前往沼平車站。下車後，她們朝著香林神木方向進發，沿途杜鵑盛放，邁步倍加舒坦。踏上巨木群棧道，古樹參天，林中雲霧繚繞，景致迷人。檜木林有三十六株雄偉神木，當中一株紅檜樹齡高達三千歲，高聳入雲，蔚為奇觀。

她們站在樹下翹首，爾雅哼了一聲。

母親問：「甚麼？」

「仰望巨樹時不禁讚嘆大自然的奇妙，同時自覺渺小。」

「我也有同感，人不應自大，亦不應自卑。」苓表情怪異。

爾雅問母親：「怎麼了？」

「喝多了，要上廁所。」

「暫且憋尿，」爾雅搜尋公廁所在，說道：「往前走。」

走了一段長路，終於找到廁所，母親如廁。爾雅在外面守候，發覺身旁有一隻黃褐色的松鼠正啃嚼果實，牠的背部有一深一淺的間條紋，尾巴長長，吃相有趣。小松鼠突然跑掉，竄入樹林，她緊隨其後，奮力追蹤。苓從廁所出來，不見女兒，返回公廁查看，也找不到蹤影。靜候良久，爾雅仍未出現，她開始慌張，不再等待，主動尋找女兒下落。她一路走，一路呼喚，越走越遠。

爾雅只顧追蹤小松鼠，遺忘了母親，一想起便急忙折返，母親已不知去向。既無法用電話聯絡，又沒有途人可以探問，她非常懊惱，不曉得往前走抑或掉頭尋覓。慌亂之際，她眼前一亮，前方地面有一件色澤淡雅的東西——手機掛袋，正是剛剛買給母親的禮物。她拾起掛袋，裡

面空空如也，明白到母親的心思。單憑這線索，她放心前行，加緊腳步，結果尋回失散的母親。爾雅看到母親失魂落魄的樣子，十分愧疚，連忙抱緊她致歉：「媽，對不起！」

「沒事，虛驚一場而已。」芩喜極而泣。

迷失的經歷大煞風景，母女互相傾吐徬徨心情，更加體會到失而復得彌足珍貴，母親有感而發：「我倆不可再分開。」

「當然！」爾雅挽著母親的手前往神木車站，乘搭小火車返回阿里山車站。

<h2 style="text-align:center">（二十九）</h2>

爾雅向誌韜訴苦，生病以來沒進過戲院，他明白她的心意，相約到國際金融中心吃晚飯、看電影。兩人意猶未盡，散場後到中環海濱漫步。

「爾雅，坐摩天輪？」

「晚了，下次。」

「少人輪候，去吧！」他牽著女友急步前行。

他們稍候片刻，順利登上摩天輪包廂，絢麗的維港夜色成為二人世界的背幕。兩人珍惜共處的時光，互相依傍，眼中只有對方，耳邊只有情話。每程只轉三圈，時間只有一刻鐘，車廂轉到最高處，只剩半圈便結束，時間正在倒數。誌韜嫌互訴心聲的時間短暫，如能延續多好，天地間充滿靈氣，彷彿聽到人的心聲，時間靜止了，不，摩天輪停止了，車廂的燈光也熄滅了。他倆懸在半空昏暗的車廂內情話綿綿，不管車廂不上不落。過多一刻鐘，摩天輪仍舊毫無動靜，也沒有透過車廂的廣播系統交代因由，他們覺得不妙。誌韜無視警告標語，按動緊急鍵，查詢情況。職員隻字不提故障，表示摩天輪即將回復正常，請他們耐心等候。至於等候時間，職員未能確定。約十分鐘後摩天輪重新轉動，奇怪的是轉動只得一時，繼而停頓，接著掉轉方向轉動，一時間又停下來。再過十分鐘，摩天輪終於轉動，乘客陸續離開車廂。輪到他們的車廂靠近地面，出乎意料並無停下來，越過了乘客的上落點，繼續提升，他倆無可

奈何，興奮的心情好像剎那撲熄的火種。困於車廂，誌韜萌生一個念頭，他站起來，轉身蹲下，合掌置於胸前表述：「爾雅，我不想再送妳回家，而是一起回家。」

「你這個模樣使我聯想起阿里山上可愛的小松鼠。」她忍不住發笑。

「別打岔！我剛才說：『不想再送妳回家，而是一起回家。』」

「莫非由我送你回家？」她搔頭。

「不！回妳和我的家。」

她錯愕：「甚麼你和我的家？」

他更換姿勢，改為單腳跪下，鄭重陳述：「我好想一生一世照顧妳、愛護妳。」

爾雅忸怩：「你向我求婚？」

「是的。」誌韜張開手，掌上有一個日本黏土製造的鸚鵡鑰匙環，訴說：「它臨時充當戒指。」

「我不喜歡草草了事，何況是人生大事，連正式戒指也沒有一隻！」她噘嘴：「有『小鸚鵡』就另作別論，我偏喜歡這『戒指』。」

她脈脈含情，他會意，為女友戴上匙環。她舉高手背，凝視「戒指」懸垂的小飾物，讚賞：「真漂亮！」

一吻定情被迫中斷，摩天輪啟動了，車廂移近地面。一步出車廂，職員夾道致歉，不滿也就一掃而空。誌韜手舞足蹈，立時看看手錶，宣布：「十一時十八分脫困，足足擾攘五十分鐘，求婚卻不消——」

「這麼倉促，活該拒絕你！太晚了，趕快回家。」

「未婚妻，我們要拍照留念。」

她一時未適應新稱謂，反應遲緩：「當然要。」

身旁職員主動上前幫忙，為他倆留下定情的印記。

（三十）

誌韜即興求婚，爾雅念念不忘又覺得美中不足，她憧憬未來的婚事要盡善盡美，兩人認為旅行結婚是最佳選擇。

按照計劃，他們前往希臘小島聖托里尼的伊亞小鎮度蜜月。雙雙穿

起當地盛行的白色輕便衣服，配襯白鞋，感覺清爽飄逸。兩人騎驢穿梭街巷，上落卵石路感覺顛簸不平，心情卻寫意自在。

藍色門窗的白色小屋及藍色屋頂的白色教堂屹立於懸崖之上，迎面是湛藍的海岸，與藍天白雲渾然一體，路旁的雛菊和仙人掌點綴其中。一雙新人置身如詩如畫的境地，感覺清新自然，心情浪漫舒暢。

新婚夫婦如膠似漆，活像兩塊夾著蜜芽糖的梳打餅，密不可分。手挽手、心連心，四處遨遊，流連小禮品店，選購紀念品和手信又品嚐特色小食 Pita 和香濃咖啡。他們覺得傳統的希臘風車十分有趣，白色圓筒狀建築物的錐形屋頂鋪上稻草，特別之處在於十二邊形的扇葉。磨坊早已停止運作，拆除了扇葉上的帆布，剩下轉軸的支架，因而看似風車又不似風車的風車看來與別不同。

「在清境農場的藍色風車前，我與媽媽親近羊群，感受完全不一樣。」她在回味。

「面前的風車有幾分似曾相識的感覺。」他在品評。

「就像你向我求婚時停擺的摩天輪。」

「Bingo！我們一定要拍照留念，重溫求婚成功的滋味。」

黃昏時分，山丘上人聲鼎沸，遊客一同等候太陽下山。誌韜帶爾雅遠離聚集的人群，到山頂的高級餐廳安坐，享用地中海風味美食：龍蝦湯、龍蝦意粉、燒八爪魚……還有當地釀造的葡萄酒，享受日落美景。

「當前景色使我想起紮染，無論技巧多高、變化如何多端，與大自然無可比擬。」誌韜拿起一杯紅酒。

「觀看悅目的大自然景象確是賞心樂事。」

「還要看與誰觀賞？」

「當然是與我的『老公』。」她呷了一口白酒，用普通話說出：「浪漫醉人的愛琴海。」

「愛『情』海？」

「正因如此，這地方成了情侶的旅遊勝地。」

「以及蜜月天堂。」

夕陽映照著爾雅，臉頰添上光澤，她問丈夫：「結婚十週年，我倆重遊此地？」

「不！」

她撇嘴，他補充：「五週年，不，三週年。」

「一週年？」爾雅考慮到公司為員工及直系親屬提供廉價機票。

落日餘暉下誌韜矢志不渝：「一言為定，明年重臨。」

（三十一）

婚後誌韜與爾雅合伙在牛池灣村生活，從聖托里尼帶回來的掛畫、風景磁貼、石膏裝飾、希臘陶壺和杯墊等擺設，為家居增添地中海風情，將蜜月時光的甜蜜溫馨保留下來。爾雅復工，芩擔憂她奔波勞頓，體力應付不了，經常烹製湯水給她調理身體。

小夫妻怕熱鬧，甚少逛街，有空都留在家中。他們喜歡席地而臥，舉起雙腳，靠在梳化上，並肩談心。有時爾雅躺在梳化，腦袋枕在誌韜的大腿上，讓丈夫按摩肩膀。他們崇尚地中海飲食文化，食用以蔬菜、水果、五穀、豆類、堅果和橄欖油為主，配上海鮮，以及小量天然乳製品和紅酒，促進心血管健康，每天做適量運動，保持體魄強健。兩人結合，促成武哥和小津朝夕相對，同時為他們平添生活樂趣。牠們的食物與主人的日常飲食差不多，蔬果、五穀、豆類和堅果皆毋須另行準備。爾雅打趣：「寵兒吃甚麼，我們就吃甚麼。」

武哥和小津的體型相近，一樣馴良，從不打架。牠們融洽相處，反而令爾雅憂慮，怕兩者雜交，故意分隔，保持安全距離。誌韜異議：「何苦拆散一對知己良朋？」

（三十二）

凌晨三時鬧鐘一響，爾雅不敢怠慢，即刻按停響鬧，免得妨礙丈夫睡覺。她不會賴床，天未發亮便起床，有時則半夜才下班，復工初期她未適應披星戴月的生涯，一度病倒。至今將近一季，她習慣了，他也習慣了，睜開惺忪睡眼目送妻子出門，然後繼續睡覺。誌韜被鈴聲戳破酣夢，他接聽電話，傳來一個噩耗。他的牙關立時發抖，全身發麻，五分

鐘內奪門而出。

（三十三）

「生慈」每朝七時開始營業，廚師提前一小時作事前準備，芩與其他伙計也要早半小時上班配合。員工一邊準備，一邊收看晨早新聞，其中一則突發新聞述説清晨五時青衣發生一樁交通意外。一輛接送機場員工上班的旅遊巴士失事撞向的士，造成嚴重傷亡。一陣寒意湧上心頭，芩停下手頭工作，連隨跑到電視機前觀看。記者現場報道：「……旅遊巴士駛至長青公路近青衣西北交匯處，撞毀一輛拋錨的士，繼而左搖右擺，先衝向右邊路壆，然後衝往左邊路壆，撞斷一條水管，滑行一段路才停下。三名乘客拋出車外身亡，事件釀成五死三十二傷，其中兩名死者為國泰航空公司員工……」芩心慌意亂，正想致電女婿，剛巧誌韜來電。

「媽，爾雅——她——」他飲泣。

她哽咽問：「她今朝一早上班？」

「嗯。」

她的手機脱手丟下，傳出聲音：「媽，媽，您怎麼了？」

她不願聽下去，更不想知道真相。

同事幫她拾起手機，她猶猶豫豫，取回它答話：「你在哪？」

「葵涌公眾殮房。」

（三十四）

誌韜在殮房外守候，重複聆聽爾雅的電話留言：「『老公』，你起床沒？我登上穿梭巴士，即將開行。媽上來吃晚飯，我下班後買海鮮。今晚見！」這一段錄音一下子成為了遺言，他悲從中來，哀號：「『老婆』，不要捨我而去！」

岳母趕至，他已涕淚漣漣。她頭髮蓬鬆，一出現便呼天搶地，比他哭得淒厲。他們獲安排入內辨認遺體，爾雅躺在冰冷的鋼板上，身軀蓋上白布。職員徐徐拉低白布展露臉容，兩人心如刀割，不停哭叫：「爾雅，爾雅！」

爾雅閉目，額頭、鼻尖和下巴都有明顯破損，誌韜觸摸妻子臉上的

瘀痕，體會到其淒冷，禁不住頹然淚下。芩輕撫女兒的髮絲，嘆惜：「這麼年輕，這麼淒慘！」接著淚如泉湧。

他不忍看下去，低訴：「媽，我們走吧。」

「嗯。」芩悲傷過度，聲嘶力竭，在女婿攙扶下離去。

誌韜買了一束白玫瑰，與岳母同往意外地點憑弔，他們目睹現場一片狼藉都黯然神傷。公路上人數眾多，其他死者的親屬紛紛前來路祭，有的哀嚎，有的泣不成聲，彼此同病相憐，悲痛欲絕。他放下花束，跪在地上默默悼念，岳母蹲下抽泣。兩人不知逗留了多久，始終不捨得離去，他們深信爾雅的靈魂依然氤氳在人間，只要用心感受。

（三十五）

誌韜回到家中，居室異常沉寂，冷冷冰冰，窗戶關上，與戶外熙熙攘攘的喧鬧聲隔絕。雖然耳根清淨了，但腦海沸沸騰騰，不得安寧。一張接一張相片解不了悶，一罐接一罐啤酒亦消不了愁，萬般無奈，不過微醺總比清醒好。避世談何容易，妹妹來電觸及傷心事，母親痛心難過，整天沉默寡言。交通意外無時無刻發生，爾雅偏偏遇上，不幸降臨在她身上，也臨到親屬身上，大家情緒低落。武哥和小津仍舊吃喝玩樂，誌韜告訴牠們：「女主人走了，以後不再歸來。」

小津毫無反應，武哥叫道：「荒謬！」

「現實的確荒謬。爾雅明明約好了夜晚一家人吃飯，一出門便天人永隔！她遺下電話留言、出門的背影和我。」誌韜慨嘆世事無常。他整日茶飯不思，怨天尤人，埋怨天意弄人，責怪肇事司機闖下彌天大禍。半夜半夢半醒，獨個兒在床上苦苦追憶，他忽地走入浴室，從污衣籃中撿起爾雅的衣服，貼在臉上，探索她的餘香，然後珍而重之收藏在密實袋。

他向公司告假，滿腮鬍子上街，經過樓下茶餐廳，找不到岳母。他乘船抵達榕樹灣，在碼頭買了半打啤酒和零食，逕直前往風采發電站。白色大風車在他面前矗立，三片扇葉緩緩轉動，背景是東博寮海峽。景物難以跟希臘媲美，然而此情此景足以讓他緬懷蜜月的歡樂時光。他眷戀著愛琴海的日落美景，打算逗留在南丫島直至黃昏。時間尚早，誌韜

獨自在風車下歇腳，喝啤酒、吃花生，還有蜜芽糖夾心梳打餅。他窮極無聊，嘗試分開底面兩塊梳打餅，蜜芽糖黏得太緊，用力一擘，餅乾破碎了。

流逝

（一）

惇伯皮膚黝黑，滿腮銀鬚，手握一杯燙熱的黑咖啡，蹣跚登上閣樓露臺。他把杯子放到木架上，屈膝坐下，靠著長長的椅背，享受和風送來的暖意。他提起杯子，未呷一口就放下，挺直身子俯視，呢喃：「怎麼回事？」

他想起早前電視節目中的小把戲，只要將牛奶與可樂汽水混合，白色便會消失，而黑色亦會消失，混合物變成透明。海面披上一大片乳白色，暗自遐想：「可樂能夠化解牛奶，現在多多可樂也不夠化解當前的『奶禍』！」

（二）

「甲天下」是鴨脷洲眾多船排廠之一，位於鴨脷洲東面、海傍道南端，對岸是深灣遊艇會，珍寶海鮮舫停泊在兩岸中間。「甲天下」由惇伯的父親創始，與「珍寶」一樣經營悠久，皆是香港仔當代物產。船排廠專為船隻髹油，自身的殘舊招牌卻久未修飾，部分漆油剝落，看上去是「甲天下船排廠」。事實上甲由問題一向存在，過往生意興隆，沒空處理瑣事；當下生意淡薄，東主父子休管甲由繁衍不息，更懶得花工夫潤色招牌。

船排廠是一座鐵皮屋，辦公室設於閣樓，地下作為工場和廚房。工場安放機械，其他工具和材料都雜亂無章。中央位置擺設熔爐，用來熬煮工業牛油，製煉潤滑劑，因而周遭油漬斑斑。

湛深正在門口打掃，聽見父親召喚，問道：「爸，怎麼了？」

「你看看海面的奇景。」

兒子穿過陰森髒亂的工場，快步走近船排，大嚷：「糟糕！」

「我活了一把年紀，初次碰見這種錯亂的場面。」

「海岸污染成這樣子，太不像話。」

「不知是否含有毒性？」

「寧可信其有，不可信其無。我倆不宜在戶外逗留。」

惇伯聽從勸告，拿走咖啡，返回室內。湛深亦遠離岸邊，透過政府熱線電話，通知海事處及環保署，要求派員跟進。

（三）

湛深的祖父往昔從廣東來港，在鴨脷洲落地生根，建立「甲天下船排廠」。船排是巨型的木製裝置，由相間的木條構建而成，樣子與火車軌相似，從岸上伸展入海。由於造船業昌隆，祖父擴建廠房，船排由兩個倍增至四個。造船和修船是團隊工作，聘用十多名員工，湛深的母親及祖母終日忙於弄飯燒菜，為家人及伙計提供膳食。為了慰勞員工，祖父有時會提供酒水，大夥兒享用，廠房濟濟一堂，天天熱熱鬧鬧。

魏家三代同堂，湛深於船排廠長大，童年時與鄰里孩子在馬路迴旋處嬉戲，又結伴到海傍嬉水，玩樂之餘，廠內常有汽水和茶點供應。他的兒時夢想是跟隨祖父和父親當船匠，不須勤力求學也可幹活，一輩子衣食無憂。

（四）

六、七十年代漁業興旺，漁船繁多，帶動造船業蓬勃發展。期間船排廠承造的船隻數以百計，包括：舢舨、帆船、漁船、貨艇，甚至龍舟。惇伯遵循父親的訓誨，學習家傳工藝技術，將來繼承衣缽，不愁生計。他先做雜工，之後當三年學徒，工作刻苦。

木船一般三十至五十呎長，由十多名船匠一齊打造。他們不需圖則，從龍骨——船隻的主要支架，以及承重棟樑著手，釐定規模尺寸，然後安裝「橫柴」。船的結構與魚骨差不多，船匠視乎它的長度鑲嵌十至三十條「肋骨」，繼而配置旁板，使船身的外圍密封。其後他們建構船艙、甲板和駕駛室，並於所有接縫補灰及全面塗上油漆。船匠還要與毗鄰機械廠

老闆洽購引擎、船舵等配件，連裝配需時兩三個月才竣工。以往船主會選擇吉日良辰，來臨船排廠粉飾新船和祭祀。自從「六七暴動」，香港的爆竹聲成為絕響，船隻只能在一片平靜中進行「下水禮」。

另外，「甲天下」兼顧維修工作，漁船一般早於上午六時前來維修，下午五時前落排離開。船排廠的生意時常應接不暇，深夜燈火通明，一大班人通宵埋頭苦幹趕工。

（五）

惇伯也曾帶領眾船匠將木頭轉化成木船，而且木工卓越，不過已成往事。他十多歲加入船匠行業，以船排廠為家，由朝到晚不停工作。經他打磨的木材光滑細膩，一雙手卻粗糙不堪，如今彎腰弓背、手臂皮皺肉垂，握工具時力不從心。一直以來，惇伯的生活圈子離不開鴨脷洲，鴨脷洲大街是一家人平素流連的地方，日用用品應有盡有，他只會偶爾乘搭街渡往香港仔一趟。

湛深婚後在大街居住，父親則獨居船排廠。惇伯每朝看海，觀望魚船穿梭，午間小睡，晚上在露臺納涼，欣賞畫舫的夜色，百看不厭。亮燈的珍寶海鮮舫儼如一座璀璨富麗的海上皇宮，許多遊客特地遠道而來，乘坐駁艇到海鮮舫，未嚐海鮮，先體會一下獨特的漁港風情。他隔岸凝望，回想五十多年前兒子彌月，在當年規模最大的太白海鮮舫設宴，全家盛裝赴會，親朋專誠前來慶賀，喜氣洋洋。來賓有意外收穫，均獲「太白」送贈的象牙筷子，無不笑逐顏開。

勞碌大半生，換來一身腰酸背痛，惇伯拿起酒杯，喝了幾口杜仲酒，也不清楚能否強健腰膝和筋骨，至少可以暫且麻醉酸痛。他憶起當日珍寶海鮮舫在開業前付諸一炬的情景，湛深剛升上小學，現場目睹火災的震撼場面時嚇得撒尿，褲管濕透。當他升上小學五年級，重新興建的「珍寶」落成營業，與「太白」及同年完成擴建的「海角皇宮」鼎足而立，三艘古色古香的畫舫光芒萬丈，為香港仔的海域增添奪目的色彩。珍寶海鮮舫的設計參照中國宮廷建築風格，外觀美輪美奐，內部金碧輝煌，牆

上有壁畫，天花有圖騰和掛飾，龍鳳、松鶴、八仙等中國傳統雕刻、工藝品、巨型掛燈和彩色玻璃窗等營造出非凡的氣派。樓層之間的臺階上擺放龍椅，成為全場的亮點，它使賓客猶如置身皇宮，感受到隆重的待遇。昔日船排廠生意滔滔，收入可觀，惇伯父子三代是海鮮舫的常客。工作無疑艱辛，能夠賺得一頓美酒佳餚，勞頓盡消。

（六）

湛深深受家庭影響，自小對造船工藝產生濃厚興趣。祖父離世後其父繼承船排廠，父親並不鼓勵他走自己的舊路，也沒向他的一腔熱誠澆冷水。湛深我行我素，中學未畢業就投身造船，立志傳承家業。

八十年代漁業由盛轉衰，造船業亦開始式微，加上內地船廠搶奪市場，以廉價纖維船分一杯羹，未踏入二〇〇〇年，「甲天下」已接不到造船訂單。再者，大型漁船往往赴內地維修，留在香港修葺的僅餘少量小型船隻，避風塘的漁船數量大幅下降，豪華遊艇卻有增無減。深灣一帶船廠業務以維修遊艇為主，廠家大可安寢無憂，鴨脷洲的船排廠只得零星小生意。

由於木船受到海水侵蝕，船底又常有藤壺依附，增加水阻，消耗更多燃料，相熟的漁民會定期驅船前來，交漁船予「甲天下」清理船底。如此粗重的任務由湛深與妻子親手處理，他們用鋼纜固定漁船，再用絞輪把船隻拖拉上岸，先鏟除藤壺，然後用高壓水槍清潔船底。待船身乾爽，湛深便修補木與木之間的縫隙，把灰挑走再補灰，以防入水，並用砂紙打磨，繼而髹上防蠔漆，內部結構如有缺損，還要加固或更換材料。若船隻需要大規模修復，湛深另聘散工，每人日薪動輒千元，船排廠的收費提高不了，盈利微薄。造船業的輝煌歲月已成明日黃花，湛深仍然守護家當，只因船排廠的一事一物都載有感情，不想貿然結束。

（七）

湛深夫婦整個星期發悶，直至週末才有船家將拖網船交來清理。他們滿心歡喜，合力拉船「上排」。他許久沒有勞動，一不小心，身上發出「劈啪」一聲，臉容應聲扭曲。妻子丟下工具，上前探問：「你弄傷了？」

湛深答不了話，淚水奪眶而出。他的脊椎伸不直又彎不下，站立痛楚難當，躺下亦劇痛。妻子搬一張椅子過來，他無法坐下，摟著木柱喘息。她連忙拿取止痛膏，大肆塗抹其背部，痛楚才略為減退。她倒了一杯涼水給他喝下，苦況進一步緩和。

父親知道不對勁，馬上從閣樓下來，催促媳婦：「快找晉魁治理。」

「是的，老爺。」

夫婦倆隨即乘的士前往鴨脷洲大街，在「韓晉魁骨傷科醫館」前下車，深嫂扶丈夫進入醫館，經過門側的骷髏骨架模型。醫師正為一名老婆婆進行治療，婆婆的右腳放在托架上，膝部貼上一塊厚厚的膏藥。他暫停一會打招呼：「深哥、深嫂，請稍候。」

「好的。」他們坐在婆婆對面的長椅，濃烈的跌打藥味撲鼻，對面牆壁掛著一幅鏡匾，上有「跌打聖手」題字，恭賀「韓勉跌打醫館」開張，即醫館的前身。韓勉是晉魁的父親，承襲祖傳跌打事業，他是惇伯的老朋友，韓魏兩家是世交，源遠流長。

醫師紮穩繃帶，收取費用，協助外傭攙扶婆婆坐上輪椅。她們一離去，他將一輛盛載跌打藥物的多層手推車移過來。

「你又受傷？」

「我幹粗活，受傷在所難免。」湛深反手按著背部。

「背脊傷了？」

「嗯。」

「你可以俯伏嗎？」

「我試試。」他誠惶誠恐。

深嫂扶丈夫上床，湛深忍痛趴下，她讓開給醫師檢查，醫師邊按邊問以確定患處和評估傷勢。

她問：「晉魁，他的傷勢怎樣？需要照 X 光嗎？」

「不用了，單從表面已經看得出來，分別有兩節脊椎骨輕微塌陷。」

「怎辦？」

「我會為深哥矯正脊骨，然後施以針灸和拔罐。」他一邊答話，一邊

進行「正骨」治療。

湛深好轉一些就攀談：「晉魁，近來少見勉叔。」

「爸上深山採藥。」

「深山？採藥？」

「隨口說說，他上去大陸，也曾邀約悼伯同行，你爸訴說最近痛風厲害，不便遠遊。」

「老爺騙人！甚麼痛風？他如常喝烈酒、吃海鮮，行動自如。」

「妳揭穿了爸的謊話。」

「晉魁不是外人，怕甚麼？」

「哈哈。」晉魁沒有停手，為湛深推拿，問：「力度如何？」

「可以。」湛深為父親解說：「他懶得出門，終日留守船排廠，不願踏出香港仔。」

「我當然明白，絕不會向爸說破。」

深嫂喋喋不休：「勉叔比任何人更了解老爺的性格，他怎會看不通？」

「呵呵。深哥，還痛？」

「仍舊痺痛。」

「『通則不痛，痛則不通。』因為經絡未通，所以痺痛，我稍後為你施針。」

「有勞了。」

深嫂打聽：「晉魁，勉叔去哪兒？」

「往廣州參觀神農草堂，順道旅遊。」

「神農——草堂？」

「神農草堂是一所園林式中醫藥博物館，收藏逾千種藥用植物和嶺南中草藥。」

「勉叔退而不休，好學不倦。」

「他常說：『活到老，學到老。』」

「勉叔終生學習，值得讚揚。」

「我自愧不如。」晉魁放下按摩藥膏，告訴湛深：「我開始針灸。」

「好的。」

深嫂合起嘴巴，讓晉魁專心施針。他用酒精棉片輕抹皮膚，把不鏽鋼針逐一戳入背部不同的穴位，不一會説道：「成了，照舊維持二十分鐘。」

（八）

適逢醫館無其他病人候診。

「深嫂，喝牛蒡茶好嗎？」

「我的血壓偏低，喝少少好了。」

「這樣不好，黑糖薑茶又如何？」

「太好了！」

晉魁沏茶給深嫂，細心提點：「小心燙熱。」

「謝謝！你喝牛蒡茶來『降三高』（高血壓、高血糖、高血脂）？」

「是的。體重暴增，非減肥不可。」他從腰間捏起一團贅肉。

「你是習武之人，不是天天勤練武功嗎？」

「天天工作十二小時，食無定時，哪有時間和精力練功？」

「荒廢了一身好武功，未免可惜！不過多勞多得，犧牲也值得。」

「代價就是付出健康。我頻頻治療病人，手部長期勞損，自身的職業病卻無法治癒。」晉魁豎起雙手，十隻粗大的手指關節大都腫脹，他苦笑：「能醫不自醫，有苦自己知。」

兩人品茶閒談，湛深靜靜等候。

「深哥，是時候拔針了。」

針灸完畢，晉魁用鑷子夾取一顆酒精棉球，點燃後伸入球狀的玻璃罐內迅速繞一圈，隨即把手上的罐子放到湛深的背部。他一連投下六個火罐，全數牢牢吸附在背脊上，被玻璃罐籠罩的皮膚漸漸隆起。湛深是常客，不需晉魁多加解釋，早知道以此疏通經絡和祛濕止痛。

期間有人求診，晉魁上前處理，十分鐘內返回。他用左手傾側火罐，然後用右手食指和中指輕輕按壓罐口外皮膚，輕易地提起罐子，隆起的

「罐印」隨之下降。背上留下六個瘀痕，晉魁以紗布拭抹表皮。

湛深緩緩坐起來，拉低上衣，舒展脊背。

「深哥，暫時不宜做粗重工夫，休養數天，多做幾次治療。」

「沒辦法，只好聘請散工代勞。」

深嫂埋怨：「這樁生意得不償失！」

晉魁象徵式收取費用，接著為其他傷患者治療。

（九）

晉魁祖父早年在廣州拜「蔡李佛」名宿為師，學有所成來港開館教授「蔡」家拳、「李」家腳、「佛」家掌。他是該門派宗師，也是跌打師傅，其正骨八法「按、摩、推、拿、摸、提、接、端」手勢正宗，加上習武之人手法純熟、蒼勁有力，無論脫臼或接骨，他都遊刃有餘，有效紓解新傷舊患帶來的痛楚。區內患風濕骨痛、膝關節退化、痛風、關節炎之類的街坊，無不慕名而至。其家傳跌打酒功效顯著，有助舒筋活絡，膏藥則消腫止痛，清除體內濕氣和毒素，深受長者歡迎，兩項鎮店之寶均十分暢銷。

晉魁父親自小習武，並在醫館學習跌打醫術及實務技巧，勉叔長大後憑藉這門家傳技能謀生。二十多年前，他得悉政府將會設立中醫註冊規管，取締當時祖傳的跌打行業，以及師徒制度。有見及此，勉叔一早忠告有志從事家業的兒子以修讀中醫為目標，接受學院制的骨傷科訓練。晉魁不負所望，成功考取執業資格，成為醫館的接班人。與父親不同，他是新一代的骨傷科中醫師。

一般傷者都會找西醫治理，如有骨折便打石膏，防止癒合期間出現移位，同時減輕患處因活動而引起的痛楚。拆石膏後，與傷患關連的關節和肌腱每每因長期固定而僵硬和繃緊，相關的肌肉甚至出現萎縮，靈活程度受損，常為人詬病。由於中醫骨傷科比西醫的療效有優勝之處，醫館不乏求診者。

因應政府規管中成藥，醫館不得不停售熱賣的秘製跌打酒和膏藥。另一方面，不少學童因背負過重的書包以致脊椎側彎，加上年輕人長時

間使用手提電話，肩頸酸痛十分普遍，為醫館平添許多新症。

（十）

「表姐，香港仔海峽真美麗。」

「跟妳的名字一樣──『何其美』。」

「唷，別拿我的名字開玩笑，倒不如說：『跟我的樣子一樣。』豈不是更貼切嗎？」

「喔唷，妳不如叫做『何其厚』。」

「甚麼？」

善盈發笑：「厚顏啊！」

其美神態自若回應：「表姐，妳的臉皮太單薄，頰骨嶙峋，豐盈才好看。」

「也是。」

她倆在玉桂山頂瞭望四周，善盈為來港旅遊的表妹導賞：「海洋公園和南朗山毋須多介紹，前面許多遊艇停泊的地方是深灣，遠處是香港仔避風塘，還有……」

她們望完東北方，移步觀看西南面。

「那兒是南丫島，香港仔有船往來，下次我們前去遊玩。」

「我早已聽聞南丫島，原來就在眼前。」其美提腿，一手拍向左小腿，怒罵：「可惡的蚊子，大煞風景！」

「噢！紅腫了。」

「又癢又痛。」其美用力搔腿。

「行山不宜穿短褲。」

「為求通爽，總要付出多少代價。」

「快噴『蚊怕水』。」善盈為表妹的四肢噴灑驅蚊水，她自身穿著遠足專用的長褲，並且戴上防曬手袖，但仍照樣噴灑以策安全。

「我們下去，越過連島沙洲前往鴨脷排，近距離眺望南丫島。」善盈遙指山下一座相連的小島，其美搶先起步，提醒她：「小心！」

「行山是我的強項，妳不必替我操心。」

山頭禿禿，既沒有樹也沒有草，沙石路旁有發霉的麻繩供行山人士借力上落。其美向來自負，徒手側身下山，善盈尾隨。山坡中段沒設置繩索，善盈步步為營，藉行山杖輔助。她小心翼翼，忽地砰然一聲，聲音來自後方，立時轉身張望。一名年輕人失足滑倒，正撞過來，她慌張閃身，一失平衡，整個人趴下。該青年先站起來，過來扶她一把。

　　「小姐，對不起！連累了妳。」他拍拍褲子後面的泥塵，臀部仍有泥印。

　　「沒關係，只怪自己一時大意。」

　　「腳部受了傷？」他留意到她的走動不對勁。

　　「——」她尚未回答，表妹匆匆趕回來，問道：「表姐，怎麼了？」

　　善盈一併回答他們：「著地時右腳掌內翻，有點疼痛，」一手搭著表妹的膀臂，一手抽起褲管、拉低襪子，接著說：「現在腳踝紅腫發熱。」

　　「表姐，妳扭傷腳踝，還可以行走嗎？」

　　她自我測試腳踝的承受能力，站立會隱隱作痛，行走會步伐不穩。

　　青年開腔：「妳不必著急，暫且別動。」

　　其美托著表姐的腋下，善盈徐徐坐下。他從背囊取出一罐可樂，交給其美，說道：「作來替代冰敷，可以減輕痛楚和消腫。」

　　其美蹲下，把冰凍汽水罐緊貼表姐的腳踝。敷了好一會，善盈表示：「好得多了，我們繼續行程。」

　　「勉強遠足或延誤治療將會加劇傷勢。」他出於善意。

　　「可是我們尚未遊覽鴨脷排。」

　　「表姐，遙望也是一樣。我們不必下去了，回去吧。」

　　他插話：「附近有一名相熟的跌打師傅，我帶妳找他診治。」

　　「你剛才也摔倒？」

　　「先前我執著麻繩下山，地釘鬆脫才會摔了一跤，現在無礙。」他晃一晃臀部，說下去：「畢竟因我而起，診治可讓妳我安心。」

　　「既是無心之失，也就不必費心。」

　　「不妨看一看跌打，大家安心。」

其美贊同，催促表姐答應。善盈改變初衷：「好吧。」

他協助背負她們的東西，讓其美全力攙扶表姐，幸虧玉桂山與利東邨相距不遠。他們到達後乘的士前往鴨脷洲大街，在「韓晉魁骨傷科醫館」前下車。

<h1 style="text-align:center">（十一）</h1>

善盈借助行山杖，自行踏入醫館，青年快步上前扶持。

「魁叔，我的朋友遠足時扭傷腳踝。」他說話時發現魁叔面前有一個打開的飯盒，香味四溢，急忙致歉：「打擾您用膳！」

「寰逸，沒關係。」他合上飯盒，起身接待：「大家隨意坐。」

善盈步履微拐，一行三人坐在長椅。她首次看跌打，嗅到一股濃烈的跌打藥味，感到不安。醫師登記完資料，要求她除下右邊鞋襪，他將一個托架移過來，輕輕托起她的小腿到架上。他坐在一張可滾動兼轉動的小圓凳上，用手輕按她的腳踝四周，觀察反應、查探其疼痛程度，從而評估傷勢。

「醫師，我的傷勢如何？」

「妳的腳踝外側韌帶拉傷了。」

寰逸問：「有沒有撕裂？」

「看來沒有。」接著他告訴傷者：「放心吧，妳的傷勢輕微。請躺下，讓我針灸和敷藥以消腫散瘀。」

診療床放置角落，善盈遵照指示躺臥，簾幕保持張開，醫師戴上手套，當眾施針。她害怕針刺，眼睛緊閉，聽候發落。不消兩分鐘，五支針分別戳進穴位，她只感到微微刺痛，如像蚊叮。

「安心休息一刻鐘。」。

「謝謝！」

醫師棄掉手套，徹底洗手，然後返回其專用座位。

「飯菜涼了。」

「不要緊。」魁叔打開盒蓋，散發出餘香。他一邊吃，一邊問寰逸：「你們行玉桂山？」

「是的。」

「玉桂山部分地勢陡峭，山徑崎嶇不平，不時有遠足人士受傷。」

「小心一點便可。」寰逸留意到表妹正在偷笑，補充兩句：「意外就是意外，在所難免。」

魁叔吐出雞肋，責怪他：「你帶女孩子行山，怎麼沒有好好照顧她們？」

表妹忍不住笑起來。

魁叔滿腹狐疑，其美插話：「他自身難保。要不是他，我的表姐也不會受傷。」

寰逸坦白招認：「一時意外。」

魁叔不加追問，趕快多吃兩口飯，收拾東西後跟進工作，對傷者說：「小姐，是時候拔針了。」

針灸完畢，他為她敷上一層薄薄的膏藥，並以 8 字形綁帶包裹腳踝，囑咐她：「穿鞋是可以的，走路別急，勿提重物，忌吃酸、辣、蝦、蟹、紅肉、糯米和菇類。妳住得遠嗎？」

善盈答：「不遠，香港仔。」

「明天回來覆診換藥。」

「好的，謝謝！費用多少？」

醫師正想開口，寰逸搶話：「小姐，讓我付醫藥費。」

醫師又想開口，善盈搶話：「怎可以？」

醫師忍不住開口：「你們不是朋友嗎？」

寰逸回應：「是。」

善盈則回應：「不是。」

於是寰逸改口：「不是。」

善盈同時改口：「是。」

表妹失笑，醫師也忍不住笑起來，引得哄堂大笑，善盈一笑即止。

「表姐，沒事吧？」

「一笑便腳痛。」

表妹笑個不停。

（十二）

白天船排廠門戶大開，韓勉逕自登上閣樓，隨手放下東西，坐下問候魏惇：「師弟，別來無恙吧？」

惇年紀比勉大，年輕時跟隨勉父習武，輩分比勉低，以師兄弟稱呼。

「身體還好。師兄，你從廣州回來？」

「我們一把年紀，趁有氣有力就要出外走動，廣州今非昔比了。我帶來七子餅茶和臘腸給你。」

「你每次旅遊總要帶手信給我，太客氣了！」

「小小意思。聽聞湛深因工受傷？」

「經晉魁治療，他已有好轉。湛深真倒楣，久沒發市，一有生意就應付不來。」

「既然如此，也就退休好了。」

「你有晉魁繼承衣缽，可以安心退下來享清福。湛深一旦引退，船排廠後繼無人，家業就此告終。」

「恕我直言，造船業風光不再，船排廠苟延殘喘而已。」

「你未免太坦白，不過事實如此。跌打好得多，歷久不衰。」

「跌打行業亦經歷時代變遷，要不是晉魁追得上社會發展的步伐，同樣面臨淘汰。」

「『風水輪流轉』，傳統行業由盛轉衰，中醫骨傷科則蓬勃發展。」

「師弟，此一時，彼一時。當年從事跌打沒出息，我何嘗不羨慕你一家風生水起。」

「正所謂『各有前因莫羨人』，大家各司其職，毋須比較。」

「不錯！各人安分守己，正如我喜歡行山，你喜歡看海，各取所需。」

「有空下棋嗎？」

「有啊，久未對弈了。」

「你坐一會，我先泡一壺茶。」惇拿起七子餅茶。

勉走到露臺，只看海一眼，焦點移向隨地亂放的空啤酒罐，呼喚：

「師弟，你患痛風症，少喝啤酒吧。」

「滴酒不沾又不成，你可否一天不練功？」惇回來倒茶。

「兩者不同。」

「不是各取所需嗎？師兄，喝茶。」惇呷了一口熱茶，讚許：「茶味醇厚、色澤通透，而且滑口回甘。」

「好茶令人舒暢，還可解酒護肝。」

「只顧喝茶，忘記下棋。」

「不必著急！下次送你薑黃茶。」

「薑黃茶？」

「當中的薑黃素有助減慢腦退化症狀。」

「虧你！」

<h2 style="text-align:center">（十三）</h2>

寰逸破例禮拜日不上教會，憑窗緊緊盯著對面臨街的「韓晉魁骨傷科醫館」。醫館週日的辦公時間只得上午，他足足消磨了兩句鐘以上，目標人物始出現。她從的士下來，沒持行山杖，與表妹進入醫館。他飛奔下樓，越過馬路，在醫館附近徘徊，猶豫了好一會才進去。

魁叔正忙碌，她倆在旁等候。對於寰逸的出現，魁叔似乎不感意外，彼此點頭，她們則莫名其妙。

表妹直截了當問他：「你特地來找我們，不，找她？」

「我當然要探望妳們，」寰逸理直氣壯回話，接著慰問善盈：「妳的腳傷怎樣？」

「感覺上好轉了。」

魁叔搭腔：「年輕人康復得快。」

正接受治療的老人家幫腔：「換著我受傷，還得了！」

眾人一笑了之。寰逸坐下與她倆長談，一陣子魁叔來為善盈治理。他移除綁帶和膏藥，仔細察看傷勢，按壓腳踝周邊，逐一查問：「痛不痛？」

她一一回答：「不痛——不痛——痛，微痛。」

「已大幅散瘀消腫，繼續為妳針灸？」

「嗯。」

治療期間，寰逸與表妹聊天。

「我調整了藥物的分量，只要覆診多一次，一週內復元。」魁叔為善盈更換一貼新膏藥，再用綁帶保護腳踝。

「明天我要上班，晚上才覆診。」

「無問題，八時前便可。」魁叔轉問寰逸：「屆時你又來陪診？」

寰逸尷尬，故意打岔：「魁叔從不拖延治療，他說好了只需覆診一次，妳再來覆診多一次，他也不會受理。」

「世侄，別拆臺！何來這規矩？」魁叔辯駁：「難道醫館打開門不接生意？」

表妹把問題扯回來：「你明晚又陪診？」

他迴避不了問題，終須回應：「可以呀。」

善盈沒有異議，眼神懷春。

表妹嚷道：「表姐，我明天不來了。」

表姐嘗試令表妹回心轉意，其美表示自己有要事，堅持分身不暇。魁叔覺得有趣，裝作不知情。表姐妹離開，寰逸為她們召的士，臨別時，善盈在窗邊輕聲說：「明晚見。」

寰逸喜出望外，的士已絕塵而去，他仍在街上蹓躂。魁叔關門下閘，向他眨單眼，笑說：「寰逸，是時候談戀愛了。」

「言之尚早啊。」

「緣份沒法擋。你的確有眼光，魁叔支持你，努力追求！」

寰逸轉移話題：「魁叔，上來我家坐嗎？」

「好啊！在深哥、深嫂面前，我難保不會洩露風聲。」

「嘻，天機不可洩漏。」

魁叔呵呵大笑，搭著寰逸的肩膊過馬路。

（十四）

魏惇的妻子和韓勉的妻子識於微時，情如姊妹。黃竹坑的香葉道因

有一家煙草廠而得名，兩人年輕時曾在該「香葉」廠任職工人，上下班形影不離。她們相繼出嫁生子，齊齊當家庭主婦，日常互相照應。人到中年，孩子都長大了，她倆一有空就相約逛街購物。

勉嫂一時興起，想為家人編織毛衣，相約惇嫂上茶樓，然後陪她買毛線球。她們品茗完，先後踏出酒樓，說時遲，那時快，禍從天降，雙雙倒地不起。「呼嘭」一聲在耳邊響起，同時揚起了滾滾沙塵，勉嫂眼前一黑，吐血昏迷。惇嫂如同被大石砸著的螃蟹，動彈不得，起初她沒有知覺，繼而血流披面，全身劇痛難當。她在石礫中極力掙扎，苦苦呻吟，半晌失去了意識。

勉嫂清醒過來，置身病房，她臥在病床上，丈夫在旁啜泣。她心知不妙，他欲言又止。勉嫂嘗試回想入院前一刻，但一用腦袋就頭昏腦脹，她的脊椎痛得要命，下肢毫無感覺，戰戰兢兢揭開被子，慶幸雙腳猶在。勉終於講出真相，事緣添喜大廈二樓的新好酒樓安排工程人員清拆室外魚缸，期間重達十五噸的簷篷突然倒塌，在路邊做生意的女報販當場被壓死，十多名途人慘被波及。

「天啊！我上茶樓前還在該檔買報紙，怎麼喝茶出來老闆娘就一命嗚呼。」她哭述經過，忽然心中一凜，問道：「惇嫂怎麼了？」

「剛才在急症室外遇見師弟，得知她亦留醫。」

「那麼我呢？」

「醫生表示，妳的胸腰椎骨折，脊髓受損──」勉見妻子黯然淚下便絕口不提，拿紙巾為她拭淚，注視著她臉上的瘀痕。

「醫生還說甚麼？」她抽噎。

「院方正安排手術，為妳的脊椎復位及加固。」

「手術後可以復原？」

「無論如何，手術非做不可。」他按著她的手。

晉魁匆匆進來，叫喚：「媽！」

（十五）

「媽！」湛深呼喚母親。

惇嫂涕淚漣漣，淚眼中兒子的輪廓依稀可見，她說不出半句話。湛深發現母親的左邊肩頭包裹著——左手不見了，他哀慟哽咽。惇淒酸，在旁訴苦：「左臂和左腿的組織砸壞了，不得不截肢！」

湛深輕輕掀起被子，找不到母親的左腿，慌忙蓋好。他激動不已，背著母親淒然嘆息。父親傷心難過，母親憂愁沮喪，全家人心神恍惚，泣不成聲。

（十六）

勉嫂接受了一場大手術，下肢依然癱瘓，家人商討後拒絕院方再施手術，待她的情況穩定便回家療傷。一家居住四樓，樓宇並無升降機，勉與兒子合力抱妻子上樓。他親自治理妻子，藉內服和外敷藥物配合針灸及推拿，有助行氣、活血、祛瘀、正骨和理筋，可是屢醫罔效。勉治療過許多傷者，不乏成功經驗，偏不能治癒自己的妻子。他心灰意冷，質疑自身的本事。她未見起色，終日鬱鬱寡歡，他想帶她出外散心。為免增添家人麻煩，她總推卻，慣了強顏歡笑，背人垂淚。

惇嫂同獲安排出院，返回船排廠調理身體，自覺比勉嫂更不濟，不願與她相見。惇嫂晝夜愁眉深鎖，丈夫想一起出外散心，她總說不，免得遇見街坊，令自己難堪。

永久的傷害令兩人一蹶不振，改寫了人生。鴨脷洲並非孤島，然而她們足不出戶，自困愁城，隱沒於這小島。家人無奈，韓家祖傳跌打幫不了忙，魏家木工更派不上用場。兩家遭逢巨變，雖知雙方的苦難，但不知如何守望相助，連月來了無交往。兩姐妹畢竟惦記對方，勉嫂掛念姐姐，率先「踏」前一步，由丈夫護送到「甲天下」。一如既往毋須預先知會，她突如其來出現，惇嫂狼狽不堪，倒沒有責怪妹妹，彼此「同是天涯淪落人，相逢何『況』曾相識。」

惇要全力照顧妻子，不接生意，勉的醫館則改為半天辦公。師兄弟倆閒著，一齊登上閣樓，好讓她們傾吐心事。姊妹聚首，無法再正常站立、走路和擁抱，同樣與輪椅為伍，心中不是味兒，良久手握手，默默無言。並肩仰望天際，勉嫂不敢直視惇嫂的缺陷，凝看白雲，她打破沉

默：「連月來在家裡發悶，發覺天空收縮成一小片，使我喘息不安。這裡截然不同，可以環顧長空，呼吸到海水的味道，令人心曠神怡。」

「日間確實不錯，晚間的感覺卻不一樣。每當我張望星空便顧影自憐，月缺之後能夠重圓，唯獨自己不能。」

「姐，不妨考慮安裝義肢。」

「最討厭裝模作樣，我寧死也不要。妹，妳比我好，至少四肢齊全。」

「齊全有何用？虛有其表而已。」

「只怨那場災禍害苦我們，我今後不再前往香港仔。」

「我倆這身世，想去也去不了。」勉嫂心直口快，實話實說。

惇嫂酸溜溜，呼喊丈夫：「惇，你忘了給我們沏茶。」

「是的，稍候。」

<h2 style="text-align:center;">（十七）</h2>

善盈一踏入醫館，寰逸趨前問候。

「許小姐，請過來檢查。」醫館內無人等候，除了寰逸。

「醫師，有勞了。」

魁叔解開 8 字形綁帶，卸除膏藥，按其腳踝，問她：「酸痛嗎？」

「微微。」

他按另一位置再問，她再答：「少少。」

「康復得很好！不需針灸，換藥便成了。」

寰逸替她高興：「恭喜妳！」

善盈一笑答謝。

換藥後，魁叔囑咐：「妳未徹底痊癒，最好有人護送。」

她回應：「不必了。」

寰逸同時答話：「好！」

魁叔遊說：「勿掉以輕心，就讓他護送吧。」

善盈點頭，寰逸與她同行，他暗中回望，魁叔打了一個眼色，加上一個得勝手勢。她也回望，魁叔不慌不忙，換成送行的手勢。

甫離開醫館，他問她：「妳未吃晚飯？」

「未。」

「這裡有一家飯店小菜不錯，有興趣品嚐嗎？」

「好的。」

到了飯店，她好奇問：「何以客人寥寥無幾？」

「或許時間尚早。」

小店清靜，方便交談，符合寰逸的心意。兩人從一頓飯開始稔熟，她叫許善盈，表妹何其美來香港旅遊，月杪將返回加拿大。善盈唸完藝術，在一家拍賣行任職刊物設計員。魏寰逸自我介紹，市場學系畢業後從事遊艇營銷。上次她們初登玉桂山，他則是常客。

「你時常行玉桂山，怎麼會滑倒？」

「因為要跟上妳們，一時心切。」

「噢，你是跟蹤狂！」

「說笑而已，只不過老馬失蹄。」

「真不知你說話真假，正如你稱讚這店的小菜，顯然與事實不符。」

他豎起食指，貼近嘴巴，示意低聲說話，再跟她竊竊私語：「老闆是我爸的世交。」

她輕聲問：「世伯有不少世交？」

「對，我家在鴨脷洲經營船排廠足足半世紀，大街的老店主幾乎都是世交。」

「原來如此。」

飯後寰逸送善盈回家，一起登上的士，她向司機說：「香港仔添喜大廈，勞駕。」

他乍聽「添喜大廈」便神不守舍，全程心不在焉。五分鐘內的士抵達目的地，他並無下車，目送她歸家。來到禁地，他瞄了一眼，添喜大廈的名字消失了，大門只得「Albert House」。儘管如此，他始終不想踏足，偏偏她居住這裡，日後有可能重臨。除非……他心情矛盾、思緒糾結。

的士司機問他：「先生，還要去哪兒？」

「——返回大街，勞駕。」

（十八）

惇嫂自慚形穢，厭惡身體殘缺又嫌棄「假手假腳」。丈夫和兒子不停勸導她裝配義肢，重過正常生活。她萬念俱灰，連番拒絕，後來為免家人失望，以及減輕他們的照顧壓力，最終答允。惇嫂安裝了義肢，殘肢需要重新適應負重和應力，她感到吃力和沮喪。經過長期訓練，義肢派上用場，她的起居生活得以改善，抑壓的情緒亦得以紓緩。此後，她可以步行，甚至上落梯級，手部能夠做簡單動作。她一時興起，自行外出。

勉嫂獨留家中，聽聞門鐘聲，親自應門。

「妹，我來探訪。」

「姐，進來坐。」她乘坐輪椅到門口。

惇嫂入屋，左手關門，右手放下一包東西，說道：「花膠滋陰補腎，適合妳調理身體。」她的步姿不暢順，一拐一拐。

「不必破費，多謝！」勉嫂靠近茶几，倒了一杯熱茶給惇嫂，訴說：「看到妳活動自如，真高興！」

她拉起左邊衣袖和褲管，反問：「值得高興麼？」

勉嫂瞧見生硬的義肢，不禁唏噓。

「妹，妳四肢齊全，永遠比我優越。」

「姐，這雙腿中看不中用。」

「正是妳看我好，我看妳好。」

「要是妳好、我好的話，妳不用裝上義肢，我也不需坐輪椅。自從半身不遂，我的情緒極度低落。」勉嫂愁眉苦臉。

「我何嘗不抑鬱絕望，總覺得身體不完整，就像半個機械人，遺憾終身。」

「雖然大難不死，但身心疲累。」

「活著真的很累。」

勉嫂伸手觸摸惇嫂的義肢，感覺冷冰冰，與血肉之軀相差太遠。

（十九）

善盈猜想寰逸很快與她約會，出乎意料，等了一個星期沒有下文。

她沒耐性等下去，主動 WhatsApp，他表示將赴高雄參加臺灣遊艇展，下星期返港。

「祝你工作順利。」

「謝謝！」

「屆時 WhatsApp 高雄的月亮相片給我？」

「無問題，只要妳喜歡。」

「讓我看看與香港的月亮有何分別。」

「用不用 WhatsApp 我的相片，讓妳看看高雄的我與香港的我有何分別？」

「你能夠觸類旁通，我最賞識！」

他沾沾自喜：「我最欣賞賞識我的女人。」

「欣賞我的大有人在，而我賞識的寥寥無幾。」

「『賣口乖』！妳喜歡甚麼東西？我買回來給妳。」

善盈不假思索便 WhatsApp：「遊艇。」

「好！遊艇——模型。」

「哼，遊艇無形！」

（二十）

夜半傳來「轟隆」一聲巨響，晉魁不以為意，蒙頭再睡。勉內急，起床不見妻子，客廳窗紗飄揚，原本關上的窗門大開，窗前有她的輪椅和拖鞋，他驚慌起來尿濕褲子，踉蹌撲向窗臺。晉魁隔著房門也聽到父親淒厲的嗚咽，心驚膽顫直衝窗口俯瞰，眼前的景象疑幻疑真，他不敢接受駭人的真相。

猶如晴天霹靂，父子倆撕心裂肺、肝腸寸斷，爭相奪門而出，門戶和尿臭皆置之不顧。晉魁赤腳追隨父親奔往樓下，救護員經已到場，放棄了搶救，為她蓋上黑色罩子。圍觀的街坊陸續散去，記者聞風而至，蜂擁上前拍照，令兩父子倍添悲酸。親人頓然逝去，周遭彷彿沉寂下來，他倆同時陷入抽離境界，沉溺在回憶之中。

（二十一）

勉嫂厭世自盡的消息迅即傳入惇嫂的耳窩，恍似飛彈一樣，炸毀了她的心靈，痛苦不亞於截肢所承受的苦楚。在丈夫和兒子左右攙扶下，她到現場憑弔，與好姐妹天人永隔，哭得死去活來。惇嫂本想登門安慰勉嫂的家人，但她哀傷過度，由兒子護送回家，而惇獨自探望師兄。

「惇伯，對不起！父親心煩意亂，不便招呼您。」晉魁應門，聲音沙啞沉鬱。

惇發覺他雙眼通紅，回話：「不要緊！就讓他冷靜。晉魁，你也要保重。」

「謝謝關心，慢行。」

（二十二）

勉嫂是鄰居、兒時玩伴、同學、工友、伴娘、莫逆之交，以及故人，妹妹向來樂觀，竟然不動聲色辭世，惇嫂難忍切膚之痛。塌篷意外之後各自療養，甚少交往，自身恢復活動能力就在妹妹面前招搖，令她難受，走上絕路。惇嫂悔不當初，除了哀悼，還可以做甚麼？連日來茶飯不思，朝夕凝視著船排。

趁丈夫黃昏外出，惇嫂逐步接近船排，跌跌撞撞踏上船排末端。她瞥了彩霞一眼，享受入黑前一刻的暖意，回望「甲天下」的廠房，一切如常，心情除外。她沒有力氣撐下去，眼前所有事物黯然失色，緊緊閉起眼睛。「撲通」一聲，船排上剩下一對漆皮鞋子，在夕陽下閃耀著餘暉。

（二十三）

寰逸從高雄傳來相片及影片，不單止有月亮和他本人，還有遊艇，善盈看得著迷。她覺得他的臉龐渾圓，活像月亮，眼睛好似遊艇，遊來遊去。沉迷了數天，寰逸回港。

寰逸急於即日會面，恰巧當晚善盈母親慶祝生日，一家人在家用膳，故兩人各自吃飯，晚飯後在香港仔碼頭相見。兩家僅一海之隔，寰逸乘搭街渡，航程只消四分鐘，善盈步行亦只需七分鐘，即使方便快捷，善盈仍姍姍來遲。

「對不起！」她向寰逸賠笑，彈出舌尖。

「不必著急！」他叫人別急，自己卻急不及待從環保袋提取東西，告訴她：「送給伯母的生日禮物。」

她欣然收下一盒麻糬，不忘道謝。

「別客氣，還有手信給妳。」他取出一盒蒟蒻。

「太好了！謝謝。」

碼頭所在的香港仔海濱公園地方淺窄，鄰近馬路。如散步，嫌路程太短；若交談，嫌地方吵鬧，於是他們乘坐街渡往鴨脷洲。鴨脷洲大橋前面的「珍寶王國」光彩耀眼，寰逸建議：「他日我們到此慶祝生日？」

「他日再算。」

未幾，他們登岸，朝著風之塔公園漫步。公園遠離民居，環境幽靜，兩人從海濱長廊回望香港仔的夜色，善盈細訴成長生活，寰逸也分享其鴨脷洲的小故事。到了觀景臺，他們坐下，善盈將手袋放在大腿上，輕輕地拿出一個透明餐盒，說道：「專誠留一件給你。」

他喜出望外，用叉子提起蛋糕，咬了一口，訴說：「特別滋味！」

她一笑便露出動人的梨渦，仰望夜空時雙眼水汪汪。

「寰逸，高雄的月亮與香港的月亮有何分別？」

他思考片刻回答：「高雄的月亮彎一些，因為在臺──『彎』。」

她笑起來，嘴巴宛如一彎新月。

由於街渡服務時間至晚上十一時，晚間班次疏落，他們趕快離開。寰逸渴望送她回家，善盈讓他送至香港仔碼頭，在岸邊逗留一會。

「還有東西給妳。」寰逸捧住一份禮物。

善盈打開禮物盒，拿起一塊碎花薄紗手帕，看它迎風飛揚，她滿懷歡喜述說：「真好看！」

「要不是這樣，怎能與妳相襯？」

「又『賣口乖』！」善盈搖頭，催促他：「別錯過尾班船，快回家。」

（二十四）

每年妻子死忌，惇伯與兒、媳及孫兒同往掃墓。湛深駕車，沒多久便到達香港仔墳場，墓地與鴨脷洲遙遙相對，感覺上她與家人互相守望。

寰逸對祖母的印象日漸淡忘，惇伯則念念不忘，更難以忘懷妻子在海面載浮載沉、救起來奄奄一息的情景。他每次憑弔都刻骨銘心，湛深夫婦亦感觸良多。

年年掃墓，一對雲石花瓶一如既往插滿菊花，因為勉叔經常來到墓前悼念妻子，兩姐妹的死忌相近，他會一併致祭。惇伯三代緬懷過去，總是悲喜交集，來時輕輕鬆鬆，走時心事重重。

（二十五）

受兒子所託，湛深幫手製作一艘遊艇模型，從而得到啟發。以往墨守成規，天天等候生意，原來老本行以外，自己有能力開闢另一片天地。模型的體積與真船無可比擬，然而工序和複雜程度無異，同樣要按比例製作木船身、竹桅、棉帆、鐵錨等，然後上漆及組裝，每個步驟都一絲不苟，不花上兩三個月不能完成，與製造大船時間差不多。造模型讓他重拾初心、工具、材料和樂趣，延續造船工藝，別具意義。

湛深在面前做模型，惇伯亦感興趣，躍躍欲試又嫌自己老邁，笨手笨腳，只好在旁觀看。

「湛深，為何寰逸找你做模型？」

「我沒過問，可能是工作需要。」

深嫂插話：「他的公司買賣西式遊艇，你製作的是中式遊艇模型，合用嗎？」

「說起來有點蹊蹺。」

她想了解清楚，湛深認為沒必要，反正閒來無事，不管背後原因，他樂於幫這個忙。

（二十六）

寰逸邀約善盈逛海洋公園，給她一口拒絕。她覺得海洋公園失去了魅力，即使香港市民生日可以免費入場，公園又近在咫尺，她也不會考慮生日當天進場，何況門票所費不菲，她認為與其花費金錢，不如參與有意義的活動。新聞不時報道一些遠足人士隨處拋棄垃圾，影響環境衛生，有損景觀，甚至危害野生動物。善盈響應環保團體的呼籲，找寰逸

一齊做義工，清理郊野公園的垃圾。活動當日，兩人戴上口罩和手套，拿著長臂夾和垃圾袋，到處檢拾垃圾。郊外地方空曠，他們自成一組，奔波勞碌了半天才歇腳。寰逸賣力，大汗淋漓，善盈拿著一塊碎花薄紗手帕，溫柔地為他拭額。

他故意問：「手帕真好看，男友送贈？」

「胡說！自己抹吧。」她靦靦腆腆，將手帕扔在他的臉上。

（二十七）

港鐵南港島線通車有助紓解香港仔隧道長久以來擠塞的情況，巴士乘客減少，有利區內居民出入，鴨脷洲的人流則大幅增加。鴨脷洲是全球人口密度第二高的島嶼，每逢假日大量市民和遊客前來這個小島觀光，以致街道更加擠擁。寰逸向善盈講述鴨脷洲的情況，她表示香港仔亦擠得水泄不通，假日不想外出。他提議外遊，與她一拍即合，約定週日前往深圳大鵬遊玩。

較場尾是當地的度假熱點，小路兩旁民宿林立，還有咖啡店和甜品店。沙灘一帶小屋外牆各有引人注目的壁畫，構圖變化多端，色彩斑駁。店舖布置獨特，風格各異，使他們耳目一新。清新浪漫的小鎮氛圍催生蜜運的感覺，他倆自然而然手牽手漫遊。

狹長的海岸線沙粗水清，灘畔有許多食肆和酒吧，兩人餓了，挑選一家幽雅恬靜的餐廳。他們觀望浪潮漲退、傾聽濤聲、吃海鮮、嚐美酒，依然意猶未盡，挽手到灘邊漫步。

「不枉我們長途跋涉，這兒比長洲吸引得多。」善盈蹲下撿拾貝殼。

寰逸蹲下問她：「我們騎單車？」

「不，不許醉駕！」她搖動他的膀臂，訴說：「我想吃甜品。」

「也好！」

（二十八）

雙方好想觀賞鵬城日落，但翌日要上班，而且回港路遠，故及早歸去。途上善盈「機」不離手，看看今次旅程的相片，寰逸發覺她注視較場尾的每一幅壁畫，說道：「小鎮憑著塗鴉煥然一新，遠勝長洲的東堤

小築。」

「對，為一個地方添上藝術姿彩，好比賦予活力氣息。」

「妳唸藝術，當然懂得欣賞。」

「藝術的最高層次是任何人都曉得欣賞。」

「即普及藝術？」

「嗯。」

寰逸忽然對藝術產生興趣，沿途與她談論不休，入夜才回到香港仔。臨近添喜大廈，他的內心也曾掙扎，想找藉口迴避。不過避得一時、難避一世，他鼓起勇氣陪同善盈踏進「Albert House」大堂。跨過了心理關口，忐忑的心情一下子輕省下來，目送善盈獨自進入升降機，大門慢慢關上。正當他要離去，升降機門張開，她探頭問：「你不送我上樓？」

他情不自禁跳進去，合上大門。

<h1 style="text-align:center">（二十九）</h1>

寰逸送完善盈回家，夜深致電給她：「打擾妳睡覺？」

「不，我未入睡。」她說話帶著倦意，語調柔和，反問：「有要事？」

「我有一個構思，將塗鴉藝術帶來鴨脷洲，增添這裡的生活氣息，妳認為如何？」

「好主意啊！如何推行？」

「徵求大街的店主同意在其捲閘上塗鴉，由我聯絡他們，發掘社區資源及解決財政問題，妳負責邀請藝術系同學作義務畫師。」

「無問題。」

「魁叔隨和，容易商量，如他許可，先由醫館開始，效果好的話，有助吸引其他店舖參與。」

她悄悄打了一個呵欠：「找魁叔也要留待明天。大家都疲累，該睡了。」

「好好休息，晚安。」

「晚安。」她掛線前飛吻。

吻聲微細卻微妙，震撼無比，攝人心魄。

「收到沒有？」

「收到了，今晚定必做個好夢。」

（三十）

翌日寰逸到醫館探望魁叔，略述其計劃，魁叔回應：「醫館十年如一日，藉塗鴉帶來新景象，我當然贊成。問題是辦公時間捲閘收藏起來，出入人士根本看不見塗鴉。」

寰逸解說：「下閘後展示亦可，只要街坊看得見便成。」

「那當然，但不能完全發揮效果。」

「如果多些商店舖參與，效果較佳，我會聯繫其他商戶。」

「我與附近店主素有交情，可以充當說客。」

「好極了！魁叔，憑您的號召力，肯定事半功倍。」

「老街坊之間好說話，交給我辦好了。」

「也就拜託您。」

（三十一）

善盈親自設計醫館捲閘圖形，給魁叔審閱草圖。他稱心滿意，支持轉變醫館的傳統形象，樂意承擔費用。她與寰逸一同預備工具和顏料，趁週日下午醫館休業，動手製作。善盈在閘面上勾勒輪廓，描繪整體構圖的雛形，使用噴漆上色，她揮灑自如，迅即為圖案添加不同色彩。鐵閘太高，善盈需要爬梯上落，寰逸從旁協助，叮囑她：「小心！別觸動舊患。」

「別擔心，有我在此。」魁叔插話：「大家辛勞了，快歇息一會。」

善盈從梯子下來，說道：「鐵閘面積大，我怕半天內未必辦好。」

「不妨留待下星期跟進，何況我不用支付你們的人工。」他笑呵呵，接著說：「這裡油漆味濃烈，我們去吃下午茶。」

善盈未做好分內事，吃不甘味，一吃完便嚷著離開。寰逸作為她的助手，也不敢怠慢，緊緊跟隨她回去，剩下魁叔與餐廳老闆寒暄。兩人返回醫館，穿起圍裙和手套，繼續處理偌大的畫作。時間有限，善盈指導寰逸著色，分擔工作。有婦人帶著兒子過路，教孩子吶喊：「哥哥、姐

姐，繼續努力啊！」

「小朋友，我們會努力做好，記得回來觀看成品。」善盈倦意全消。

婦人表示明天再帶兒子參觀，令他們開心不已，互相配合使進度加快，由善盈完善作品。終於在傍晚大功告成，魁叔率先喝采：「慶賀你倆的結晶品誕生！」

他與她面面相覷，暗自發笑。

（三十二）

早上街坊三五成群在醫館前集結，老翁看見晉魁出現便叫喚：「晉魁，這幅畫相當吸引。」

「周伯，醫館也要與時並進，利用噱頭宣傳招徠。」

少婦讚賞：「卡通造型生動迷人，連骷髏骨頭都趣怪可愛，構圖新穎幽默，我要帶女兒來拍照。」

「無任歡迎！最緊要連招牌一併拍下。」

「好的。」她指向圖畫的右下角，問魁叔：「善盈──女畫家？」

「對，她是業餘街頭藝術家。」

「藝術家收費不菲？」周伯搭腔。

「義務性質，只付材料費。」

少婦探問：「她的畫藝高超又分文不取，看來是一位才德兼備的女子。」

「與妳不相伯仲。」魁叔脫口而出。

「韓醫師真懂哄人！」她笑盈盈。

（三十三）

醫館「畫閘」開創了鴨脷洲大街的先河，隔壁的海味乾貨店老闆娘覬覦，主動向魁叔查詢，他穿針引線，成全了她的願望。善盈交予同學作畫，從而引入另一種風格，豐富社區藝術的多元性，一幅懷舊畫作展示於海味店的鐵閘上，它重現漁民晾曬鹹魚的情景。作品寫實，充分反映鴨脷洲的小漁村特色，獲得老街坊一致好評。

兩幅塗鴉揭開了序幕，其他店舖的「畫閘」陸續登場。糧油雜貨店的

大閘以稻米為背景，圖中有老態龍鍾的爺爺，以及孫兒騎在兒子的肩膀上，展現雜貨店養活了三代人，散發溫情。蔘茸藥行的鐵閘上有店東夫婦的畫像，老中醫在把脈，妻子煎藥，背後存放一瓶瓶藥材，正是現實的寫照。帆布店的捲閘別具香港特色，以盛極一時的紅白藍袋三色間條為背幕，襯托尺子、剪刀、衣車、線轆和打孔機等工具及帆布製品，突顯本土文化。這些作品與茶餐廳、柴油機店、打鐵舖等「畫閘」湊合成為大街「畫集」，打造鴨脷洲的另類景致。

<h2 style="text-align:center">（三十四）</h2>

背負一身「畫債」，善盈長期當義工也償還不了，幸得同學襄助，「畫閘」相繼問世。她連月來盤桓鴨脷洲大街，見證一幅幅畫作的誕生，終於清還所有債務。她與寰逸樂得輕鬆，重遊玉桂山，善盈得償所願，踏足鴨脷排的南端。

「看，燈塔好像一個白色啞鈴。」

寰逸認同：「是的，我們攀上去。」

「嗯。」

他先登上石墩，然後協助善盈上去，墩上沒有其他人，他倆並肩安坐，眺望南丫島的景色。

「上次功虧一簣，連累表妹觀賞不到這美景。」

「只怪我連累妳們！」

「你當然責無旁貸，不過有失有得。」

「得到甚麼？」

「別明知故問。」

他洋洋自得，與她再度觀望浪潮漲退、傾聽濤聲。

「寰逸，船排廠需要塗鴉嗎？」

「它不但是夕陽行業，而且是殘陽，塗來沒用，不會有途人欣賞。」

「我對船排廠好奇，你帶我參觀？」

「好，起行吧。」

「不，上次錯過了鵬城日落，今次非補償不可。」

「此城不同彼城，倒不如到船排廠看殘陽夕照。」

「現在不去，不去！」

「現在去，快去！」

（三十五）

經過一輪拉拉扯扯，善盈隨同寰逸下山，親臨一座荒涼的鐵皮屋。大閘沒有上鎖，他們逕自入內，工場油漬斑斑，工具和材料狼藉，穿越簡陋的廚房，直達船排。寰逸回望，大聲叫喚：「爺爺，我帶朋友來探您。」

惇在露臺閒坐，呼應：「寰逸，你們上來坐吧。」

兩人登上閣樓，寰逸向爺爺簡單介紹，惇親切歡迎。善盈笑容可掬，坐在他的身旁，打開一包涼果，說道：「爺爺，請您吃杏脯和無花果乾。」

惇吃了一顆杏脯，大讚好吃。

「爺爺，再吃一顆。」

「夠了，有點黏牙。」`

寰逸拿牙簽給爺爺，惇用手遮掩，暗中清理牙縫，問她：「善盈，喝茶？」

「不用了，謝謝！您坐在這兒看日落？」

「是的，我天天看，百看不厭。」

「因為好看？」

「何止好看，還可以啟迪人生。」

寰逸搶話：「不就是『夕陽無限好，只是近黃昏。』」

「一般人著眼於艷麗的彩霞，慨嘆日暮西沉。」惇詳述：「雲霞千變萬化，太陽則務實得多，東升西降。日落是自然規律，平常不過，何須嘆息，翌日它便東山再起。」

孫兒問爺爺：「與人生何干？」

「世事變幻莫測，人生有起有跌。不管當前的風光多明媚，功成身退是定律。儘管晦暗不明，只是一時，不是一世，他朝又再創輝煌。」

寰逸莫名其妙，一臉困惑，善盈稱讚爺爺：「您的說話真有哲理！」

「我大半生用雙手造船，晚年才有空用心感受大自然，領悟人生。」

「爺爺愛看日落。寰逸,世伯呢?」

「他愛看馬。」

善盈莫名其妙,蹙起眉頭,寰逸更正:「他愛看賽馬。」

「哈哈,馬迷!」

「爸最近幫我造了一艘船,我帶妳去看。」他倆到工場去,寰逸掀開工具枱上的蓋布,她瞪眼、細看、大讚:「遊艇模型精巧細緻,與真船無異!」

爺爺下來,建議把它作見面禮。寰逸順水推舟,捧起模型,鄭重宣布:「終於兌現承諾,送一艘遊艇給妳!」

「謝謝大家!請幫我答謝世伯。」她歡欣地接收禮物,模型太重,差點兒脫手而出。眾人嚇了一跳,寰逸眼明手快,托它回枱面。

「對不起!險些誤事。」

爺爺問:「妳有否弄傷?」

「沒事。」

爺爺責備孫兒:「只怪你粗心大意!」

寰逸賠上笑臉。

爺爺又問:「盈盈,一齊出外吃飯?」

「多謝爺爺!今晚家母弄飯,下次吧。」

「那麼寰逸送妳回家,以後多些探望爺爺。」

「當然。」

「妳住得遠嗎?」

「不遠,就在香港仔添喜大廈。」

爺爺聽聞「添喜」,茫然若失。

「爺爺,我們走了。」

「啊——啊。」他魂不守舍。

（三十六）

模型頗重,寰逸與善盈乘的士,運送它回家。

「司機,勞駕添喜大廈。」

他一説完，她便問：「剛才一提及『添喜大廈』，爺爺即心緒不寧。」

「妳留意到？」

「嗯。他似乎有心事。」

寰逸吞吞吐吐，善盈張口説話，他又説下去：「『添喜』曾經發生嚴重傷亡意外。」

「我當然知道，只不過是陳年往事。」她靈光一觸：「莫非？」

「我的祖母是受害者之一，」他咬一咬嘴唇，低訴：「魁叔的母親亦然。」

善盈打了一個寒噤，彼此欲語還休。她打破沉默，追問：「後來怎樣？」

「祖母要截肢，魁叔母親則半身癱瘓，後來她們雙雙輕生了。」他吁了一口氣，司機暗地裡從倒後鏡窺探。

「難怪爺爺如此反應。」

「全家人皆蒙上陰影，怯懦踏足傷心地。當初送妳回家，我亦惴惴不安。」

「為何不坦白説出來？」

他輕聲説：「我怕妳拒絕讓我同行。」

司機悄悄偷望。

「難為了你！其實，我的父母亦受牽連。由於往日無買第三者保險，巨額賠償由各業主攤分，因此我們長年省吃儉用，以償還一大筆債務。」

「真是無妄之災！」司機忍不住插話。

的士抵達「Albert House」，寰逸付款，司機回應：「不必了，今後好好過日子。」

寰逸一再付鈔，司機堅持免費，他倆答謝：「司機，祝你出入平安！」

（三十七）

「老爺有沒有提及寰逸曾帶女友來訪？」

湛深搖頭，妻子繼續説：「那女孩子眉清目秀，舉止端莊，叫盈盈——」

「她叫善盈。」

「你怎麼知道？」

「早前我大讚醫館的塗鴉，晉魁透露畫作是寰逸女友的手筆，畫角有她的名字。」

「我也看過那幅畫，在我眼中，它是整條大街眾多作品中最矚目的，原來是『盈盈』的作品。」

「有一次我看見寰逸與女孩子親密地逛大街，肯定是善盈。」

「你為何不上前打招呼？」

「免得寰逸窘迫，更怕嚇壞女孩。」

「也有道理。不知他何時帶女友回家見面？」

「不妨藉冬至為名，一家團圓。」

「虧你想到！」她呢喃：「早晚是一家人。」

（三十八）

「大街畫集」經傳媒報道後，不少人士慕名前來觀光，他們透過社交媒體分享相片，使畫闡廣泛流傳，吸引更多市民和遊客來臨，部分商戶受惠，生意興旺。善盈得悉畫闡有助振興社區經濟，與有榮焉。寰逸告訴她，不久前有一家著名的廣告公司差派代表接觸過魁叔，聲稱想找為醫館塗鴉的畫家，留下電話號碼，囑託他代為通知，於是善盈聯絡該公司。

「寰逸，廣告公司職員表示他們欣賞我的創作風格和美術技巧，邀請我設計一幅巨型壁畫，作為戶外廣告之用，報酬相當可觀。」他隔著電話也感覺到善盈的興奮。

「妳應承了？」

「未，你認為如何？」

「若然公司可靠，值得考慮。」

「即使我願意接受邀請，事前要向公司申報，獲准才可。」

「那當然。壁畫需要配合宣傳需要？」

「主題是活化工廈。」

「任重道遠。」

「也是。」

（三十九）

短短三個月，善盈的作品呈現在黃竹坑一座工廈的外牆上。壁畫中一匹瀑布從坑口傾瀉而下，泥坑上長滿黃竹，瀑布下有一對戀人，男孩子高舉一件攤開的外套，遮蓋著含羞答答的女孩子。油畫色彩斑斕、畫工細膩，運用高超的上色技巧，瀑布和竹林活靈活現、人物栩栩如生，題字剛勁柔韌，將李白的名句：「飛流直下三千尺　疑是銀河落九天」演繹得淋漓盡致。畫作蘊含清新浪漫的意境和文藝氣息，為平實的工廈注入活力。從此這幅巨型壁畫成為了地標，途人遙遙可見。善盈精心選用夜光顏料，使瀑布晚間更富動感，引人入勝。

（四十）

「甲天下」收到政府通知，船排廠租約期滿後不會續約，聽聞一帶土地悉數收回，日後拍賣，用作興建住宅。船排廠慘淡經營，租戶能夠獲得一筆補償金，結業未嘗不好，然而湛深眷戀著家業，一直耿耿於懷。惋惜亦沒奈何，一切成為定局，反正寶逸已經做事，也就退休罷了。

惇明白到家業沒落是大勢所趨，毋須抱憾，「甲天下」的一事一物早藏於家人心底。日後他將遷到大街與家人同住，留守船排廠的時日無多，每時每刻在倒數，尤其珍惜餘下的一分一秒。黃昏時分，他如常在閣樓露臺乘涼，一連喝了幾罐啤酒，合起雙眼，享受入黑前一刻的暖意，靜心感受日落暮色。驀然漫天彩霞，惇嫂從深海冒出，凌空翻騰，露出豐臀和魚尾。長長的白髮在海面蕩漾，鱗片在夕陽下閃耀著餘暉。

「老妖怪！」惇乍醒，大口大口灌注啤酒，驚魂甫定，細細咀嚼佐酒的開心果。不知不覺間夜幕低垂，面前的珍寶海鮮舫一同落幕，黯淡無光。

依傍

〜

（一）

　　一顆顆晶瑩剔透的提子堆滿果盤，茜瓦喜歡它爽甜多汁，吃得津津有味。旁邊的芷澂瞪圓眼睛，嘴角流出一絲唾液，於是茜瓦擷取了一大顆，送到她的嘴邊。芷澂笑瞇瞇地張口吃下，接著劇烈嗆咳，上身向前傾。茜瓦慌張起來，催促她大力吐出來，芷澂瀕臨窒息，臉兒脹紅了。茜瓦焦急，將兩隻手指伸入芷澂的口腔，試圖把梗塞的提子挖出來，反而把它塞得更深入，芷澂的臉色變青。茜瓦手足無措之際，大門打開，母親見狀嚇了一跳，隨地扔下菜肉，豆腐碎和蛋漿四濺。她來不及過問，衝入去抱起芷澂，把她倒轉，單手托著其胸口，另一隻手掌猛力拍打她的背部。母親連續拍了五下依然未能奏效，她發了慌，額角冒汗，繼而從後環抱芷澂的腰間，雙手緊握其肚腹，使勁向內而上擠壓。茜瓦全程目瞪口呆，母親接連做了數下壓腹動作，芷澂的嘴巴吐出一顆完整的「黑提」，喘息過後臉色漸漸好轉，茜瓦和母親的心情才平復下來。

　　「姨姨，姨姨。」芷澂嗚嗚咽咽，緊緊摟抱著南姨。

　　「芷澂，不要驚怕，吐出來便沒事了。」南姨呵護芷澂，同時安慰女兒：「事情經已過去，芷澂脫險了，以後小心一點便是。」

　　女兒過意不去，仍舊發楞。

　　「茜瓦，別呆坐，倒杯水過來。」

　　芷澂喝下半杯水，茜瓦才安心一點。

（二）

　　芷澂與南姨非親非故，寄居向家。女兒六歲，南姨想找一份兼職，湊巧收到有關寄養服務的宣傳單張，躍躍欲試。丈夫樂意支持，並配合

服務要求，共同擔當寄養家長，讓她照顧女兒之餘，幫助其他無依無靠的小孩子。向東和女兒與嬰孩素未謀面，女兒最雀躍，當母親領僅兩個月大的芷溦回家，茜瓦爭睹新家庭成員的芳容。她大吃一驚，別臉訴說：「真醜陋！」

小芷溦裹在被套中安睡，恍似知道遭人嘲諷，嚎啕大哭起來。

父親勸止：「不要胡說！」

女兒迴避，母親趕緊哄逗嬰兒，將自己的臂彎當作搖籃，未幾小芷溦安靜下來，還瞇了一眼。

「她很乖。」

「對，她真的很乖。剛才在兒童院相見，她破涕為笑，與我頗投緣。」

「茜瓦，過來與妹妹打招呼。」父親召回女兒。

茜瓦回來問母親：「為何她的樣子這麼醜怪？」

「她並不醜怪，嘴唇發育不全而已。」

茜瓦戲謔：「古怪妹。」

母親聲色俱厲責備女兒：「不要幸災樂禍，向妹妹道歉。」

「她未懂說話，聽不明白。」

「無論如何，妳必須道歉，不然我掌妳的嘴。」

茜瓦低聲下氣：「妹妹，對不起！」

妹妹毫無動靜，茜瓦覺得說來沒意思，話題一轉：「媽媽，妹妹叫甚麼？」

「方芷溦。」

「芷溦，小寶貝。」父親察看其相貌，除了些微缺陷之外，她的臉頰白皙，加上尖臉曲髮，委實標緻，稱讚她可愛。

母親所見略同，女兒卻瞪大眼睛異議：「不是吧？」

（三）

芷溦天生兔唇，上唇正中有一條裂縫，縫隙顯露牙床，與左邊鼻孔相連。唇顎裂不單止影響外觀，還妨害呼吸、日常進食和將來說話的功能。由於餵哺存在障礙，南姨初初照顧她，需要借助特製的奶瓶。寄養

才一個月，小芷溦就要接受裂唇修補手術，年紀小小便吃苦頭，南姨一家人皆非常痛心。再者，芷溦自幼失去家庭溫暖，南姨恐怕影響其性格發展，長遠帶來傷害。她同等看待孩子，芷溦與茜瓦同樣是至親，在同一天空下姐妹一同成長。

南姨覺得芷溦是落入凡間的天使，從此成為她的么女。小天使說話有點兒奇怪，需要接受言語治療，從而改善鼻音重和漏氣的情況。到了三歲，她要再次接受唇顎修補手術，期間南姨奔波照料。出院前護士鄭重聲明，一哭就會觸動傷口，並且影響容貌，故芷溦沒淌一滴眼淚。南姨深夜聽見連聲噴嚏，她起床查看究竟，發現芷溦的鼻孔流出濃稠的黃綠色鼻涕。她輕輕一摸，芷溦的額頭燙熱，問道：「妳不適也不說出來？」

「護士姨姨說──」芷溦噁心欲吐。

「怎麼了？」南姨單手放在芷溦背部向上「掃風」，問：「現在怎樣？」

芷溦稍為舒暢，然而南姨放心不下，丈夫一早要上班，她打算親自帶芷溦求醫。丈夫反對，讓她在家照料茜瓦，接著抱起芷溦，逕直前往急症室。清早兩人回家，芷溦患上急性鼻竇炎，醫生處方抗生素。丈夫忙碌了一晚，未及休息便出門上班，茜瓦也要上學。芷溦眼皮下垂，一臉倦容，南姨亦徹夜難眠，疲憊不堪。芷溦忽然驚醒，哭哭啼啼，南姨抱她入懷，雙雙入睡。

休息一整天，芷溦的病情好轉。夜深她又驚醒，南姨讓她枕著手臂，直至入眠，自己才就寢。自從在急症室度過一夜，芷溦睡不安寧，隨後數晚她都依偎著南姨。東叔搬到客廳睡覺，以便妻子照顧芷溦。

南姨向丈夫訴苦：「我的手臂給芷溦當作枕頭，有少許麻痺。」

「我近日在梳化睡覺，也腰酸背痛。」

「不如我們一家四口朝朝一齊做運動？」

「好主意！若她們願意參與，由本週日開始。」

「不，明早開始。」

（四）

芷溦唸幼稚園，下課回家對茜瓦說：「姐姐，今天老師教我們用紙

碟、橡筋圈和顏色筆做手工，簡單有趣，妳猜猜做甚麼？」

茜瓦故意閉目沉思，張開眼睛回答：「面具。」

「對，妳真棒！怎猜得到？」

「妳的姐姐——我，有透視眼，」茜瓦對著芷溦的書包瞇眼，凝神貫注片刻，說道：「我看見一個動物面具。」

芷溦驚奇，從書包取出一個貼上長耳朵、畫上小白兔面孔及鬍鬚的面具，戴起來說話：「姐姐好厲害，一雙眼睛能夠透視。」

「妹妹好可愛啊！」茜瓦洋洋得意回敬芷溦：「兔子最適合妳不過。」

芷溦曉得姐姐含沙射影，趁機取笑其兔唇，她怒氣沖沖找姨姨投訴。南姨吩咐女兒致歉，茜瓦認為妹妹反應過敏，不過諒解她的想法，也就向芷溦賠個不是。妹妹怒氣未消，嘟著嘴巴，兩腮隆起。

姐姐伸出食指，壓平妹妹脹紅的臉蛋：「戳破妳的小汽球。」

「姨姨，姐姐指我小器！」芷溦又哭訴，令南姨和茜瓦啼笑皆非。

（五）

兩姐妹放暑假，一家人暢遊珀麗灣，孩子初次踏足東灣沙灘，雄偉的青馬大橋和壯麗的汀九橋在面前一覽無遺，她們相當興奮，蹦蹦跳跳。沙灘上人跡稀疏，只有情侶和小家庭到訪，分散在不同角落。美景當前，東叔情不自禁抱起女兒，舉高轉了一圈。

芷溦呼喚：「叔叔，抱我。」

「來吧！」東叔放下女兒，舉高芷溦又轉了一圈。

芷溦滿心歡喜，因為叔叔從不厚此薄彼。南姨帶備沙灘玩具，她們脫下鞋子，拿起挖沙耙、鏟子、桶子和澆水器，齊齊跑到遠處，蹲下挖沙、堆沙。姐姐喜歡創作，妹妹喜歡破壞；姐姐在沙面上畫畫，一下子被妹妹搗亂，留下一隻隻掌印；姐姐堆砌的小山丘，一下子又被妹妹糟蹋，留下一堆堆腳印。

「媽媽，真惱人！妹妹一再搗蛋。」

「姨姨，我沒搗蛋，只是幫忙。」

「誰要妳幫忙？幫倒忙！」

「別吵架，合力建造一個小水池給我看。」南姨徵詢芷溦的意見：「甚麼形狀好呢？」

芷溦回答：「圓形。」

「那就圓形吧，妳要按照姐姐的方法去做，明白嗎？」

「明白。」

「好孩子！」

姐姐用心築水池，妹妹只管玩泥沙。水池將近大功告成，芷溦跟隨叔叔到灘邊舀水，回來將水注入水池內，然後跑去找姨姨。南姨正在樹蔭下鋪設坐墊，處理帶來的食物。

「姨姨，我幫姐姐弄好水池，您快過來看。」芷溦搖動南姨的手，一起上前觀看作品。

「姨姨，水池穩固，可以儲水。」言猶在耳，水位下降，有水滲漏。

「噢，不得了！」茜瓦嘗試搶修，用泥沙填補裂縫，來不及封住缺口，反而加速惡化，池水一泄如注，整座小水池瞬間崩塌。

「姐姐，妳的心血白費了。」

茜瓦攤開雙手，擺出一副沒奈何的模樣。

南姨質疑芷溦：「妳前言不對後語，偷懶！」

芷溦吃吃地笑，變相默認了，他們回到樹下，席地而坐。芷溦急進，一次過將食物送到嘴裡，吞不下就吐出來，接著催促茜瓦：「姐姐，妳陪我玩飛碟。」

「別急！先讓姐姐吃飽。」東叔勸阻。

芷溦退而求其次，好想打動南姨：「姨姨，不如您陪我玩。」

南姨心軟，準備動身，東叔阻止，他對芷溦說：「沒規矩！快坐下，吃完後我們一起玩沙灘球。」

「是的。」芷溦乖乖順從。

（六）

芷溦只做了一會兒功課便砌拼圖，未完成拼圖又玩布娃娃，玩了一會兒就不玩了，亂跑亂跳亂叫。與文靜的茜瓦截然不同，芷溦無時無刻

無法安靜下來，南姨明白孩子的性格因人而異，不能相提並論。芷溦升上小學，行為問題依舊，集會的時候，她站立不定，時而插隊，時而擾攘。上課的時候，她常常打斷老師的發問，沒舉手便發言，亂說答案。她時時與同學交談或爭執，甚至騷擾同學上堂。她在課室如坐針氈，往往擅自離開座位，一旦弄髒或便急便衝往洗手間。個別老師、家長和同學向南姨反映不滿，他們認為芷溦不守規矩，胡作妄為。南姨傷透腦筋，難以管束芷溦，為免傷害其弱小心靈及影響彼此關係，她極少苛責，只會循循善誘。

芷溦性情急躁，沒耐性聆聽別人的說話，情緒起伏大，一時高漲，一時低落，一不開心便伏在桌上發愁。芷溦亦不專注，時常受外界事物影響，南姨特意安排她到主人房做家課，因為芷溦一見到玩具，必然分心。她無法長時間集中精神，不時東張西望或弄筆桿，一遇到難題便惆悵納悶。南姨要恆常督促她做功課，無暇兼顧女兒，茜瓦高度自律，獨自溫習完全不成問題。

反觀芷溦，她不懂自制，習慣散漫和拖延，單單做功課便比同學多花一倍以上的時間，幾乎每晚做作業至凌晨。她做事欠缺條理，書簿摺痕纍纍、書包凌亂。南姨不得不多加照料，輔導她、鼓勵她，免得欠交功課而受罰。芷溦粗心大意，有時忘記遞交功課，有時欠帶物品。每次考試她都發呆，未曾有一次徹底完成試卷，而且錯漏頻仍。南姨臆度與芷溦兒時鯁喉有關，她曾經一度窒息，缺氧令腦細胞受損，禍延至今。芷溦衝動妄撞，大大影響其學業、生活和社交，南姨著緊，自掏腰包為她安排專業評估，方知道芷溦患上專注力不足及過度活躍症（ADHD）。評估判斷芷溦的異常表現與後天的鯁喉事件無關，南姨終於放下多年來的心頭大石，但她一聽到 ADHD 便惴惴不安。芷溦年少不識愁滋味，南姨卻憂心忡忡。此後芷溦需要定期前往兒童精神科日間醫院接受治療，又要參與專為特殊教育需要學童而設的特別班，南姨如影隨形，陪伴她東奔西走。經過好一段時間的藥物及行為治療，南姨留意到芷溦的過度活躍徵狀明顯減低，不過專注力不足方面沒有多大進步，唯有繼續守望。

（七）

　南姨在廚房忙碌，高聲問：「芷溦，妳的保溫飯壺遺留在學校？」

　「我已帶回家。」芷溦在客廳看電視。

　「究竟擱在哪裡？」

　「就在——就在——好像——又好像——」她說不出所在。

　南姨走出來，當面說清楚：「妳快找出來，否則明天帶飯成問題。」

　「我很累，容後找吧。」

　「做事不要拖拖拉拉，立即行動。」

　芷溦跑到茜瓦的睡房叫嚷：「好姐姐，幫幫忙。」

　「我沒空。」茜瓦正在溫書。

　芷溦絮絮不休：「姐姐，姐姐，先幫我忙。」

　茜瓦堅持溫習至上，芷溦撒野：「若果不幫我，我以後不理睬妳。」

　「不睬也罷。」

　南姨勸告：「芷溦，不要嘮叨，自己的事自己辦。」

　芷溦做事沒條理可言，加上她不情願，隨意四處翻弄。南姨看不過眼，加入搜索，飯壺始終下落不明。

　「芷溦，妳根本無帶飯壺回家。」

　「不會的。」

　「若然，怎可能遍尋不獲？妳明天回校再找。」

　「我肯定拿回來，一時間找不到而已。」芷溦堅持無誤。

　「不可能找不到，妳肯定記錯！」

　「我沒錯，相信我。」

　「明天沒法子帶飯，妳捱餓好了。」

　「我會餓壞，三文治也好。」

　「我可不管，除非妳找回飯壺，否則後天繼續捱餓。」

　芷溦生氣：「我向學校社工投訴您刻薄我。」

　「隨便吧，妳給人家帶走，我也不管。」南姨毫不在意。

　芷溦哭喪著臉，致電央求東叔：「叔叔，您趕快回家，姨姨欺負我！」

南姨聞言，哭笑不得。

<h2 style="text-align:center">（八）</h2>

翌日芷澈上學，打開儲物櫃，赫然發現自己的保溫飯壺。她考慮過把它棄置，免得帶回家尷尬，其實她對尷尬的場面習以為常，毋須迴避。芷澈放學回家，將書包扔入睡房，拿起飯壺到廚房，叫喚：「姨姨，我尋回飯壺了。」

「妳在何處尋獲？」

「──不就是床頭櫃內。」她隨手一指，眼神閃爍不定。

「床頭──藏頭露尾！不要自欺欺人，快說實話。」

芷澈坦白交待一切，南姨反問：「早前妳不是好肯定拿回來嗎？」

「一時記錯。」她垂下頭。

「又記錯！妳可有找社工投訴我？」

「沒有。」芷澈不敢直望南姨。

「又忘記？」

「沒忘記，」芷澈嬉皮笑臉辯駁：「只想告訴她，您太和藹可親！」

茜瓦剛剛入屋，聽到妹妹恭維的說話，看到母親歡欣的樣子，問她們：「我是否弄錯家門？」

<h2 style="text-align:center">（九）</h2>

芷澈在梳化上打盹，南姨囑咐她：「要是疲倦便上床睡覺。」

「姨姨，我不是累而是餓。」

「吃餅乾吧。」

「吃過了，依然飢餓。」

「吃番薯糖水嗎？」

「好極了！」

南姨走入廚房，轉頭出來拍女兒的房門，說道：「茜瓦，幫我買一包片糖。」

她爽快答應，擱下小說，芷澈嚷著跟隨。

「妳餓得要命，尚有力氣走動？」南姨疑惑。

「還可以，」她説話沒精打采：「我要陪姐姐。」

茜瓦回應：「誰要妳陪？」

「當然要，單獨上街不好。」

「就讓她陪妳外出，抖擻一下精神。」

「那末出發吧。」

超級市場相距不遠，南姨預備材料，預計她們很快回來。出乎意料，姐妹遲遲未返，南姨開始著急，擔心她們的安危。

（十）

芷溦攜著一袋片糖，隨同姐姐進入大廈升降機。大門將近關上，一名青年竄進來，他穿著黑色連帽衞衣、破爛牛仔褲，帽子低垂，遮掩了臉容，拿著手機對話。

「喂——喂——」他的手機通話中斷了。

升降機徐徐上升，不一會劇烈晃動，繼而停頓，她們初次被困，一時手足無措。青年多次觸動對講機按鈕，保安員沒有回應，於是他按動警鐘卻聽不到響聲。青年致電求救，因接收問題而未能接通，他即大發雷霆，滿口污言又粗暴地向升降機門拳打腳踢，以洩心頭之憤。砰砰聲震耳欲聾，芷溦吃驚，伏在姐姐胸懷。茜瓦何嘗不膽怯，慌張退避，緊抱著芷溦瑟縮一角。她怕妹妹受傷，背向青年，挺身守護。燥狂青年不理會旁人弱小，不停地撞擊大門，升降機廂經不起猛烈震盪，燈光頓然熄滅，姐妹異口同聲尖叫：「媽媽」、「姨姨」。

南姨心緒不寧，在屋內踱來踱去，靈機一觸開啟電視，查看機廂情況。她目睹一切，嚇得跳起來，馬上求援。消防員迅速到場，南姨在肇事樓層守候。大門一打開，姐妹爭相吶喊，「媽媽」和「姨姨」的呼喚不絕於耳。重聚恍如隔世，南姨迎上前熱烈擁抱兩愛女。

與升降機狂人共處黑暗的機廂，兩姐妹猶有餘悸，自此懼怕乘搭升降機，彷彿有一股力量窒礙她們的腳步。茜瓦所受的影響輕微而短暫，芷溦的心理障礙較嚴重，擺脫不了陰霾。她未進入升降機就已經焦慮，關門之後心跳加速、冒汗、胸悶和暈眩，寧願使用樓梯，也不想乘搭升

降機。茜瓦不讓妹妹單獨上落後樓梯，總會陪同，南姨更加放心不下，堅持護送她們出入。一家住在十樓，她下樓不成問題，上樓則很吃力。南姨認為不能長此下去，於是尋求外界支援，專業人士教導芷微做深呼吸訓練和正面思考練習，提升情緒控制的能力，培養安全感。

（十一）

　　室內攀石牆專為兒童而設，高度不超過三米，牆壁上奇形怪狀的人造石塊星羅棋布，色彩繽紛。高牆下芷微參加「一對一」攀石運動的試堂，教練教她做熱身運動，她不耐煩，作勢做了一陣子伸展動作。之後芷微換上攀石鞋，戴起頭盔和安全帶，觀摩教練示範。她按指示，雙手塗抹鎂粉，攀上石牆，初段石頭較大，她抓得輕鬆、踏得安穩。當她上到中段，手腳貼著牆面大聲疾呼：「姨姨，救命！」

　　旁觀的南姨上前慰解：「別害怕，教練哥哥扯住安全繩，妳不會受傷的。」

　　「毋須緊張，下來休息一會。」教練協助芷微安全著陸。

　　她訴說：「我好驚，不玩了。」

　　教練解說：「就此氣餒的話，妳必定後悔。」

　　「為甚麼？」

　　「因為完成訓練的小朋友可以獲得精美獎品。」

　　「甚麼獎品？」

　　「玩具和零食。」

　　「教練，我想得到獎品。」

　　「妳願意繼續嘗試嗎？」

　　南姨安撫她：「不必驚慌，地面鋪設軟膠地墊，安全穩妥，再試一次。」

　　教練叮囑：「只要妳選擇黃色石塊作為踏腳石，手腳並用，到達終點並不困難。」

　　芷微誠惶誠恐重新攀牆，教練用鐳射筆照射石塊，逐步指引她手腳移動的路線。她急於求成，一腳踏空，懸掛在半空。

南姨問：「沒事吧？」

芷澂答：「沒事，不過失敗了。」

「妳已經登上過半高度，比起初次突飛猛進。」教練拍她的肩膀，鼓勵芷澂：「小妹妹，只要妳勇於嘗試，成功在望。」

芷澂再試再跌，教練再三叮嚀：「別急進，記住抓緊才蹬腿，站穩才抓石。」

過程中，芷澂一直細心聆聽教練的指令，全神貫注攀爬。即使失手，在旁人的激勵下她肯再接再厲。以往她遇上小小挫折就會輕言放棄，今次破天荒屢敗屢戰。縱然芷澂未能達標，她的表現值得嘉許，教練送出禮品，獎勵她敢於面對困難，芷澂享受活動的樂趣，向南姨表達心聲。作為寄養家長，每月只得微薄的獎勵金，但她樂意資助芷澂持續接受攀石訓練，藉此改善四肢協調和平衡感，更重要的是增強其專注力、耐性、耐力和信心。

（十二）

兩姐妹的性格大相逕庭，姐姐成熟拘謹，妹妹率性而為，想哭就哭、想笑就笑；姐姐笑得含蓄，妹妹笑得奔放。芷澂長大，不敢盡情歡笑，慣性合攏嘴巴，收斂笑容，行為轉變與兔唇不無關係。儘管芷澂的唇裂和顎裂早已修補，鼻唇溝仍有明顯疤痕，牙齦也有缺損，上面的門牙沒法長出來，犬齒亦相繼鬆脫。由於嘴臉與眾不同，他人偶爾投以怪異的目光甚或竊竊私語，故此她甚少當眾咧嘴而笑。芷澂九歲時再接受手術，透過牙齦植骨來補救齒槽，牙齒問題得以改善。南姨覺得她重拾自信，闊別多年的燦爛笑容重現眼前。

（十三）

淙伯咧嘴一笑，單薄的嘴唇塌入牙齒寥落的口腔，齒槽外露。一般人大笑會「見牙不見眼」，他則兩者皆不見。他的法令紋很深，長耳朵下垂，樣貌活像垂耳兔。淙伯在茶樓品茗，身旁的茶客都上了年紀，當中有他的院友，也有其他安老院的長者，他們朝朝聚首一堂，有說有笑。

他喝完茶，從古洞街市踱出來，橫過天橋就是石仔嶺花園，由一座

座兩層高平房締造的「老人村」。它的前身為英軍已婚宿舍及喀喀兵軍營，院舍沿用其家居間隔，比市區的私營院舍寬敞雅致。淙伯穿過一條長滿藤蔓的拱廊，停步瞥了大門前的盆栽一眼，接著回到院舍。部分院友坐在客廳的硬梳化或輪椅上看電視、閱讀報紙或聊天，其他有的打瞌睡，有的呆若木雞，也有的向淙伯招手，他點頭致意。他居住的雙人房在左方的走廊盡頭，室友行動不便，坐在床邊張望。

「池哥，我買來白糖糕。」淙伯把糕點放到室友的床頭櫃面。

「謝謝！」

「你慢慢吃，我出去打理盆栽。」淙伯來去匆匆。

池伯打開膠袋，護理員在門外駐足，問：「池伯，吃甚麼東西？」

「蓉姐，來吃白糖糕。」

「這樣不好。」她進去。

他舉高袋子，說道：「妳先拿。」

她隨手從櫃面提起紙巾一張、取走一塊、答謝一聲。

（十四）

淙伯患糖尿病逾十年，治療由吃藥改為早晚餐前半小時在皮下注射胰島素來控制血糖，為了方便護理，他入住安老院。淙伯活動自如、視力良好，被院方委以重任，負責園藝，除了澆花和修剪雜草之外，還栽種木瓜和番茄等。木瓜樹耐旱，容易栽種，每逢秋季，一個個飽滿的橙黃色木瓜可供院友食用。木瓜肉質香甜幼滑，但糖分高，他淺嚐即止。

任義務園丁多年，淙伯對周遭的情況略知一二。老人村年齡過百的院友超過十名，村內榕樹的樹齡和數目恰好相若。他思量，人瑞歷盡滄桑，暮年才入住石仔嶺花園，老榕樹則一生留守在同一地方，從未見過世面，那又如何？人，漂泊半生，終究落葉歸根，同一下場。榕樹原地盤踞百年，苗壯成長，樹根縱橫交錯、根深柢固，枝幹參天茂密，比院舍宏偉。反之，老人家儼如枯萎的蘆葦，弱不禁風。人不可能歷久不衰，不過前人懂得栽樹，村中老樹成蔭，樹冠恍如巨傘，為納悶的院友提供納涼的處所，淙伯也有分兒。

（十五）

池伯患有慢性腎衰竭，腹部接上導管，每天進行「洗肚」——腹膜透析治療。他要依循低鹽飲食，飲水和攝取蛋白質食物也要限量，並且戒吃高鉀質食物，日常生活上諸多不便。平日他在房間練習書法，每當肩膊酸痛，就到拱廊做運動，交替地拉動健身繩索，舒展上肢。近年他的腎功能衰退，長期腳腫，常困在房裡。兩張床之間有一扇窗，窗外有榕樹伸展過來的枝葉和氣根，偶有三數麻雀棲息枝頭，鳥語打破了平靜，慰藉其寂寞的心靈。

他享用完糕點，站起來練字，蘸墨揮毫時肚子忽然劇痛。唯恐趕不及如廁，他匆匆召喚護理員協助，坐上便椅，直接送入洗手間。他持續腹瀉和噁心，將近虛脫，在院方的安排下送院治理。蓉姐出現相同徵狀，一同入院診治，經醫生診斷，他們患有急性腸胃炎，檢查中發現金黃葡萄球菌，與進食受污染的食物有關。蓉姐並未從中汲取教訓，自我反省，埋怨被池伯連累。他暗忖，要不是她自己慣常討院友便宜，怎會無端遭殃？

（十六）

伯父早年入住安老院，南姨也曾探望，因為地方偏遠，她最怕舟車勞頓，所以多年來沒有探訪。她思念伯父，伯父亦渴望與孩子見面，於是她帶同茜瓦和芷溦前去。姐妹初次到訪，對老人村充滿好奇，一心尋幽探勝。

「媽媽，那棵是甚麼樹？」茜瓦指著院舍外一株大樹。

「細葉榕。」

「嘩，好巨大！姨姨，我想到樹下。」芷溦眼前一亮。

「媽媽，一齊過去？」

「好。」

她們來到樹下，壯闊的樹冠蔭庇三人綽綽有餘，芷溦說道：「這兒真好，舒適涼快。」

與樹影外熾熱耀眼的空地迥然不同，樹蔭下無疑是一片樂土。姐姐

觸摸樹幹，妹妹照樣子做，打趣：「樹皮比叔叔的臉皮更粗糙。」

茜瓦直斥：「妳揶揄爸爸，我回去告訴他。」

「姐姐，不要説！」妹妹頓足。

縱使東叔有麻臉，芷溦不應相提並論，南姨嚴肅訓誡：「芷溦，以後不要亂説話。茜瓦，也就放過她吧。」

踏入院舍，迎接她們的是濃烈的漂白水氣味，蓋著一股餿臭的味道，茜瓦接受不了，掩鼻並塗抹藥油。服務臺員工為訪客簡單登記，指示受訪院友的房間所在，三人逕自前往伯父的房間。淙伯正收聽賽馬消息，聽聞背後有一把熟悉的聲音：「大伯。」

他側身回望，高興得連隨拔掉耳塞，應道：「淮南！」

姐妹主動稱呼伯公。

「乖孩子！」

三人擠在通道，適逢對面房間有坐輪椅的院友出入，她們即時竄入房間，碰巧室友連聲嗆咳，她們退無可退，姐妹慌忙閉嘴掩鼻。南姨若無其事，上前問候：「伯伯，喝水嗎？」

池伯點頭，從南姨手中接過杯子，連續喝了幾口，清一清嗓子，向她致謝又向淙伯讚許：「她真關心老人。」

「是的，我的姪女很孝順。」

池伯問：「她倆是妳的女兒？」

南姨爽快回答：「是。」

淙伯説：「這裡太狹窄，我們到外面談話。」

週末有許多家屬到訪，客廳濟濟一堂，有的用輪椅載長者到院舍外閒聊。淙伯帶她們上二樓的會客室，南姨教孩子向伯公問安，他認識茜瓦，對妹妹較陌生，說道：「伯公忘記了妳的名字。」

「芷溦啊，伯公。我與您一樣記憶力差。」

淙伯呵呵大笑，南姨責怪她沒禮貌。

「不！妹妹坦率，姐姐溫文，兩姐妹都可愛。」

南姨送上糕餅，分享過後，長輩談天説地，小孩子則眈天望地。她

倆悄悄溜走，走到榕樹下嬉戲，互相追逐，妹妹一不留神，被樹根絆腳。姐姐剛跑到大樹後，驚聞妹妹呱呱大叫，繞上前找回仆倒的妹妹，蹲下扶她起來。

「乖！不要哭。」姐姐拍掉妹妹手掌和短裙上的沙塵，發覺她的膝蓋有些微損傷，從口袋取出手帕，為她拭抹傷口。妹妹停止哭泣，解下小背囊，從中拿取飲品，驀地再哭。

「怎麼了？」

妹妹哭訴：「我的『小老虎』不見了！」

小老虎是妹妹心愛的吊飾，姐妹遍尋不獲，芷溦嗚咽，南姨和伯公前來了解。

伯公安慰：「芷溦，別著急！院舍大，一時找不到罷了，讓我叫負責打掃的嬸嬸留意，拾獲就歸還給妳。」

芷溦哭鬧：「我怕拾不回，現在非找不可。」

「對，現在非『走』不可。」

芷溦磨蹭，伯公提議：「妳留下來，我們一起尋覓。」

「這地方暮氣沉沉，我才不留下來。」

眾人忍俊不禁，伯公問姐妹：「會否再來探伯公？」

姐姐答：「好！」

「好──難──啊！」妹妹咧嘴大笑。

（十七）

東叔從事時裝採購，代表公司與製造商洽談來季服裝訂單，確保貨物品質符合客戶要求及如期付運。由於廠房大多設於外地，他要出差，親身到孟加拉、柬埔寨和越南等地方跟進生產進度，小老虎吊飾是他從孟加拉買來的手信。

「叔叔，我的『小老虎』丟失了，您快幫我買一隻。」芷溦坐在地上，不停搖動東叔的膝蓋。

「孟加拉的廠家已經停產，叔叔不用去了，只怕買不回。」

「叔叔一定要去，非買不可。」

「怎去？」

「坐飛機。」

「誰付飛機票？」

她賴皮説：「我不管，坐飛機也要去買。」

南姨搭腔：「太胡鬧了！妳自己去買。」

「叔叔帶我去買。」

「好！我帶妳去玩具店購買。」

「不！我要一模一樣的孟加拉老虎。」

茜瓦從睡房出來，雙手藏在背後，她一伸手，掌上有一隻孟加拉老虎，説道：「妹妹，送給妳吧。」

「多謝姐姐！」芷微喜出望外，欣然收下布偶，老虎雖不一樣但一樣可愛。

茜瓦割愛，輕易平息了這一場小風波。

（十八）

院長率領員工，逐一搜查院友的床鋪及個人物品，花了半天時間，未能尋回失物。院方的搜索行動為要追查池伯新手機的下落，他使用媳婦饋贈的手機一天而已，朝早起床它就不翼而飛。淙伯抽屜內一張五百元鈔票亦被盜去，一併報失。他剛收下姪女饋贈的金錢，印象中是渣打銀行鈔票，號碼包括他的喜惡數目，前有二十六，後有十九。院長迅即展開行動，但無功而回。

池伯大失所望，淙伯亦無奈。堯伯不滿院方的舉措，指院長只懷疑院友，並無全面調查，他認為應該一視同仁，搜查應該包括全部職員。院長接納其意見，要求員工一律打開個人的儲物櫃，結果出人意表，院長成功搜回池伯的手機，同時從持有該儲物櫃的員工銀包中找到一張渣打銀行五百元鈔票，號碼 BE267819。蓉姐面無人色、額角冒汗、全身抖震，跪下哀求院長寬恕。眾目睽睽之下院長不得不秉公處理，警員快速到場拘捕蓉姐，並錄取口供。在場院友議論紛紛，池伯搖頭嘆息：「枉我常與蓉姐分甘同味，她實在太沒良心！」

淙伯搭話：「我早知她貪心，沒料到膽敢作賊。」

堯伯幫腔：「自作孽，不值得同情，她坐牢也活該。」

池伯大讚堯伯：「全靠你發聲，幫我們討回失物。」

堯伯回應：「失物要作為呈堂證物，只怕——」

淙伯拍拍他的肩膀：「總之多虧你！」

（十九）

南姨嗆鼻，從睡夢中乍醒，她撥開窗簾，烏煙撲面，趕忙掩鼻關窗。她驚魂未定便闖入女兒的睡房，喚醒兩姐妹。茜瓦先起床，合力關上所有窗戶，芷漵半夢半醒，尚在揉搓睡眼。周遭逐漸被濃煙籠罩，煙霧滲入屋內，東叔出差，母女仨皆悸慄膽怯。南姨推斷樓下有單位發生火警，冒出火舌向上蔓延，家居將被波及，留守不是好辦法，她想起逃生三寶：濕毛巾、門匙、手機，於是一次過弄濕三條毛巾，連同鑰匙和手機，三口子逃生。她們踏出門，火警鐘聲剛剛響起，走廊充斥焦煙味，南姨帶領孩子行樓梯。她推開防煙門，三人往下走，芷漵中途停步呼喊：「姨姨，我忘記帶走『老虎』，想回去取。」

「我們自身難保，逃命要緊！」南姨拖住芷漵，茜瓦殿後。她們走下三層樓，梯間煙霧彌漫，窒礙前行。鄰居蜂擁而至，催逼她們：「非下去不可！」

母女用濕毛巾掩面，匆匆越過危險地帶，芷漵突然呱呱叫：「喔唷！」

南姨不理緣由，連隨抱起她下樓，沿途無暇兼顧茜瓦。她們逃離現場，南姨氣喘吁吁放下芷漵，以為她剛才扭傷足踝，原來只是丟失了一隻拖鞋，孩子平安，南姨安心。她們與鄰居到公園守候，夜涼如水，姐妹衣著單薄，摟著南姨取暖。消防員趕至，架起雲梯灌救，南姨與茜瓦仰望火勢，既憂慮有人傷亡，也怕殃及自己的住所，心情緊張。芷漵猛然叫嚷：「千萬別燒焦我的老虎！」

半小時後消防將火撲滅，肇事單位窗戶破裂，有水流出，猶如瀑布傾瀉而下。該單位及以上兩層的外牆嚴重燻黑。南姨遙望災場，憂心忡忡。

「姨姨，我想回家。」現場遲遲未解封，三更半夜居民繼續留守，逾一小時後住戶獲准返回樓宇。後樓梯積水源源不絕，導致大堂地面濕漉漉。部分升降機停用，大批居民爭相登樓。母女仨到達家門，整個樓層散發著濃裂的燒焦味，慶幸家居無損。孩子疲憊不堪，天亮要上學，南姨催促她們上床休息。芷溦與老虎劫後重逢，興奮得無法入睡。

（二十）

淙伯從木瓜棚歸來，池伯躺在床上臉青唇白，嚷道小腿抽筋。他召來護士，池伯表示腹痛厲害，護士發覺不對勁，立時致電求助。救護車駛近院舍，關掉鳴笛聲，陪診員陪同池伯前往急症室，淙伯默默望著救護車遠去。醫生察覺池伯腹部的導管接駁口流膿，並長出肉芽，斷定病人的腹腔受到細菌感染，安排他入院治療。類似情況曾經發生，上次池伯留醫一星期，故此淙伯忖測他出院的時間相若，今次又獨處一室，自由自在。

池伯患上腹膜炎，高燒不退，病情急轉直下，在深切治療病房昏迷一晚後死亡。噩耗傳入耳中，淙伯一時難以置信，意想不到池伯就此一去不返。院友離世司空見慣，然而多年室友驟然過身，淙伯心情難捨，獨個兒留在房間，變得孤清。舍監綸姐來執拾遺物，池伯的私人財物無幾，以雜物居多，她打開了一幅手稿。淙伯睹物思人，借來朗讀：「東海明珠耀光芒，南岸孤舟展歸航，西井欄樹參天牧，北江煙雨淒荷塘。」

她又觀賞池伯的墨寶，讚揚他才華橫溢。

「不錯！他的詩作和書法皆了得。」淙伯訴說。他懷念故人，借用其文房物品，草草題了兩行字：「池兄登高天空闊，我輩浮沉滄海活。」

「果然真人不露相！」綸姐錯愕。

「我與池伯共處多年，多少受他薰陶。」

「過分謙虛就是虛偽。」她單手捂嘴，單手插腰。

淙伯板起臉，綸姐假裝看不見，繼續執拾東西。

（二十一）

考試期內，姐姐獨自溫書，妹妹則需家長督促，晚上南姨不看電視，

陪芷溦溫習。翌日南姨一早起床弄早餐，孩子吃完便上學，她的上腹隱隱作痛，照常上教會當長者水墨畫班導師。活動室有九名學員上課，大都專注於作畫，其中一名婆婆留意到南姨神情有異，開口慰問：「向太，身體不適嗎？」

「妳真眼尖！」

「不要勉強，提早下課亦無妨。」

公公插話：「看樣子，妳要好好休息，毋須勉強堅持。」

其他學員也幫腔。

「我可以應付下去的，大家不必擔心。」

「不如我們為妳祈禱。」婆婆帶領眾人禱告：「主啊……阿門。」

「阿門。」南姨感謝學員代禱。

下課後，南姨的腹部仍然腍痛，學員建議她儘快看醫生，但她沒有求診，以為患上腸胃炎，稍後服用腸胃藥便可，她著急買菜回家弄午飯，因為芷溦考試完畢便放學。孩子考試是家長最看重的日子，偏偏東叔出差，幫不了忙。她拒絕茜瓦分擔家務，親自打理，並為芷溦補習，足足忙碌了一整天。她有定時服藥，右下腹痛楚有增無減，晚間開始發燒。孩子要準備考試，南姨怕她們憂慮，影響應考的心情和成績，不敢張揚。她暗地服食強效止痛退燒藥，相信睡一覺便會好轉。

翌日，南姨腹部持續劇痛和噁心，仍如常為孩子預備早餐。她不時按肚子，狀甚痛苦，茜瓦問她：「媽媽，您不舒服？」

「沒大礙。」

「姨姨，我想中午吃炒米粉。」

「好啊！」

「媽媽，不要耽擱，快看醫生。」

「我自有分數，妳們放心上學。」

孩子一出門，南姨躺在梳化上痛不可支，自行召喚救護車就醫。醫生診斷其病情，認為她急需接受腹腔手術。南姨大驚失色，放心不下孩子卻不得不接受手術。她趕忙聯絡在越南公幹的丈夫，他決定提前回港。

來不及多等一天，她通知女兒，囑託她安排飲食兼顧妹妹。茜瓦臨危受命，飲食不成問題，但她牽掛母親又要督導妹妹，自己深夜才溫書。

「姐姐，快起床。」幸虧妹妹叫醒，否則耽誤考試。她們匆匆出門，路上妹妹傾訴：「姐姐，我想放學後探望姨姨。」

「我也這麼想，不過傍晚方可探病。爸爸今天回家，稍後商量吧。」

（二十二）

淙伯遷就院方的房間編配，騰空其雙人房供一對老夫婦入住。他行動自如，長期佔用院舍下層宿位，著實浪費資源。他調往樓上單人房，地方雖狹窄，只得屋頂氣窗，但二樓院友毋須使用輪椅，公共空間因而寬敞。淙伯只要靠近露臺，熟悉的榕樹就在眼前。老人家來石仔嶺陪伴老樹成長，老樹也陪伴他們安享晚年，每逢看見老樹，好比與老朋友會面，格外親切。

石仔嶺附近的塱原濕地是一大片以水田耕作的農地，有菜田、蓮藕池、沼澤等，還有魚塘，吸引候鳥棲息和繁殖。每逢冬季，大量候鳥南下過冬，日出和黃昏時分，牠們飛翔覓食。淙伯年輕時愛好攝影，帶備重型拍攝工具到塱原拍攝雀鳥。入冬後天氣轉冷，他無懼寒風，在露臺眺望天空的飛鳥，回味逝去的光影。當下他身無長物，更專心觀鳥，牠們彷彿專誠來訪心田，慰藉其孤寂的心靈。

（二十三）

孩子在家靜候，直至下午四時東叔才出現，尚未安頓，芷澂趨前提出要求：「叔叔，我跟您探望姨姨，可以嗎？」

「芷澂，醫院多病菌，小孩子抵抗力弱，不宜探病。」

「爸爸，我也想探望媽媽。」

「妳要準備考試，又要幫手看管妹妹，在家溫習好了。」

「我很擔憂媽媽。」

「不必擔憂，並非甚麼大手術。」他坐立不安，接著說：「我買了下午茶給妳們。妳專心溫書，晚飯留待我回來弄。」

「叔叔，儘快回家。」

文學播種

「嗯。」

之後東叔帶備日用品來到病房，妻子在床上瞌睡，他喚醒她。淮南張開倦眼，應了一聲。

「妳很累？」她點頭，他握著妻子的手，問：「傷口痛嗎？」

「麻醉藥效力過後有些疼痛。」

東叔看見床頭標示「禁止飲食」，又問：「何時才可飲食？」

「護士提示手術後六小時內不得進食，若無嘔吐和腹脹，才可以吃流質食物。」妻子的聲音微弱，東叔用紙巾沾水，潤濕其乾澀的嘴唇，她問：「孩子好嗎？」

「她們著緊妳，好想跟我前來。」

「我亦記掛她們。」

「今晚大家視像通話？」

「也好。」

「預計何時出院？」

「醫生解說，單單患上闌尾炎並不複雜，只要接受腹腔鏡手術，兩三天就可出院。可是我延誤治療，盲腸潰爛穿破和腹部膿瘍，引致急性腹膜炎，至少留醫兩星期。」

「妳今次拖出禍來了！」

「只怪自己拖延，唯有自食其果。孩子明天考試，你快回去弄飯，今晚視像通話再談吧。」

「安心休養，我明天再來探妳。」

「好的。」

（二十四）

院方定期安排護理員為院友剪髮，淙伯嫌服務不專業又漠視衛生，寧願自費光顧相熟的理髮店。他的頭頂光禿，周邊的銀髮恍若老榕樹懸垂的氣根參差不齊，一早乘小巴往上水，剪髮前先上大茶樓。

他飲完早茶便踏進理髮店，隨即傳來熟悉的聲音：「淙，你久沒光臨。」

淙伯迎上前，笑說：「大老闆親自坐鎮！」

「大老闆何用坐鎮？竟然不知我是大將軍。」胖老闆挪開肚皮上面的報紙，腹部奇峰突出。

淙伯回話：「失覺了，將軍恕罪！」

「哈哈！哈哈哈！不知者不罪。」老闆坐在雙人梳化，他拍一拍身旁的座位，說下去：「兄弟聊一聊吧。」

梳化殘舊鬆軟，坐墊早被老闆壓垮，淙伯一坐下，兩老的臀部緊挨。背後三數髮型師分別為客人理髮，旁邊女工幫客人沖洗頭髮。

「這店指望你來光顧，可要結業了。」

「舜，我的頭髮稀疏又長得慢，藉理髮為名來坐一會罷了。你做年輕人的生意，怎會在乎這些稀客？」

「做生意，哪會嫌多？」

「店舖既由兒子接手，就別管生意多寡，享受人生好了。」

「對！『萬般帶不走』，一分一毫也帶不走，有瓦遮頭應當滿足。」舜伯指著報紙，問道：「政府落實新界東北發展計劃，石仔嶺所有院舍將會消失？」

「是的。枉費院舍代表向官員下跪求情，院舍的去留任由政府擺布。」

「新聞指古洞北新發展區工程分兩期進行，你所屬的院舍列入哪一期？」

「第一期。」

舜伯驚訝：「豈不是首當其衝？」

「沒奈何，政府要先清拆北面的院舍，騰出土地以興建交通交匯處及上蓋住宅。」

「怎辦？」

「院友紛紛物色老人村內其他院舍，別無選擇下，連口碑差劣的院舍也得要接受。」

「你呢？」

「院舍下層宿位供應緊張，不足以滿足需求，活動自如的院友選擇較

多，我僥倖覓得一個二樓三人房的空缺。」

「要恭喜你了！」

「不值得恭喜，因為三年後全面清拆。」

「搬來搬去，害苦老人家。」

女工召喚下一位客人，舜伯說：「輪到你。」

淙伯站起來，跟隨女工內進，舜伯也起來伸懶腰，梳化的軟墊深深塌陷。

<h2 align="center">（二十五）</h2>

一接通視像通話，愛的呼喚不絕於耳，姐妹爭相吶喊：「媽媽……」、「姨姨……」，使南姨感動不已。姐妹意猶未盡，渴望與她面對面，南姨亦想親近孩子，丈夫答允周末帶她們探訪。茜瓦和芷激興奮莫名，當晚即商議大計。

「姐姐，我想送一份禮物給姨姨，盼望她早日康復。送甚麼？」

姐姐思考片刻，並無直接回答，將一張白紙裁成正方形，然後左摺右摺。妹妹叫出來：「紙鶴！」

「紙鶴用來祝願健康，合適不過。」

「妳教我摺紙。」

「我們用手工紙，各摺一隻小紙鶴，用線吊在玻璃瓶內。」

「姐姐，我想在紙鶴下面懸掛一個小紙牌，寫上祝福。」

「好主意！」

<h2 align="center">（二十六）</h2>

醫院規限每次探病人數，東叔先讓孩子探望，她倆在病房左顧右盼，南姨先開腔：「我在這裡啊。」

姐妹一擁而上，爭著叫：「媽媽」、「姨姨、姨姨」。

「我的寶貝！」南姨張開雙手，緊抱孩子。

病房有其他人探病，南姨眼中只有一雙女兒，淚眼中小妮子分外嬌俏動人。

「媽媽，我天天想念您。」

「乖！」

「姨姨，我晚晚想念您。」

「為何晚上才想念姨姨？」

「自從您入院，許多事情我也要親自動手，白天太忙了。」芷澱一時間變得世故。

南姨發笑：「只怪姐姐和叔叔偷懶。」

「別責怪姐姐，她挺忙。」她輕聲說：「要不是叔叔躲懶，早就接您回家。」

「姨姨未痊癒，叔叔也沒法子。」

茜瓦搭話：「一陣子我向爸爸告密。」

「姐姐，不許告密！」芷澱掩著茜瓦的嘴巴，接著轉移話題：「我們有東西給您。」

姐姐從布袋拿取禮物，交給妹妹，讓她親手送上。南姨欣欣然接收，定睛一看，它是一個闊口的玻璃瓶，內藏一對小紙鶴和祝福牌，粉紅鶴的下款為「安康」，紅鶴則為「健壯」。

南姨讚賞她們的心思和誠意，芷澱問姨姨：「您猜哪一隻紙鶴由我製作？」

「不用辨別字跡，單從顏色也知道紅鶴是妳的傑作。」

「姨姨真聰明！哪一隻好看？」

南姨不假思索回答：「妳最好看。」

妹妹喜上眉梢，姐姐打趣：「妳是一『隻』——」

芷澱撒嘴抱怨：「姐姐欺負我！」

南姨正要開口，茜瓦搶話：「我出去調換爸爸入來。」

她迅即溜走了。

<h2 style="text-align:center">（二十七）</h2>

儘管院舍生活簡樸，老人家別無所求，只求安穩過活度過餘生。可是第一期清拆計劃已經落實，他們的卑微心願盡皆落空。院友必須在限

期前搬走，部分長者未有著落，聽候有關部門發落。多年來大家朝夕相對、有說有笑，員工大都友善，悉心照顧院友，還有熟悉的環境，以及親手栽種的庭院植物，這一切一切皆留不住。臨別在即，離愁別緒高漲，淙伯連夜失眠。

堯伯協助淙伯搬遷，自身找不到村內宿位，將會入住元朗的院舍，此後兩老各散東西，也許後會無期。遷居後淙伯與兩名室友同住，其中一人不修邊幅，床鋪凌亂不堪又囤積雜物，個人衛生欠奉，弄得房間臭熏熏。淙伯初來甫到，不便過問，甚少留在房間。院友身故的身故、搬走的搬走，喝早茶時老朋友寥寥無幾，食不甘味。過往，他澆花剪草、栽種木瓜和番茄便打發半天；如今，院舍另有專人打理，他失去細藝，杳無生趣，閒來無事就四處逛。第一期工程展開，四周架設了圍板，淙伯預料不久老人村的寧靜必然遭機械聲打破，屆時沙塵滾滾、塵土飛揚。即使地盤未正式動工，他赫然發現工地內三株老樹已飽受摧殘，其中兩株被削去近半樹冠，另一株則被金屬圍板壓毀部分樹根。淙伯深諳政府容不下窒礙社會發展的老人，沒料到官員作出保育的承諾亦只是空話，連老樹亦受株連。他很憤慨，想藉傳媒引起社會大眾的關注，揭發幕後黑手。

<h2 style="text-align:center">（二十八）</h2>

出院僅僅數天，南姨接獲社會福利署中央寄養服務課的通知，得悉芷澂的親生母親要求領回女兒。她早有心理準備，芷澂早晚會離開，一旦與家人團聚、接受領養或成年獨立生活，照顧服務就中止。話雖如此，她不堪突如其來的打擊，頭昏腦脹。

南姨好想第一時間坦誠告之，然而丈夫公幹，未曾與他商量，她不敢貿然告訴芷澂。南姨怕她接受不了家庭轉變，又怕她與親母一時間相處不來，以致坐立不安，直至聯絡到丈夫，她才安定下來。他認為家庭團圓是莫大佳音，因此事不宜遲，趁茜瓦補習未回家，她向芷澂表述。芷澂聽到自己要返回原生家庭生活，了無喜悅，接著哭起來。

「姨姨，我不要團聚！」

「傻孩子，媽媽接妳回家，應該開心才是。」她替芷溦拭淚，自己淚光閃閃。

「有甚麼值得開心？我一出生，她便拋棄我。」

「她可能有苦衷，妳要體諒，姨姨也不捨得妳走。」

「您可以收留我。」

「姨姨無權收留妳，亦不想拆散妳們。」

「我不管！我要留下來。姨姨，您幫我想辦法。」

「我真的無可奈何。」

芷溦淚汪汪，南姨於心不忍，與她一同哀傷。茜瓦回家，看見媽媽苦惱和妹妹悵惘的樣子，她未過問，芷溦就主動訴苦。茜瓦得知後悶悶不樂，她不知團圓對妹妹是好是壞，只知道對自己一家必然是一個壞消息。一家人感情深厚，怎捨得分開？妹妹情緒低落，姐姐感同身受，換轉是她自己，也難以面對將來。茜瓦摟著芷溦說：「妹妹，不管將來如何，我們的關係永遠不會改變。」

妹妹抱緊姐姐，不停抽泣。

<h2 style="text-align:center">（二十九）</h2>

新聞報道古洞老人村要配合新界東北發展，引致部分老人家「一遷再遷」，晚景淒涼。南姨探問伯父的去向，驚聞他是其中一分子，她趁芷溦未回歸親母，母女仨再遠赴石仔嶺。重臨舊地，上次到訪的院舍已被圍封，芷溦高呼：「妳們看。」

她們望過去，兩株老榕樹被削去一半樹冠，慘不忍睹。

茜瓦憤憤不平：「老樹好端端，遭受這樣摧殘，實在太過分！」

「此情此景令人心痛。」南姨搖頭嘆息。

天氣清涼，她們走路特別輕快，不一會踏足一條圍圃小徑，傳來悠揚樂韻，妹妹稱讚：「真動聽！」

姐姐循聲音的來源張望，瞧見榕樹下有老翁吹奏口琴，不禁訝異：「伯公！」

南姨豎起食指,放在唇邊:「別打擾他。」

三人駐足傾聽,芷漵衝口而出:「姨姨,《真的愛妳》啊!」

隨著音樂泛起歌詞,「請准我說聲真的愛妳」在南姨的心頭蕩漾。

何曾

（一）

　　盛傳國際巨星發哥熱愛遠足，不時在大帽山郊野公園、城門水塘、元荃古道等地方出沒。週日庭琛帶同兒子前往元荃古道，盼望一睹巨星的風采，更重要的是與發哥合照留念。母子從荃灣下花山起步，初段拾級而上，較為吃力，其後路段平坦易行。初春草木嬌嫩，漫山遍野一片新綠，活潑的小鳥在樹叢中時隱時現，轉眼便失去蹤影。庭琛沿途尋覓發哥的身影，普揚年紀小，對影視明星不感興趣，對花草樹木和雀鳥卻很好奇，憑著鳥聲追蹤鳥兒所在。普揚從路邊拾起一塊小石作勢投擲。

　　母親喝止：「幹嗎？」

　　「我想──」他住手。

　　「小鳥這麼可愛，為何要傷害牠們？」

　　他伸一伸舌頭，答道：「我只想驅嚇牠們。」

　　「為何驅嚇？」

　　「看看牠們慌忙亂飛的樣子，戲弄罷了。」他側一側腦袋。

　　她厲聲斥責兒子：「不要將自己的快樂建築在動物的苦難上！」

　　碰巧途人經過，庭琛住口。他撇嘴，垂頭跟著母親走。

　　「看，那一座就是青馬大橋。」她指向遠方。

　　普揚抬頭遙望，嘖嘖稱奇，他觀賞了好一會才繼續上路，路途迢遙也沒發怨言。發哥──可遇而不可求，臨近元朗大棠，與他緣慳一面，唯有日後另闖大帽山郊野公園、城門水塘，再碰運氣。

　　兒子的鞋帶鬆開了，庭琛蹲下為他綁穩，忽地傳來淒厲的叫聲，普揚驚惶失色，怯懦地摟著母親的腦袋，蹲著的庭琛雙腳抖震，上身晃了

一下。聲音不但沒有止息，反而更哀怨，她驚魂甫定，察覺到它並非人聲，乃是動物的慘叫聲。她撫慰受驚的孩子：「不用擔心，你留在這兒，媽媽看個究竟。」

她踏入樹叢，赫然發現一隻啡色短毛的唐狗正在哀號，牠的右前腿被捕獸器牢牢夾住，動彈不得，渾身顫慄。牠的眼神楚楚可憐，前腿不停濺血，嘴角流血。她戰戰兢兢上前查看，捕獸器好像上下合起來的尖牙利齒，狠狠地咬住不放。她估計，牠曾經極力掙扎，嘗試用口咬開捕獸器，以致嘴巴受傷。唐狗顯然筋疲力盡，眼皮下垂，蜷伏在雜草叢生的陷阱之中。她好想即時幫助牠解困，免受折磨，但憂慮到附近可能機關重重，不敢輕舉妄動。

庭琛返回原地，正巧有途人出現，她如獲至寶，趨前求援。她吩咐兒子繼續守候，兩名男士義不容辭跟隨她進入叢林，他們見狀亦不寒而慄，嗟嘆捕獸手段太兇殘。其中一人先用毛巾掩蓋唐狗的頭部，使牠平靜下來，分別將兩根行山杖交錯地插入鋸齒之間的縫隙內，各自用力向下壓，試圖撬開夾口。庭琛在旁察看，捕獸器太牢固，夾縫只張開少許。男士使勁再撬，夾口張大了，成功在望。劈啪一聲，其中一根杖折斷了，鋸齒合上，唐狗嚎叫。牠痛苦抽搐，拉扯腿部時傷口血肉橫飛，令她慘不忍睹。她一轉身便碰見潛入來的兒子，當場嘩然，隨手蒙著他的眼睛。男士們表示無能為力，為免加深其傷勢，打算向愛護動物協會求助。庭琛贊同，請求兩人代勞，他們樂意跟進，母子先行離開。路上普揚問母親：「小狗真可憐！牠會不會殘廢？」

「不會吧。」她不知牠能否康復，只知道他脆弱的心靈不容傷害，故含糊其辭。

（二）

普揚洗澡時叫喚：「媽媽，水不熱！」

庭琛進入浴室，兒子光著身子，她急忙為他披上大毛巾保暖，接著測試煤氣爐。操作燈無法亮起，從花灑噴出來的水依然寒涼，似乎發生了故障。她只好煲水給兒子洗澡，然後致電求助，煤氣公司未能即日處

理，安排翌日上午派員上門維修。

早上普揚仍在夢鄉，門鈴響起，庭琛應門，對方先開腔：「早晨，洛嫂。」

庭琛回話：「是你——通達，這麼巧！」

通達身穿淺藍色上衣制服，入屋後隨地卸下工具包，如豆般大小的汗珠從他的額頭滴下。庭琛遞上一罐汽水，説：「天氣熱，喝可樂吧。」

「謝謝！」他接過來，把汽水擱在枱上，問：「熱水爐出現故障？」

「嗯，昨天無熱水可用。」

他隨庭琛入浴室，拆開爐具的白色外殼，簡單檢查後動手修理。

「洛嫂，妳過來測試一下。」

她反覆試驗，熱水爐的操作燈回復正常，熱水源源不絕。

「不消一刻鐘便維修妥當，謝謝！」

「不必客氣，小故障而已。要是更換爐具，所費可不少。」

「全賴有你。」

「讓我乘便做安全檢查。」他用儀器檢測煤氣供應裝置，並抄下用量讀數，之後開啟煮食爐。

「部分火焰不穩定。」他説完，關掉爐具又拆下配件，用水清理，又用針尖貫通噴嘴，抹乾後放回原位，再開爐檢視，説道：「現在火力均勻，不過接駁喉管出現老化，如更換不銹鋼織網軟喉，需要收費。」

通達報價，聲稱喉管可用十年，庭琛認為安全至上，同意更換。他工作純熟，一會兒就完成任務，她驗收後在煤氣公司的電子手帳上簽署。

「洛嫂，我要走了。」

「勞煩了，喝可樂。」

他拿起汽水，答謝後道別，臨行前窺探地櫃上故友的相片，黯然離開。她目送通達出門，勾起往事。

（三）

庭琛在醫院的工作間注視電腦屏幕，了解院方分配的個案，自行編排行程。她蹲身執拾手拉式背囊的裝備，除血壓計、血糖機、血氧儀、

探熱器、聽筒和雨傘以外，補充各式物品以確保足夠當天使用。她將背囊放到磅上，重量達六點五公斤，按其體重計算，符合職業安全規格。她與同事在走廊集合，一起做五分鐘伸展運動，之後一同出發，她們穿著藍色制服，有坊間「藍衣天使」的美譽。社康護士的工作不比駐院護士輕省，平日需要外勤，舟車勞頓又日曬雨淋。庭琛工作繁重，日常為病人護理傷口和造口、更換導尿管和胃管、抽血、靜脈注射，並向病人及其家屬灌輸預防及治療的知識。她喜歡社康工作，因為它將醫院的護理服務推展到病人家中，有助醫院減輕求診的負荷，而且有利不便求診的病人，提供適切的家居護理服務。

庭琛拉著大背囊，來到深水埗一幢唐樓的出入口。她按下伸縮桿，背起比保齡球更重的背囊，一口氣登上六樓，她習以為常，不甚吃力。樓宇「一梯兩伙」，其中一戶門外貼上通告，展示該單位已被收購。庭琛家訪的是另一戶，她按門鈴，等候片刻無人應門，用力叩門依然沒有回應。她致電病人，屋內傳出鈴聲，電話接通了，對方高聲呼應：「喂。」

等候良久，一名老婦打開門。

庭琛入屋前先自我介紹：「婆婆，您好！我是曾姑娘。」

「啊，陳姑娘。」

她湊近老婦的耳邊，大聲說：「不是陳姑娘，我是曾姑娘。」

「嗯，陳姑娘。」

老婦的聽力明顯欠佳，庭琛也就不糾正了，反正類似的事情時有發生。她在門口穿上鞋套，把背囊卸在墊紙上，以保持受訪者的家居衛生。婦人獨居，最近接受腸癌切除手術，回家休養。老人家按照指示躺在床上，捲起上衣、拉低褲子，庭琛在床邊攤開消毒包，先為病人檢查，然後消毒傷口。

「婆婆，傷口痛不痛？」

「甚麼？」

庭琛大聲複述：「傷口痛不痛？」

「不痛。」

「那就好了！傷口無發炎，未來幾天要繼續護理。」

老婦似乎聽不清楚，庭琛慢慢複述一遍，對方表示明白。婦人患糖尿病，庭琛清理用品後取出血糖機，為病人量度血糖指數。

「婆婆，您的血糖正常啊。」

「謝謝！」

庭琛還要為老人家跟進藥物，監察其服藥情況，以及進行家居安全評估。當一切辦妥，婆婆稱心，給她一杯涼水，庭琛答謝後道別，婆婆送她出門口。庭琛提著背囊走下兩層樓，樓下傳來嘎吱的聲音，她覺得不尋常，靜悄悄靠近梯間的轉角處，暗地裡查看究竟，她大吃一驚，有賊人正在撬門。庭琛立即折返樓上致電報警，繼而監視賊人的一舉一動，暗中拍攝，突然有人叫喊：「捉賊！」

事件敗露，賊人匆匆衝下樓，被一名年輕人攔截，青年站在梯間，雙手張開阻撓。賊人氣急敗壞，猛然伸一腳，青年被踢中腹部，倒後時頭部撞到牆壁，嘭然作響，他應聲栽倒，工作包丟在身旁。賊人乘機跨越，冷不防青年伸腿，賊人被絆倒，一腳踏空，踉蹌摔下樓梯。賊人未站穩便拔足逃走，青年追趕，賊人憤而用手上的鐵筆襲擊青年。青年用手擋架，左前臂被打傷，慘叫一聲，縮回手臂。賊人脫身，失去了蹤影。

庭琛目睹整個過程，一時嚇呆了，她下去慰問青年：「你怎麼了？」

他回答：「還好。」

「你已經盡了力，算吧。我是社康護士，讓我幫你清理傷口。」

「一看妳的制服就知道了。我要趕快上門工作，傷勢不算重就容後處理，謝謝！」他拾回工作包便舉步。

「且慢！」警長掩至，另有一名警員押解著剛逃脫的賊人，警方要求現場人士協助調查。

庭琛訴說：「病人等我上門護理，現在非走不可。可否稍後到警署錄取口供？」

青年亦表示要按時為煤氣用戶解決急務，不容有失。警長通融，暫且登記兩人的身分證號碼，並叮囑青年儘快驗傷。

「Yes，sir！」他説完便拾級而上。

「Thank you，sir！」她説完便往下走。

（四）

深水埗區食肆繁多，洱洛饞嘴，乘外勤工作之便，到處品嚐美食。昨天他捉賊受傷，今天如常工作，先到汝州街，在街頭的茶餐廳吃早餐，享用香滑奶茶。

昨天庭琛捉賊有功，今天心情仍然興奮，她前往汝州街，在街尾的咖啡店品嚐一杯特濃咖啡。

工作半天，洱洛完成了福華街的任務，獨自尋找午膳的地方。他喜愛海南雞飯，不假思索踏進一家專賣店。

工作半天，庭琛完成了福華街的任務，獨自尋找午膳的地方。她喜愛海南雞飯，在一家專賣店門前卻步，考慮到雞普遍含有危害女性健康的激素，結果過其門而不入，惠顧對面的素菜館。

忙碌一整天，洱洛返回公司報告，下班後前赴明愛醫院，探望因工受傷的同事——通達。他探訪前肚餓，就在元州街一家粉麵店先吃一碗魚皮餃麵。

忙碌一整天，庭琛下班後離開明愛醫院，就在元州街一家糖水舖吃陳皮紅豆沙。

洱洛的座位接近門口收銀處，他點了一碗水餃麵，結賬後帶走。庭琛吃完糖水，另外買了一碗綠豆沙，接著到隔壁的粉麵店購買一碗雲吞麵。

粉麵店老闆説道：「小姐，請稍候，坐一會吧。」

她不想妨礙他人出入，近門口有單獨座位，她坐下，臀部暖洋洋，估計客人剛剛離去。

（五）

庭琛攜著外賣到隔鄰青山道一幢商業大廈，登上十七樓，按動「淵明陶藝工作室」的門鈴。穎頤一開門即抱怨：「等妳出現，我差點兒餓死了！」

「先讓我內進，」庭琛把食物交給穎頤，端詳她的模樣，嘆息：「怨婦餓得可憐！」

穎頤掀起圍裙半遮臉，嬌聲嬌氣：「我雲英未嫁，怎麼說成婦人？」

庭琛撥弄穎頤的頭髮，笑說：「妳白髮參半，還裝作少女。」

「『五十步笑百步』，妳何嘗不是未嫁的婦人。」

「不嫁由得我，出嫁由不得我。」

「無人娶妳的話，我娶妳。」

「無聊！」庭琛指著食物，問她：「妳不是餓得要命嗎？」

「太餓了，趁未授課吃些東西。」穎頤打開盒蓋，刺激食慾的香氣使她餓上加餓，活像餓狼一樣左吞右噬，吃麵又吃糖水。

工作室四周存放了林林總總的用品，木批、刮片、泥弓等拉坯和修坯的工具之外，窗前有多臺拉坯機，牆角有兩臺電窯爐，還有大量釉料，以及層架上未完工的作品。將近開課，學員陸續到來，與陶藝導師打個照面。穎頤準時授課，八名學員穿上圍裙，圍著工作臺搓泥，擠掉泥團中的空氣，以防燒製陶坯時出現氣泡或裂紋，揉好後才放到拉坯機。他們坐下來，張開雙腿，雙手拿捏在轉盤上旋轉的泥團，陶造清酒酒瓶。庭琛擔任助教，當學員做得不妥善，她從旁指導，協助他們控制轉盤速度，以及掌握拿捏的力度和技巧，從而塑造出雛形。隨後學員練習修坯，使坯體勻稱雅觀，穎頤會逐一檢視作品，示範修飾的竅門。

「大家的作品初步完成，由於入窯之前需時風乾，燒窯的工作交由我們代勞。大家可有問題？」

有學員舉手發問：「燒好便大功告成？」

「尚未完成，下一堂大家還要在酒瓶表面設計圖案、塗上釉料，親自將作品送入電窯爐再燒製一次，使陶瓷明亮光滑。」

另一位學員問：「酒瓶可以拿來飲用嗎？」

「當然可以，我們採用的是硬釉，具有抗酸、抗鹼、抗刮的特性，合乎食用器皿的規格。」穎頤解說，再問：「有沒有其他問題？」

學員搖頭，穎頤宣布：「今堂到此為止，再見！」

學員乘興而來、盡興而歸，庭琛留下來與穎頤善後。

「庭琛，勞煩妳了，稍後我們吃甚麼？」

「吃粥好嗎？」

「我正想吃及第粥，工夫留待明天，我倆出發吧。」

「好啊！」

（六）

全港市民更換身分證計劃已經展開，洱洛按其出生年分於指定的換領日期內，到西九龍身分證中心辦理。他提前到達中心，驟眼一看，換證的市民寥寥無幾，不及在場的職員人數多。雖然如此，預約時間未到，他仍要等候。他隨意在通道旁的座位坐下，下午要上班，他趁機閉目養神。

庭琛遲到，急步走入西九龍身分證中心，一時匆忙，險些踐踏到他人的腳掌，幸好來得及止步。她停下瞄一瞄，一名與她年齡相若的男子正在瞌睡，他垂著頭，下巴貼近喉嚨，身體滑下，雙腿伸直，佔據部分通道。她跨過去，上前找職員協助，未幾便獲接見。

洱洛縮腳，看一看指示器，剛好召喚他的籌號。他站起來，前往指派的區間，一坐下便發現對面的區間有一張似曾相識的臉孔。與此同時，她也望過來，恰巧職員叫喚，他轉移了視線。洱洛驀然想起她就是最近偶遇的社康護士卻不便離開座位，直至辦完手續，她杳然無蹤。他跑到大門口也不見她的芳蹤，懷著得而復失的心情離去，忽然有人從後繞上來問他：「可記得我？」

洱洛停步答話：「當然記得，妳好！」

「你的傷勢怎樣？」

「無大礙，姑娘。」他喜出望外，竟然失而復得，不自覺流露出燦爛的笑容，問她：「妳往哪裡去？」

「港鐵站，你呢？」

「也是，一起走？」

「好的。」

「妳在深水埗區工作？」

「嗯，你呢？」

「一樣。平日我在區內屢次遇見社康護士，當中可能有妳。」

「我亦不時碰見煤氣公司維修人員，當中可能有你。」

「要不是碰見爆竊案，我們也不會碰面。」

「大家在同一區工作，說不定隨時遇見。」

「若下次相遇，怎麼稱呼妳？」

「曾姑娘。你呢？」

「洱洛。」

「以諾，你是基督徒？」

洱洛搔頭，反問：「為何叫洱洛就是基督徒？」

「因為以諾是聖名。」

「不！洱洛不是『姓名』，我姓何，何洱洛。」

庭琛覺得對方有點愚鈍，懶得應酬下去，藉口如廁，竄入商場洗手間。洱洛按照姑娘的指使，毋須等候，自行走了。

（七）

窩仔山在深水埗區悄然屹立，從其四周回望，山丘殊不起眼，市民大多不知它的存在。昔日洱洛在山腳下中學就讀，因利成便，常與同學上山嬉戲。區內人煙稠密，這座小山鄰近民居又容易上落，招徠不少街坊。他們一登山徑，猶如進入隱世花園，擺脫塵囂鬧市，回歸自然。有熱心人士自發開山闢路，建造小型花圃及許多健身設施，並且設置大量乒乓球枱，令平平無奇的山野之地增添吸引力，為民眾提供免費的康樂場地。

洱洛和通達趁休假到窩仔山，乒乓球枱散布在山腰和山腳，多達數十張卻無一閒置。滿以為撲空，湊巧有人離場，他們如獲至寶又怕被人捷足先登，快步下山佔用。球枱單獨設置，位於山徑旁一塊自行開墾的泥地上，沒有旁人，兩人一邊打球，一邊暢所欲言。藍色枱面上球來球往，乒乒乓乓響個不停。

「通達，日前我更換新分證，在換證中心與爆竊案中的護士重遇。」

「這麼有緣，你豈不是很高興？」

「是的。」

「這麼高興，看來她不錯。」

「是的。」

「你們有沒有交換電話號碼？」

「正有此意，不過不敢提出。」

「未免可惜！」

「她在這區做外勤工作，說不定他日在街上見面。」

「機會可一不可再，要珍惜機會，好好把握。」

「對！乒乓球枱得來不易，我們也要好好珍惜。」洱洛迅捷反手抽擊，把乒乓球擊落在對手的枱角。

通達跑到場邊檢拾乒乓球，洱洛面向石階，兩名女士正好經過，當中有她的倩影。他喜孜孜呼喚：「曾姑娘。」

「又遇到你！」庭琛望過來，表情錯愕。

她們在石級停留，洱洛上前邀請：「一起打球？」

庭琛遲疑不決，回話：「我們沒帶球拍。」

「不要緊，我倆各自帶備橫拍和直拍，任君選擇，來吧。」

她們隨同洱洛走近球枱，互相介紹後，洱洛終於知道曾姑娘的名字，同時認識她的朋友穎頤。洱洛說清楚自己的名字，以及同事通達。因應男子組與女子組對壘強弱懸殊，其後改為男女混合雙打，庭琛夥同洱洛，穎頤則與通達合作。大家打球時談笑風生，談及各自的工作和嗜好，一提及陶藝，洱洛既好奇又嚮往。

穎頤探問：「可有興趣參加我們的陶藝課程？」

洱洛問通達：「我有興趣啊，你呢？」

通達回應：「我對靜態的活動提不起興趣。」

「陪我參加？」

通達搖頭。

庭琛插話:「不必勉強,專心打球。」

他們開始比賽,洱洛和庭琛的組合略勝一籌。打完球,她們要繼續行山,洱洛和通達相陪,不一會上到山頂。所謂山頂,只不過是一塊平地、一座棚架,以及寥落的樹木。

穎頤問:「哪有配水庫?」

通達答道:「就在我們腳下。」

穎頤驚訝:「埋藏在下面!」

庭琛打岔:「與神一樣,看不見不等如不存在。」

洱洛問:「妳是基督徒?」

「是的。」

通達問穎頤:「妳也是教徒?」

「嗯。」

通達問她們:「教徒要返教會?」

庭琛反問:「攀山者不攀山,還自詡攀山者?」

洱洛同意:「正如廚師,怎能不入廚房!」

穎頤說笑:「你比想像中聰明。」

洱洛追問:「是褒還是貶?」

庭琛直言:「你不比想像中聰明!」

洱洛掩飾不了窘態,一笑置之。

(八)

縱然陶藝班收費絕不便宜,洱洛樂意參加。他看過經典電影《人鬼情未了》,覺得陶瓷製作很優雅,若夥同異性,肯定比起乒乓球男女混合雙打浪漫得多。他懷著追求浪漫的心態上去「淵明陶藝工作室」,連他在內只得四名學員,由穎頤單獨教導,不禁大失所望。

他私下問穎頤:「庭琛不是在這裡當助教嗎?」

「不錯。若果學員人數較多,她會來助教。」她留意到他有點異樣,蹙眉反問:「你好失望,後悔報名?」

「怎會呢?」洱洛面紅耳熱。

穎頤無暇深究，準時授課。所有學員穿上圍裙，圍著工作臺搓泥，擠掉泥團中的空氣，以防燒製陶坯時出現氣泡或裂紋，揉好後才放到拉坯機。洱洛坐下來，張開雙腿，雙手拿捏在轉盤上旋轉的泥團，陶造清酒酒瓶。當學員做得不妥善，穎頤會從旁指導，協助他們控制轉盤速度，以及掌握拿捏的力度和技巧，從而塑造出雛形。隨後學員練習修坯，使坯體勻稱雅觀，她會逐一檢視作品，示範修飾的竅門。穎頤當眾稱讚洱洛有天分，作品稍勝其他學員一籌，他自稱從事手工技藝，純粹工多藝熟而已，相信與天分無關。

（九）

到了陶藝班最後一堂課，洱洛眼睛發亮，只因庭琛在面前出現。由於穎頤患上腸胃炎，臨時安排她代課。一見洱洛，她即展露笑容，蘊含的親切感使他興奮莫名。

她與穎頤的教導方法大同小異，但庭琛授課時有意無意之間加入了一些元素。搓泥時，她提到泥和水必須調和得當，太乾或太濕都不行，必須重視平衡。庭琛借題發揮，表述待人接物太強硬或太軟弱亦不行，講求中庸之道。學員拉坯的時候，她強調「定中心點」非常重要，偏離的話，陶坯受力不均便傾斜塌陷，故此處事也要堅定不移，萬全穩妥。至於操控拉坯機，學員需要手腳協調，力度均勻，陶坯要保持柔軟，才可以均衡地拉長拉闊。同一道理，人不能僵化，擴闊眼界和胸襟，嘗試接受新事物，凡事不可強求，宜適可而止。經庭琛闡揚，陶藝不僅是一門藝術，還包含人生哲理，大家都聽得津津有味。

課堂結束，學員請庭琛向穎頤老師轉達問候，祝她早日康復。他們散去，洱洛留下來幫她收拾東西。

「庭琛，餓嗎？」

「有點兒，你幫完忙，我請你吃東西。」

「謝謝！吃粥好嗎？」

「不！」

洱洛沒趣，她說下去：「我想吃鹹肉糭，陪你吃粥吧。」

他高興得不得了。

（十）

下班時候，洱洛告訴通達：「我今晚要上陶藝班。」

「你不是剛剛完成一個短期陶藝課程？」

「是的，學完拉坯，另學習手捏陶瓷。」

「你真的這麼熱衷？」

「陶藝趣味盎然，真的令人愛不釋手。」

「除此之外，你另有所圖？」

「別瞎扯。」

「不承認也罷，何時有空打乒乓球？」

「也得要庭琛和穎頤有空。」

「果然有雙重目的！」

「瞎說！大家聯誼，正常不過。」

「如若我倆打球，時間容易配合，你偏要與女孩子聯誼。」通達一臉不屑。

「待人處事太僵化，與乾硬的陶泥無異，失去了可塑性。」

「說甚麼泥？甚麼僵化？甚麼——」

「即是內心要軟化，不再故步自封，擴闊社交圈子。」

「熱鬧也好，就由你安排。」

「上窰仔山？」

「未嘗不可。」

（十一）

庭琛與洱洛偶爾在街上相逢，彼此明白外展工作的艱辛，互相打氣。病人全賴社康護士提供護理服務，態度普遍良好。煤氣客戶有所不同，部分用戶遇到故障時反應強烈，藉故向維修人員洩憤，員工無辜成為代罪羔羊。洱洛性情急躁剛烈，工作上卻要忍氣吞聲，難免氣憤難平。他接受庭琛的意見，嘗試藉手工藝來陶冶性情。若遇上不如意的事情便親近陶泥，嗅一嗅它的氣息，輕柔地觸摸，心情自然會平復下來。

洱洛喜歡手捏陶瓷製作簡單，毋須使用拉坯機又不必局限於圓形陶器，隨心所欲創造不同形狀的工藝品。他投入創作，專心致志打造餐桌器皿及案頭擺設，他將情感投射到物件上，不經意撫平了內心的激盪不安，自自然然開朗起來。製作工序繁多，沒耐性不行，他當作磨練，久而久之，性格變得冷靜平和。

洱絡與穎頤熟絡後，有時帶同自製陶泥塑型到工作室上釉、窯燒，每次開窯，他都會非常緊張。無論如何盡心竭力，燒製出來的陶瓷未必符合預期，免不了有些瑕疵。庭琛提過無東西是完美的，陶藝家並非追求完美成果，乃是享受過程。陶藝的基本功是懂得放下執著，既然作品不盡如人意，也就連同瑕疵一併接納。

<h2 style="text-align:center">（十二）</h2>

天氣異常溫暖，南昌公園的黃花風鈴木驟然綻放，消息傳出後迅即吸引大批市民遊園賞花，當中包括蜜運中的他和她。洱洛與庭琛在黃花夾道的石路上漫步，宛如置身金黃花篷下的閨房，溫馨醉人。她穿著桃紅色碎花裙。在黃花和青草之間舞動，風姿綽約。她輕輕搖動他的臂彎，舉手指向一隻在枝頭棲息的雀鳥。他倆視線一致，觀察著牠的一舉一動。除了雙肩和肚腹局部白色以外，鳥兒全身羽毛幾乎都是藍黑色，尾巴長度與軀幹不相上下。牠停留期間鳴叫連聲，一拍翼就飛走了，樹梢上的花朵搖曳生姿，格外賞心悅目。

洱洛問：「甚麼鳥？」

庭琛隨口說出：「喜鵲。」

「牠來報喜？」

「甚麼？報喜！」她愕然。

他隨意應對：「風鈴木盛開，喜事自然來。」

「出口成文！難以相信出自你的嘴巴。」她鼓掌。

「別小覷，我的中文成績不差。」

「自以為了不起，其實那兩句算不上對稱工整。」

「與陶瓷一樣，不免有瑕疵，只諦視瑕疵就會忽視整體。」

「不愧好學生。」

「學生要交功課給老師。」

「拿來吧。」她攤開雙手。

「這裡人多，我倆往別處去。」

「哪兒？」

「跟我來。」

洱洛帶庭琛到一塊青草地，草坪上有波浪般高低起伏的「草座椅」。她坐在凸起的「浪頂」，他則坐在凹下的「浪底」。

洱洛暗中將物件藏在背後，庭琛見狀便催促：「快拿出來。」

他依從，展示其功課，說道：「送給妳。」

她收下的是陶瓷娃娃，造型設計是一對男女坐在「草座椅」上，坐在下方的男孩向坐在高處的女孩獻上一束黃花。她瞪眼顧盼，禮物與面前的情景一模一樣，問道：「你一早部署？」

「嗯。」

「背後有甚麼含意？」

他頓然滑下來，單腳下跪，懇切地求告：「庭琛，嫁給我？」

她始料不及，全然不懂回應，再仔細看娃娃，忸忸怩怩問他：「花束呢？」

「噢！忘記了。」他站起來，從紙袋提取一件東西，再次跪下呈獻信物，情深款款央求：「庭琛，嫁給我？」

她接獲的是一個白色陶瓷水杯，她的手指緊扣杯耳。他開心不已，對她說：「妳應允了！」

「哪有？」

「妳看清楚。」

她拿起杯子，發覺圓形杯耳與杯身表面的紫色巨型鑽石戒指圖案相連，訴說：「取巧！」

「妳的手指穿過了『指環』，即表示應承了。」

「休想騙婚！」

「妳看看杯底。」

她倒轉杯子，發現三個字，不自覺唸出來：「我願意」。

「妳終於說出口了。」

庭琛的嘴角泛起一絲微笑，默許了婚事。

<h2 style="text-align:center">（十三）</h2>

由相遇到相識、相戀、相愛、相許，前後不過一年半載，庭琛轉念一想，感情並非單憑時間衡量，戀情短促，不過濃縮。當初邂逅，她單憑外表判斷，以為洱洛是一名粗人，後來加深了解，他細心體貼兼且志趣相投。自知年紀不輕，沒多餘青春可花，反正人無完美，她認定了對方是長相廝守的佳偶。

除了家人之外，她最想通知穎頤其婚事。穎頤正在咖啡店，一看見她出現，把雜誌擱在小圓枱上，心急問：「究竟有甚麼好消息要當面告訴我？」

「妳猜猜。」庭琛坐下。

「怎麼猜？妳自己說吧。」

「我要嫁人。」庭琛笑容甜美。

「哪個傻瓜自投羅網？」穎頤嬉皮笑臉。

「甚麼傻瓜？他獨具慧眼。」

「究竟是誰？」

「不就是洱洛。」

「哈哈！我一早料到。」

「妳早知道？」

「稍後慢慢談，妳喝特濃咖啡？」

「嗯，再配烤肉卷。」

「加上雞翼？」

「好。」

點餐後穎頤說下去：「洱洛不久前找我幫忙，協助燒製兩件陶瓷，看樣子用來示愛。」

「妳幫他瞞我？」

「我不便過問，最怕他示愛的對象不是妳，以為我好管閒事，通風報信又怕累妳空歡喜。」侍應端上咖啡，穎頤繼續說：「現在可以恭喜妳了，未來何太！」

庭琛笑呵呵。

（十四）

聽見「砰朗」一聲，庭琛心知不妙，立時從廚房走出來，面對一地砂礫，頓時面如土色、目光呆滯。普揚給母親的反應嚇壞了，慌張起來，竄到餐桌下瑟縮一團，瞧見她一雙玉腿。庭琛徐徐蹲下，他窺探到母親發楞的樣子。

陶瓷瞬間化為烏有，「草座椅」支離破碎，娃娃依稀可辨。她凝望著身首分離的男娃娃，拾起來拼湊，無法接合完好。她觸及娃娃手上的小花束，腦海中浮現黃花風鈴木下與洱洛共度良辰美景，以及求婚的情景。庭琛黯然神傷，惋惜訂情信物毀於一旦。她雖懷念過去的美好時光，但信物毀壞帶不走其甜蜜回憶，何苦為一件死物而哀傷失意？

庭琛驀然醒起兒子，她尚未開口，他就哭哭啼啼。普揚聽從母親召喚，從桌下爬出來。

「剛才有沒有弄傷？」

兒子搖頭。

「別哭——」

他遵從，不再嗚咽。

「為何這麼頑皮？」

「我攀高取回乒乓球。」

她查看牆壁上的層架，除了一個白色水杯，還有一個橙色乒乓球貼近牆邊。她挪開杯子，拿走乒乓球，拾起杯子倒轉，重讀杯底的三個字：「我願意」，禁不住咧嘴一笑。

（十五）

婚後庭琛與洱洛入住大圍新居，方便雙方往來深水埗上班。夫婦經

常相約午膳，除了庭琛當助教之外，下班後幾乎形影不離。每逢禮拜日，洱洛陪伴妻子上教會，信仰上他是一個慕道者，渴慕尋求真理。庭琛年紀不輕，丈夫是何家獨子，她渴望在四十歲前生孩子，全然交託給神。

週末睡覺前，她湊近丈夫的耳邊，輕聲吐露喜訊。他假裝聽不清楚，要求她說多一遍，於是庭琛站在床上鄭重宣布：「我有喜！」

「太好了！」洱洛也站起來，兩人手牽手在床上蹦跳。睡床淺窄，她站立不穩，他扶著妻子，提醒她：「妳粗身大細，千萬小心。」

他們倚坐，庭琛表述：「守望將近一年，神終於成全我們的祈盼，感謝主！」

「阿門。」

「明早要上教會，睡覺吧。」她接著關燈，夫妻亢奮，徹夜難眠。

主日崇拜的講道題目是「普天頌揚」，他們聽完道，臨走前庭琛心血來潮回到禮堂。她指著場刊講題，述說：「不單止我們要頌揚神的恩典，普天也要頌揚祂。贊同？」

「贊同又如何？」

「倘若生下男孩子，就叫『普揚』，女孩子則叫『天頌』？」

「普揚、天頌，」洱洛讚許：「普天頌揚，有意思！」

（十六）

作為護士，庭琛明瞭高齡懷孕出現併發症，以及生產過程中危險性都較高。高齡孕婦可能會患上妊娠高血壓，患妊娠糖尿病的風險相當高，增加胎兒患有唐氏綜合症的風險，難產、早產、胎死腹中或夭折的比率亦大增。為保母子平安，懷孕期間她戒吃刺激性、辛辣、生冷食物，甚至連鍾愛的特濃咖啡也戒掉，儘管生活乏味，提不起勁。

她不敢染髮，恐防化學成分影響胎兒的正常發育，頭上太多白髮，每次產前檢查，她特別出眾。肚子越來越大，由一隻平底鑊漸漸演變成炒鑊。工作時她挺起大肚子，就像腰纏一隻重鑊，再肩負比保齡球還重的大背囊上落樓梯，構成雙重負擔。洱洛疼惜妻子，勸告：「社康工作對孕婦來說，實在太辛苦了，倒不如暫停工作。」

「產假猶未開始，怎可以停工？社康護士不用值夜班，於願足矣。」

「換著我來做，也怕承受不了。」

「暫時不成問題，不必替我操心。」

他屢勸無效，也就順其自然，相信神自會保守妻兒。

（十七）

雖說陶藝家大都享受製作過程多過結果，但庭琛並不享受生產過程，嫌痛苦，只看重結果。結果誕下男嬰——普揚，產子比開窯更興奮，片刻之間，兩夫婦為人父母，新生命結合二人之力締造，渾然天成。陶瓷或多或少有點兒瑕疵，孩子不同，在父母眼中，他是完美無瑕的至愛瑰寶。

他們感恩，兒子長得健健康康，五官端正。普揚甚少哭鬧，無時無刻綻放笑容又手舞足蹈，十分逗人喜愛。他日漸長大，牙齒如同含苞待放的花朵綻出，笑口常開，嘴角翹得高高，露出數顆小巧潔白的牙齒。他性格開朗，旁人受感染，無不開懷。

孩子牙牙學語，庭琛教他說話。他說話咿咿呀呀，她問：「你叫媽媽？」

他點頭，她覺得兒子太可愛了。

洱洛定期為兒子拍照，記錄其成長變化，與家人朋友分享喜悅。庭琛認為丈夫欠缺創意，攝影平平無奇，花費請專人為兒子拍攝一輯照片。他們前往影樓，攝影師安排角色扮演，普揚搖身一變，一身籃球員裝扮，在迷你籃球架前弓身拍球。過一會他又變身為赤膊「豬肉佬」，穿起膠圍裙，在豬肉檔的砧板前，舉高膠刀，對著仿製的豬肉作模作樣。此外，影樓有其他有趣的場景、服飾和道具，讓小孩子自然流露真情，由攝影師捕捉生動活潑的場面。家長十分滿意作品，親朋有口皆碑。

（十八）

陶藝班收生最低年齡要求一般為六歲，純粹方便工作室管理，庭琛讓兒子提早接觸類似的玩意。幼兒三歲開始懂得全面分辨顏色，掌握到幾何圖形，手部有能力做簡單的手工，普揚亦由三歲起玩「泥膠」。坊間

的泥膠具有化學成分，不適合作為兒童玩物，可以天然材料代替。她將水加入麵粉，搓弄粉糰，另用紅菜頭、木瓜、芒果和奇異果等食物製成紅、橙、黃、綠色的果泥，然後把這些天然色素分別混合粉糰，以色彩繽紛的東西吸引兒子玩樂。普揚學習擠、壓、拉、捏，用雙手搓粉糰，他最愛揉成球體，不知不覺間鍛煉手部肌肉，並提升手指的靈活性。庭琛教導他製作生活中常見的物件，例如：小魚和菠蘿包，發揮孩子的創作力，她不時給予鼓勵，培養其自信心。洱洛喜歡加入這項活動，共享天倫之樂。

兒子嗜好吃葷多於吃素、喜歡吃雞多於豬牛羊，洱洛靈機一觸，問庭琛可否找穎頤借窯一用，憑藉她倆的交情，當然不成問題。他們利用「淵明陶藝」的空檔時間，帶備材料到工作室，普揚率先入內，呼喊：「Hello，auntie Winnie。」

「乖孩子，久沒來探望 auntie 了，多掛念你！」

「我亦很掛念妳。」

「真討人喜歡！你們先坐一會，我拿雪糕出來。」

「穎頤，不用招呼我們，自便吧。」庭琛搶先拿取雪糕，逐一分派。普揚焦急，她訓誡兒子：「別著急，先道謝。」

他答謝 auntie，吃得津津有味，穎頤和庭琛邊吃邊談，洱洛則著手準備「土窯雞」。他將塗滿了醬料的雞隻放到大荷葉上，包裹後外層鋪上玻璃紙，以幼麻繩紮牢，再用陶泥密封，置於窯爐烤製。兒子一直在場觀看，嘖嘖稱奇，穎頤對洱洛說：「青出於藍，你正在開創陶土飲食。」

「不敢當，我只不過模仿江浙名菜「叫化雞」的做法。」

「假若味道差劣，連乞丐也不會稀罕。」庭琛顧慮。

穎頤不同意：「不會吧，我對妳的丈夫信心十足。」

普揚插話：「我相信『爸爸雞』必定美味。」

母親疑惑：「『爸爸雞』？牠不是公雞！」

「不必太認真，最重要是美味。」父親搭腔：「窯燒需時頗長，我們出去散步？」

「我想逛公園。」兒子表明意願。

洱洛提議：「逛李鄭屋邨的『漢花園』？」

「好啊！您帶我去。」

「你倆逛公園好了。」

「也好，妳倆聊聊天，待我們回來共享『土窯雞』。」

（十九）

庭琛辭去護士工作，一星期當兩晚兼職導師，全心全力料理家庭。生計落在洱洛肩上，責任重大，工作更盡心盡力。三口子熱愛運動，時而遠足，時而打球。每逢禮拜日，一家人上教會，兒子上主日學，作息周而復始，生活平淡安穩。

洱洛一早起床，腦袋劇痛。他近來頭痛，而且越益頻密，為免妻子擔憂，他隻字不提，私下服食止痛藥了事。上班期間，他頭痛加劇，因為工作情緒和效率大受影響，所以他自行加重劑量。久而久之，他吃止痛藥也遏止不了頭痛，在妻兒面前若無其事。

兒子渴望到窩仔山打乒乓球，母親贊成，父親異議。他掩藏身體不適，聲稱假日人多，一枱難求，建議到樓下天井踢毽。兒子不肯罷休，堅持打乒乓球，坐在地上大吵大鬧。母親勸解，他日才打球，如不聽話，天井也不去了。普揚知趣妥協，聽從母親的訓示，洗臉、喝水、穿鞋，隨同父母起行。他們來到空地，無其他人佔用，三人鼎足分立，普揚踢得不好，手腳並用。父母刻意將毽子傳給兒子，他一時用手拍出，一時用手接著，一時隨意擲地，於是母親親自示範。庭琛操控毽子揮灑自如，她用腳尖挑、右腳外側剔、左腳內側撥、胸口碰、膝蓋撞、肩膊揚、腳跟勾……

「媽媽真厲害！」

「交給你。」她一踢，毽子彈向兒子。

普揚慌忙信手一推，毽子改變了方向，父親蹬前也來不及挽回。洱洛拾起毽子，靠近兒子，說道：「我們聯手？」

普揚不置可否，洱洛連踢數下，使勁踢出。庭琛身影一閃，輕巧一

撈一伸，毽子重投對方陣營。洱洛用額頭接下來，控穩後轉投兒子，叫喚：「踢過去。」

普揚戰戰兢兢用腳一抽，毽子凌空飄移，成功遞送給母親。

「普揚，踢得好！」

「普揚，繼續努力！」

父母的讚揚和鼓勵激發起兒子的鬥志，普揚叫母親將毽踢過來又喊父親讓開，單憑一己之力，招架不住，有點洩氣，庭琛循循善誘，兒子開始熟練。雖然洱洛的「毽技」比不上妻子，但控毽方面應付自如，毽子傳來傳去，清脆的噠噠聲響徹天井。毽子降臨，洱洛跨出左腳，右腳向它迎擊，一時踉蹌，毽子砰然著陸。他弓腰撿拾，視力失焦，影像模糊不清。洱洛繼續掩飾不妥和不安，空手在地面一掃，拾回毽子。他踢出去，兒子踢回來，他接連落空。

庭琛問：「你怎麼了？」

「沒事。」

「以為你喝醉了。」

「或許疲勞過度。」

「普揚，爸爸疲累，我們回家吧。」

「嗯。」兒子蹦蹦跳跳跟隨父母歸去。

庭琛發覺丈夫腳步不穩，摟著他的臂彎同行。洱洛回到家中，直入洗手間，她隔著門隱約聽到嘔吐聲。他一出來，她就問：「不適嗎？」

「少許。」

她觸摸他的額頭，問：「你沒發燒，怎樣不適？」

「——頭痛、眼花、噁心。」

「坐下來讓我檢查。」她從儲物櫃取出血壓計，一連量度了兩次，為丈夫解除手臂上的袖帶，交待結果：「脈搏正常，血壓稍高。」

庭琛仔細端詳，告訴丈夫：「你的眼皮下垂、眼球鼓起。」

「明天我去驗眼。」

「應當即日找醫生診斷。」

他們將兒子交託予鄰居照料，庭琛沿途憂心忡忡，恐怕丈夫大「患」臨頭，暗忖他可能患有——她不敢猜想下去，更不敢透露想法。洱洛心中有數，對病情毫不樂觀。

（二十）

庭琛陪同丈夫覆診，冒著狂雷和暴雨前往醫院聽取檢查報告。醫生神色凝重，説話欲言又止，他們預料劫數難逃。醫生直截了當陳述結果，檢查發現一個「腦瘤」，僅僅兩個字足以令人如臨大敵！病況一如所料，庭琛無奈接受現實。洱洛驚慄發抖，緊握著妻子的手，他冷冰冰的手冒出手汗，可想而知他受到的打擊多大。

「腫瘤直徑為四十毫米，與乒乓球一樣大小。」

兩人目瞪口呆，想像同一幅畫面——腦袋內藏著一個乒乓球！庭琛嚇壞了，霎時聯想到一個榴槤，外殼好比頭顱，果肉如同腦袋，毋須做實驗也意料到榴槤肉被乒乓球擠壓得扭曲變形的恐怖情況。

醫生闡釋：「腫瘤使顱內壓上升，引致病人頭痛和噁心，再者，視神經受壓，視力因而受影響。」

庭琛問：「醫生，如何治療？」

「腫瘤屬於惡性兼靠近腦幹，手術難以徹底清除，反而會危及中樞神經系統，該位置不宜動手術。腦瘤會不斷增大，進行化療、放射治療亦於事無補。」

「豈不是束手無策？」

「標靶治療暫且可以抑制腫瘤生長。」

洱洛禁不住問醫生：「我能活多久？」

「如接受標靶治療，或可延長到半年，否則至多兩個月壽命。」

醫生的斷語儼如法官判處死刑，他倆不能自持，庭琛隔著掩映的淚光窺探丈夫，一貫堅強的洱洛也忍不住哭出來。

（二十一）

從醫院出來，天色放晴，和煦的陽光驅走了心坎的涼意。洱洛的愁眉苦臉恍若烏雲暫時散去，他對庭琛説：「我們去南昌公園？」

「還有心情逛公園？」

「正因為心情欠佳，好想散心。」

「也好。」

兩人心事重重，不便在公眾場所談論私事，就不提也罷，反正彼此知曉。到了公園，景物依舊，唯獨風鈴木欠缺黃花，頹然失色。

「我再看不到風鈴木開花。」

她無言以對，他說下去：「也看不到兒子長大成人，無法與妳終老。」

庭琛不堪刺激，不管周遭有多少旁人，當場號啕大哭。她將臉頰伏在丈夫的肩膀，他感受到她的胸脯起伏不定卻不懂得安慰，暗自飲泣。

她探頭問：「你有何心願？」

「我好想活下去，」他不假思索回答：「明知是奢望。」

他向來坦率，事到如今仍舊那麼純真。她記起聖經中的「八福」——虛心的人有福了，因為天國是他們的。哀慟的人有福了，因為他們必得安慰……她思忖：「丈夫有福了，天國有他的份兒。自身也有福，必得安慰。」從信仰的角度，他們應當歡喜快樂。他倆收拾心情，重遊青草地，在濡濕的草座椅上坐下。

「我有一個卑微願望，就是見證普揚幼稚園畢業。」

「只差一個月，神會保守你的。」

「嗯。我想妳應承一件事。」

「甚麼事？」

丈夫吞吞吐吐，庭琛揣測：「你不想我將來改嫁？」

「真慚愧！沒甚麼留給妳，除了兒子和養育責任。我不捨得你們，也放心不下。」洱洛聲淚俱下，低訴：「應承我，毋須一輩子守寡，另找合適對象照顧你們。」

庭琛生氣：「不嫁由得我，改嫁由不得你！」

「當然。千萬不要動怒，聖經有云：『不可含怒到日落。』」

她仰望天空，回應：「時間尚早，還要惱怒半天！」

丈夫啞然，接不下去。

生命倒數委實平凡不過，任何人包括初生嬰兒的生命都在倒數，只不過洱洛的生命進入了尾聲。他趕快辭職，盼望時刻與妻兒共聚同度餘下的一分一秒。他受病患困擾，不能勞累，打消了暢遊主題公園的念頭。三口子出外晚膳，乘車回家途中，洱洛眺望到山崗上一座引人注目的白色十字架，在射燈照明下發亮。與以往的觀感大不同，它似在召喚。

翌日全家前往道風山，他們穿過一道石拱門，基督教叢林別有洞天。

「恍如置身蘇州！」庭琛眼睛一亮。

丈夫附和：「我們來到蘇州博物館了。」

兒子問：「甚麼蘇州？」

她解說：「我們不用到蘇州旅遊，在這裡觀賞到當地的特色景物。」

普揚大讚：「香港真好，甚麼也有。」

基督教勝地粉牆黛瓦，富有蘇州的傳統建築風格，黑白基調清幽淡雅令人賞心悅目。庭院寬敞整潔，古樸的松樹、高雅的蓮花點綴其中，渾然一體，媲美江南的園林景致。西洋宗教的聖殿居然是一座中式教堂，紅樑靛瓦的八角形樓閣飛檐翹角，頂尖中央豎起一個十字架，殿外懸掛著一口大銅鐘，中西合璧的殿堂相當有趣又不失莊嚴，庭琛召集丈夫和兒子到聖殿前祈禱。

他們踏入「明陣」——一塊宛若迷宮的沙地，地面嵌入大小相近的卵形石塊，鋪砌成一幅同心圓形圖案。普揚雀躍，在母親陪伴下探索迂迴曲折的迷宮出路。洱洛緩緩踱步，靜心沉思默想，苦無出路。他嘆惜人生苦短、時不我與。

末後，他們沿著一條狹長的石階通往「生命門」——小牌樓中間的一道窄門。普揚穿過窄門，母親緊緊追隨，父親殿後。洱洛駐足注視「生命門」兩旁對聯：「寬路行人多並無真樂　窄門進者少內有永生」，文字發人深省，正好切合他此刻的心境。他趨前尋求永生之路，越過窄門，巨型十字架在草坪上巍然矗立，架上橫書「成了」。他知道耶穌被釘死在十字架上，臨終前說出：「成了」，意思是其救贖的工作完成了。

「爸爸，媽媽等候您啊。」普揚跑過來。

洱洛湊近妻兒，一齊遠眺山下景色。他心不在焉，偷偷回望十字架，若有所思。

（二十三）

洱洛不願接受標靶治療，也不強求短暫延續壽命，坦然瀕臨死亡，寧願省下醫藥費給妻兒過活。庭琛相信丈夫的性命遠比金錢貴重，可是屢勸罔效。她知道藥石無靈，治療亦枉然，也就依照丈夫的意思而行。「只爭朝夕，不負韶華。」洱洛的健康每況愈下，身體不適加劇，故此庭琛提前一個月預祝丈夫生日。他們借用「淵明陶藝」的地方，舉家歡聚。洱洛一臉倦容，由庭琛代勞，她模擬丈夫的製作方法，烹調土窯雞，丈夫摟抱著兒子旁觀。

「媽媽，有無土窯鴨？」

「只要以鴨取代雞，做出來的便是土窯鴨。」

「那麼您下次弄土窯鴨。」

「你不是喜歡吃雞嗎？」

「是的，但爸爸喜歡吃鴨。」

「尚未吃雞，這麼快想到下次吃鴨。」

「下個月爸爸生日，我們吃土窯鴨，好嗎？」

庭琛住手，不懂作答。

「屆時才說吧。」洱洛哽咽回話：「窯燒需時，稍後我們玩手捏陶瓷？」

普揚拒絕：「我不玩陶瓷。爸爸，您帶我去遊樂場。」

庭琛插話：「烈日炎炎，倒不如看電影？」

洱洛乍然想起一部新近上映的電影，問妻兒：「去長沙灣戲院看動畫？」

兒子熱烈響應。

（二十四）

看完電影，庭琛順道買了一個生日蛋糕。回到工作室，她把土窯雞

捧到工作臺上，然後用木槌敲破硬化的陶泥。泥殼破裂，濃郁的香氣四溢，引來兒子垂涎。她解開麻繩、玻璃紙和荷葉，一隻啞黃色的焗雞呈現眼前。

「嘩！好香啊。」普揚手舞足蹈。

庭琛剪開土窯雞，肉汁飛濺，她將雞髀分給兒子和丈夫，給自己一隻雞翼。洱洛讚賞雞肉酥嫩，她連隨加添一隻雞翼給他。

普揚噘嘴：「我也要雞翼。」

父親把雞翼轉送兒子，普揚囓嘴，未吃完雞髀又咬一口雞翼。母親叮嚀：「別吃膩，不然吃不下蛋糕了。」

普揚吃得盡興，不理會忠告；兒子喉急猴擒，父親不以為意；母親不再阻撓，免得自討沒趣。庭琛把一根蠟燭插入蛋糕面，燃點後端出來，同時唱生日歌。她徐徐放下，兒子問：「誰生日？」

「預祝爸爸生日。」

「為何要預祝？」普揚大惑不解。

父親張口結舌，母親代言：「預先慶祝就可以提早吃蛋糕、提早開心。」

「下個月還會慶祝嗎？」

她一時語塞，於是轉移話題：「普揚，別岔開，快祝福爸爸。」

兒子隨口說：「爸爸，祝您生日快樂，長命百歲！」

言者無心，聽者有意。「長命百歲」觸動了洱洛的神經，若然長命半百倒已不錯，尚可與妻兒多相處千餘日，只可惜三年難求，甚至連三個月亦難求。庭琛聽得心酸，記起剛才電影中的一節對白：「對這個世界來說，你也許只是某個人；但對某個人來說，你卻是全世界。」毫無疑問，洱洛就是妻兒的全世界，然而這世界即將湮滅。丈夫精神渙散，庭琛催促他許願。

洱洛不再奢求活下去，他最牽掛妻兒將來的生活，但願烏雲背後總有藍天。他默默期盼，張開眼睛，吹熄蠟燭。

「爸爸，您的生日願望是甚麼？」

「我要目睹你幼稚園畢業。」

「太容易了吧，您一定願望成真。」

庭琛切開蛋糕，普揚揀選了最大的一件，吃了不足一半便捨棄。

「為何剩下大半？」她問：「不好味？」

「好味，但我吃不消。」

「早勸你不要吃太飽，你偏不聽話。」

「我請爸爸吃。」普揚把餘下的蛋糕交給父親。

「乖孩子，從此以後要聽媽媽的話。」

兒子點頭稱是。

「普揚，我有生日禮物給你。」

「奇怪！您生日，我收禮物。」他搔搔頭。

洱洛從環保袋中取出兩份禮物，分別送給妻兒。

「多謝爸爸！」兒子收到一塊乒乓球拍，在板面膠皮外圍的空位刻有
「愛兒」。他很興奮：「爸爸愛我，我愛乒乓。」

「普揚，日後要勤力練習打球。」

「當然。」

妻子收下一頂漁夫帽，帽邊上面繡了「愛妻」。庭琛既感動又慚愧，
她並無預備生日禮物，因為任何禮物，丈夫一概帶不走。洱洛只管咀嚼
蛋糕，暗裡百感交集。

<h2 style="text-align:center">（二十五）</h2>

從確診起計，短短一個月，洱洛的病情急轉直下，入住紓緩病房。
他容顏憔悴，終日臥床昏睡，夫妻同負一軛，庭琛時常陪伴慰藉。丈夫
並無不良嗜好，熱愛運動，正值壯年便落得如此下場，她難以相信。洱
洛由強健變為瘦弱萎靡，她難以接受，每次看見丈夫衰朽無助的慘狀，
她都心如刀割。每次哀傷的時候，她都會從病房窗口觀望外面鬱鬱蔥蔥
的松柏，老樹生機勃勃，羨煞旁人。洱洛飽受病痛煎熬，沒閒情逸致欣
賞風景，只想臨終前達成心願。

兒子的大日子到了，庭琛出席其畢業禮，打算透過視像通話讓丈夫

見證普揚幼稚園畢業。她到達會場，典禮即將開始，忽地收到院方通知，得悉丈夫垂危，她馬上帶同兒子離開。母子趕到病房，洱洛氣息奄奄。

普揚嗚咽：「爸爸，不要死！爸爸，快醒過來！」

「洱洛，我們不可失去你。」庭琛哀號：「不要捨棄我們。」

丈夫的反應似有還無，她與兒子禱告，懇切祈求上主眷顧丈夫，賜予平安，脫離危難。頃刻，洱洛徹底解脫危難，沒有一絲呻吟，安詳離世。普揚放聲痛哭，喚不回父親。庭琛悲痛欲絕，緊抱著兒子落淚。丈夫的人生驟然落幕，她不禁想起上回觀看的電影其中一句對白：「真正的死亡是世上不再有人記得你」。妻兒永遠不會忘懷丈夫和父親，換言之，洱洛雖死猶生，活在家人的心中。

（二十六）

喪親的陰霾繚繞不散，庭琛的生活變得渾渾噩噩，她利用陶藝來療癒傷痛，漸見成效。日後她要出來謀生，做回護士固然可以養家卻不能兼顧兒子，所以她寧願當陶藝導師，先找穎頤商量。穎頤表示工作室租約即將屆滿，業主大幅加租，其生意夥伴準備移民，將會拆夥，她獨力難支，故此不會續租。她認為，庭琛既然有意全職工作，不妨考慮合資經營。庭琛思前想後，決意動用丈夫的人壽保險賠償，與好友合夥開設新工作室。

近年許多商戶結業，區內充斥不少空置商舖，大南街的租金亦大幅下調，各色各樣的小店應運而生，諸如：咖啡店、書店、文具店、懷舊雜貨舖、精品店、藝術坊、皮革店、花店……富有文藝氣息的店舖匯聚一堂，為舊區注入新氣象，招徠年輕顧客垂青，庭琛和穎頤計劃在這條街另起爐灶。

她們物色了合適的舖位，經過一輪籌備，「世內陶源」開張營業。陶藝店大門口的枱面用來擺放手製的陶瓷器皿，如：杯、碟、碗、匙、花瓶、花盆等，層架上則陳列精緻的手工藝製品，以供選購，店內設有工作室，定期舉辦陶藝班。陶藝店恆常廣播悅耳動聽的音樂，庭琛最愛播放《Unchained Melody》，歌曲蕩氣迴腸，彷彿洱洛音容宛在。對年輕人而

言，陶藝很浪漫，魅力十足，課程不乏青年和情侶。

雖然「世內陶源」的營業時間頗長，但庭琛可以在店內安頓兒子，成為了母子的第二個家。「家家有本難唸的經」，這個家亦然，「砰朗」一聲，庭琛立時從工作室走出來，又見遍地砂礫。

「普揚，不要再摔破東西！」

（二十七）

風和日麗，庭琛戴上漁夫帽，普揚攜帶父親送贈的乒乓球拍等用品，聯袂到窩仔山耍玩。寧靜的山野變得異常熱鬧，熙來攘往，事緣在山頂配水庫的清拆工程中，街坊無意中揭發地下原來埋藏著古羅馬建築風格的蓄水池，引起外界關注，呼籲水務署停止拆卸。事件公開後，傳媒證實地下結構具有逾百年歷史，以一百條花崗岩石柱、紅磚拱門、混凝土桶形拱頂及擋土牆築成，主教山（即窩仔山）配水庫繼而列為一級歷史建築，予以保留。

窩仔山一向寂寂無聞，因有稀世古蹟而聲名大噪，眾多市民慕名而來，庭琛也要湊熱鬧，但參觀不急於一時三刻。母子趁有閒置的球枱，先行打球，運動後尋幽探秘。她帶領兒子，不一會走到山頂，他們望見一塊墾鑿開的荒地、一座棚架、一大堆石塊和被砍伐的樹木，以及挖土機、剷土機、起重機等，全部東西被鐵絲網圍封，支架掛上告示牌：「非請勿進」。

普揚問：「媽媽，有甚麼好看？」

「有的，不久將來。」

「將來有甚麼好看？」

「將來的事，將來再說。」

「過去的事，現在可以說嗎？」

「甚麼過去的事？」

「爸爸送給您的帽子不見了。」

她舉手摸頭，摸不著帽子，大喊：「糟糕！」

兩人急步趕回球場，有人正在打乒乓球，幸虧漁夫帽仍然高掛在樹

梢上。庭琛吁了一口氣，悄悄取回帽子，戴起來展示其「愛妻」標記。她步履輕快，與兒子下山，一隻野狗尾隨不捨。牠無端吠叫，嚇得普揚驚駭，庭琛亦心悸，母子慌不擇路，無循原路離開，走進同心徑。他們擺脫了大黃狗，沿同心徑下行，不知不覺接近山腳。一所聞名已久的中學近在咫尺，庭琛停下來俯視，覺得有幾分親切感。她遙指學校，告訴兒子：「爸爸生前在這裡唸書。」

　　普揚定睛細看，表述：「校舍不大。」

　　「是的，名聲也不高，所以爸爸甚少提及，出入窩仔山也不曾行經這兒。」

　　「爸爸成績差？」

　　「舊事不消提。」

寒噤（摘錄）

（一）

劈——啪——劈——啪。

洪爺穿過維多利亞公園，給籃球場內沉重的劈啪球聲震懾，心悸劇烈，不停劈劈啪啪，於是加緊腳步。他側目探視到一名穿著黃背心的高個子正在投籃，接著一抹黑影蓋頂，自身當場倒下。洪爺矇矇矓矓，隱約看見籃球仍在場內盪來盪去，依稀記得一隻漆黑的鳥兒在頭上掠過，遙遙傳來沙啞的鳴聲。

（二）

他一時大意墮地，驟覺天旋地轉，景物上下顛倒，籃球架、公園樹木、旁邊的公廁、附近的電車站、遠處的中央圖書館……連天與海都倒轉了。它們逐漸褪色，混混沌沌，最終變成黑白一片。洪爺毛骨悚然，捏了一把冷汗，立刻查看自身，不經意踹在一朵白雲上。回望籃球場，身穿黑背心的高個子雙腳朝天，向上拍球，向下投球，完全匪夷所思。他用力揉眼睛、睜眼、眨眼、輪流單眼，黑白顛倒的局面依舊。他渾身發抖，狂搔頭皮，觸摸眼簾，確定腦袋及眼球並無倒轉，徹底失常的是周遭的境遇。自知無法扭轉乾坤，唯有自我調節，洪爺徐徐站起來，張開兩條腿，弓身、伸長脖子，倒過頭來從袴下張望。做法果然奏效，只要將自己的視角配合外在變化，對於本末倒置的處境就不覺得稀奇乖謬，重拾些少安全感。烏鴉霎時出現，劃破長空，傳出刺耳的叫聲。

「幹嗎？」穿短裙的妙齡女子碰巧擦身而過。

洪爺急忙挺直腰板，與女孩子面面相覷。他登時發現烏啼過後一切回復原狀，上下重置、色彩重現，唯獨烏鴉通身的顏色不變。他興奮嚷

道：「毋須再從袴下望過去了。」

少女氣憤，一邊按著裙擺，一邊喝罵洪爺：「為老不尊！」

他渴望釋嫌卻不知從何説起，相信對方不會相信。她橫眉怒目，別過頭離去。

「小丫頭，一場誤會！」他尾隨解説，她吃驚走避。

～～～

（十七）

～～～

「烏合之眾——討厭的烏鴉！」治正舉手指向天空……悻悻然喊出：「可憐蟲給烏鴉叼走了靈魂！」

（十八）

寰偶一早在咖啡店預留空間予治正拍攝，可是他遲遲未到，又聯絡不上，不禁憂心起來，瞧著空凳發愁。寰偶窮極無聊，為熟客的咖啡拉花——白鴿圖形，女客人讚美，問他：「下次幫我拉一隻『烏鴉』？」

寰偶不假思索便回覆：「恕難照辦。」

出乎意料，咖啡師膽敢拒絕顧客的要求，要不是彼此稔熟，好想找老闆投訴，客人暫且不動聲色。為免對方誤會，寰偶主動解釋：「顛倒黑白的事，我從來不幹。」

客人息怒，細心觀賞「白鴿」，問道：「牠銜著的是？」

「橄欖枝。」

「嗯。」她用纖指輕扣杯耳，優雅地提起杯子，嘴巴一碰，紅唇沾上一抹白奶沫。

「感覺如何？」

「黑白分明，點滴在心頭。」

附註：（三）至（十七）之一萬一千字文稿就此湮沒無聞。

絕響

（一）

「我在湖畔閱讀，老牛在附近草坪茹素，互不相干。我合上紅皮書，牠瞪了一眼便向我俯衝過來。我翻身閃避，隨手以精裝書脊迎戰，在牛角之間拍下去，擊中其眉心。老牛悶哼一聲倒地，橫臥湖畔，我坦然坐到牠的肚子上看書。」

小說怪誕，見聞擱下書本，留在池畔大石上思忖——眉心——老牛有沒有眉毛？他留意到一隻老龜在池面浮游，牠撥弄前腿，後腿朝天一撐，隨即沒入池中，池水清澈見底，立時不見蹤影。他大惑不解，起來仔細看清楚，池塘沒有地方可供藏匿。牠在面前離奇消失，見聞發愣凝視，池面映照著自己一臉糊塗。

（二）

見聞兒時單獨在客廳玩耍，看見一隻惡犬狂噬小孩子，隨地拾起一件玩具上前痛擊。牠仍然牢牢不放，他不停拍打，叮噹作響。媽媽察覺不妙，匆忙從廚房走出來阻撓，任由惡犬肆虐。

「住手！」她一邊喝止，一邊捉住兒子的手，奪走玩具，加以斥責：「你太頑皮了！」

媽媽蹲下查看電視，繼而七竅生煙，雙手叉腰怒罵：「好端端的東西給你砸爛！」

兒子慌忙解釋：「小朋友被狗欺負，我急於救他。」

「甚麼？你竟將電視畫面當真，當真給你氣死！」她憤然關掉電視。

惡犬從螢幕消失，遺下一幅龜裂的圖紋。媽媽的心靈如同螢幕碎裂，由心而發的惡相比牠尤甚。見聞自小分不清真真假假，誤將虛擬畫面當

作真情實況，從而認識到惡犬是虛假的，惡母才是真的。

「『虛則實之，實則虛之。』常令人難以捉摸虛實、辨別真假。甚麼是『虛』？甚麼是『實』？」爸爸解說：「『虛實』只是一堆虛詞，華而不實。」

見聞一臉茫然，爸爸深入淺出闡述，他明白世上太多虛假，怪不得小孩子分不清真假，信以為真。

（三）

見聞想方設法穿越時空，體驗中外古今的生活。

週末，爸爸上班，媽媽帶他上街。一輛停泊在路邊的橙色輕型貨車吸引見聞的注意，他搖動媽媽的手，她朝著同一方向張望。媽媽向來好管閒事，兩人上前察看。

「漂書車！」媽媽低訴。

兒子問：「甚麼漂書車？」

車旁的姐姐回應：「小朋友，我們載圖書到處漂流，你有興趣閱讀嗎？」

見聞點頭。

「請稍候，漂書車剛到場，我們需要一點時間準備。」她進入車廂，傳遞一個又一個空空的正方形木箱，司機叔叔將小木箱運往行人路邊。管理員姐姐隨後搬出多個承載圖書的木箱，叔叔把藏書箱疊在空箱之上，拼成一個九宮格。

「書籍共享，大家隨意閱覽，」姐姐從車廂下來，打開兩張摺椅，接著說：「隨便坐。」

「謝謝！」媽媽拿起一本小說，兒子手持一本漫畫，母子坐下看書。

她一邊看小說，一邊暗笑；漫畫有趣，他也笑起來。見聞覺得閱讀就似投入另一個境界，充滿新鮮感，而且趣味盎然。他享受輕鬆閱讀的樂趣，圖書一本接一本，看得迷，在虛擬場景中渾忘了自我。看了好一會，媽媽催促：「走吧，還要逛街購物。」

見聞不捨得離開，姐姐告訴他：「小朋友，你可以取一兩本圖書回家

閱覽。」

媽媽一再催促，兒子找來找去，結果找到一本《格列佛遊記》，臨走前不忘道謝。

（四）

見聞的爸爸當配音員，日常為動畫、劇集和影片的主要角色配音，工時頗長、待遇尋常，但他一直熱愛工作，寓工作於娛樂。任創生——他的名字在配音界薄有名聲，許多人羨慕他可以投入不同的場景，聲演不同的角色，多麼多姿多彩。他很忙碌，早晚在幽閉的錄音室工作，與家人的對話遠少於配音對白。他甚少責罵兒子，以他的完美聲線結合技巧和感情，見聞覺得娓娓動聽，被罵也是一種享受。

爸爸靠聲線謀生，特別注重聲帶保養，少吃煎炸辛辣食物，凍飲亦可免則免，更不會吸煙、喝烈酒。儘管小心謹慎，用聲過度和睡眠不足都會造成喉痛聲嘶。咽喉發炎後果可大可小，嚴重時引致失聲。配音員失聲比鳥兒失聲糟糕，影響到整個團隊的工作，為求急切解決問題，通常找相熟醫生打「開聲針」——靜脈注射類固醇，紓緩發炎和失聲的情況，暫且應付當前工作，事後才服藥治理和休息。至於注射類固醇的副作用，他們一般不以為意。

（五）

他對幽暗的房間習以為常，早晚閉上窗子和窗簾。一到夏季，院舍向所有院友徵收高昂的空調費用，但他完全沒有享用，反而穿著厚厚的毛衣，披上厚厚的圍巾，裹得密密實實。褲子厚厚，鏡片也厚厚，架在鼻樑上的眼鏡右臂斷了，他用透明膠紙黏合得厚厚。他慣了不問寒暑，穿著一身冬裝，周身塗上葫蘆油。院舍職員最怕踏入其房間，裡面充斥著濃烈的霉臭、汗臭和藥油味，令人噁心。縱使行動自如，他甚少踏出房門，如廁和洗澡除外，然而兩三日才洗澡一次，日常由職員送飯，獨個兒瀏覽手機或看書，慣性自言自語。院舍規定全部房間一律不許鎖門，有人站在他的房外，正要叩門之際，給他發現。

「創生，入來吧。」他說話含糊不清。

「譽哥，你明知我患鼻敏感，偏要我進來。」

「算了，我跟你出去。」

　譽破例與創生出外吃下午茶。茶餐廳老闆臉有難色，怕當中一位怪客的異味影響到其他顧客的食慾，遲疑了一會，安排他們到牆角的僻靜位置。譽先入座，背向其他客人，以迴避他人的目光。創生明知他現身人多熱鬧的地方會侷促不安，依然促使他露面，受到折騰，就如當初加入配音組，他給予自己的磨練一樣。

（六）

　創生喜歡觀看電視，尤其外國劇集，發覺配音工作新奇好玩，自覺聲線不俗，中學畢業便自薦，通過配音組考核，獲得電視台取錄。譽是資深配音員兼領班，負責分配角色，督導及培訓工作，為人隨和爽朗，錄音室滿載其笑聲。他對同事關懷備至，常常提供潤喉湯水。

「創生，我們只需要配音，毋須做動作。」

「做動作？」

「我指鞠躬。」

「對不起！我不自覺跟隨演員鞠躬道謝。」

「不要緊，畢竟是小問題。可是你用喉嚨發聲，恐怕應付不了繁重的工作。我們要習慣用丹田發聲，好好保養聲帶。」譽這番說話開啟了創生的事業，他用心教導新入配音要訣，除了咬字清晰、戒掉懶音、控制音量之外，還要投入情感，注重語調的輕重緩急、抑揚頓挫，更重要的是練習發聲，掌握腹式呼吸法。他的訓練令創生畢生受用，既是伯樂，也是恩師。此外，他給予的支持、鼓勵和機會，讓創生盡展所長。有賴他的賞識和器重，創生得以獨當一面，成為配音組的要員。

（七）

「創生，下星期瑤姐女兒出嫁，別忘記幫我做人情。」

「同事都很掛念你，何不親身赴會？。」

「別壞了人家的好事，我這身世，甚麼地方也去不了。」

「明白，我辦事，你放心。吃甚麼？」

「喝咖啡好了。」

「你清減了。」

「現在吃甚麼也沒味道。」

「也得要吃。」

「沒胃口。」

「那沒法子。」創生上下端詳，問：「譽哥，你不覺得熱嗎？」

「總覺得寒氣襲人，保暖至上。」

「天氣炎炎，你仍然感到寒冷，好不尋常啊！可曾求醫？」

「感覺就是感覺，唯有自己最清楚。」

「感覺不一定真實，可以是錯覺。」

「對我來説，感覺千真萬確。」

「我怕你受苦。」

「何苦之有？」

侍應送上咖啡、奶茶，譽心不在焉拿起奶茶杯，喝了一口，大讚：「咖啡可口！」

創生暗嘆：「譽哥被疾病害苦，毀掉事業和人生。」

（八）

配音員聚攏在錄音室，全神貫注於影片和劇本之上，輪流銜接角色的口型配上對白。譽字正腔圓，加上得天獨厚的磁性聲音，雄渾動聽。他聲演出眾，深受觀眾愛戴，常令異性產生傾慕之情，想像他何等俊朗。譽十分老練，善於揣摩角色，演繹變化多端，連口音亦發揮得淋漓盡致，使角色的形象更鮮明。他情感豐富，一投入角色就七情上面，時而張大嘴巴狂笑，時而如歌如泣，語氣收放自如。

「譽哥，我喜歡為動畫配音，保持童真。」

「那麼為武俠片配音，我們變得暴戾？」

「可沒有，不過血壓上升不少。」

「創生，我的血壓不比你低。」

「這個當然，配音時你情緒高漲，血脈沸騰。」

「彼此彼此吧。」

（九）

兩人喝完下午茶，譽打算返回院舍。創生知道他無所事事，一回去便躲起來。

「大家久沒見面，何妨逛逛公園、聊聊天。」

譽沒推卻，兩人前往公園水池觀賞瀑布。人工瀑布直瀉而下，三數錦鯉在池中來回穿梭。一隻烏龜游近池邊，爬上一塊長滿青苔的石頭，失足滑倒。牠再接再厲，爬上同一塊石頭，一再失足，墮入池塘。

「石頭多的是，那烏龜偏要爬上那滑溜溜的石頭。」譽詫異。

「牠正磨練意志。」

「還是磨滅意志？」

「你何嘗如是。」

「好好地看，你偏借題發揮。」

「牠好像希臘神話中的薛西弗斯，受眾神懲罰，將一塊巨石推上山，到達山頂後巨石滾下，因而不斷推石上山。同樣地，烏龜背負龜殼不斷上上落落，自我懲罰。」

「同意。烏龜執迷不悟，不懂得從另一塊石頭爬上去。」

「薛西弗斯受罰，不得不重重複複，但他的意志並未消磨，否則後繼無力，被巨石砸扁了。反之，他鍛煉得強勁有力，推石變得輕省。」

「你又借題發揮，算了，我回去休息。」

「譽哥，留步，給你的入場券。」

譽接過贈券，瞄一瞄，應道：「《小人港》即將公演。」

「記得來捧場。」

「到時再算。」譽聳聳肩。

（十）

「池面呈現一個巨型漩渦，水位不斷下降，錦鯉、烏龜、浮萍和水藻都捲入池底的窟窿。瞬間池塘乾涸，池邊的泥石和樹木崩坍，堵塞池塘。正在枝頭高歌的小雲雀呆若木雞，一聲不吭飛走了。」見聞朗讀童話。

「媽媽，它描寫的情景似曾相識。」

「怎可能？故事純屬虛構。」

「我真的有印象啊！」

她靈機一觸，回應兒子：「我記起了，你的確接觸過類似情景。」

「印象模糊，記不起何時何地。」

「難怪你有印象，兒時在日本見識過。」

「我住在日本？」見聞訝異。

媽媽講述：「一家人到日本旅行而已。」

「我去過日本？」

「嗯，我們特地前往著名的鳴門海峽，登上大鳴門橋，隔著玻璃地板近距離俯瞰漩渦。」

「好看嗎？」

「當然好看，然而你膽小，一邊看，一邊叫我。」

「叫妳？」

「你叫：『媽媽，救命！』」

「很可怕？」

「它是世界三大漩渦之一，直徑接近訓練池的長度，螺旋狀的漩渦高速旋轉。消失片刻後新漩渦又滾滾出現，隆隆作響，此起彼落的場面相當震撼。成年人也覺得驚心動魄，何況你當時只得三歲。」

「妳帶我再看一遍。」

「太長途跋涉，倒不如就近吃『鳴門卷』。」

「甚麼『鳴門卷』？」

「你吃日式拉麵，特別喜歡一款魚片，上面的粉紅色螺旋花紋似甚麼？」

見聞想了一會回答：「似漩渦。」

「那就是『鳴門卷』了。」

「有趣！」

「有趣？」

「並非鳴門卷啊，有趣的是漩渦底下的世界。」

「脫離現實世界固然有趣，」媽媽借題發揮：「小人國亦相當有趣。」

「哪有小人國？」

「你看，有相為證。」她從抽屜拿出一幀相片。

他接過來看，相片中有媽媽的臉孔，她居高臨下，俯視著一片樹林和稻田，林中有螺旋型滑梯，還有農夫和小孩子。

「有趣！媽媽，快帶我遊覽小人國。」

「小人國消失了，要是你想遊覽，大可以自己創造。」

「創造？怎可能？」

「誰說不可能？我給你示範。」

「妳不是神啊！怎能創天造地？」

「你不信媽媽？」

「除非給我親眼看見。」

媽媽拿出一個木刷，用剪刀修剪部分刷毛，把木刷平放在木盆內，刷毛向上。她切開西蘭花和蘆筍，將一根根小菜花和一節節蘆筍尖，以及一條螺絲粉分別戳入插花泥，然後在表面灑上泥沙，造成「稻田」、「樹林」和「滑梯」，當中加入栩栩如生的小人偶，包括農夫和孩童。

「見聞，你站在後面，我為你拍照。」

他按照媽媽的指示，窺探著下方的模擬景物。

「你來到小人國了。」

「我變成巨人！」見聞一看相片便興奮高呼，大讚媽媽的微縮本領。

（十一）

譽的舌頭隱隱作痛，醫生聲稱舌底發炎，也就不以為意。可是長期未癒，病情越來越不對勁，轉介專科後才知自己患上舌癌。它比任何病患更令他震驚和惆悵，因為配音員的舌頭是無價寶，不容有失。失聲影響一時，還可以打針補救，然而失去舌頭，他的餘生就完蛋了，猶如名貴喇叭一旦龜裂，音質不保便難逃被遺棄的厄運。

醫生表示，他的部分舌頭無可挽救，腫瘤不得不切除，手術不算複

雜。醫生越說得輕鬆，譽越聽得不自在，無法任由擺布，容讓舌頭留得一時得一時。延誤治療的後果十分嚴重，他的舌頭腫脹，影響說話和進食，而且劇痛難當。譽不堪痛楚，無可奈何接受外科手術，割掉四分一舌頭，並接受放射治療。期間舌頭組織潰爛，再施手術將舌頭切剩三分一。縱使康復過來，不完整的舌頭難以順利推送食物，加上放射治療引致口腔組織硬化，他吃力吞嚥，更甚的是口齒不清。譽說話咿咿呀呀，莫說配音，連日常溝通亦成問題。喪失說話能力、專長和工作，他苦惱莫名。譽想起聲演過的武林人物，右臂斷了就苦練左手，依然威震江湖，於是他苦練吐字，幾經努力才勉強把字說出。

自從味蕾隨同舌尖丟掉，譽吃甚麼也沒味道，加上吞嚥困難，日常飲食變成苦差。意志日漸消沉、食慾日漸消減、身型日漸消瘦，連他的大肚皮也都消失了，褲子的腰圍變得過闊，束腰的皮帶要大幅收緊。喝咖啡、奶茶和清水再沒有分別，濡沫求生罷了，圓潤的臉頰如漩渦深陷，雙眼失去了往日的神采。

（十二）

見聞乘坐港鐵看書，列車停站，少量乘客下車，車廂仍然擠迫。怪異的是面前的乘客散開，盡量騰出空間來，他不明所以，合上書本了解因由。一隻導盲犬昂首進來，乘客協助主人坐下，牠自動自覺俯伏在主人對面。見聞和導盲犬之間沒有阻隔，他清楚看見牠憂鬱的眼神，顯然悶悶不樂。牠抬高視線，彼此相覷，四目交投帶來一刻觸電的感覺。

「你好！」牠用眼神對話！

「你——你能夠與我相通？」見聞懷疑自己靈魂出竅，進入了另一個平行時空。他沒有開口，以眼神回話。

「嗯。」牠沒吠一聲，靜靜地交流。

「你看來不適？」

「是的，我的鼻子不舒服。」

「找主人帶你看醫生？」

「不用了，只因這裡多塵埃，一會兒離開車廂便成。」

「你溫馴可愛啊！」

「誇獎了。」牠伸一伸舌尖。

「你與主人有沒有交流？」

「從未，因為她失明。」

「若非失明便可與你溝通？」

「不，萬中無一。」

「我真的萬幸！你叫甚麼名字？」

「柴可夫。」

「柴可夫——斯基，主人視你為司機。」

「向來如此。」

「有意思，也好聽。柴可夫，我想觸摸你，可以嗎？」

「歡迎！不過事先洗手。」

「對不起！」見聞認為牠有潔癖。

「說笑罷了。」牠眨單眼。

「你真風趣！」既然主人看不見，他懶得問她，前俯輕撫牠的頸背。

「很舒服。」

女主人眼盲、心不盲，她感覺到異樣，對牠說：「柴可夫，沒事吧？」

見聞挺直身子，向牠示意：「給你的主人看破了。」

「沒事的。」牠與他保持眼神及思想交流，同時向主人搖頭，向她傳遞訊息。

「下一站石硤尾……」車廂廣播。

列車徐徐駛入車站，主人起立，柴可夫告別：「朋友，再見！」

「再見，柴可夫。」他們相繼下車，見聞打開書本，回顧早前閱讀的段落：「動物傳心師……」

（十三）

見聞悄悄跟隨格列佛醫生從英國啟航，途中遇險漂流，後來格列佛醫生被小人國的國民俘虜，他暗中監視。格列佛憑藉其「巨人」的優勢，協助小人國抵禦鄰國的小戰士侵略。另外，寢宮失火，格列佛情急智生，

居高臨下撒尿撲滅……他隨同格列佛遊歷了四個不平凡的國度，每一段經歷都奇幻有趣。

「見聞！」

「爸爸──」他回過神來。

「你漂到哪裡去？」

「漂到小人國。」

「小人國！怎麼漂？」

「全憑這本漂書。」

創生借來閱讀：「《格列佛遊記》，原來如此。」

「書中提到小人國──」

「既然你有興趣，我帶你遊覽小人國？」

「我早已見識過媽媽製作的微縮世界。」

「並非微縮世界，名副其實的小人國啊。」

「怎可能？」

「誰說不可能？你不信爸爸？」

「除非給我親眼看見。」

（十四）

見聞興奮無比，一家人昂然邁進小人國──雲南昆明的小矮人帝國。它有一個小城堡和色彩繽紛的蘑菇型房屋，桌椅、馬匹、汽車等都很小巧，除了來賓，職員、演員、保安員、店員、侍應、清潔工人等皆是小矮人。

見聞發問：「何以他們這麼矮小？」

爸爸解釋：「他們遺傳了侏儒症，骨骼發育異常，長不高大。」

「真可憐！」

媽媽搭話：「你想高大就不要再偏吃。」

「知道了。」

眾多小矮人穿著中世紀風格的衛士制服，手持盾牌，在城門列隊歡迎，使他們仨喜出望外。巡遊亦別開生面，國皇、羅馬士兵、武士、小

天使、深山野人……浩浩蕩蕩繞場一周，載歌載舞，氣氛熱鬧。在這個異域，外來人士也是童話故事裡的人物，算不上巨人，可算異類。

露天劇場有精彩節目，小矮人輪流登臺表演，笑容燦爛，將歡樂帶給在場觀眾。見聞坐在看臺，一邊欣賞，一邊歡呼。一名個子特別矮小的表演者神氣十足，碎步踏上舞臺，豪邁地脫掉上衣，展露健碩的胸膛、結實的腹肌和粗壯的手臂，使勁將衣服扔到臺下，換來熱烈的喝采和女士們的尖叫聲。他深蹲，用雙手抓起槓鈴，奮力高舉。

「大力士啊！」見聞衝口而出。

爸媽和應：「真的，人不可以貌相。」

表演完畢，觀眾爭相合照，他們也不例外。之後，一家人到小蘑菇房家訪，體驗童話世界中小矮人的居所。見聞順利入屋，媽媽勉強可以入內，爸爸施展渾身解數，始終無法踏入。

「爸爸，小人國不適合巨人，你應該去大人國體察。」

「雲南沒有大人國，不過有大石林，它是我們的觀光重點。」

「甚麼石林？」

「明天自會知曉。」

（十五）

創生告訴兒子：「兩億年前這地方本是海底。」

「不會吧，海底應該在水裡，怎可能露出水面？」見聞半信半疑。

「地殼變動令海床冒出水面，經過長年累月的風雨侵蝕，石灰岩溶解，形成了眾多石柱和溶洞。」爸爸略述。

媽媽搭腔：「你一直想窺探漩渦底下的秘境，此刻就在腳下。」

「真的難以置信！」見聞環顧四周，綠叢中石峰星羅棋布，草木疏密有致，組成壯闊的石林，嶙峋的石頭和稀奇古怪的石陣引發他的遐想。途中有兩座高峻的石壁，一塊大石高懸在壁頂之間，奇景令見聞咋舌，望而卻步。

「不怕！看似危險，其實並不危險。」爸爸述說：「凡事不能單看表面，自以為表象就是真相。」

「我沒信心。」

創生懶得再遊說，隻身在危石之下穿越，接著說：「來吧。」

媽媽護送兒子，爸爸在對面迎接，見聞猶有餘悸，辯駁：「看似穩妥，也不一定穩妥。」

她搶話：「思慮越多，膽量只會越少。孩子，不僅動腦，也要行動。」

兒子立刻起步，超前闖入山谷，谷底有一潭水，周圍群峰林立，尖峰挺拔，澄明的水面映照著劍峰。

「爸爸，石林仍舊在水裡。」見聞指著峰林倒影。

創生指向兒子的倒影應對：「若然，你已回到兩億年前了。」

「所以『凡事不能單看表面，自以為表象就是真相。』」

「媽媽說得對！」見聞豎起拇指。

（十六）

週末，見聞乘坐火車南行，對著古典文學憋悶，觀賞一陣子窗外翠綠山嶺。他回望車廂，眼前一亮，陌生女子的裝扮與眾不同，一身漢服。據書本記載，她穿的是立領琵琶袖上衣，加上對襟小褙子，配搭百迭裙、繡花鞋，飾紋色彩淡雅，簡樸輕盈。見聞好奇，窺伺其服飾、髮式和傳統飾物，以及她的一舉一動。電話鈴聲響起，她從袖口掏出手機，部分乘客亦投以獵奇的目光，加以評頭品足。

「Hello⋯⋯」古裝人物說的是流利英語。

「她是何方神聖？」見聞困惑，收起書本，戴上耳機收聽音樂《Illusionary Daytime》。

（十七）

見聞批評爸爸：「他罔顧道義、唯利是圖，得不到益處的事情絕不沾手。他趨炎附勢、諉過於人，出賣朋友視作等閒。我覺得爸爸人格卑劣！」

「你怎可以這樣論斷？爸爸扮演小人而已。」媽媽斥責。

「對不起！他演繹得太逼真了，我信以為真。」

「難道你連爸爸的性情也不曉得？」

「我一時分不清真假。他不是配音員嗎？怎會做了舞臺劇演員？」

「他是配音員，也是業餘演員。」

舞臺落幕，觀眾均已散去，母子留在觀眾席等候。演員謝幕後卸妝需時，創生也不例外，過了好一會，他走下舞臺，來到妻兒面前，劈頭就問：「好看嗎？」

「我不喜歡你做小人。」見聞搶答。

「演戲豈能當真？」

「人們常說戲假情真，恐怕你是深藏不露的真小人。」

「別擔心，假的真不了。」

「這齣戲名叫《小人港》，你爸是男主角，當然要演活小人的角色。」媽媽插話：「情節諷刺事弊、笑中有淚，你應當讚賞才是。」

「爸爸，你演得很好很好——笑，令觀眾捧腹大笑，不過你自己無笑。」

「我幾乎忍不住笑出來，但演員要自制。」創生東張西望。

媽媽問：「你找誰？」

「沒甚麼。清場了，我們走吧。」

見聞邁開腳步即滑了一跤，通道上有一個小葫蘆樽滾動。

「葫蘆油！」爸爸脫口而出。

（十八）

譽對香港藝術中心一點不陌生，他過往是舞臺劇的活躍分子，在壽臣劇院演出無數。在上一個劇季，他參與《小人港》的綵排，擔當男主角，特別喜歡該劇本，嬉笑怒罵、發人深省。譽用心了解每次擔綱的人物性格和想法，揣摩行為，投入角色的生命，經歷不一樣的人生。他享受演練過程，踏上舞臺就可穿越時空，在有限的歲月閱歷無限。可是排演期間備受舌癌困擾，他不得不辭演，交由創生接替。演員體會的都是虛擬人物的虛幻人生，所以譽寵辱不驚。當悲劇情節不屬於劇本而屬於個人的時候，他要親身體驗實實在在的悲痛直至劇終。

以往，說話不僅是生活的一部分，還是工作所需。在配音和舞臺劇

的工作上，譽按照對白，不時口出惡言。有時與人口角，他怒不可過，運用了熟練的對白羞辱對方。譽慨嘆自己的舌頭用來得罪人，不理會別人的感受，結果惡有惡報。如今他幾乎說不出話來，「他」、「喇」等字無法發音，別人聽得辛苦，自身也吃力、尷尬。譽從此不想與人交談，免得開口，日漸失去了說話的興趣和能力。

（十九）

「媽媽，天空真奇怪，北面烏雲密布，南面卻藍天白雲。妳猜猜稍後我倆頭頂上是陰是晴？」

她抬頭一望即答：「漫天白雲吧。」

「可是烏雲迅速向南飄散，似要驅逐白雲。」

「不錯，形勢很明顯。」

「妳反而推測──」

「風雲莫測，我覺得凡事應該抱樂觀的態度，向好的一面設想。」

「猜錯的機會很大。」

「若然錯了，烏雲蓋頂也不壞，雨絲帶來涼意，浪漫舒暢，故此測中與否同樣開心。」

「豈不是阿Q精神？」

「還是樂天性格？天色不會常藍，壞天氣是預料之中。」

「反過來也一樣，悲觀的人作好最壞的打算也不壞。」

烏雲頃刻掩至，母子趕忙竄進涼亭，滂沱大雨接踵而至。亭內有兩張石凳，媽媽一坐下，不忘回應：「話雖如此，悲觀者凡事從負面著想，只會想到天色越來越灰暗。他們不會為藍天出現而喜樂，相反因結果與推測不符而失望。儘管天色放晴，他們的心情永遠陰翳。」

天色晦暗，雨勢加劇，見聞覺得媽媽過分樂觀。她住口賞雨，他倚柱閒站，發現當中一塊對聯旁邊有一隻蝸牛，如壁虎般攀附在垂直面上，緩緩地往上爬，遺下一條閃亮的足跡。

「媽媽，妳看，牠的殼與鳴門卷一樣。」

她望過去，附和：「連同腹足，好似一件壽司。」

「可移動的壽司啊！」

「有甚麼稀奇？不是有迴轉壽司嗎？」

「是的。媽媽，我想吃壽司，以及蝸牛刺身。」

「蝸牛有許多寄生蟲，不能生吃。」

「昨晚爸爸提及蝸牛刺身，他說非常美味。」

「不會吧。你聽錯了，他說的是和牛刺身。」

「和牛刺身也好，我想吃。」

「牛肉可能有寄生蟲或受細菌感染，生吃隨時食物中毒，甚至死亡，同樣不宜生吃。」

「爸爸也有吃。」

「其實他吃的是培植肉。」

「甚麼？」

「培植牛肉毋須屠宰，只要從牛隻提取幹細胞，將細胞培植，然後以3D打印技術製作成食物。」

「科幻小說家夢想成真了，食肉不用殺生。培植肉與宰肉味道一樣？」

「雖說培植牛肉也是真肉，但成本太高，外觀、色澤、質感和味道方面略遜宰肉一籌。」

「也就沒必要培植。」

「聽說培植肉可降低畜牧業的碳排放，減緩全球暖化，並有助化解全球糧食危機。若大量生產，成本自然下調。」

「因為培植牛肉沒有寄生蟲，所以爸爸可以放心吃牛肉刺身？」

「大概這樣。」

「媽媽，牛肉可以培植，牛舌亦然？」

「也可以吧。」她訴說：「如有培植舌頭，清理方面可省卻不少工夫。」

「人的舌頭可以培植嗎？」

「凡事都有可能，總不能拿來吃！」

「妳說到哪裡去？我想它能夠作為醫療用途。」

「與你何干？你想做醫生？」

「我想做神醫，專醫奇難雜症。」

「好！有大志。」媽媽開心不已，烏雲陸續消散，提議：「停雨了，去吃壽司？」

「不怕寄生蟲嗎？」

「吃就不要怕，怕就不要吃。以平常心看待食物。」

（二十）

創生初次擔當舞臺劇主角，譽好想捧場，但他不願再踏足劇場，思前想後，精神上支持算了。《小人港》公演前夕，晚飯吃得太飽，譽眼皮急墜，坐著打盹。自覺坐在便椅上，臀部不由自主下墜，身軀上下對摺，手指碰腳趾，整個人鑽入便桶裡。按鈕自行啟動，他被漩渦捲入深淵，淵底漆黑一片，伸手不見五指，感覺到浮沉打滾、窒息、周身酸痛。

「痛──不──欲──生！」譽有感而發，吐字異常清晰，與回音交疊，語音聽起來成了：「痛不痛──欲不欲生──生！」

此刻彷彿有一股洪流灌注深淵，將他承托起來。他張開眼睛，依然不見天日，暗自獨坐在幽晦的房間。他站起來撥開窗簾，晚風吹送，倍覺空虛落寞，徹夜遠望深不見底的夜空。曙光初現，驅走涼意，院舍的圍牆輪廓逐漸分明，它阻擋了視野，牆外的世界不得而知，然而磚牆頂露出嫩綠的竹葉。譽頓悟竹子空心卻挺拔剛強、生氣勃勃，反觀自己畏首畏尾，與外界隔絕，坐困愁城。創生既是愛徒，自當親身到場支持。

（二十一）

譽本來當男主角，熟悉《小人港》的劇情及一眾演員，他坐在臺下靜心欣賞。這齣劇反映現實，透過嬉笑怒罵的情節諷刺時弊，引得哄堂大笑。他看得開懷，發覺發笑比發聲輕易。演員即場表演，不容有失，他無緣演出，樂得無拘無束。譽聚精會神，留心每個情節，在意每句對白，關注每次配樂。他發現劇中新增了一首插曲，意想不到它將悲苦意味的歌詞配搭輕快的旋律，感覺不倫不類，完全感受不到哀傷的味道，故意營造反效果，切合該劇故弄玄虛的原意，傳揚從容面對哀傷的正面信息。

臨近尾聲，劇情變得緊湊，譽遽然頭痛、暈眩、視力模糊、舌根僵硬。他掏出藥油拭抹腦袋和鼻孔，閉目養神，然而不適加劇，他承受不了便抽身而退。他隨手將葫蘆油放入褲袋，扶著前排椅背跟蹌離去。

（二十二）

「爸爸很棒！我也想當配音員和舞臺劇演員。」

「你說過想當神醫，為何改變了念頭？」媽媽問。

「因為爸爸可以經常投入不同角色，比起神醫多姿多彩。」

「不錯，他的工作多姿多彩，我也羨慕。」

「媽媽，妳可曾想過當配音員？」

「配音員的嗓子要悅耳，咬字要清晰，我欠缺條件。」

見聞莫名其妙，她說下去：「媽媽有一個秘密。」

「甚麼秘密？」

「我先天『黐脷筋』。」

「黐脷筋！」

縱使在家中，她豎起食指，放到唇邊。兒子輕聲問下去，媽媽輕聲回答：「我的舌繫帶過短，限制了舌頭的活動幅度，影響到發音。」她說完，捲起舌尖，指著舌底。

「它就是舌繫帶？」

「嗯。」

「我從來不覺得妳說話有問題。」

「兒時接受『剪脷筋』手術。」

「『剪脷筋』好恐怖啊！」見聞嚇了一跳。

「簡單手術而已。」

「現在怎樣？」

她伸長舌頭，他發覺有點異樣，問道：「舌尖不是圓形而是心形？」

「手術前舌尖不能伸出口腔，現在心形舌尖和發音都改善了，但你爸有時會評論我的懶音。」

「我有懶音嗎？」

「你自小由爸爸教導吐字，若加以訓練，參加朗誦比賽必定名列前茅，對將來投考配音員也有幫助。」

他沾沾自喜，暗忖:「爸爸可以，我也做得到。」

（二十三）

親友稱讚爸爸單憑一張嘴足以養妻活兒，媽媽暗地裡取笑他「動口不動手」，四肢不及舌頭靈活。戀愛時她已經知道創生的弱項，他夾菜給她老是不穩，說是緊張所致。划舢舨談心時他越划越歪，老是偏離目的地，說是故意拖延時間。相反，媽媽是划艇能手，由她取而代之，完成爸爸未竟的任務。

爸爸放假，兒子建議郊遊，創生說膝患不便走遠路。媽媽念念不忘划艇，乘舢舨是折衷方案。他們來到人影疏落的汀九灣，急不及待租舢舨出海。海面風平浪靜，一家人在汀九橋下泛舟，輕鬆寫意。爸爸準備好漁具，教兒子釣魚，媽媽停下舢舨，打開鹼性飲品瓶蓋，一邊喝，一邊觀望毗鄰沙灘的弄潮兒。

見聞討厭漫無目的又漫長的等待，覺得垂釣枯燥無味，遠不及徒手活捉一條來得暢快。他看不見魚兒出沒，估計牠們正在大海深處游來游去，驀地想起昆明石林的「水世界」。

未幾烏雲乍現，狂風大作，雲朵速速挪移，如萬馬奔騰，霎時天昏地暗。冷雨簌簌而下，濡濕了衣物，海面泛起洶湧的波濤，舢舨顛簸不定。

「看！」見聞喊話。

三對眼睛一同遠眺，焦點投在遠處的一條雲柱，它在海面不停旋轉，頂端伸延至雲層。雲柱上闊下窄，恍若上層灰黑、下層灰白的漏斗，將海水倒灌上天。它急速移動，方向不明，全家都看得入神。

「危險！我們趕快上岸。」媽媽催促回航，爸爸操之過急，差點兒丟失船槳，她提示:「水龍捲在荃灣上空，尚有一段距離，先保持鎮定。」

創生冷靜下來，駕舢舨乘風破浪，返抵灘頭。他們匆匆擱下舢舨，走上沙灘，水龍捲掩至，三人倉皇逃跑。

「趴下！」爸爸在背後呼喚。

母子齊齊俯伏在沙堆上，爸爸全身覆蓋著妻兒，事實上，他只守護兒子，因為媽媽比爸爸胖許多。父子偷看，它移向西面，直闖汀九橋的另一邊。

「水龍捲掠過麗都灣後無影無蹤。」爸爸率先站起來，吁一口氣。

「幸好大家平安無恙。」媽媽如釋重負，帶兒子到簷前避雨。她讚賞丈夫：「全靠你臨危不亂。」

他受寵若驚，上前慰問兒子：「你看來沒有受驚，勇敢的孩子！」

「為何要吃驚？水龍捲過來更好，載我上天空。」

父母責怪：「傻孩子！」

（二十四）

創生上班，錄音室彌漫著一片愁雲慘霧，男同事皆一臉哀傷，垂頭無語，女同事相擁而泣。他想問個究竟，領班先開口：「譽哥走了。」

「怎會這麼突然？」創生錯愕。

「聽聞上星期他觀看舞臺劇期間不適，中途離場，後來送院救治，因『腦出血』身故。」

他心中一凜，腦海浮現故人的模樣，譽哥似被旋風捲上天，一去不回。

（二十五）

譽的死訊深深打擊交情匪淺的同事，他們情緒低落時偏偏要為諧趣劇集配音。職業司機失意也不能分心，確保駕駛安全，同樣地，配音員亦不能因私人感情影響工作。配音工作原本很愜意，抽離現實，活在劇中世界。弔詭的是此時夾在虛實之間，進退兩難。雖說專業配音員具備多重性格，喜怒哀樂應該收放自如，然而一下子要壓抑傷感，還要開懷大笑，實在強人所難。情感豐富的配音員硬要自我抑制豐富的情感，無疑是莫大的苦差。

創生整天演繹別人的故事，夜闌人靜時才可獨處思念。他坐在客廳窗臺乘涼，妻子勸他早點休息，他沒理會，繼續喝悶酒。他默默凝望低

垂的夜幕,想到幕前演員大都入睡,幕後有演員一睡不醒,並非演戲,真的長眠。人生如戲,創生見識過譽哥的真人 SHOW,未到壓軸好戲就閉幕了。戲沒完沒了,揭幕演出平常不過,人人沒有劇本,未經訓練均要演下去。演得出色不一定名成利就,淪為配角比比皆是,毫無演技反而擔當主角亦不足為奇。人生就是如此荒謬,鬧劇連場。演得失色的話,不一定有重演的機會,人生無 take two,不得 NG,一 take 過。

　　譽哥曾自嘲:「回首大半生,做人多過做自己。」創生自己何嘗不是一樣。他懷念故人的聲演,念念不忘其嗓音,閉目回味。他一張開眼便發現一隻飛蛾,不禁聯想到靈魂附體的古老傳說。可是這隻飛蛾沒有撲向燈火,一直停留在窗臺邊緣,他仔細看清楚,牠不是飛蛾,乃是一片鉛筆屑。

本創文學 77

文學懼蛀

作　　者：孜 扶
責任編輯：黎漢傑
封面設計：Gin Wong
法律顧問：陳煦堂 律師

出　　版：初文出版社有限公司
　　　　　電郵：manuscriptpublish@gmail.com

印　　刷：陽光印刷製本廠

發　　行：香港聯合書刊物流有限公司
　　　　　香港新界荃灣德士古道 220-248 號
　　　　　荃灣工業中心 16 樓
　　　　　電話 (852) 2150-2100 傳真 (852) 2407-3062

臺灣總經銷：貿騰發賣股份有限公司
　　　　　　電話：886-2-82275988 傳真：886-2-82275989
　　　　　　網址：www.namode.com

新加坡總經銷：新文潮出版社私人有限公司
地址：71 Geylang Lorong 23, WPS618 (Level 6), Singapore 388386
電話：(+65) 8896 1946 電郵：contact@trendlitstore.com

版　　次：2023 年 3 月初版
國際書號：978-988-76891-6-4
定　　價：港幣 198 元 新臺幣 760 元

Published and printed in Hong Kong

香港印刷及出版